NAISSANCE D'UNE PASSION

Et si l'histoire de *Naissance d'une passion* était celle d'un unique et premier regard ? Celui que jette Axel à sa cousine Mariane, dans le bois des Fées. Ce regard va décider de tout son destin. En 1946, Axel est encore dans le ventre de sa mère d'où il affirme avoir un point de vue très dégagé sur le monde qui l'entoure, la villa Providence au bord de la mer à Royan et la famille au sein de laquelle il s'apprête à naître.

Toute son enfance, il ne cessera de désirer Mariane et de s'opposer à Bayard, le frère aîné et ténébreux de celle-ci, ainsi qu'à tout ce qui fera obstacle à un aussi coupable amour. Heureusement, Axel a quelques alliés : un ours en peluche médium, le Baron rouge, un cousin aussi ambigu que son double prénom, Pierre-et-Paul. Et un grand-père, Alexandre, filou et solennel, qui dénonce le déclin de la France, l'oubli de Montaigne et la traîtrise des vins de Bourgogne.

La seule immoralité d'un tel bonheur est que cet amour interdit ne pâlira pas, ne reculera pas devant le temps et que, des jeunes années de Providence au parc d'Effondré, vingt ans plus tard, ni Mariane ni Axel n'y renonceront, ne s'y habitueront.

Michel Braudeau est né à Niort en 1946. Journaliste au Monde, *il vit à Paris.* Naissance d'une passion, *cinquième roman de l'auteur, s'est vu décerner le prix Médicis en 1985.*

Michel Braudeau

NAISSANCE
D'UNE PASSION

ROMAN

Éditions du Seuil

TEXTE INTÉGRAL

ISBN 2-02-025784-X
(ISBN 2-02-008892-4, 1ᵉ édition brochée
ISBN 2-02-009470-3, 1ᵉ publication poche)

© Éditions du Seuil, septembre 1985

A mes parents

*A Jim Bresson
et Camille Masson*

BALLICEAUX

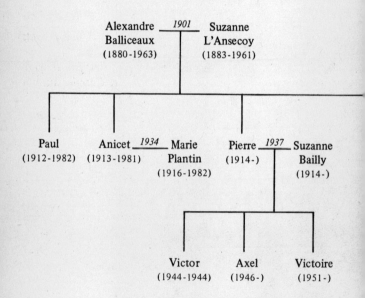

Alexandre Balliceaux (1880-1963) — *1901* — Suzanne L'Ansecoy (1883-1961)

Paul (1912-1982)

Anicet (1913-1981) — *1934* — Marie Plantin (1916-1982)

Pierre (1914-) — *1937* — Suzanne Bailly (1914-)

Victor (1944-1944)

Axel (1946-)

Victoire (1951-)

GELLICEAUX

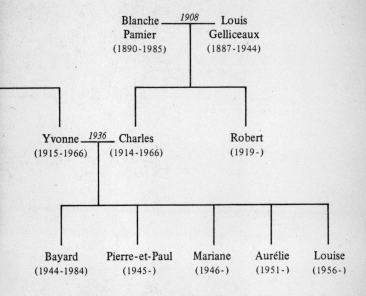

Blanche Pamier (1890-1985) —— *1908* —— Louis Gelliceaux (1887-1944)

Yvonne (1915-1966) —— *1936* —— Charles (1914-1966)   Robert (1919-)

Bayard (1944-1984)   Pierre-et-Paul (1945-)   Mariane (1946-)   Aurélie (1951-)   Louise (1956-)

I

PROVIDENCE

I

Ange, retourne-toi, regarde par-dessus ton épaule ce couple enlacé, les jambes relevées de ma mère dans cette chambre où j'imagine mon père, sombre, puissant, costumé de noir comme un acteur, pénétrer ma mère, disparaître en elle comme une illusion, se fondre dans le chaud cimetière où dorment tous les frères que je n'ai pas eus, revois la maison Providence, celle des nuits et des prodiges qui précédèrent ma naissance, retourne-toi vers les orages, dans l'ombre et la lumière tour à tour, toi qui figures, saint visage de l'Europe, sur un carton balayé au fusain par Suzanne L'Ansecoy, la mère de mon père, un jour en Champagne devant la cathédrale de Reims, toi qui veilles dans un cadre de bois, pendu à un clou dans le salon où somnole et rêve en ce printemps 46 l'autre Suzanne, ma mère, face à l'Océan, tandis que dans l'océan de son ventre tout commence, croit-elle, sa main reposant sur sa peau distendue par l'enfant à venir. Au commencement est ma verge, ma fusée, la virgule intouchable, innocente de son fils, tatouée dès l'avant-vie, alors que la brise envahit le salon, courant sur la mer grise, courbant le bouquet de tubéreuses à son chevet et la vapeur qui s'échappe de la théière cuirassée de dragons bleus, à laquelle elle vient de renoncer, le pot de terre vernie frappé de la marque indélébile d'un Chinois, posée de biais avec la tasse sur

13

une pile instable de livres immuables, classiques annotés à la reliure décousue. Ange, écarte encore un temps le séducteur du suicide qui rôde autour de moi nuit et jour, mon spectre, repousse à plus tard son tyrannique rendez-vous, pour l'instant j'ai trop à faire : dire le profil de ma mère assoupie dans le salon de l'océan, villa Providence, deviner le rêve qu'elle fit peut-être à ce moment au sujet de ce fils qu'elle portait, de sa verge têtue.

La famille du Marais, ceux qui vivaient orgueilleusement au-delà de Mornac, au milieu de la vase et des parcs à huîtres, était venue la veille annoncer la naissance imminente de l'enfant qui allait être Mariane. Leur voiture, une Delahaye bleue, s'était arrêtée en bas de Providence, la maison des Balliceaux côté mer, ceux du large et de l'extravagant, pour ce message : une fille était en route chez les Balliceaux du Marais. Je dois à l'excellente qualité de l'ouïe de ma mère, et de la mienne en l'occurrence, d'avoir entendu distinctement ce soir-là les propos de l'oncle Paul Balliceaux et de son frère Anicet, disant en courtes phrases, comme un défi, que leur sœur Yvonne était enceinte, à peu de jours près autant que ma mère pouvait l'être, et que selon la vieille Suzanne L'Ansecoy qui avait tout pressenti dans un rêve ce serait une fille, une brune qui en ferait voir à plus d'un; et si elle, ma mère, Suzanne la seconde, couvait un garçon, elle aurait tout intérêt à le préserver de cette cousine, qui n'en ferait un jour qu'une bouchée. Sous l'insulte je m'étais retourné brusquement au-dedans de Suzanne; Paul et Anicet avaient interprété son gémissement à leur avantage, comme un signe de détresse probable, et abrégé leur entretien.

Ma mère, allongée sur une méridienne tendue de vert, couleur de ses yeux, des miens, s'était endormie peu de temps après. Je l'entendis autour de moi reprendre son souffle, ralenti dans le sommeil, mais encore irrégulier.

Elle était plus effrayée que moi pour l'heure et serrait dans ses mains l'étoffe de sa robe sans ceinture, cherchant confusément à me protéger, ignorant que je voyais par ses yeux, que j'entendais par ses oreilles, sentais par son nez, par tous les canaux de son corps, tels que l'on peut les voir décrits sur tant de planches anatomiques à l'usage des écoliers, où la mère tranchée en deux de haut en bas ne saigne ni ne souffre, sourit même, esquisse un geste un peu vague de statue, un index pointé vers le bas, en avant (appelle-t-elle un chien?), son bébé lové en elle, intact, le chéri, sauvé on ne sait comment du fatal scalpel pédago-gique qui vient de rendre sa mère parfaitement inutilisable, pire, inhabitable, petite larve entortillée dans son cordon ombilical, comme un cosmonaute culbutant malgré lui en apesanteur, dans une cabine filant vers la Lune, une grosse chenille aux yeux clos, à croire qu'il dort toujours ce passager inconscient, bien au chaud entre les vertèbres du dos et l'os iliaque, matelassé par la vessie, les reins, cinq ou six mètres de tripes et au plafond de sa chambrette le ballon de l'estomac. Je peux dire que pour moi il n'en fut rien. Je ne suis pas le fils de ces tableaux d'écorchés où l'on martyrise l'image des femmes à la hache, où l'on déballe çà et là des cerveaux, des cœurs aux aortes tron-quées comme des queues d'artichaut, des poumons creusés de fenêtres bien propres où plongent des flèches explica-tives, plèvres, bronches, alvéoles, où l'on sectionne dans le sens de la longueur l'appareil génital des pères, des testicules au méat, sans laisser la chance d'une ombre au corps caverneux, qui pourtant suscite chez beaucoup un intérêt légitime pour l'obscurité moite des grottes; je ne suis pas de ceux qui auraient laissé pénétrer des caméras miniaturisées en bout de sondes souples pour une visite guidée de l'intimité de Suzanne. Sans prétendre que j'allais, tel le capitaine Némo, d'un pas gaillard à l'intérieur de mon royaume prénatal, tirant sur mon cigare, pianotant quelques mesures de toccata sur les orgues lombaires, jetant un coup d'œil par le hublot de l'ombilic ou lançant des ordres d'une voix de rogomme par le haut-parleur vaginal, ni que j'avais le moindre vêtement, ni surtout un uniforme, encore moins le grade de capitaine, j'étais néanmoins très éloigné de la situation végétative du bébé congelé qu'on donne si souvent à voir et qui à dire vrai pourrait tout aussi bien baigner dans le formol que dans cette fausse antichambre, cette virginité insensée qu'explique seule l'obstination de la religion chrétienne à vouloir qu'il y ait une page blanche avant toutes choses, un silence pour porter le Verbe du commencement des temps. Au contraire, j'étais, me semble-t-il avec le recul que me donnent trente-sept années désormais passées hors de ma mère, dans un beau salon capitonné de rouge, à larges banquettes lumineuses, et bien qu'inexplicablement accroché au lustre, j'avais un regard assez net sur l'extérieur et je comprenais ce qui se disait autour de moi, même si la position utérine ne se prêtait pas toujours bien à mes tentatives d'observation, et de ce fait déformait certains aspects de ce monde. Après tout, je n'avais que deux yeux pour coller à ceux de ma Suzanne et je n'étais pas comme la mouche aux dix mille facettes, exécration diabolique et volante, capable d'enregistrer en une vue sphérique, panoramique tout l'horizon, le ciel et la Terre. D'où nombre de lacunes dans ma compréhension des choses, dont je pensais qu'une fois né il me serait bien plus facile de les considérer dans leur entier; car je ne doutais encore pas qu'il y en eût d'entières ici-bas, parmi toutes celles dont j'apprendrais qu'elles étaient depuis toujours cassées.

J'avais ainsi un aperçu relatif de mes oncles paternels, Anicet et Paul, et de leur voiture bleue, que ma mère avait vue par la fenêtre venir du Marais au nord, zigzaguer

sur la route éventrée par les bombes, au milieu des ruines
de la guerre, et longer le bord de la plage. Mais je n'étais
pas vraiment informé de ce qu'était une automobile, je
sentais plutôt la tache bleue contenant mes oncles comme
un insecte, une menace, se déplaçant lentement sur la
rétine de Suzanne, et mes oncles eux-mêmes gardaient
quelque chose d'opaque dans leur allure, leur façon de
parler, leur accoutrement. Paul, l'aîné des fils Balliceaux,
avait perdu dès la trentaine la plupart de ses cheveux sur
le front et le sommet du crâne, ce qu'il compensait par la
culture à l'horizontale d'une forte moustache. Il avait une
belle voix, un teint mat et des yeux bruns qui se plissaient
dans le sourire avec beaucoup de douceur. Le rôle d'aîné
et les responsabilités qui s'y attachaient ne lui plaisaient
guère, mais il ne s'y dérobait pas non plus. Simplement,
une sorte de bonté l'empêchait d'être tout à fait autoritaire
ou de parler haut comme aucun de ses parents. De taille
moyenne, il avait une façon de se tenir droit dans son
costume de velours marron et de regarder en face les gens
qui lui valait d'abord le respect des hommes; bien à regret,
ensuite, pour la plupart d'entre eux, car la manière franche
que Paul avait de dévisager les autres s'adressait surtout
aux femmes, ne s'arrêtant sur leurs compagnons que par
courtoisie ou pour les amadouer, les anesthésier le temps
de circonvenir l'épouse, la fille, la sœur, la fiancée – le
nombre des conquêtes de l'oncle Paul variant selon la
saison (déjà le tourisme astreignait l'indigène) autour de
la centaine de femmes qui habitaient ordinairement la
commune de Saint-Georges-des-Coteaux, dont Paul était
le coq et le maire. Assez toléré des maris du village, car
il s'était fait une règle de ne rien dire au sujet de ses
bonnes amies, Paul ne tournait jamais les cocus en ridicule,
ne leur ôtait en rien son amitié quand il en avait déjà
pour eux, et surtout ne faisait pas d'enfants. Paul était

célibataire et, s'il avait à un moment ou un autre contrôlé toutes les filles et les mères de son ressort administratif, n'avait jamais été père. Il ne s'expliquait à personne de ce don mi-suave, mi-amer, bourrait sa pipe chaque fois que la question des femmes et du mariage se profilait dans la conversation, et collait le feu au tabac enfourné en prenant soin de mettre au-dessus du brasier de caporal sa boîte d'allumettes comme un clapet de cheminée pour en moduler l'ardeur. On pouvait suivre le cours de ses émotions aux pulsations qu'il imprimait ainsi à l'incendie de son gros gris, mais ces nuages de fumée étaient aussi sibyllins que des dialogues entre Indiens de tribus étrangères, et on ne savait pas souvent à quoi Paul répondait de cette manière, ni le contenu de son message : peut-être l'ai-je eue celle-là et celle-ci et cette autre, et alors ? Peut-être aurais-je aimé moi aussi un fils ou une fille, mais de laquelle ? Vous ne saurez rien. Qu'importait, tout le monde aimait Paul, qui était un fermier bourgeois distillant lui-même son cognac, paresseux pour ne faire honte à personne et discret pour ne pas faire de jaloux. Et si les gens de Saint-Georges-des-Coteaux l'avaient élu maire, c'était aussi qu'ils reconnaissaient son talent viril dans l'exercice d'un mal nécessaire aux ménages trop longtemps constitués.

Anicet et Marie non plus n'avaient pas d'enfant. La faute, s'il y en avait une, l'inconvénient, préférait-on dire, était sans doute du côté d'Anicet, d'on ne savait quoi dans ses glandes qui ne fonctionnait pas comme il aurait fallu. Et on l'imaginait, ce rouge Anicet, médecin vétérinaire, toujours le bras fourré au tréfonds d'une vache ou la main gantée en train de seringuer une truie récalcitrante, malheureux et convulsé à l'heure de faire lui-même l'étalon auprès de Marie, sachant qu'il n'envoyait que des pépins morts dans le bocage de son épouse, des coups pour rien, et si elle ne lui en tenait pas rigueur, lui ne pouvait se

regarder qu'avec une perplexité hostile qui perçait à
l'occasion en bouffées colériques. Il n'y avait, hélas, aucune
raison de croire que la fatalité s'acharnait sur les descen-
dants de Suzanne L'Ansecoy et d'Alexandre Balliceaux.
Après tout, qui savait si Paul n'était pas resté garçon
volontairement, par une adresse à se retirer ou tout autre
moyen de contraception délibérée? Yvonne avait déjà un
garçon de deux ans, Bayard; et Pierre, mon père, avait
perdu auparavant un fils du nom de Victor, qui aurait dû
être mon frère et n'avait vécu que six jours. C'était peu,
mais c'était. Yvonne se trouvait enceinte des soins de
Charles, en même temps que ma mère l'était de ceux de
Pierre. Anicet ne pouvait s'en prendre qu'à soi, ce qui ne
le menait pas beaucoup plus loin qu'une grande mauvaise
humeur quand il avait de l'énergie et une vraie tristesse
quand il avait passé sur Marie son humeur.

De mon père, je savais beaucoup et peu. Il est sans
doute dans l'usage qu'un fils voie moins clairement son
père que tel oncle ou tel ami de la famille. Sa voix
m'impressionnait, même lorsqu'il murmurait, ainsi que son
regard noir et doux, ses sourcils larges et ses cheveux
bruns. Quel qu'il aurait pu être, même petit et blond ou
gros et chauve, son intimité avec ma mère aurait suffi à
m'en imposer. Les baisers dans son cou, les conversations
à voix basse, sa main sur ses seins, tout m'était aussi une
caresse. Et comme ils s'arrangèrent pour continuer à faire
l'amour assez tard dans le temps de ma conception, je
peux attester de la vigueur de mon père. J'étais trop petit
pour juger de son organe, il était simplement immense,
comme si de l'autre côté d'une cloison de soie tendre,
d'un paravent de chair tiède, un tigre furieux se fût efforcé
de tout briser jusqu'à moi, ou un de ces poissons de grande
dimension, comme j'en verrais plus tard des bancs écu-
meux, bondissant au large de Providence. Mais, comme

eux, il ne passait pas tous les jours, et les apparitions de l'orque ou du marsouin paternel étaient sujettes à des phases migratoires dont j'ignorais le calendrier. J'eus le loisir de le constater dès avant ma naissance, mon père était souvent absent pour de longues périodes, plus absent que la plupart des pères auprès de leurs enfants, et je ne savais pas ce qui l'occupait au loin. Tantôt la conversation roulait sur les affaires du pays ou les querelles de la famille, tantôt il y passait des trains, des avions, des hordes d'ouvriers étrangers dans des paysages arides et j'hésitais à comprendre si mon père était diplomate, capitaine, explorateur, toutes activités soumises à d'incompréhensibles, d'ingouvernables décrets du climat. Tout ce que je pouvais noter, c'était la mélancolie qui prenait Suzanne au moment de son départ, ce venin froid injecté dans ses veines par l'amertume et qui me fut irrémédiablement transmis, poison permanent que la moindre douleur échauffe, et l'ardeur avec laquelle ils se retrouvaient, dont je faisais en quelque sorte les frais, mon sort dans leur étreinte n'étant pas d'être consulté mais épargné. Au pire, c'était une rude partie de balançoire comme je n'en connus que des années plus tard à la Foire du Trône. D'autres fois, c'était un embrasement si profond, si total, si pâmé de ma mère que je regrettais d'en être éclairé comme la Lune, en reflet, en contrebande. Je sentais que le plaisir de Suzanne était infiniment plus fort que tout ce que je pouvais me représenter, tout le bonheur que j'en avais découlait du sien. Mais quels que fussent mes efforts, il n'était pas dans ma situation de pouvoir mieux éprouver mon père qu'en m'accordant aux sensations et aux sentiments de ma mère, ce qui était, si l'on peut mesurer l'abîme, moins éloigné de l'impossible.

Quelques semaines avant ma naissance, la presse annonça le passage d'une comète à proximité de la Terre. Le phé-

nomène, un élément prodigieux lié à mon imminence,
jugea ma mère, serait visible dans nos régions dès la
tombée du jour, juste après le dîner. Plusieurs soirs d'affilée,
elle me véhicula sur la terrasse d'occident, en haut de
Providence, ainsi qu'une paire de jumelles de théâtre
rescapée de l'époque où les Balliceaux se rendaient au
Casino municipal de Royan, du temps où tout ce qui
faisait un vrai monde aux yeux de mon grand-père
Alexandre, les premières voitures, les villas de fantaisie,
les édifices publics chargés de statues allégoriques du
Commerce et du Jeu, toutes manières de dépenses confon-
dues, les chapeaux de paille le jour, les hauts-de-forme la
nuit, les saluts échangés d'un bord l'autre d'une allée en
front de mer, les plages intactes, trop sauvages encore
pour qui répugnait à se découvrir de ses vêtements, les
bateaux à voile rouge des pêcheurs, tout cela était dans
son éclatante harmonie d'avant et fut préservé par Alexandre
(selon un procédé dont il promit plus tard de m'expliquer
la découverte) dans son grenier, où ma mère avait emprunté
ces deux petites trompes de nacre qui lui permirent
d'approcher l'objet céleste de quelque cinquante mètres,
comme s'il se fût agi d'une actrice dont elle aurait voulu
apprécier la chevelure de tragédienne. Elle remuait beaucoup dans le fauteuil d'osier de la terrasse et se levait
souvent, comme si d'être debout lui eût permis une
meilleure vision; en fait elle était impatiente, comme
toujours je l'ai connue, et j'avais quelque mal à bien voir
la comète doublement filtrée, par les yeux de Suzanne et
les verres imprécis des jumelles. Une boule de feu prolongée d'un panache qui, le premier soir, la suivit à la traîne
comme par l'effet du vent, et qui le troisième soir se
présenta en avant du parcours de la boule, à l'inverse de
ce que je pouvais avoir l'habitude de remarquer sur une
tête de femme à bord d'une automobile, ou d'un drapeau

battant l'air, échappant ainsi aux règles qui régissaient la marche des mouvements à Providence comme dans le reste du monde, et me persuadant par là que la comète obéissait à une autre puissance, une autre logique, en quoi elle pouvait bien être dite prodigieuse et mériter nos stations attentives sur la terrasse. Elle ne mettait pas très longtemps à traverser le ciel de Providence et plusieurs fois nous sortîmes de table juste au moment où elle plongeait derrière la frange vert sombre de l'océan, qui s'illuminait à cet instant, du côté du phare de Cordouan, d'une brève transparence, d'une pâleur, comme si la mer n'eût été qu'un grand verre plein d'encre où nous flottions à la renverse chaque nuit. Vers la même période on recueillit un naufragé à Pontaillac. Un homme vêtu de noir, coiffé de noir, un prêtre pour la couleur, sinon les propos, car il délirait un peu, suite aux jours de jeûne dans sa dérive marine, tenant une lanterne à la main et accompagné d'un chien aussi noir que lui, grand comme un berger, mais sans rien qui donnât à penser qu'il eût perdu des ouailles ni qu'il s'en préoccupât : au moment où la barque s'échoua sur la plage, l'homme était trempé d'eau de mer, mais le chien bien sec et couché en boucle, la truffe sous la queue et la tête dans un rêve. On le sait parce qu'à l'abordage l'homme s'évanouit une première fois en laissant choir sa lanterne et le chien se dressa en sursaut.

L'homme ne fut pas en état de converser avant deux jours, il semblait avoir beaucoup de sommeil en retard et ne se levait qu'à demi titubant pour faire ses besoins et boire de l'eau douce qui lui avait tant manqué; mais le chien, qui fut observé comme une curiosité sans pareille par les gens de Pontaillac, ne dormit pas, se tint tranquille sur le tapis au pied de l'homme échoué, regardant les sauveteurs sans inquiétude et ne répondant à aucune question qui lui était posée. Comme certains avaient prétendu qu'il parlait et qu'on n'osait pas trop y croire, il y en eut beaucoup pour lui demander de dire quelques mots, soit pour s'étonner eux-mêmes, soit pour convaincre des incrédules qu'ils avaient alléchés et amenés dans la maison de l'Étoile, qui appartenait à de lointains cousins des Balliceaux, des cousins par une sœur d'Alexandre, sise – la maison – sur la rive nord de la conche, une étoile de plâtre dorée au fronton. Mais le chien paraissait tout à fait indifférent aux prières qu'on lui adressait et insensible aux remontrances comme aux divers moyens de tentation alimentaire qu'on essaya sur lui. Il fallut constater qu'il ne dînait pas et ne parlait guère. On ne fut jamais certain de l'avoir ouï. Alexandre pensait que ceux de l'Étoile étaient dupes d'une hallucination, ou qu'ils avaient monté toute cette histoire pour attirer des visiteurs. Il se rendit tant bien que mal chez eux, regarda longuement le chien éveillé et l'homme endormi ; il resta assis devant ce touchant tableau des périls de la mer pendant une bonne heure sans que le chien daigne formuler la moindre parole. Néanmoins, de retour à Providence et des années plus tard encore, Alexandre jura qu'il avait compris que ce qu'on racontait du chien n'était pas tout à fait un mensonge. Quant à l'homme on n'en disait rien, sinon qu'il dormait plus que de raison, mais y avait-il de la raison dans tout cela, sans doute non, et quand ils furent partis, l'homme et son chien, ma mère compta l'événement au registre des prodiges liés à l'enfant qu'elle portait.

Un autre se produisit à la Clisse, dans le hangar où Paul distillait son cognac. C'était un petit bâtiment de bois où trônait l'alambic de cuivre, scellé au-dessus d'un fourneau. Une paillasse surélevée à laquelle on accédait par une échelle servait de lit à Paul. Pendant les trois ou quatre jours que durait l'opération, le feu ne devait pas s'éteindre sous l'alambic, ni mon oncle s'assoupir plus de

trois heures de rang sans goûter l'élixir dans une tasse
d'argent. Au bout d'une demi-journée à peine, le hangar
embaumait le cognac et Paul était ivre, non de ce qu'il
buvait – comme tous les goûteurs il recrachait le contenu
de chaque tasse –, mais de ce qu'il respirait. Même en
hauteur, là où il dormait, les vapeurs d'alcool étaient assez
denses pour saouler un cheval. Après une nuit, Paul n'avait
plus que des gestes mécaniques, remettait une petite bûche
dans le fourneau, une fois sur deux ratait son échelle et
se couchait par terre après avoir réglé son réveil pour trois
heures de sommeil. C'est dans un état proche du somnam-
bulisme qu'il s'aperçut qu'on lui avait tiré un coup de
carabine dans le dos. Il n'avait pas eu d'abord de sensation
douloureuse, plutôt l'impression d'une grande claque sur
les épaules ou d'une marche loupée. Puis, une odeur plus
aigre se mêlant à celle du cognac, qu'il identifia comme
celle de la poudre, et enfin la perception qu'il venait, sans
bien s'en rendre compte, d'entendre une détonation juste
derrière lui. Mais comme tout résonnait formidablement
dans sa tête à cette heure, le bruit de la porte du fourneau,
ses propres pas, la sonnerie du gros réveil de cuisine blanc,
il ne savait plus très bien à quoi attribuer ce tonnerre qui
succédait à tant d'autres dans la tempête de l'alcool.
Cependant, il put constater le lendemain que sa chemise
lui collait désagréablement à la peau, le brûlait, et quand
en fin de journée il ouvrit la porte du hangar et commença
à dessaouler au grand air, il s'aperçut que sa veste en
velours, son gilet de cuir et sa chemise avaient plus ou
moins amorti une volée de plombs dont certains s'étaient
logés dans son épiderme, le faisant saigner abondamment.
Il eut la force d'appeler ses voisins, qui lui ôtèrent ses
vêtements et le plongèrent dans le lavoir au-dehors avant
d'aller chercher un médecin. Aurait-il été penché ou de
face par rapport à la fenêtre, il aurait été sans doute

aveuglé ou tué. A jeun, il aurait pu mourir de frayeur.
Ivre comme il l'était douze heures auparavant, il avait sans
le savoir adopté la meilleure défense possible : de tout son
long, immobile sur le carreau. Paul ne porta pas plainte
et dans un premier temps sembla se désintéresser totalement de savoir qui avait pu lui porter ce coup en traître.
Nul doute qu'avec sa connaissance des gens de Saint-
Georges-des-Coteaux il n'ait eu d'emblée son idée sur la
main qui avait tenu l'arme, mais il n'en dit rien parce
qu'il préférait régler ses affaires lui-même à l'heure qui
lui conviendrait. Alexandre fit quelques commentaires sur
les manières de célibataire de l'oncle Paul, mais ne poussa
pas ses critiques trop avant, considérant que son fils aîné
était quitte à peu de frais de toutes les cornes dont il avait
à sa façon rendu le port obligatoire sur l'étendue de sa
commune.

Auparavant un autre événement avait, sinon bouleversé
l'équilibre de la famille Balliceaux – elle n'avait pas souvent
l'occasion d'être en repos, encore moins en équilibre, sauf
autrefois, du temps dont parlait mon grand-père Alexandre
en faisant allusion au paradis de ses jeunes années et de
sa maturité, que les bombes et l'âge avaient brisé, ses
cannes martelant le sol lors de ces séances où il interprétait
l'ange déchu –, du moins failli en modifier la distribution.
Anicet avait annoncé, un midi de grande solennité à
Providence, que Marie son épouse était enceinte à son
tour. Alexandre, qui savait combien son fils et sa belle-
fille désespéraient de n'avoir jamais d'enfant, ne voulut
pas chagriner mon oncle en disant tout haut ce que chacun
pensait : ce n'était là que la dix-septième ou dix-huitième
fois qu'on lui faisait miroiter un petit-fils au bout de cette
branche stérile, le rouge Anicet, et il serait bien surpris
de voir Marie accoucher d'autre chose que d'un pet de
souris. Il se borna donc à lever poliment les sourcils et à

émettre un courtois « vraiment ? » avant de se clore lui-
même le bec d'un morceau de pain. Anicet, dans son
enthousiasme, ne vit pas tout ce que son père laissait
flotter d'ironie peu charitable dans sa façon laconique
d'accueillir la bonne nouvelle et décrivit avec émotion les
signes qui ne pouvaient pas tromper Marie, l'interruption
de ses règles, l'augmentation sensible de son tour de taille ;
des vertiges dès le matin, des envies imprévisibles de
sucreries, des migraines sans cause (sinon l'enfant, bien
sûr), des lubies pour trois fois rien à longueur de journée,
ce qui faisait beaucoup de lubies, soupirait Anicet ; ou, si
l'on regardait les choses comme Alexandre, beaucoup de
rien. Il était non moins clair que la joie d'Anicet comportait
une part de malice : si Marie avait un enfant, compte tenu
de ce qu'Yvonne, qui vivait au Marais, allait, dans la
compétition qui opposait Providence au Marais, égaliser
le point que ma mère s'apprêtait à marquer en ma personne,
ce serait donc du deux à un désormais, avantage au Marais.
Le premier fils d'Yvonne, Bayard, étant, par délicatesse
envers mon frère aîné mort prématurément, comme mis
entre parenthèses dans le calcul. Tout cela n'étant d'ailleurs
jamais commenté ni même formulé à haute voix par
quiconque, mais très suffisamment présent à l'esprit de
chacun pour qu'au discours d'Anicet ceux de Providence
se dissent aussitôt : et de deux. Ma mère estima un instant
qu'elle serait vraisemblablement mise à contribution dès
l'année suivante, mais n'y pensa pas trop longtemps, un
enfant à la fois, c'était bien assez, même en pensée. Au
reste, Anicet ne revint pas comme on aurait pu s'y attendre
sur cette grande affaire. Alexandre par la suite rapporta
qu'il l'avait vu faire grise mine quand il lui avait demandé
des nouvelles de Marie et qu'il avait su par Yvonne et
Charles qu'Anicet ne voulait même plus discuter avec
Marie des prénoms qu'ils aimeraient donner à la petite ou

au petit, comme ils l'avaient pourtant fait les seize ou dix-sept autres fois, lui opposant un bref « Ça ne sert à rien, je te dis ».

Enfin, des prodiges qui entourèrent ma naissance et que ma mère enregistra dans sa mémoire peu superstitieuse mais particulièrement en alerte pendant ces quelques mois, le moins surprenant ne fut pas la vision qu'eut Yvonne dans sa maison de Mornac où elle attendait de son côté Mariane. Il y avait plusieurs jours qu'elle était alitée, sur ordre du médecin qui craignait qu'elle ne perde son enfant, et elle ne bougeait presque pas de sa chambre, dont les fenêtres donnaient au sud vers le bois de Pontaillac. Selon Charles, qui raconta à Paul et Anicet ce qu'avait vu leur sœur, elle dormait à côté de lui cette nuit-là, ou plutôt c'est lui qui dormait, car elle était sortie du lit la première sous l'effet de la vision. Il est possible que le vin du dîner ait été cause de son réveil en effroi, ce n'était pas un de ces augustes, pieux crus de Bordeaux qui respectaient le buveur, selon Alexandre, mais un vin ennemi, perfide comme le vent de la Provence, un beaujolais entêtant, un morgon, bêtement acheté par Anicet et dont on pouvait tout redouter. Le cœur battant, la sueur au front, ma tante Yvonne s'était redressée sur ses coudes, avait fixé la fenêtre de sa chambre, s'était levée. A trois heures du matin il faisait nuit noire. Elle avait quand même reconnu distinctement le tableau de l'Ange de Reims qui se trouvait dans la chambre de ma mère à Providence; avait vu l'Ange lui sourire; aussitôt après, un jeune homme assis à une table pour un long repas à la lueur de deux chandeliers; enfin, silhouette sérieuse et grotesque, son père Alexandre lui était apparu avec trois bras. Après quoi elle jugea que c'était assez et se mit à crier à voix basse pour réveiller Charles qui, bien sûr, ne vit rien. Charles mit le sourire de l'Ange sur le compte du morgon; sans lunette astronomique et en tenant compte du bois, du relief, de la courbure de la Terre, Yvonne n'avait pu réellement voir ce tableau, à cette heure. Le jeune dîneur aux chandelles lui parut être comme un dessin de rébus signifiant qu'elle avait trop ou mal dîné. Paul haussa les épaules : comment avait-elle pu apercevoir « distinctement » quelqu'un de totalement inconnu, qui n'avait rien de distinctif, sinon de distingué ? Anicet pensa que l'on chargeait de beaucoup de griefs son pauvre vin. Et tous se turent quand il fallut aborder l'explication du troisième bras d'Alexandre.

Mon berceau était déjà prêt au sein de Providence, en son centre géographique, dans la chambre de ma mère. Je pouvais sentir la grande maison rayonner à partir de moi, un étage au-dessus, un autre au-dessous, sans compter la cave ni le grenier. Au premier où je me trouvais, mes parents occupaient une chambre, un salon et des pièces de service, salle de bains, cabinets, lingerie. Par la porte-fenêtre du salon ils avaient accès à la terrasse octogonale qui surplombait l'autre salon, celui du rez-de-chaussée, bordée d'un parapet blanc, et que l'on pouvait, si le vent de la mer n'était pas trop fort, ombrer d'un large store de toile rayée bleu et blanc. Dans les derniers temps, ma mère ne se déplaçait qu'à de rares occasions. On lui montait ses repas et on lui rendait visite à son étage. Elle ne faisait qu'aller de sa chambre à la salle de bains, du salon à la terrasse. Je l'entendais pousser des soupirs de fatigue ou de lassitude, elle trouvait le temps trop long, le soleil trop chaud. Elle lisait, je m'en apercevais à la manie qu'elle avait de marmonner parfois des noms ou des bribes de phrases qui lui plaisaient en cours de lecture, et aussi à certain bourdonnement cérébral, comme si j'eusse suivi de loin sur un écran imaginaire les péripéties du roman qu'elle tenait sur ses genoux, sans bien en saisir les personnages ni les épisodes. Elle contemplait la mer ou le papier peint de sa chambre, des nymphéas bleus sur fond vert, une curieuse évocation de l'eau douce, des étangs, dans ce pays salé, ou celui du salon, des marins luttant contre des dragons aux corps de serpent, aux ailes de chauve-souris, aux écailles pointues, dentelées, gothiques, des combats mythologiques sans doute choisis par mon grand-père dont l'humeur guerrière et fantasque donnait sa pleine mesure au rez-de-chaussée où il avait établi ses quartiers. Provisoirement, disait-il, en attendant de regagner le second étage – où il avait, sur le versant occidental de la maison, au-dessus de la terrasse, sa petite tour de guet – et surtout le grenier, son vrai royaume. Les difficultés qu'avait Alexandre à marcher certains jours (il lui fallait une canne, parfois deux quand ses rhumatismes devenaient trop douloureux) l'avaient incité à faire installer dans la cage de l'escalier central de la maison, qui manquait non de majesté mais d'ampleur, un minuscule ascenseur. Les travaux n'étaient pas achevés, mais selon les plans du constructeur, revus par mon père qui affirmait s'y connaître aussi en ascenseurs, la cabine serait au plus assez grande pour être remplie de la seule personne assise d'Alexandre. Au rez-de-chaussée, donc, régnait mon grand-père, tout particulièrement dans la bibliothèque attenante au salon octogonal, entre ses murs entièrement meublés d'étagères de bois sombre et de livres à tranches dorées, son plafond peint en bleu nuit avec quelques étoiles, légèrement bombé, figurant un faux ciel, seul digne d'abriter tant de papier illustre. Le salon s'ouvrait sur six côtés vers la mer, par six hautes fenêtres vitrées, et sur deux autres vers l'intérieur de la maison, la bibliothèque et la salle à manger. Les papiers peints des couloirs et du petit bureau de l'entrée étaient pleins de héros et de batailles, depuis Achille et Alésia, jusqu'aux explorateurs français de l'Afrique qui brandissaient leurs torches et leurs fusils dans les ténèbres autochtones, jusqu'à la porte de la cave, monde véritablement obscur où Alexandre choyait ses bouteilles et quelques loups-garous à l'usage des enfants qui plus tard menaceraient son grand âge. Je ne connaissais pas tous ces détails décoratifs alors que j'attendais dans le giron de ma mère de voir le jour par moi-même, mais j'avais, au-delà du premier étage, une impression d'ensemble de Providence qui ne se révéla par la suite ni fausse ni exagérée. C'était sur son rocher une forteresse, un lourd caprice de pierre bâti à grands frais. Mon grand-père tenait la maison de son père et n'avait fait que l'agrandir, surtout après la séparation d'avec ma grand-mère Suzanne, née L'Ansecoy, sous l'effet d'une de ces haines aux racines cachées qui divisaient depuis des lustres ma famille en cette région venteuse de la côte Ouest française, où la pierre est tendre, la lumière blonde, les palmiers exténués quand ils atteignent à peine quelques mètres de haut, les Charentes, ou, disait-on, la Saintonge. Un clan, le mien, vivait à Providence, dans la toute blanche maison perchée sur la falaise de Pontaillac, autour de mon grand-père et de son dernier fils, mon père Pierre, tandis que ma grand-mère avait choisi l'espace marécageux des parcs à huîtres, dont le domaine s'étendait de Mornac à Marennes, jusqu'à la mer, au-delà de la Côte Sauvage. Suzanne l'ancienne préférait le paysage doux, vénitien du Marais, Alexandre n'aimait rien tant que la vision immédiate de la mer, son air vif, excitant, le luxe de ses vagues par les jours de mauvais temps, quand aux marées d'équinoxe des paquets d'eau se brisaient sur les remparts de Providence, ornés de statuettes de pierre peinte, et que des gerbes écumeuses jaillissaient simultanément sur les six fenêtres du salon d'en bas, s'abattaient sur les doubles vitres, ruisselaient en abandonnant des fragments de goémon, parfois de tout petits crabes translucides, sur ces grands hublots rectangulaires, et que

30

le reflux de la mer, avant son nouvel assaut, donnait aux occupants du salon, assis face au déluge, un plaid sur les genoux, l'impression que Providence allait basculer, piquer du nez dans la lame grise et blanche qui ébranlait tout et masquait la colonne lointaine, massive du phare de Cordouan.

Une grotte creusait le rocher sous la maison et quand la vague bondissait d'assez loin à marée montante, et venait en frapper le fond d'un coup, d'un seul élan, toute la maison vibrait comme si on eût tiré le canon sous la mer. Alexandre descendait à la cave ou, s'il était trop embarrassé de ses mauvaises jambes, envoyait quelqu'un vérifier que le rocher restait bien étanche et que ni les réserves de bois ni surtout les précieuses bouteilles choisies et couchées par lui ne flottaient. Précaution inutile depuis qu'il avait fait consolider et cimenter le sol et les murs de la cave et renforcer l'étanchéité d'une petite porte épaisse en acier plein, comme un sas, qui donnait par un escalier sur la grotte canonnière. Mais l'entretien de la maison était infini, il fallait chaque année ou presque refaire la peinture extérieure rongée par le sel, calfeutrer sans cesse les fenêtres et les portes, resserrer tous les joints, faute de quoi ce n'était en hiver que des plaintes et sifflets graves jusqu'au grenier, et changer les fils électriques des statues qui portaient fièrement au milieu des moussons d'embruns le globe torsadé et laiteux de leur torche de verre.

La maison avait été construite en belles pierres et les planchers étaient séparés des plafonds par une couche de sable et un vide, ce qui faisait qu'on entendait mal d'un étage l'autre, sauf à proximité des cheminées ou de la cage d'escalier. Ma mère au moment de ma naissance vivait à Providence depuis plus d'un an après avoir habité à Rouen le temps de la guerre. Mon père avait commencé à voyager beaucoup et ma mère lui téléphonait longuement en parlant très fort dans le combiné. Je n'entendais pas bien la voix de mon père, seulement la sonnerie de l'appareil, le bruit de l'océan par la fenêtre, le timbre abandonné de la voix de ma mère. Alexandre était pourtant de bonne compagnie. Il pouvait selon son humeur distraire ou mobiliser les énergies de tous les habitants de la maison, mes parents, moi inclus, la bonne et le jardinier. Ce dernier s'occupait du petit enclos de roses et de gravier devant la maison, bien étroit en proportion de la bâtisse, mais la surface horizontale était maigre sur ce bout de rocher, et l'homme, un ancien marin, passait plus de temps, accroché à une échelle de corde, à vérifier l'état de telle fissure ou corniche entre deux accès de mauvais temps, qu'à soigner les fleurs. Il y avait souvent un ou deux invités, collègues de mon grand-père autrefois, professeurs d'écoles normales, mais qui n'avaient pas comme lui hérité d'une ou deux fermes bien placées permettant d'entretenir une folie maritime comme celle-là, sous le toit de laquelle, envieux ou ironiques, ils n'en dormaient pas moins. Ma mère passait l'après-midi avec lui quand elle parvenait à descendre sans encombre pour aller s'allonger sur le canapé du salon; ou bien c'était Alexandre, armé de ses cannes, qui montait l'escalier, chaque marche étant une étape assez rude pour qu'il la ponctuât d'un soupir et y posât les deux pieds avant d'entreprendre la suivante, en maugréant sur la trop lente construction de l'ascenseur qui selon lui le délivrerait du fléau de la pesanteur. Ils ne parlaient pas beaucoup, mais jouaient aux cartes, et tous deux l'écoutaient, lui, Alexandre, commenter la vie du monde telle qu'elle sortait toute moulue, sanglante et nasillarde du poste de radio en acajou massif, à rideau de tulle plissé rouge, où brillait, sans doute par défi à ce qu'il laissait passer d'inepte entre ses branches, un diapason stylisé.

Alexandre avait installé sa chambre dans son bureau, là

où sa propre mère était morte dans un petit lit recouvert
d'une broderie blanche au crochet et entouré d'images
pieuses, pour lesquelles mon grand-père n'avait que des
sarcasmes voltairiens, mais qu'il s'était au grand jamais
interdit d'ôter. L'une d'elles, dont je devais longtemps
méditer l'avertissement, « Nul ne peut servir deux maîtres
à la fois : Dieu et Satan », représentait un ange gardien
drapé de vert et de rouge comme un tapis de roulette, ailé
d'argent, désignant sur deux colonnes de vignettes antag-
onistes les avantages que l'on pouvait tirer de l'amour de
Dieu et les châtiments encourus par le pécheur conquis
par Satan. La colonne réservée à Satan, à la gauche de
l'ange, était la plus attrayante, avec un paysage de campagne
où volaient des nuages de coton au-dessus d'une verte
demeure. Un jeune homme s'en éloignait, son balluchon
sur l'épaule, d'un pas léger : le Fils prodigue. Il se rendait
vraisemblablement, pour être de si belle humeur, dans la
vignette au-dessous : à la nuit tombée, trois maisons y
étaient regroupées sur la place d'un village, un Théâtre à
façade grecque, un Café chantant aux fenêtres closes et
surtout, sous un chapiteau violemment illuminé, bondé de
mondains, un Bal, dont certainement la musique poussait
à tous les désordres la jeunesse mêlée aux robes écarlates
et aux queues-de-pie de belle coupe. A l'opposé, les
tableautins de la vertu éclairaient d'un jour pâle d'église
la dentelle blafarde des prêtres et des communiants age-
nouillés. Les conseils soufflés par Satan, serpent lové aux
pieds de l'ange, étaient bien lisibles : « Jouissez du présent,
il sera toujours temps de penser à l'avenir. Il faut que
jeunesse se passe. Est-ce un si grand mal de désobéir à
Dieu ? Mener joyeuse vie et mourir, n'est-ce pas tout
l'homme sur la Terre ? » A part, sur une console, Alexandre
avait placé quelques volumes retirés de la bibliothèque par
un privilège tout spécial, qui étaient ses livres de prédi-

lection, *la Vie de Rancé*, un *Choix de lettres* de Flaubert, les *Essais* de Montaigne. Sur la cheminée, un éléphant en bronze doré tenait le cadran d'une pendule à balancier dans sa trompe, une patte posée sur un rocher d'ébène, dans une nature patinée, réduite à quelques palmes sous son globe de verre. La table était encombrée de carnets, de registres et de feuilles volantes qu'Alexandre immobilisait dans une disposition intelligible de lui seul, au moyen de presse-papiers divers, allant de la sulfure pailletée d'or et de saphir à la douille d'obus proprement sciée et pacifiquement reconvertie.

La bibliothèque ne comptait que des livres à dos de cuir noir et des sièges de velours, outre un poêle de faïence et une échelle pour accéder aux titres placés en hauteur. Le salon octogonal recelait nombre de bibelots placés sur des guéridons entre chaque fenêtre, petites porcelaines de Limoges ou de Saxe, bonbonnières de Wedgwood, niaiseries pittoresques rapportées de séjours au Mont-Saint-Michel, à la mer de Glace. Parfois un des frères aînés de mon père venait du Marais à Providence pour dire à Alexandre que Suzanne voulait reprendre telle bricole oubliée chez lui, une broderie, une cuiller au souvenir de laquelle elle tenait. Car elle avait laissé la plupart des biens du ménage à Providence et préférait déléguer ses fils dans le rôle de messagers, d'huissiers récupérateurs de ses menus trésors, chacune de leurs visites étant un sujet d'agacement pour Alexandre (« Elle veut son poudrier, à son âge! Et ses photos de collège, avec toutes ses amies qui sont déjà mortes, elle les compte! Et moi, je devrais peut-être me faire empailler pour qu'elle puisse réclamer ma peau sans crainte que je la lui refuse? ») en même temps qu'une façon d'insister encore dans sa vie, sa mémoire.

Toutefois, elle parut oublier le tableau de l'Ange de Reims qui se trouvait dans le salon de ma mère, ce fusain sur carton qu'elle avait fait encadrer et dont elle ne demanda jamais la restitution. C'était de tous les objets qui m'étaient familiers dès avant ma naissance celui auquel j'étais le plus attaché. Il était situé sur un pan de mur qui recevait toujours la lumière, celle du jour ou, la nuit, celle d'une torche opaline brandie par une Vénus sur le parapet de la terrasse, qu'on laissait allumée « pour décourager les monte-en-l'air ». Ange, ton sourire sur la mer m'était un réconfort, tu le savais, mon protecteur, et quand ma mère trouvait enfin le sommeil, je te regardais encore dans le salon noir, moi le minuscule Axel insomniaque je te serrais dans mes bras amoureux, je t'avais élu pour frère, je connaissais déjà ta disgrâce terrestre, tes ailes amputées à l'endroit de tes rondes omoplates, ton duvet d'amant.

Vers le début du mois de mai, l'ascenseur fut enfin terminé. Il glissait le long de deux colonnes d'acier brillant, depuis le hall du rez-de-chaussée jusqu'au second étage, le moteur étant placé avec les poulies au niveau du grenier. La cabine était étroite avec des glaces biseautées sur chaque face. Une petite banquette de velours bleu permettait de s'asseoir, mais si l'on voulait manœuvrer les portes intérieures on ne pouvait y monter qu'une personne à la fois. Mon grand-père fut bien sûr le premier à inaugurer l'engin, avec d'autant plus d'impatience qu'il traversait une crise aiguë d'impotence. Il entra, une canne dans chaque main, à l'intérieur de la cabine qu'il emplit très bien, comme si l'ingénieur avait en fait conçu un sarcophage destiné à l'exhibition publique d'Alexandre, mais une fois assis, il s'aperçut qu'il ne pouvait atteindre le bouton de commande situé trop haut. Il essaya avec une de ses cannes, trop lourdes et trop grandes, et faillit briser une glace. L'ingénieur trouva dans le râtelier un petit jonc souple à la Charlot, et c'est ainsi que se réalisa une des visions nocturnes d'Yvonne, celle des trois bras de mon grand-père, puisqu'il ne prit jamais l'ascenseur qu'avec trois cannes, ce qui entamait un peu le prestige tout neuf de la machine miroitante, mais conférait à Alexandre une grandeur bizarre au moment de son élévation électrique au cœur de Providence.

II

Au début du printemps 46, ma mère recommença d'aller
sur la terrasse quelques heures par jour, dans une chaise
longue en osier dont le dossier s'appuyait sur deux roues
et qu'Alexandre désignait avec enthousiasme, lui qui ne
voyageait plus guère, comme un « transatlantique ». Le
vent qui accompagnait souvent la marée montante empêchait ma mère de lire, de retenir les pages affolées de son
livre. Aussi bien n'avait-elle plus de goût en cette période
pour les histoires écrites comme si toute son attention
s'était repliée sur moi, qu'elle achevait tant bien que mal
de préparer et dont elle se défendait déjà. J'ai tout de
même assez bien connu Suzanne le temps de sa grossesse
pour savoir qu'elle redoutait – de manière si peu raisonnable
qu'elle ne s'en ouvrit à personne qu'à elle-même et encore
à travers le filtre de rêves où j'entrais alors comme dans
un moulin, bien que je n'aie jamais vu qui que ce soit
entrer dans un moulin, c'est là sans doute une façon
d'indiquer la miraculeuse aisance qui délivre parfois un
geste simple de toute contrainte – que ma croissance en
elle ne s'arrêtât pas au terme prévu et qu'elle dût me
porter tant et plus, plus que de raison, se laisser complètement envahir. Et pourquoi pas? L'idée qui lui faisait
peur n'était sans doute pas pour me déplaire. Grandir
doucement sous sa peau, me placer en elle comme un

modèle dans une robe, une main dans un gant, l'investir, remplacer chaque gramme de sa chair par la mienne, chaque goutte de son sang, chaque circonvolution de son cerveau, par les miennes sans qu'on puisse deviner la substitution à l'extérieur, réussir ce que toute armée d'occupation a toujours voulu réaliser, une fusion discrète, totale avec sa victime. J'aurais ainsi fini par affleurer sa peau : comme on porte des vêtements de plus en plus légers à l'approche de l'été, j'aurais frôlé l'air libre et frais qui lui donnait la chair de poule. J'aurais pris sa place, toute sa personne, je me serais laissé pousser des seins, j'aurais réduit mon sexe, j'aurais fait tout ce qu'il aurait fallu, plutôt que de la quitter comme il m'était prescrit.

Vers la mi-avril, donc, nous somnolions sur la terrasse quand Suzanne entendit des voix s'élever d'en bas. Elle ouvrit les yeux et je fus ébloui par le soleil de l'après-midi. Les voix, Suzanne ne mit pas longtemps à les reconnaître, étaient celles de mes oncles Anicet et Paul qui se disputaient à quelque trente mètres de là sur le boulevard en bord de plage. Anicet portait des pantalons trop larges dans lesquels il semblait flotter, Paul avait son béret penché sur le front en visière. Ils discutaient une fois de plus des différents moyens de faire plier Alexandre sur la question du bois des Fées dont je compris bientôt qu'elle constituait le noyau le plus résistant de la querelle familiale.

– Une parcelle de même pas un hectare, disait Anicet, je me demande ce qu'il peut bien en avoir à foutre.

– La même chose que nous, ça il te le dira et c'est un argument.

– Un terrain dont il ne tire rien, rien que des pins...

Ils parlaient assez fort, une manière comme une autre de se faire annoncer sans avoir à tirer la sonnette, de faire aussi connaître à l'avance le but de leur visite à Alexandre.

Des mouettes volaient leurs paroles. Suzanne ne tendait pas assez l'oreille, j'aurais voulu augmenter le volume, tourner un bouton, mais le ressac des vagues brouillait régulièrement la réception des propos mécontents de mes oncles.

– Si encore il avait l'intention d'y construire une villa, quelque chose d'utile qu'on pourrait louer, mais il n'y a pas l'électricité. Le gaz et l'eau s'arrêtent à deux kilomètres. Il n'y a pas de route, juste un chemin dans le sable.

– Ce n'est pas la question. Tu sais bien que ce n'est pas la question, foutu médecin de vaches de mes deux.

– Médecin de vaches, oui, mon frère, et je n'en ai pas honte. Moi, au moins, on ne me tire pas dans le dos.

– Parce que je devrais en avoir honte, peut-être?

Paul s'arrêta face à la mer, la main sur le cœur. Son béret relevé en arrière sous la brise, l'indignation. On n'ignorait pas le théâtre, chez les Balliceaux, même s'il n'y en avait plus depuis le début de la guerre un seul qui fût ouvert dans tout le département.

– Qu'on me tire anonymement dans le dos, alors que je suis manifestement en état d'ivresse, cela devrait me faire honte à moi?

– Peut-être bien.

Le visage d'Anicet, ovale et dégarni, un visage mou que l'on qualifiait généralement de « débonnaire », pouvait aussi refléter une petite méchanceté bête, animale. Je reconstruis tout ça après coup, bien sûr, car Suzanne n'eut pas dans l'instant l'œil assez critique ou perçant pour distinguer ces détails sur la physionomie de mes oncles à mesure qu'ils s'approchaient de Providence, en proie qu'elle était à une convulsion brève qui me passait juste sous les pieds.

– Que je ne t'aime pas quand tu ressembles à tes cochons. Exactement la gueule d'un de tes cochons quand tu leur mets un doigt là où je pense.

– Deux doigts, toujours deux. Ça ne change rien au fait que ce bois est à Suzanne autant qu'à Alexandre et qu'elle a bien le droit de le vendre si ça lui plaît.

– Tu oublies tout, mon pauvre Anicet, ce serait trop facile, tu le sais, et la porte bleue, là-dedans, qu'est-ce que tu en fais?

A ce moment, Suzanne, la mienne et non celle qu'évoquaient Paul et Anicet, se leva et se dirigea vers sa chambre, son cabinet de toilette, pour un de ses besoins ordinaires qui me causaient toujours des frayeurs considérables et dont l'écho dans l'entonnoir de faïence blanche résonnait jusqu'en moi comme celui d'un bombardement sous-marin, d'un massacre. Ce n'est qu'un peu plus tard que je perçus la suite de la conversation entre mes oncles par les fenêtres du salon, juste au-dessous de la chambre où ma mère essayait de s'abandonner un moment au sommeil, ce qui ne m'empêchait nullement, je l'ai dit, de veiller quant à moi et de m'intéresser aux raisons compliquées des querelles et des alliances qui nouaient la famille où j'allais paraître. Je ne sus donc pas ce jour-là ce qu'Anicet trouva ou ne trouva pas à répondre au sujet de la porte bleue évoquée par Paul. Il devait s'agir d'un fait assez connu d'eux pour qu'ils n'aient pas besoin d'en dire plus, et peut-être même ne souhaitaient-ils pas prononcer d'autre mot que ces deux-là, « porte bleue », comme si ladite porte dût ouvrir sur quelque noir placard où personne ne désirait voir venir le jour. Je n'entendis pas non plus la sonnette tinter, ni la porte s'ouvrir, ni les bonjours échangés. Quand je pus de nouveau capter du fond de mon observatoire, à la faveur d'une accalmie de Suzanne, les voix de Paul et d'Anicet, celle d'Alexandre s'y mêlait.

– Sur trois fils, deux jean-foutre. Et c'est évidemment ceux-là qu'elle m'envoie. Pourquoi ai-je fait des enfants, moi? Pour avoir de quoi me gâcher la vie, des crétins pleins de santé qui viendraient me tirer le tapis sous les pieds une fois la vieillesse arrivée? Et ce tapis, toujours le même, fait d'un hectare et de quelques mètres carrés de poussière là-bas sur la côte. Des hectares grands comme celui-là, que dis-je, mieux que celui-là, il y en a à la pelle, mais non.

– Père.

– Taisez-vous.

J'imagine la tête des oncles au rez-de-chaussée, dans la lumière voilée du salon, les yeux baissés, alors qu'ils sont adultes depuis longtemps, devant leur père, embarrassés d'avoir à faire les commissions de Suzanne. Anicet a l'air d'un hippopotame, d'un morse. Non qu'il soit gros, mais il a des rondeurs imprécises; son pantalon ne flotte plus au vent, il pend comme une voile morte taillée dans un coton clair, trop large, d'une élégance soviétique. Sa veste en revanche, de même tissu, le serre un peu. La conversation avec Paul, la marche, l'émotion que lui procure cette visite, ont développé à l'endroit de ses aisselles deux lunes humides dont il est parfaitement conscient et qu'il tente de masquer en croisant les bras, ce qui lui donne une attitude absurdement autoritaire, dont il n'a pas la moindre ressource dans son caractère. Ses paupières ont déjà deux ou trois plis à trente-trois ans : un nuage de couperose l'enlumine à chaque changement de saison, selon l'explication qu'il se croit obligé de donner et que son épouse Marie colporte volontiers. En fait il a le cœur fragile, et un vieux paludisme attrapé dix ans plus tôt en Afrique-Équatoriale française ne le quitte pas plus qu'un remords élastique. Sous l'effet d'une dispute, d'une colère, il apparaît giflé de l'intérieur. Pour le reste il a les oreilles trop grandes qui vont avec son pantalon (je ne découvrirai qu'ensuite la logique de ces affinités, mais je n'ai pas attendu la lecture de certains livres pour en noter la stupéfiante, obsédante répétition chez la plupart des humains). Peu de cheveux restent sur le sommet du crâne, clairs comme ses yeux petits et bleus, rapprochés de façon inquiète en haut d'un trop grand nez. Tout le monde doit penser en voyant ce nez (quelle génération a-t-il sauté, celui-là, qui n'est pas fréquent dans la famille) qu'il l'a sûrement aussi longue et flasque dans son pantalon et c'est peut-être le soupçon qu'une telle idée puisse venir à l'esprit de ses interlocuteurs qui fronce ses sourcils en accent circonflexe, interrogateurs. Paul, lui, est plus calme, il porte ses costumes de velours marron tard dans le printemps, jusqu'à ce que la vraie chaleur se déclare, ce qui n'est pas le cas chaque année sur cette côte.

Paul est chauve comme son frère, comme Alexandre. C'est drôle, pense toujours Alexandre, que mes deux fils qui ont choisi d'aller avec Suzanne du côté du Marais soient déplumés comme moi, tandis que Pierre, mon dernier, celui qui est resté à Providence, a le cheveu coriace comme leur mère. Les cheveux des parents ne sont pas tombés de manière équitable sur la tête des enfants, ni la cervelle ni le reste, on tire vraiment dans le noir, à l'aveuglette, une folie quand on y réfléchit, mais à son époque on n'y réfléchit encore pas trop. Tout ce qui fait mou, mauvaise graisse, chez Anicet est ferme chez Paul : son cou large, ses cuisses rondes, ses pommettes et son menton, le nez camus qu'il tient d'Alexandre comme un moulage, tout est ramassé et puissant. Qui sait s'il n'a pas lui aussi le cœur vulnérable ? Il ne se plaint jamais, du reste, il est taciturne et souriant, ce qui dans le pays passe pour un charme. Il est l'aîné et ne baisse pas les yeux devant son père, il laisse Alexandre s'emporter sans répondre ni fléchir.

– Suzanne nous a souvent dit que le terrain du bois des Fées lui appartenait avant votre mariage.

– Mon petit Paul, ce terrain m'appartenait aussi avant notre mariage, c'est bien le problème et tu le sais. Nous avons hérité de ça ensemble. Une vraie pitrerie de notaire. Le notaire de Taillebourg, tu ne l'as pas connu.

– Mais, intervient Anicet, le notaire n'y était pour rien, il n'a dû faire que ce qu'on lui avait indiqué. De qui était le testament?

– Non mais, jusqu'où va-t-on remonter pour ce malheureux bout de forêt, je vous le demande. Ou plutôt je ne vous demande rien. Il n'est pas question de le vendre, ni de le partager, ni d'y faire construire quoi que ce soit. J'ai des projets.

Un bruit sourd indiqua la chute d'une canne. La maladie qui frappait Alexandre était des plus imprévisibles. Dans les moments de crise aiguë, il lui arrivait d'être presque immobilisé pendant quelques heures. Puis le mal se retirait pour une durée qui dépendait d'on ne savait quel caprice nerveux ou articulaire – Alexandre avait sans doute pour sa part des explications plus précises, mais il ne les communiquait pas, en raison de l'intérêt qu'il y a à souffrir d'un mal mystérieux pour autrui – et mon grand-père ne se servait plus que d'une canne, et encore pour la parade. Le jet d'une canne à terre était ainsi l'un des signes par lesquels on pouvait juger qu'il était particulièrement en bonne santé et d'humeur combative. Plus un mot ensuite. Mes oncles devaient considérer la canne (lancée ou tombée?) sur le plancher comme une sorte d'offense ou un ordre des plus formels d'interrompre net le débat. C'est malgré eux que l'on reparla l'après-midi du même jour de ce coin de sable que je supposais planté de pins, tapissé d'aiguilles, peuplé de petites fées inquiètes déposant leur obole de résine au fond des pots de terre où s'achevaient les longues saignées pratiquées sur les troncs.

Mon père était là. Il espérait un deuxième fils, un garçon

qui le consolerait d'avoir perdu Victor, mon aîné de deux
ans, paré à titre posthume de toutes les qualités que l'on
peut prêter sans risque à ceux qui sont partis, et il avait
obtenu des gens qui l'employaient de rester quelque temps
auprès de sa femme pour ma naissance. Dans la bibliothèque de Providence, il s'était levé lentement, comme
pour aller au salon ramasser la canne d'Alexandre. Comme
Paul, mon père Pierre était calme bien qu'il fût encore
jeune. Des trois frères nés d'Alexandre et de Suzanne
L'Ansecoy, Pierre était le plus beau. Un visage fin et
puissant, un regard et des cheveux noirs drus et ondulés
comme ceux de sa mère – c'était la marque incontestable
du sang laissé par les Arabes dans la Saintonge, l'Aunis et
l'Aquitaine, ces preux armés de la foi n'ayant pas dédaigné
de s'accoupler avec nos aïeules, contrairement aux Anglais
qui ne nous envoyèrent que des soldats et des négociants
en vins – et de plus une carrure d'athlète qu'il entretenait
par la nage et le canoë. Il avait eu une enfance batailleuse
parce que Suzanne avait tenu à ce qu'il conserve ses
cheveux longs et bouclés comme ceux d'une fille jusqu'à
l'âge de quatre ou cinq ans et que mon père ne se laissait
pas traiter de fille à l'école sans y aller d'une bagarre dont
il sortait vainqueur, triomphant dans son tablier ample
comme une robe, avec ses boucles défaites sur les épaules,
ses genoux écorchés et ses galoches prêtes à frapper.
Épisodes assez souvent narrés par Suzanne L'Ansecoy à
l'autre Suzanne, qui avait eu le bon sens d'épouser cet
ancien petit lutteur, pour que je m'en fisse du fond de
mon boudoir une représentation aussi précise que si j'avais
pu assister moi-même à la scène sous le préau. De son
adolescence Pierre disait volontiers qu'il s'était vivement
opposé à Alexandre et qu'il avait souvent souffert d'une
mélancolie sans objet. Les mœurs ne voulaient pas que
l'on s'efforçât de découvrir quelque objet de ce genre, et

aujourd'hui, alors que c'est presque une ardente obligation pour les mieux éduqués et tous ceux qui se piquent d'intelligence, on ne le découvre pas non plus, il est plus fugace que le furet et c'est même cette constance à décevoir, cette exaspérante façon de se dérober toujours qui semble bien prendre la place de l'objet, comme la chasse celle du gibier. Mélancolique donc jusqu'à son mariage qui fut heureux comme on n'ose plus en contracter de nos jours, un mariage d'amour qui coïncidait avec le début des grands préparatifs de la Deuxième Guerre mondiale (il ne faut pas dire « seconde », insistait Alexandre, cela exclurait l'éventualité, sur le papier s'entend, dans les mots, mais tout de même, d'une troisième : « Ne médisons pas de l'avenir »), ce qui dut aplanir tout de même, outre de nombreux bâtiments, bien des difficultés dans les ménages. Je crois, pour ce que j'ai pu en juger, que jamais la mélancolie n'abandonna mon père (même s'il m'en fit le cadeau au passage, ce n'est pas un mal qui s'use en se donnant, au contraire) mais qu'il prit l'habitude de la revêtir dans son esprit des habits gris du devoir, de la camisole de l'honneur et de considérer lui-même ses propres accès de tristesse comme autant de soucis professionnels, la marque flatteuse somme toute – et surtout pas alanguie, féminine – du sérieux. Le plus jeune était donc le plus grave et le plus bourgeois des fils Balliceaux. Il n'était pas encore riche, mais au moins courait-il le risque de l'être un jour en ayant suivi des études qui faisaient de lui ce que l'on appelait, d'un mot prometteur, un « ingénieur ». Son costume était de confection, ce jour-là comme tous les jours de l'année, d'une coupe citadine qui le plaçait immédiatement à des années-lumière de ses deux frères rustiques, Anicet qui consultait essentiellement chez les fermiers et Paul qui en était un lui-même. Tenant un journal à la main, un journal financier imprimé à Paris, l'autre main glissée dans une poche de sa veste croisée, je vois mon père quitter la bibliothèque et ouvrir la porte du salon. Il constate la chute de la canne paternelle, va pour la saisir, s'en garde aussitôt, reprend la conversation là où Alexandre l'a laissée tomber :

– Quel projet pour ce terrain?

– M'y promener, c'est tout. Ne rien toucher, ne pas couper un arbre, ne rien planter, laisser faire. Toute cette côte en a assez vu comme ça, vous ne croyez pas? Les Allemands, les Alliés, on ne va pas y envoyer votre mère en plus. Que je m'y promène, moi, quand mes jambes me le permettent, c'est bien assez pour cette pauvre nature. D'ailleurs je ne fais jamais qu'y passer.

Anicet et Paul regardent Pierre en silence, ils se demandent qui va oser aborder la question du bois des Fées autrement que sous l'angle de la promenade qu'y effectue parfois Alexandre dans ses moments de grande énergie ou d'amour soudain des arbres. Ils savent bien que Pierre se moque totalement de ce terrain qu'il n'a pas vu depuis longtemps et que les méandres du contentieux foncier ne le concernent pas. Il vit sous le toit d'Alexandre mais n'en a pas pour autant rejeté sa mère : en fait aucun des trois fils, ni Yvonne, n'approuve le désaccord des parents Balliceaux. Ils n'y peuvent rien, c'est tout. Ils n'en comprennent que des fragments qui ne tiennent pas ensemble avec beaucoup de rigueur. Qui sait si les mots « porte bleue » feraient sur Pierre le même effet de lourde dalle qu'on entrebâille sur un caveau? Pierre ne dit rien. Son regard croise celui d'Anicet, très vite, puis de Paul qu'il aime beaucoup, son grand frère qui a fait le coup de poing pour lui, à l'école le premier jour qu'il y est allé, et qui ne s'est pas marié parce qu'une famille de Taillebourg avait juré que jamais ses filles n'iraient avec aucun Balliceaux; et l'avait juré depuis la révocation de l'édit de

Nantes et rejuré du temps du petit père Combes, bien que les Balliceaux aient depuis longtemps laissé les problèmes religieux mourir entre eux de leur belle mort, comme la foi, et qu'on fût athée dans la famille sans pour autant haïr les prêtres; mais la haine d'en face pouvait s'appuyer sur bien d'autres motifs et prendre dans l'Église un prétexte assez avouable de soutenir une cause dont personne n'aurait pu retrouver les origines. Paul avait dû renoncer. Et lorsqu'il voit Pierre se marier et devenir père, ça l'émeut plus qu'il ne peut le dire, surtout là, dans ce salon, à cette heure où Alexandre vient d'escamoter un vieux sujet de guerre civile avec un geste magique de sa canne digne d'un sorcier africain, un silence qui en impose à ses trois fils et qu'il rompt, après une longue minute où son autorité s'impose, par une prophétie dont je suivrai plus tard à la lettre l'énoncé :

– D'ailleurs, le bois des Fées, je le garde pour l'enfant de Pierre et Suzanne. Il s'y promènera plus tard, que ça lui plaise ou non. Voilà. Vous ne restez pas dîner, je pense ?

*　　*
*

C'est très peu de temps avant ma naissance que mes parents décidèrent de me nommer, si j'étais un garçon, Axel. Sans doute pour laisser à Alexandre le panache unique du conquérant dont il avait eu dans sa jeunesse l'intrépide sûreté de soi, mais aussi par manière de calembour pour me désigner comme son double, sa répétition inversée. Le deuxième magot presse-livres de la bibliothèque. De fait, j'ai pris sur moi l'héritage de papier avec lequel les autres auraient allumé le feu et je suis resté l'axe, celui dans la famille par qui les choses seraient amenées à tourner en un sens ou l'autre. Sans compter qu'avec l'L terminale d'un tel prénom ailé, la prononciation serait la même s'il s'avérait que j'étais fille le jour venu.

J'ai lu des articles et des ouvrages sérieux sur cet événement qui nous affecte tous, mais pas un d'assez honnête pour en dire nettement l'horreur. Et c'était pour cela, cette agonie, que le ventre de Marie se ballonnait une fois de plus d'une ombre de postérité, la dix-huitième du nom ? Anicet pour sa part n'y croyait déjà plus depuis quelques semaines et quand sa femme prétendit acheter un lit pour le petit, il se décida à lui dire qu'il n'y avait là rien de très extraordinaire : en tant que vétérinaire, il avait vu par dizaines des chiennes faire des grossesses nerveuses, par une sorte de jalousie ou de sympathie pour leur maîtresse enceinte, ce qui n'augmenta pas son crédit de géniteur aux yeux de Marie. En revanche, la course était des plus serrées entre ma mère et Yvonne. Dans une certaine mesure, je pourrais dire que c'est Alexandre qui a porté le coup décisif en ma faveur, pour autant que c'en fût une de naître d'abord, par son impatience, sa façon de presser ma mère de questions sur son état, ses sensations, la qualité de son appétit, de ses rêves, le nombre et la nature de mes mouvements. « Allons, ma petite Suzanne, ne le gardez pas trop longtemps cet enfant, sinon vous ne pourrez jamais le réveiller. » Cette plaisanterie – qu'un séjour prolongé en ma mère aurait pu me laisser endormi – me fut souvent répétée par la suite, alors que je n'avais pas un bon sommeil dès avant ma mise au monde. Les dernières nuits de ma vie utérine, tandis que je remuais assez vivement, luttant contre la procédure d'expulsion qui s'annonçait, j'aperçus l'Ange, tourné de côté dans la direction du nord, vers le Marais où Yvonne attendait une fille. Il me sembla qu'il ne souriait plus, peut-être par un effet d'optique, parce que je commençais à perdre mon

don de vue périscopique à l'approche du jour, ou, comme
je le pensais plus tard, que l'Ange voulût attirer mon
attention sur celle qui m'était promise. Plusieurs orages
éclatèrent, un par nuit, jusqu'au moment où l'on conduisit
ma mère à l'hôpital. De loin, sa tour carrée, renflée au
sommet en d'hypocrites imitations de style normand,
destinées à rassurer les mourants qu'on y menait prendre
un peu de repos, me parut redoutable. L'entrée dans
l'atmosphère où vivaient ceux de ma famille et les autres,
dans cette solitude où j'allais moi aussi devenir un autre,
se fit au milieu des éclairs et du sang comme si j'étais un
cosmonaute déchiré par la vitesse, un ébouillanté de
l'espace, entre les mains de l'accoucheur.

Le fait est que je perdis connaissance pour de longues
semaines et toutes les qualités de perception, d'écoute de
sensibilité que j'avais affinées en quelques mois me furent
retirées. J'étais tout entier cautérisé. L'inventaire des dégâts
que je subis en quittant le dôme maternel, mon salon
rouge, et surtout cet ensemble de conditions particulières
qui faisait du ventre de Suzanne une planète en soi (une
planète presque semblable à la nôtre, à quelques détails
près qui donnent au voyageur, comme dans les films
« d'anticipation », un sentiment d'inquiétante étrangeté), la
liste complète de mes avaries, je ne saurais la dresser sans
qu'elle me tombe des mains. Trop longue, trop triste,
incommensurable. Une des toutes premières mauvaises
impressions que j'eus de cette vie, la même où j'écris ceci,
est d'avoir perdu mes lunettes. Ce n'était pas le cas, je
suis né sans lunettes et je n'en porte toujours pas. Mais le
flou écœurant des images qui m'arrivaient, alors que
retentissaient à mes oreilles des voix monumentales, battant comme des portes de pierre, fut pour beaucoup dans
la nausée constante qui me fit refuser ou rejeter mes repas
et dont on craignit qu'elle n'annonçât une anorexie.

Simple mal de mer. Des pans énormes de draps bleus occupaient tout mon horizon quand j'étais sur le côté dans mon lit. Un océan de tissu du même bleu, semé de mes propres bavures pâles, quand j'étais sur le ventre, m'était absurdement plaqué sur la figure. Sur le dos, je ne comprenais pas la forme arrondie, tendue par des arceaux, de toile imprimée qui surmontait la moitié supérieure de mon berceau. Cela tenait du planétarium, les figures humaines y passaient parfois, gigantesques, chacune aussi longue que moi tout entier, balbutiant des propos assourdissants. Comme un savant aventureux qu'une erreur de potion a brusquement rétréci et qui n'est plus haut que d'une dizaine de centimètres, obligé de lutter contre des souris grandes comme des vaches et des chats éléphantins, je ne pouvais que sourire à ces monstres dont le plus chenu, le moins vigoureux m'aurait facilement arraché un bras d'un coup de dents (et d'ailleurs beaucoup parlaient de le faire, avec un regard obscène pour ma nudité boudinée), sourire entre deux hoquets où se liquidaient les ultimes goulées d'un biberon ou d'une tétée effrénée. Ne pas pleurer, ou juste un peu, plutôt esquisser la même mimique qu'eux pour me concilier une fois encore leurs bonnes grâces, avoir la vie sauve, perché dans les bras de l'un ou l'autre, ma tête encore trop lourde incapable de se décoller de l'épaule où j'étais halluciné par le gros grain du tweed, des chevrons ou des raies de velours, la lame blanche d'un col de chemise qui se soulevait comme une banquise derrière une vague grise de laine anglaise.

D'une certaine façon je notais une baisse sensible de la lumière, comme si les ampoules, le soleil même du dehors eussent été d'un plus faible voltage que ce que mes yeux avaient accoutumé de voir auparavant. Les géants imprécis de la famille se déplaçaient dans une semi-pénombre. Il y avait pour moi quelque chose de déroutant à ne pouvoir

accommoder mon regard sur eux convenablement, plus
encore à être plongé parmi eux. Jusqu'alors j'étais voyeur
à l'intérieur de Suzanne, c'est elle qui choisissait les images,
les plans, les séquences ou l'obscurité; moi j'étais allongé
sur l'une de mes banquettes, je suivais le film qu'elle
composait en ouvrant et fermant ses paupières. Et tout à
coup une main m'avait crocheté dans mon fauteuil et
projeté dans la réalité, nébuleuse où se mouvaient de façon
inintelligible et indiscernable les acteurs que j'observais
parfaitement la veille encore. Je n'avais plus aucun angle
sur eux, aucune perspective, je les sentais tourner autour
de moi, secouer mon berceau plus ou moins doucement,
me prendre dans leurs bras, me souffler dans le nez leur
haleine de tabac ou de gigot, me taper sur le ventre et
dans le dos pour me faire roter. Je découvrais le cinéma
total. L'hôpital n'était donc pas simplement une salle
blanche, avec une table, des étriers, des infirmières; c'était
surtout une cabine de métamorphoses, un seuil entre
différents états de la vie, un sas par où je serais peut-être
amené à repasser en sens inverse.

Ma mère, parmi les ombres des Balliceaux, était la plus
lumineuse. J'étais néanmoins bien peu satisfait de découvrir
sa beauté, l'or de sa chevelure, la blancheur de sa peau,
en comparaison de l'inconvénient que représentait la perte
de mon gîte en elle. Elle avait beau me coller de tout
mon long contre son ventre et sa poitrine, je sentais que
je n'entrais plus en elle. Son sein dans ma bouche, ce fut
sans doute le plus éclatant phénomène de mon enfance.
Mais cette joie violente était entourée, gâchée de trop de
préparatifs laborieux, de finitions décevantes. Rien ni
personne, pas même mon père, ne peut savoir ce que fut
la rondeur, la saveur, la peau de pêche, la nacre et le
bouton, le soyeux de ma mère en cette période qui ne
dépassa pas six mois, pendant lesquels mes mains aux

ongles mal coupés, difformes et sans délicatesse caressèrent cette paroi, cette montagne molle, élastique, ce spasme chaud. Plus jamais rien ne me serait donné comme elle, cela crevait les yeux. Pour le reste je saisissais un éclat dans son regard, sur ses dents, sur une broche en haut de son corsage, je captais une odeur de lait ou de transpiration, son parfum à elle, son signal bouleversant mais jamais sûr. Elle avait tôt fait de me planter entre les draps, aux bons soins de tel ou telle, de me reprendre un moment, de me relâcher. Je ne l'avais plus en continu. Ses apparitions étaient comme ses départs des moments d'émotion effrayante. Il était insupportable de la voir aller et venir sans moi, sans pouvoir contrôler le moins du monde l'épouvante que creusait chacun de ses éloignements, ni oublier qu'elle était susceptible de toujours se dérober. Être séparé de ma mère, c'était être au cinéma d'une autre façon encore : tout était frappé d'irréalité dans ce monde proclamé réel. Les mouvements des humains étaient sidérants, des gestes de titans, et malgré toutes les précautions que certains prenaient pour ne pas provoquer de cataclysme aux abords immédiats de ma tremblante personne, des bruits sourds accompagnaient leurs pas, des craquements de plancher, des portes claquées, des armoires maltraitées, des draps battant l'air ensoleillé comme une brève menace de mort immaculée, aussitôt repliée, rangée. Leurs voix écrasantes me sifflaient dans le creux des os, ils auraient pu me vider de moi, d'un cri, en me soufflant dans l'oreille, et pourtant rien de cela n'avait le poids, la véracité de ce que je voyais autrefois à travers les yeux de Suzanne. Par la suite, des années après, quand on m'emmena au cinéma pour de bon, je pleurais d'abord, je ne voyais même pas l'écran, ni la différence entre le film et la salle. Tout était du même tonneau truqué. Je fais remonter mes premiers pas dans la société civile à l'immonde petit rire par lequel

je me moquais, au cinéma précisément, d'un personnage
de dessin animé dont les malheurs n'étaient pas plus
exagérés que les miens, mais que j'affectais par égard
envers mon père de prendre pour une image.

En fait, rien en moi n'était à la bonne distance. Les
silhouettes étaient floues, les efforts aussi, je ne savais
comment doser mes plaintes pour obtenir ce qui toujours
faisait défaut. Rire d'un malheureux lapin que l'on mitraille
ou d'un chat jeté dans la peinture était une lâcheté, une
angoisse mal habillée dont je n'étais pas dupe : ces déboires
pouvaient être les miens d'un moment à l'autre. Durant
mes premiers mois, cependant, je ne me faisais pas ce
genre de réflexions. J'étais un survivant et c'était beaucoup,
même s'il me restait tout de même une impression vague
d'avoir tout perdu, un étourdissement, une hébétude,
comme après un désastre. C'en était un. Quoi qu'on
raconte sur le plaisir enfantin de jouer avec ses excréments,
il n'est pas toujours agréable de se trouver emmailloté dans
son urine, culotté de sa fiente, embrené jusqu'aux mollets,
renversé dans un berceau dont une roue est boiteuse,
garrotté de vêtements indescriptiblement laids, coiffé d'un
bonnet de tricot ridiculement posé de biais, comme en
goguette.

Je m'aperçus progressivement que j'avais des bras et des
jambes, toutes choses que j'avais sues avant que ces
moignons ne fussent libres de battre l'air, mais que je
découvrais une seconde fois après la chute. M'avait-on
roué de coups, la pression de l'atmosphère avait-elle
changé, j'avais des fourmis pendant des heures, je ne
bougeais que par saccades ces membres à demi paralysés
que je ne considérais pas comme miens. Vertiges que j'ai
cultivés des années plus tard, à mon adolescence, en
laissant perversement mon bras droit s'engourdir sous ma
tête le temps de la sieste. Au réveil il m'était impossible

de le mouvoir pendant une minute. Mais surtout il était parfaitement insensible et je pouvais pendant quelques secondes l'embrasser avec passion comme si j'avais là sur mon oreiller le bras isolé, mais vivant, d'un inconnu ou d'une absente.

Ces siestes furent agrémentées de quelques autres pratiques plus immédiatement satisfaisantes, mais ce bras engourdi que je pouvais caresser de mes lèvres, lécher doucement sans qu'il frémisse ni n'éprouve la moindre sensation, auquel je pouvais parler pendant un court instant d'adoration, à qui je chuchotais des promesses à quinze ans, ce bras plongeait dans le passé jusqu'à mes tout premiers jours. C'était le bras de l'accoucheur, pour une part, un bras invisible qui peut-être indiquait furtivement l'espace disparu, le temps zéro où je n'étais pas encore un être séparé, où tout était normal, un bras d'avant la détresse et le plaisir.

Au début c'est tout mon corps qui fut en état de naufrage au ralenti, de sinistre inachevé. J'éprouvais des impressions globales, de chaleur ou de faim, d'inconfort, de peur. Peu de sensations locales : même dans l'éblouissante cérémonie où un cumulo-nimbus de talc frais m'était déversé sur le train et le ventre, un tourbillon neigeux de bien-être se répercutait en moi des pieds jusqu'aux oreilles, d'un coup. Bien que je n'eusse pas d'idée claire quant à ma situation, et tout choqué que j'étais, je me rendais quand même compte de mon état pitoyable. Toutes mes larmes, je les versais déjà sur mon sort. C'est dans ces circonstances, à la fin de ma première année, que je rencontrai Mariane pour la première fois.

Je ne me souviens d'abord que de l'odeur de la forêt, cette odeur sucrée de la résine des pins qu'on retrouve dans certains bordeaux comme le château-la-tour-de-by, mêlée à celle de la mer. Nous roulions, landau contre

landau, Mariane et moi. Mon père et ma mère poussaient
le mien, Charles et Yvonne celui de ma cousine; derrière,
les oncles stériles suivaient; en tête du cortège, Alexandre,
sa canne à la main empoignée par le milieu à l'horizontale
comme un bâton de maréchal, marchait à côté de Suzanne
L'Ansecoy, pour une fois sortie du Marais. Ils se tenaient
cependant à distance l'un de l'autre, une distance diplomatique que je ne pouvais mesurer mais qui n'en était pas
moins précise, un espace soigneusement calculé pour que
la navette des griefs, des silences jamais pardonnés, continue de broder entre eux son motif ancien. Le sable et les
aiguilles de pin ne facilitaient pas la marche ni la progression des landaus, mais je sentais que nous avancions
malgré tout et le bruit de la mer me parvint de plus en
plus clairement. Nos parents immobilisèrent les landaus
en haut d'une falaise peu élevée, grise, plantée d'arbres
jusqu'à la crête au-dessus des vagues vertes et blanches de
l'Atlantique, face à Cordouan. C'est là, chacun dans sa
voiture laquée bleu marine, le frein à pied bloquant la
roue, à quelques mètres du vide, qu'on nous redressa en
position assise dans nos véhicules en nous calant dans le
dos une pile d'oreillers tassés et sur le ventre un court
édredon noir.

En me tournant à ma droite je découvris une Mariane
à peine plus petite que moi – nous n'avions que deux
semaines de différence –, très brune de peau. Elle avait
de rares cheveux bruns et bouclés sur le crâne, des yeux
pochés de vieux boxeur, une bouche comme une cerise
écrasée. Aucun doute, elle paraissait aussi esquintée que
moi, aussi désemparée, sa main crispée sur le rebord de
sa gondole bleue pour ne pas chavirer, son regard encore
hésitant, hagard, flottant légèrement au-dessus de ma tête.
Elle aussi devait être traversée par des rêves de fer alors
qu'on lui palpait les jambes et les bras, qu'on la chaussait

de laine rose. C'était une émotion trop triste et trop grande que de nous sentir ainsi, deux bébés infimes devant la mer immense et tourmentée. Je me mis à pleurer d'un coup, délibérément, avec une espèce d'enthousiasme contre la brise fade du large. Mariane m'observa, prise de court, et commença à renifler. Il lui fallait un peu d'échauffement. Elle aspira l'air un grand coup, s'apprêtant à me rejoindre dans les notes les plus aiguës vers lesquelles je montais progressivement, méthodiquement, puis déplissa ses paupières, me fixa de ses yeux noirs et brillants, me sourit.

Est-ce de ce moment que s'ouvrit pour moi la surface de la mer? Que sous le vert mouvant de la houle se dessina la forme géométrique d'une porte qui s'entrouvrit plus tard, chaque fois que sous l'angoisse je me sentis mourir sans mourir? Il m'est presque impossible de dater avec vraisemblance l'apparition de la fêlure à la surface de toute chose, mais si ce monde fut quelque temps une bulle autour de moi, même après ma naissance, c'est Mariane qui lui porta le premier coup de couteau. Ainsi nous étions au bois des Fées entre Pontaillac et Saint-Palais. Il n'y avait, semblait-il, pas de quoi diviser une famille, ni fâcher une paire d'amis. Des arbres de tous côtés et la mer. Pourtant la querelle reprit entre les oncles. Anicet et Paul contre mon père, tandis que Charles, le père de Mariane, essayait de calmer les deux parties sans qu'on sût dans quel camp exactement il se rangeait. Le vent de la mer m'empêchait de saisir nettement leurs paroles et la capote relevée de mon landau de les voir. Le premier regard échangé avec Mariane m'avait aussi trop troublé et je n'avais plus comme avant l'ouïe fine et la perception politique qui m'avaient permis de débrouiller les enjeux familiaux.

Alexandre et Suzanne sa femme, en retrait comme des généraux, laissaient leurs troupes débattre. Le petit bois

des Fées valait-il qu'on y dépense tant de mots? Sans
doute non. Il s'agissait de tout autre chose, d'un ténébreux
règlement de compte où des évenements antérieurs à ma
conception étaient en jeu. Très vite les Balliceaux se
séparèrent sans avoir rien consommé d'autre qu'une rupture
de plus. Le silence retomba sur un signe de Suzanne
L'Ansecoy. On ordonna le retour des bebés vers l'intérieur
des terres. Je roulais derrière Mariane, aussi brinquebalé
qu'elle dans ma voiture trop souplement suspendue pour
le terrain inégal de la pinède. A la sortie du bois, Paul se
tourna brusquement vers son beau-frère Charles Gelliceaux, le père de ma foudroyante cousine, et lui dit sur
un ton de sourde haine qu'il avait désormais son idée sur
le rôdeur qui l'avait traîtreusement plombé dans le dos.
Charles eut un sourire pâle et pincé, ne répondit pas sur
le moment. Quelques jours plus tard, il annonça qu'il allait
quitter le Marais, la France, qu'il avait accepté un poste
d'administrateur outre-mer, pour une année, et partirait
avec femme et enfants. Aussitôt entrevue, Mariane m'était
retirée; quant à Bayard son frère, né deux ans avant nous,
je ne l'avais jamais aperçu. Ils prirent tous quatre la route
de Bordeaux dès le lendemain et nous ne revîmes pas les
autres Balliceaux du Marais de tout l'été.

*　*
*

Je pourrais aisément remettre à plus tard l'explication
du différend qui partageait la famille et dont le nom de
code était « la porte bleue ». Mais j'aurais bien d'autres
mystères à lever et celui-là m'encombre à présent plus
qu'il ne satisfait mon goût de l'attente. La famille de ma
grand-mère Suzanne habitait à Taillebourg comme celle
d'Alexandre depuis fort longtemps. Les registres parois-

siaux avaient échappé aux révolutionnaires de 1789 et on trouvait la trace des Balliceaux et des L'Ansecoy jusqu'au XVIIᵉ siècle. Plusieurs fois des mariages avaient eu lieu entre les deux familles à raison d'un ou deux tous les cinquante ans, ce qui laissait une marge raisonnable pour d'autres alliances nécessaires au renouvellement du sang de chaque branche et à l'élargissement, sinon au maintien, de leurs patrimoines. Alexandre et Suzanne s'étaient connus de bonne heure puisqu'il était traditionnellement expliqué à tout nouvel arrivant dans la famille, en particulier aux enfants, comment Alexandre à l'âge de cinq ans avait sauvé de la noyade Suzanne L'Ansecoy qui venait d'avoir trois ans et avait chu dans un puits de la ferme des Balliceaux. Mon intrépide grand-père avait fixé la corde du seau à un anneau et s'était laissé glisser au fond du puits pour attraper les cheveux de la petite Suzanne et la maintenir hors de l'eau. Ils n'avaient pas l'adresse ni la force de remonter la corde par eux-mêmes mais bien celle de crier assez longtemps pour qu'on s'aperçoive en haut de leur situation et qu'on les délivre à temps. Suzanne en avait été quitte pour un rhume mais Alexandre avait joui aussitôt d'une gloire suffisante pour le protéger de toute maladie qui n'eût pas été assez conforme à l'image de bravoure qu'il avait acquise d'un coup. A chaque nouvelle récitation de son exploit, Alexandre ajoutait un détail plaisant ou dramatique, selon son humeur, qui allongeait un peu plus la narration et pouvait laisser croire qu'il avait une mémoire proprement phénoménale de ses jeunes années. Il décrivait la masse des cheveux bruns de Suzanne dans l'eau du puits, ployés comme ces paquets d'herbe de mer accrochés aux rochers quand la mer les découvre ou comme les volutes de la fumée dans la cheminée quand le vent vient de l'ouest et que le tirage refoule les boucles épaisses et grises qui se recourbent sous les bûches de bois

humide, ou encore tel nuage dans un tableau de Turner
soulevant une immense cape de pluie sur les troupes
d'Annibal au passage des Alpes; se souvenait, disait-il, du
chant d'un rossignol dans la cour où s'enfonçait le puits
désormais légendaire, un petit air pointu qui l'avait averti
du malheur arrivé à Suzanne – un trille rapide qu'il sifflait
volontiers sans même qu'on l'en priât, ce qui pour les plus
jeunes de ses petits-enfants ajoutait un caractère de vérité
à ses propos, les fortifiait d'une sorte de preuve irréfutable
(s'il pouvait imiter l'oiseau, c'est que ce dernier avait
effectivement chanté) – et l'avait fait se précipiter au-
dessus de la margelle si dangereusement basse où avait
basculé sa déjà future, sinon promise, la génitrice de tout
son auditoire, pour apercevoir justement les cheveux
ondoyants comme la pluie dans le ciel de Turner, et le
petit ruban dénoué qui les retenait un instant auparavant
flottant à la surface, du même tissu à dessin de myosotis
que la robe de Suzanne gonflée comme un parachute
défaillant autour de la presque noyée; se félicitait d'avoir
si peu déjeuné ce jour-là qu'il pût la secourir sans être
lui-même frappé de l'hydrocution qu'on nous promettait
pour tout bain de mer tenté pendant le temps de la
digestion, temps qui variait au gré des adultes; se rappelait
la taille de la corde et de l'anneau, et la couleur du ciel
quand il ne l'avait plus perçu que comme un tout petit
cercle bleu du fond du puits, une fenêtre ronde sur la vie,
si intensément bleue avec sa mèche de nuage qui s'enfuyait
vers le bord qu'il avait senti pour la première fois ce que
pouvait être la beauté du monde quand il va nous être
retiré, au point que nous désirions tous qu'une telle
aventure nous ouvre à nous aussi les yeux sur une même
expérience, si possible longtemps avant la mort, pour que
nous puissions disposer d'un cercle de ciel auquel se
raccrocher dans les moments où la vie nous paraîtrait de

peu d'intérêt si c'était notre lot de connaître de ces tristesses soudaines où toute volonté s'en va, un tunnel par où fuir en esprit si nous étions un jour acculé au désespoir d'un amour déçu, d'une catastrophe qui ferait s'écrouler sur nous les maisons que nous aurions élues, comme ce fut le cas pour tel curé de Royan dont plus tard il nous dirait l'histoire. Et le fil, sans cesse rallongé, de l'épisode du puits, s'étendait toujours plus loin, si chatoyant d'impressions fugitives, minuscules, que nous sûmes assez tôt que le tempérament d'Alexandre, sa « nature », serait d'en dévider toujours davantage, et que ce serait non pas de ses jambes malades ou de ses rhumatismes, mais d'une véritable hémorragie de la parole qu'il partirait un jour.

Cependant le puits, qui fut abandonné par la suite et comblé, si bien qu'aucun de nous ne le vit dans son inépuisable profondeur d'alors, n'était pas la clé du conflit familial, au contraire il en constituait l'ornement chevaleresque, de myosotis sur fond d'azur. C'est quinze ans plus tard que le lièvre fut levé entre les familles quand Alexandre épousa Suzanne et que leurs parents s'enfermèrent ensemble toute une nuit pour décider de savoir si la chose était possible. Ou plutôt si les deux fiancés n'avaient pas sans s'en douter à craindre d'être cousins. Sur le papier, selon l'expression du père d'Alexandre, ils ne l'étaient pas, mais dans les draps, qui pouvait en être sûr ? On soupçonnait fort le grand-père d'Alexandre d'avoir eu plus que des attentions pour la grand-mère de Suzanne, jadis, en un temps où plus rien n'était vérifiable et dont évidemment ni l'un ni l'autre n'auraient consenti à parler s'ils avaient été encore en vie, mais dont tel oncle venimeux d'Alexandre se souvenait, ou du moins le prétendait. Un jour de fête à Taillebourg, au Nouvel An d'un millésime éventé du siècle précédent, il avait vu, neuf mois avant la naissance de Suzanne, le grand-père Balliceaux s'esquiver discrètement par le couloir de la maison L'Ansecoy, au fond duquel dormaient, sans doute enivrées par le vin de la nuit, sa propre épouse dans une chambre d'angle et la grand-mère de Suzanne dans une autre qui s'ouvrait par une porte bleue. De quelle chambre sortait ce paillard rubicond pour l'heure et, disait l'oncle, satisfait de soi? Pas de la légitime chambre d'angle, verrouillée de l'intérieur – élémentaire prudence d'une honnête femme qui sc savait affaiblie par la boisson –, mais plus vraisemblablement de l'autre où il avait depuis des années projeté d'introduire sa personne et ses projets amoureux. La preuve, avaient demandé les familles, par ailleurs déterminées à passer outre cette dénonciation que rien dans la morphologie de Suzanne ne corroborait, puisqu'elle était aussi L'Ansecoy que ses sœurs par le visage et toute l'allure. La preuve, insistait l'oncle, c'est que la seule porte qui lui avait paru entrouverte dans la pénombre de ce jour ancien, c'était la porte bleue.

III

Des portes bleues, à Providence, il n'y en avait pas, cette couleur avait été bannie par Alexandre. On en trouvait des rouges au salon, des blanches ouvrant sur l'extérieur, quelques-unes au troisième étaient agrémentées de peintures marines exécutées autrefois par Suzanne ou par Alexandre lui-même qui ne se reconnaissait nulle vocation de peintre, mais considérait que les portes étaient des éléments d'une très haute importance dans l'équilibre d'une maison et qu'il convenait de se livrer, à leur égard, à une sorte de bricolage philosophique. Celle de ma chambre était verte et blanche comme la mer, un vert Véronèse qui en passant sous l'effet de la lumière s'était éclairci comme l'océan aux abords de la côte.

Il me fallut de longs mois pour retrouver un peu de l'aisance qui avait été la mienne avant la naissance. J'eus les plus grandes peines à marcher, à parler, je me faisais l'effet d'un imbécile, d'un petit ivrogne titubant entre les meubles, incapable de pisser au moment requis ni d'avoir faim à l'heure des repas. Vers trois ans j'étais partiellement guéri, je pouvais courir, saisir les clés des tiroirs et les emporter dans mon lit de bois rose. C'était une prouesse bien ridicule comparée au monde énorme, j'en étais conscient, mais il fallait bien un début à tout.

Mes explorations, en raison des escaliers traversant

Providence, se limitèrent d'abord au premier étage où était ma chambre, contiguë à celle de mes parents. Je pouvais entrer librement chez eux dans la journée, mais ils n'y étaient pas le plus souvent. On me couchait tôt le soir et je les entendais converser dans la bibliothèque au-dessous avec Alexandre. La radio diffusait des concerts classiques et des informations contemporaines, je n'y comprenais pas grand-chose sinon que les termes de « désastre » et de « catastrophe » y étaient quotidiennement prononcés, faisant vraisemblablement partie du tout-venant. Et quand la radio se taisait, Alexandre reprenait ces mêmes termes avec une intonation sèche et railleuse s'adressant à mes parents, à mes oncles, aux murs s'il le fallait, seul dans le salon, discourant à haute voix sur le caractère mesquin et insignifiant du « désastre » évoqué ainsi à la légère pour des drames de la route ou du chemin de fer, puisque à ses yeux, depuis le ciel trempé jusqu'aux rochers abattus, dévorés, l'univers entre Cordouan au sud et le Marais au nord n'était qu'un unique et absolu désastre. Ou presque : à l'exception de sa personne, de sa famille et de sa maison ; ce qui, j'en eus souvent la confirmation hostile dans le regard d'autrui, nous conférait le prestige d'une aristocratie toute de hasard, celle des rescapés.

Je n'allais dans les autres étages que porté ou du moins tenu solidement par une main, l'autre agrippée aux barreaux de la rampe, mes pieds ligotés dans des chaussures de cuir blanc de la taille d'un cendrier, trébuchant à chaque marche. Mes parents n'aimaient pas me voir monter ou descendre à quatre pattes, ce qui était de loin le plus facile pour moi et le moins risqué, cela leur paraissait presque indécent, comme une concession faite à l'animal qui est en nous. Personnellement j'ai passé de longues années de ma jeunesse à tenter de débrouiller cette question de l'animal en nous, de cerner son logis précisément, cochon qui sommeille ou loup dans le cœur, peu m'importait que la liste des espèces incorporées fût longue, je voulais connaître leurs mœurs, leur migration, les limites de leur emprise. Je n'ai jamais rien pris au collet, rien saisi du regard ou de l'oreille, quand j'appliquais trop mon attention à cette chasse. En revanche, j'étais toutes sortes de bêtes quand je me laissais la bride sur le cou, chien ou chat le plus souvent, mais aussi poisson assez tôt et grue par une adresse à contrer les courants de l'air ou de la marée à mon profit. Parfois j'étais méduse, corps opaque et diaphane selon les endroits, flottant entre deux étages de la mer, presque invisible, fondu en elle, introuvable comme un verre d'eau caché dans l'eau.

Et s'il fallait penser à faire l'homme plus que la bête, je ne concevais pas comment un tel conseil pouvait m'être impudemment donné par Suzanne et Pierre qui s'accouplaient avec une rage plutôt canine pour le voyeur mal informé que je fus quelquefois. J'avais obtenu, à grands pleurs, que la porte de communication entre ma chambre et la leur restât ouverte, en veilleuse, et il m'arriva de me lever sans bruit et de constater l'origine des gémissements de Suzanne, des soupirs de Pierre. A présent je ne peux plus me souvenir de ces images rapides, brûlantes comme des météorites tombées d'un monde plus dense que la Terre, ni retrouver cette vision innocente autrement que par les mots, j'ai trop poli ces cailloux dans ma bouche à m'en raconter l'histoire. Mais j'ai reconnu plusieurs fois, traduite en d'autres langues, sur d'autres registres de ma vie, la sensation panique qui dut être alors la mienne. Vingt ans plus tard, l'angoisse physiquement insupportable que j'eus de voir le paysage devenir plat et glisser tout d'une pièce, dans une fente du néant, m'a paru transposer une ancienne, première angoisse, celle de voir disparaître le sexe de mon père en Suzanne, là où j'étais né, mais

d'où tant d'autres enfants possibles, l'armée noire de mes
frères, n'étaient jamais revenus. Et je pourrais faire une
longue liste des diverses situations où mon comportement
a encore quelque chose d'absurde, mes sensations une
intensité démesurée, simplement parce que j'ignore quel
canal secret les relie à cette configuration de mes parents
en proie à l'animalité. En fait, ce n'est pas ainsi que j'y
pensais à l'époque, n'ayant pas encore vu de bêtes se livrer
à l'amour. Ou alors des mouches, mais c'était trop difficile
à apprécier pour en éprouver quelque émotion. Je n'avais
pas de point de comparaison et ces gestes véhéments, cette
brusquerie soudaine de mon père, la voix changeante de
ma mère, ses jambes blanches qui se nouaient autour de
la taille de mon père, blanches sur sa peau mate, les sexes
à peine entrevus aussitôt terrifiants, c'était assez pour que
mon esprit en fût profondément contraint, voilé. Par la
suite, le spectacle des chiens sur la plage de Pontaillac (je
les observais avec les mêmes jumelles dont ma mère avait
fait usage au passage de la comète), grimpés l'un sur
l'autre, parfois un petit nerveux sur un gros placide, l'agité
s'acharnant toutes pattes battant l'air tandis que le gros
laissait faire – était-il même au courant que tel roquet lui
taraudait le fion, apparemment il contemplait, l'œil terne,
la ligne sans surprise de l'horizon –, parfois des couples
dangereux ou problématiques, un grand épagneul s'effon-
drant sur une caniche naine, ou encore, lorsque Paul nous
invitait à la Clisse, sa propriété près de Saint-Georges-des-
Coteaux, la prestation théâtrale du taureau sur la vache
ou les prouesses d'un vieux cheval étalon, vinrent se
superposer en moi et travestir la frayeur originelle, la
revêtir des aspects beaucoup plus tolérables du monde
animal. C'était donc cela l'indigne, l'au-dessous de l'humain
auquel même des gens bien élevés cédaient en de très
particulières occasions : intimité amoureuse, maladie, séni-

lité, colère? Un grand désagrément, une forte colique, un amour sincère pouvaient amener à se conduire comme les animaux qu'aucune politesse connue de nous n'embarrasse. C'était assez rassurant, en principe. Mais pour moi qui cherchais par où mettre la main sur l'animal en moi afin de le dépiauter, ce n'était que des mots. Des mots dont il me faudrait souper longtemps avant de comprendre qu'il n'y avait rien de plus profond, de mieux caché, de plus révélateur. Pour l'instant, j'en étais donc réduit, par respect pour le muscle fessier qui fait se dresser l'homme sur ses jambes, à ne connaître Providence que de façon très partielle.

Peu après le départ de Mariane pour les îles, mon père m'offrit un ours en peluche qu'il appela le Baron rouge. Un ours aviateur, selon lui. Il le prenait par un bras et, levant les siens, tournait autour de moi dans ma chambre, faisant semblant de voler en escadrille avec le Baron rouge. « C'est un as », disait Pierre d'un air tout à fait convaincu, regardant l'ours droit dans ses yeux de verre. D'homme à homme. Je savais que c'étaient des yeux de verre parce que plus d'une fois j'avais tiré dessus, constatant qu'ils étaient reliés par un même fil, l'exorbitation de l'un forçant l'autre à rentrer. Mais j'aimais bien que mon père fasse preuve d'affection à l'égard du Baron rouge, qu'il soit fier de l'avoir trouvé de haute lutte chez le marchand, d'avoir eu l'idée de ce nom qui ronflait fort à mes oreilles. Après tout, il y avait quelque chose de courageux dans ce don, je ne savais pas quoi, mais d'imaginer Pierre acheter l'ours (alors inanimé, je suppose; c'est d'avoir été nommé et anobli par Pierre qui l'avait fait venir à nous) me paraît aujourd'hui un acte peu dans l'ordinaire de sa nature, témoignant de sa tendresse pour son deuxième fils, le premier à vivre pour de bon. Le Baron rouge avait un pelage blond, des yeux à paillettes dorées et portait une

culotte de toile rouge à bretelles en guise de combinaison
de pilote. Lorsque mon père le rapporta à la maison, j'avais
à peine plus d'un an et le Baron rouge émettait un bruit
curieux quand on le couchait sur le dos, un meuglement
de vache qui n'avait rien de commun avec le cri de l'ours.

Je prends, ici comme ailleurs, quelques libertés avec la
véritable intelligence que j'ai pu avoir de ma vie et je me
prête souvent des pensées qui sembleront à beaucoup
prématurées pour un enfant de tel âge. En fait, nous
oublions. Et plus se creuse l'oubli de soi, plus nous
imaginons que nous fûmes inconscients et désarmés là où
nous avions en réalité une connaissance confuse mais
pénétrante des choses. Je ne prétendrai pas cependant
avoir eu, à un an, une idée très arrêtée sur le cri qui
devait sortir d'un ours aviateur. Ni même sur ce que
pouvait être un ours naturel. Je reçus le Baron rouge
comme un élément complexe, une figurine à laquelle on
pouvait témoigner des semblants d'amour, des caresses,
des suçons, comme s'il se fût agi d'une personne vivante,
avec laquelle il était légitime, admis, de se comporter en
idiot, incapable de discerner le vrai du faux, la copie du
modèle, et comme mon père de partir en vol de reconnaissance dans une chambre fermée en tenant cette chose
qu'il tutoyait au bout du bras. Ce n'est donc pas par souci
de vérité que je protestai la première fois que le Baron
rouge émit son meuglement alpin, mais parce que j'avais
peur. Et mes parents eurent beau accompagner le vagis-
sement du Baron de leurs propres imitations de l'ours au
gosier de vache, rien n'y changea. Au contraire. Il me
déplaisait de les voir rivaliser avec ce jouet pour produire
des sons de plus en plus lugubres et tristes. La petite
vibration qui parcourait comme un frisson le dos de l'ours
quand il pleurait était même assez répugnante. Après
plusieurs essais manqués de faire dormir le Baron dans

mon lit – je l'expédiais par-dessus bord ou, si je n'y parvenais pas, je devenais écarlate et lâchais un authentique hurlement d'enfant outré –, ma mère se décida à opérer la bête. Et pour que je ne manque rien du spectacle, ou me punir de l'obliger à gâcher un jouet neuf, m'installa devant la table du supplice. D'un coup de ciseau elle perfora l'abdomen du Baron rouge et, tout en discourant sur la sagesse de ce héros qui ne se plaignait pas, malgré la souffrance qu'il endurait, et sur la patience comparée des enfants et des ours en peluche – commentaires qui ne manquèrent pas de m'inquiéter, comme elle le souhaitait sans doute –, elle finit par extirper de son ventre une petite boîte carrée en métal brillant, percée de trous comme une passoire à thé, qui était l'organe des chants lamentables du Baron. La boîte fila dans une poubelle de mort, comme une charogne à l'hôpital, et je ne la revis jamais. Ma mère consola le Baron, referma sa plaie d'une belle couture grandiloquente, de haut en bas, qu'elle exécuta avec un fil foncé qui tranchait sur le miel de son pelage et lui donnait un faux air d'ours martyr. La culotte rouge saccagée dans l'opération fut jetée et le Baron resta désormais nu et muet, vêtu de sa seule cicatrice verticale. Peu après, sans que je puisse établir là un lien de cause à effet, il cessa de voler ou plutôt mon père le démobilisa, le désaffecta de ses missions aériennes et le Baron resta comme un soldat blessé, inerte dans mon lit ou serré contre moi lorsque j'allais d'une pièce à l'autre en vacillant.

Un peu plus tard, quand j'eus deux ans, je découvris la double nature du Baron rouge. S'il avait le plus clair du temps, soit, pour être précis, dans la journée ou pendant que la lumière de mon chevet était allumée, l'air bonasse d'un ours étripé, il m'apparaissait tout autrement dans l'obscurité. Je tentais vainement de l'observer dans le noir, le moindre rai de lumière était fatal au développement de son second visage, mais je n'eus pas assez d'insomnies pour deviner quelle expression il devait avoir quand il se savait à l'abri de ma vue. Alors il parlait. Ou chuchotait peut-être. Ou encore me transmettait-il ses pensées quand j'étais sans défense, déjà gagné par le sommeil. Il me semblait entendre une voix dure et nasale, celle que je découvris plus tard au cinéma, en écoutant Louis Jouvet, avec la même diction sèche et expéditive, une voix qui m'arrivait de l'intérieur, et à moi seul, puisque jamais personne ne parut s'étonner de ce que le Baron rouge me disait. C'étaient des plaintes, au début, sur le rôle qu'on lui faisait jouer dans cette maison. Sur sa couleur aussi, il était vert selon lui et non rouge. Mais il acceptait son titre et les bontés que j'avais pour lui. Il commentait la journée écoulée, faisait des remarques assez peu aimables sur les habitants de Providence, se montrait volontiers indiscret, cancanier. Quand j'étais endormi, il commençait son véritable prêche, de cette voix acerbe et secrète à laquelle je ne pouvais m'opposer. C'est de lui que je reçus très tôt la plupart des mauvais conseils inspirés des images pieuses de la maison. Il plaidait toujours pour Satan, m'en vantait le caractère facile et gai, l'esprit fantasque, le bon sens : « Bien sûr, mon cher Axel, vous n'auriez aucun avantage à faire toutes les pénitences que suggère cette religion, ni même à vous taper les enquiquinements d'une bonne conduite qui vont avec, c'est du temps perdu. Ne gâchez pas un instant en travail inutile, quand vous pouvez voler ou trouver quelqu'un pour accomplir un effort à votre place. Et surtout n'hésitez pas à désobéir, personnellement, je vous y encourage. » Je traduis en clair ce qui ne l'était pas vraiment ; alors s'insinuait en dessous du seuil de ma conscience un flot d'images, d'idées, de paroles disjointes, dont une impression demeurait au réveil, à la fois tenace et insaisissable, un dessin sonore et coloré comme les rêves et les hallucinations que le magicien Mandrake envoie d'un geste magnétique de sa main gantée vers le front transi et perméable de ses adversaires.

Je n'ai, à cause de cette ruse qui était la sienne de reprendre son état normal à la moindre lumière, jamais pu surprendre le Baron rouge dans la couleur verte qu'il revendiquait, mais je l'imaginais, selon ses dires et sa voix, d'un vert cru, sans pelage, recouvert de peau froide, avec la morphologie d'un minuscule adulte aux yeux mobiles et globuleux, aux cheveux plaqués, au nez d'oiseau, un petit Jouvet glacé, fumant à la chaîne des cigarettes éteintes. Autant je l'aimais durant le jour sous son aspect de Baron rouge inoffensif, autant la nuit me faisait redouter le fiel de ses conseils qu'il me coulait amicalement dans l'oreille comme un trait de ciguë.

C'est par lui que j'appris ce que faisait mon père : des ponts. Je ne savais pas comment poser la question ni ce que signifiait le terme de « métier », ni comment expliquer les longues absences de Pierre loin de nous. « Papa travaille » ne m'éclairait pas vraiment, ni « Papa reviendra le mois prochain ». En revanche, le Baron dépliait dans la nuit une carte de l'Afrique ou de l'Inde et m'expliquait : « Ton père est en train de lancer un pont métallique au-dessus d'un affluent du Niger, une folie, les indigènes et la pluie le foutront par terre. Et il pourrait nous revenir avec un vieux palu. Ce pont-ci, dans les montagnes du Pakistan, est plus intéressant. Difficile avec les rebelles d'éviter la dynamite, tôt ou tard, mais au moins le climat est sec. Et je ne te cache pas que les Indiennes ne sont pas toutes intouchables, loin de là. Je vois ça d'ici, mais peu importe, tu n'y comprendrais rien. » Entre deux expéditions au milieu des peuples sauvages, des femmes entreprenantes, dans une nature sans merci, mon père revenait le visage tanné, l'air farouche et las, avec dans ses valises des cadeaux exotiques, des soies aux teintes de loukoums, des narguilés de cuivre, des chaussons brodés d'or.

Pour moi aussi il construisait des ponts. Sur les rochers où Providence était ancrée, la mer avait foré des godets, des bassins, des rigoles, que les fortes marées ou la pluie remplissaient. Avec du sable humide, des cailloux, je montais des barrages. Mon père assemblait des allumettes, des morceaux de carton et des brins de ficelle, pour lancer d'un rocher à l'autre une reproduction au millième de tel fameux pont sur le Congo ou l'Hudson à laquelle il ajoutait, à ma demande et au mépris de toute vérité architecturale ou géographique, un petit moulin qui tournait quand j'ébréchais un de mes barrages en amont. Je n'avais pas besoin de l'interroger beaucoup, j'étais assez renseigné par le Baron. Du reste, mon père était plutôt taciturne; même lorsqu'il jouait avec moi, il trouvait des jeux ou des activités qui se partagent sans paroles. J'observais son visage sombre, ses cheveux ondulés, noirs comme ceux de sa mère Suzanne – beaucoup de familles anciennes de la Saintonge avaient le même teint kabyle, le même profil égyptien –, ses yeux bruns qui m'effrayaient un peu sous ses larges sourcils. La beauté de mon père était évidente, tout comme celle de ma mère, et j'étais également ivre d'eux, heureux d'être porté, de sentir leur odeur, leur chaleur, blotti dans les bras souples, noueux, comme habités de poissons, de mon père; contre les seins de ma mère, mon visage dans le creux blond de son cou, tenant d'une main par un pied le Baron rouge, qui dans ces moments d'effusion filiale taisait son bagou d'indicateur. Mon père m'était encore plus cher d'être si souvent ailleurs et chacun de ses séjours était précédé d'une semaine d'inquiétude excitée : je craignais d'apercevoir la haute

71

découpe de sa silhouette dans l'allée au pied de Providence ou bien, le soir, dans l'embrasure de ma porte, le col de son imperméable relevé, à la main une petite auto de course en tôle peinte. Personne ne sut indiquer à Pierre qu'il s'éloignait excessivement de son fils. Je ne me souviens pas qu'il m'ait jamais battu, quelles qu'aient été mes fautes ou mes caprices, et je crois avoir regretté cette forme de bonté qui ne m'épargnait que pour me blesser en retard, irrémédiablement. J'aurais préféré un châtiment immédiat à l'espèce de dédain par lequel il renonçait à me frapper. Alexandre n'était pas partisan de cette indulgence de mauvais aloi, mais se gardait d'intervenir lui-même; et ma mère disposait d'une gamme beaucoup plus variée de punitions, dont la plus simple était de ne pas se donner à moi.

Sur la route de Pontaillac à Royan, il y avait une école communale dont la cour était plantée de pins et où le préau de ciment n'abritait qu'une courte bande goudronnée. Alexandre insista pour que j'y aille le plus tôt possible, persuadé que la précocité de mon enseignement serait bénéfique à mes talents. Je fus donc amené à fréquenter des enfants plus âgés et plus forts que moi, pour lesquels je n'avais nulle sympathie et qui me le rendaient largement. Mais les lettres dessinées à la craie de couleur et les petits bâtons suspendus à un fil pour le calcul me firent grande impression. Je sus lire très vite, à trois ans et demi, des mots dont j'ignorais le sens, des mots inouïs, « abnégation », « rodomontade » et « coloquinte », un exploit. Il m'échut aussitôt quantité de livres au moment des prix, des fêtes et de mon anniversaire, que je dus déchiffrer à voix haute et en famille pour témoigner de la persistance du phénomène. Ma mère la première, puis Alexandre et mon père s'empressèrent de me faire écrire de pleins cahiers à l'encre bleu-noir, ignorant que ce pas irréversible dans le domaine des connaissances qui étaient les leurs serait lourdement payé par une perte invisible : du jour où j'appris à lire et à écrire, je désappris bien d'autres choses plus rares et plus précieuses qui étaient restées jusque-là vivantes en moi, parce que je n'avais pas eu les moyens de m'en séparer par le langage. De même, ma mémoire commença à se gâter, à ne plus fonctionner que par à-coups et avec des efforts assez vains, au lieu d'être ouverte comme avant à mon gré. Je n'ai pas de principes très établis sur ce sujet, mais il me semble que j'aurais beaucoup gagné à retarder bien davantage mon alphabétisation, ayant depuis rencontré quelques personnes pour qui ce fut le cas, en raison de leur isolement, de la guerre ou de l'absence de maîtres, et qui conservèrent assez longtemps une connaissance plus intuitive et directe du monde et de leur propre vie. Je me fis l'effet de la Petite Sirène d'Andersen, qui pour plaire à son prince avait accepté d'échanger sa queue de dauphin contre deux belles jambes de femme, deux jambes qui la brûlaient comme si on les eût forgées sur une enclume de chair et la faisaient souffrir d'une douleur infiniment plus grande que tout le plaisir qu'elle pouvait espérer de son fiancé humain. Plus jamais je ne serais fondu dans le mouvement de l'air comme le brochet dans la rivière, ni caché sans effort comme la sole dans le sable. Selon toute vraisemblance ma vie serait désormais semblable à celle du Petit Poucet qui n'avance qu'en semant des cailloux, des mots, pour ne pas se perdre en terre inconnue, ne pas tomber sous la fourchette imprévisible de l'ogre qui ne dort jamais. Je soupçonne le Baron rouge de m'avoir communiqué en douce cette peur de l'ogre dont on me parla peu et qui n'apparut jamais que comme une invention des contes. Je ne peux voir dans Alexandre et mon père des personnages dont la force menaçante aurait donné naissance à ce monstre que le

Baron me décrivait souvent, avec des dents taillées en triangle à la lime, des lèvres énormes, des mains grandes comme des draps, une langue rapide et puissante comme une vague. Aucun adulte ne m'a jamais semblé aussi dangereux. Cette incapacité à découvrir le mécanisme de la traduction de ma peur en fantôme d'ogre est sans doute à mettre au débit de la lecture. Plus j'avançais dans la possession des mots, plus ils me possédaient en retour.

Alexandre descendit pour moi une pile d'anciens numéros du *Petit Journal*. L'un d'eux était particulièrement impressionnant. On y voyait un troupeau d'éléphants se jeter dans un gouffre à la suite de son chef devenu fou parce qu'un rongeur était monté dans sa trompe et lui dévorait le cerveau : une douzaine de pachydermes étaient ainsi représentés, en culbute dans le vide, sur fond de ciel jaune et rose. D'autres couvertures évoquaient les plus atroces crimes crapuleux : femmes lacérées au couteau par des ivrognes, vieillards ligotés, les pieds posés sur des poêles rougeoyants. Je ne pouvais jamais en lire – pour autant qu'il y eût beaucoup à lire – plus d'un exemplaire à la fois, la terreur montait trop vite en moi, mais j'y revenais avec un goût malsain. Un peu plus tard, Alexandre me confia des volumes mieux appropriés à mon âge, des romans de Paul d'Ivoi comme *le Corsaire Triplex*, le champion du sous-marin, ou *le Sphinx des glaces* de Jules Verne, dont les gravures étaient plus soignées et suggestives que les dessins des journaux. Un livre de contes surtout était remarquable, on y voyait un homme en costume Renaissance, tenant son chapeau à la main, s'avancer émerveillé dans un tunnel de verre au fond de la mer, entouré de poissons de toutes tailles et de pieuvres violettes. J'ai lu et relu ces récits pour en élucider les illustrations, comprendre ce qui avait amené les éléphants à ce suicide collectif, ces « chauffeurs » à torturer des petits rentiers, ou connaître le secret du corsaire et celui du marcheur au fond de la mer.

Avec les années, seules les images sont restées et les histoires se sont effacées ou mélangées. Je perdis pour ces lectures mon intérêt initial, j'avais envie de choses aussi fortes mais plus sérieuses. D'ailleurs le Baron rouge, avec lequel je continuais à dormir malgré la crainte que j'en avais, se moquait de ces livres et ne manquait pas d'intervenir au sein de mes rêves, quand ceux-ci en étaient trop imprégnés, faisant le pitre au milieu des éléphants, allumant ses mégots froids aux pieds des avares qui n'avouaient pas, menaçant d'ouvrir un hublot du sous-marin, alors qu'il passait au-dessous du pôle Nord. Il était toujours sous une apparence différente, travesti en homme de cirque, en matelot félon, en voyou flegmatique, mais je le reconnaissais à sa diction si particulière et à la manie qu'il avait de porter toujours une veste, un gilet, un foulard même, d'un éclatant vert cru.

A l'école je ne me fis pas beaucoup d'amis, sachant lire plus tôt que les autres. On m'en voulait peut-être d'habiter Providence, d'avoir un père voyageur. Je me gardais d'évoquer les dons exceptionnels du Baron rouge, des privilèges j'en avais assez. Je n'étais pas parmi les vainqueurs dans les pugilats rituels aux heures de récréation et surtout j'étais seul contre les coalitions diverses qui se formaient à l'occasion d'un jeu ou d'un autre, auquel je perdais immanquablement, le but véritable du jeu étant de trouver un perdant et, si possible, que ce perdant fût moi. Je pris goût au châtiment, à l'amertume ensuite de l'avoir aimé. Le seul garçon qui ne me fut pas constamment ennemi était un brun bouclé, timide, plus âgé que moi d'une année, et dont mon grand-père me dit avec un peu d'embarras qu'il était peut-être mon cousin et que je ne devais pas nécessairement l'avoir comme ami. Il s'agissait

du second fils d'Yvonne, qu'elle avait eu entre Bayard et
Mariane, mais, pour une raison que j'étais trop jeune pour
connaître, on avait beaucoup hésité sur le prénom à donner
à cet enfant démarré en l'absence de son mari Charles.
Ce dernier, à qui sa belle-famille pesait plus qu'il ne l'avait
craint, choisit de le faire baptiser sous les prénoms de
deux des frères de ma tante, ce qui fut considéré, *in petto,*
par Alexandre comme une injure des plus sournoises aux
bonnes mœurs de sa fille. Charles exigea que l'enfant fût
confié à une nourrice et tenu à l'écart de la famille autant
qu'on le pourrait. Sur quoi il décida de laver l'affront –
peut-être une erreur de calendrier – en concevant avec
Yvonne celle qui allait être Mariane. L'enfant en nourrice
répondait donc, quand il y consentait, au nom très catho-
lique et romain de Pierre-et-Paul dont l'avait gratifié
Charles. Était-il mon cousin, ou mon demi-frère, je ne le
sus pas sur le moment et la vérité m'importait peu. Pierre-
et-Paul était dans la même classe que moi, un élève
médiocrement doué et beaucoup trop discipliné. Charles
lui avait laissé son nom de Gelliceaux, celui que portait
aussi Mariane, mais l'enfant savait-il qui il était, où étaient
ses parents, pourquoi ils ne l'avaient pas emmené comme
Bayard et Mariane vers les pays chauds d'outre-mer ? Il
parlait peu, jouait sans crier et ne fit preuve de violence
que pour me défendre quand nous fûmes liés par le même
banc, le même encrier, et qu'il constata que j'étais trop
souvent prisonnier au jeu de la délivrance. De cette année
à l'école de Pontaillac et de mon amitié naissante avec
Pierre-et-Paul, je n'ai que peu de souvenirs, la société des
enfants de mon âge ne m'intéressait pas outre mesure et
mon seul ami fut souvent absent de l'école. J'avais reçu
l'interdiction par Alexandre d'évoquer ce cousin devant
mes parents, de parler de lui à qui que ce fût, sauf à lui,
Alexandre, et même de prononcer son prénom dans la

maison, ce prénom double qui était susceptible de déclen-
cher des colères et des discussions interminables comme
il n'y en avait que pour les sujets d'importance, les mérites
inconciliables des portugaises et des belons, l'incorrupti-
bilité des radicaux, où s'attisaient les divisions entre
Balliceaux jusqu'à la haine, sans qu'on ait jamais considéré
les blessures véritables qui partageaient la famille. On ne
disait pas les noms, les mots justes, on se querellait à côté,
sur de faux motifs, pour des causes empruntées. Il arrivait
bien sûr que l'on prît le simulacre pour l'objet et il fallut
des années aux enfants de ma génération pour comprendre
que les grands-parents n'étaient pas seulement séparés à
cause de la couleur d'une porte ou de la teneur en iode
des huîtres de Marennes. Et quand mon père eut la
mauvaise idée d'aller un jour de courses au petit hippo-
drome des Mathes où il rencontra Paul et Anicet qui
pariaient sur un cheval sans grand ressort, ce n'est pas
pour sa mise qu'Alexandre lui fit une longue remontrance
au cours du dîner, ni pour avoir joué sur un tocard qui
appartenait sans doute à un Bordelais, un cheval de rien,
qui n'avait pas une goutte de sang arabe, à peine bon à la
saillie des juments les plus ingrates, mais sur le fait qu'on
l'avait vu, lui, Pierre, son plus jeune fils, en compagnie
d'Anicet et de Paul, les fils de Suzanne. Certes, les siens
aussi, il ne les reniait pas, mais tout de même. La personne
qui les avait vus, une domestique du maire de Saint-Palais,
amie de notre jardinier, n'avait pu s'empêcher de préciser
que les trois frères s'étaient entretenus brièvement – du
temps qu'il faisait et des chances de quelques canassons
montés par des jockeys trop lourds, vêtus de casaques
reprisées – sur un ton tout à fait cordial. « Comme si de
rien n'était », répétait Alexandre, mimant la stupeur en
écartant les bras avant de les laisser tomber. Comme s'il
n'y avait pas chez une femme seule de Saint-Georges-de-

Didonne un enfant qui se nommait, fait unique dans le canton, sinon le département, Pierre-et-Paul. Et comme si Paul n'avait pas reçu, un soir qu'il goûtait à son alambic, une volée de plombs propre à dénoyauter un cerisier. Le monde, c'était évident, ne tournait plus comme il aurait dû et ce n'étaient pas ses fils qui le remettraient dans le sens d'autrefois.

Vers la même époque, au début de l'été qui suivit mes cinq ans, alors que ma mère venait d'accoucher de ma sœur Victoire, je fis la découverte décisive de deux gros livres dans la bibliothèque d'Alexandre, deux volumes consacrés aux anomalies morphologiques chez les humains et les animaux. Mon vocabulaire était trop limité pour comprendre tout le jargon médical qui s'y déployait mais les auteurs avaient su ménager nombre d'anecdotes pour égayer leur propos, et le texte des légendes sous les dessins et les photos était tout à fait à ma portée. Pendant qu'Alexandre se promenait le long de la plage ou faisait la sieste, à l'heure où ma mère prenait le soleil sur la terrasse, je me glissais dans la bibliothèque, j'ouvrais un ou deux volumes du Grand Larousse du XIXᵉ siècle que je plaçais par terre, bien en évidence, et je m'emparais de l'un ou l'autre tome du livre des monstres qui remplaça pour longtemps dans mes loisirs tous les recueils de contes et toutes les aventures de Jules Verne, d'autant mieux que les monstres recensés dans la réalité avaient bien des aspects communs avec des créatures purement féeriques. Il n'y avait pas pour moi plus de frayeur à voir un mouton à deux têtes qu'à imaginer le nez de Pinocchio ou le corps douloureux de la Petite Sirène. Il n'y avait pas de sirène au demeurant dans mon livre, mais une femme à visage de patate et plusieurs spécimens d'hommes à trois jambes, photographiés à divers moments de leur vie, enfants, jeunes hommes en costume marin, adultes portant cravate et chapeau. Les femmes à quatre jambes, deux petites à l'intérieur des deux grandes, étaient comme un mystère redoublé. Par où enfantaient ces femmes uniques et dont certaines avouaient posséder deux fois leur sexe? Et comment les siamois qui tenaient l'un à l'autre par le haut du crâne, vivant couchés, pouvaient-ils empêcher les pensées de l'un de s'écouler dans le cerveau de l'autre? Sur la photo, ils souriaient tous deux. Suffisait-il de pincer l'un pour faire pleurer son frère? J'aimais les hommes-caoutchouc, qui pouvaient se tirer démesurément la peau des joues, ceux dont la tête était absurdement pointue, les enfants dont le bas du dos s'ornait d'une courte queue, les hermaphrodites, et par-dessus tout Pasqual Pinon, le Mexicain à deux têtes superposées, dont la plus petite, au sommet du crâne, comme un étage supplémentaire, était coiffée en arrière, écarquillait les yeux et remuait les lèvres. Moins amusantes étaient les vies des monstres que les cirques usaient en voyages, ou qui, ne supportant pas sur leurs épaules la présence d'une tête étrangère, décidaient de donner la mort au parasite et se suicidaient du même coup de revolver. Et m'inquiétaient surtout les multiples cas relatés où l'on découvrait en opérant une grosseur ou un abcès chez un sujet normal l'embryon d'un fœtus jumeau, en train de se développer comme une tumeur. Qui pourrait me garantir que je ne verrais pas un jour mon genou s'enfler d'un frère endormi, ou qu'une sœur – plus habile que Victoire – ne se développerait pas dans mes poumons, tout à côté de mon cœur?

Si la lecture du livre des monstres ne provoquait chez moi ni crainte ni dégoût, elle donnait néanmoins un aspect étrangement proliférant à beaucoup de mes rêves. Je les quittais difficilement au matin, quand je les quittais. Un homme assis sur une borne ou la silhouette d'Alexandre revenant de promenade, appuyé un moment sur la plus lourde et torsadée de ses cannes, me faisaient croire au passage sous un chapiteau de Royan de Frank Lantini, l'admirable Sicilien aux trois jambes, aux quatre chevilles, aux vingt orteils et aux deux pénis (à tort, jamais Lantini ne quitta l'Amérique pour notre province). Une femme penchée sur son enfant, là-bas sur la plage, avait comme une demi-sœur plantée au milieu du corps. Je m'attendais toujours à retrouver l'un des chiens ou des chats de Providence nanti d'une tête nouvelle ou d'un faisceau de queues gesticulantes. La connaissance que j'avais des appareils génitaux humain était – hormis l'expérience que j'avais de mon propre corps – confinée aux planches pudiques du Grand Larousse, qui, par le trait, le caractère convenu des poses, l'air placide, élégant des attitudes adoptées par les squelettes et les éventrés, ne semblaient pas décrire un monde totalement étranger au livre savant et sérieux, compilé pour les nécessités d'une thèse par deux chirurgiens de la faculté de Bordeaux, et par eux dédicacé à mon grand-père.

J'en vins tout naturellement à soupçonner mon ami et cousin Pierre-et-Paul d'être tenu à l'écart de la famille pour cause de monstruosité, comme l'indiquait clairement son double prénom. Probablement cachait-il sous son tablier une moitié de jumeau retenue dans des bandages. Peut-être avait-il un autre visage au niveau du bassin ou deux bras atrophiés au-dessus des reins, bien que dans ses mouvements, dans ses jeux et dans ses rares bagarres à l'école, rien n'ait pu laisser croire à de tels appendices superfétatoires. La plus simple hypothèse sur laquelle je me repliais fut qu'il devait avoir deux verges et au moins quatre testicules, ce qui à notre âge ne prenait pas encore trop de place. Il me faudrait cependant attendre l'automne et la rentrée pour procéder sur Pierre-et-Paul à des investigations plus tangibles. Je ne parlais à personne de mon goût des monstres. Je n'étais pas censé faire cet usage indiscret de la bibliothèque d'Alexandre et compulser si longuement des livres dont les gravures auraient sans doute provoqué la répulsion de ma mère, la réprobation de mon père. Sans connaître leur morale sur ce chapitre, il était clair que tout ce qui était monstrueux était obscène et, que l'on fût obligé ou non de vivre avec de telles nécessités, il convenait de n'en jamais faire conversation. L'abîme que creusait nuit après nuit le Baron rouge entre ceux de ma famille et moi se peuplait lentement de monstres obstinés, de géants écervelés, d'hommes-troncs, de violonistes sans mains et de femmes à quatre paires de seins, incarnations souples des hauts meubles de notaire achetés par Alexandre, dont les formes galbées se divisaient en tiroirs à doubles anneaux de bronze.

Je tombai malade à la fin juin, en compensation sans doute du peu de crainte que m'avaient inspiré tant de difformités dont j'avais retenu le pittoresque plus que le malheur et auxquelles le Baron rouge m'avait rendu temporairement invulnérable, tournant avec flegme, en même temps que moi, les pages du livre maudit. Je n'avais presque rien, à peine une insolation légère, mais la fièvre me rendit bavard, à ce que m'en dirent Suzanne et Pierre, sans aller jusqu'à répéter quelles avaient pu être les paroles que j'avais prononcées dans ce qu'ils nommaient par litote un « état second », qui à mes yeux n'était que le deuxième sur une liste, une pente, où j'irais sans frein, si je n'y prenais pas garde d'une manière ou d'une autre. Le plus simple eût été d'avoir peur. Mais je ne craignais rien de ce qui naissait des livres, si je redoutais tant de choses du monde réel, c'était ma façon de prendre pied à Providence, dans cette famille où je ne savais ce qu'on espérait de moi, ni si l'on m'avait espéré. Au moment de ma convalescence, en quelques après-midi de délicieuse faiblesse

où je regardais du fond de ma chambre le bord lumineux
de l'océan, juste au-dessus du balcon, Pierre m'expliqua
que tout allait bien, que j'allais oublier tout ce que j'avais
vu pendant ma fièvre et que je n'avais pas à me faire
d'inquiétude : dans un peu plus d'un an j'aurais sept ans,
l'âge de raison. Présenté de la sorte, l'âge de raison avait
un caractère scientifiquement établi, aussi certain et inéluctable que la puberté ou la mort.

La chance, l'administration des terres lointaines, l'impatience de ma tante Yvonne voulurent que cet été-là
Mariane revînt avec Bayard et Aurélie leur petite sœur,
qu'Yvonne avait eue de Charles en même temps que
naissait Victoire à Providence, s'installer comme auparavant
dans la maison du Marais. Dès que je revis Mariane qui
avait passé plus de quatre ans sous un climat tropical et
qui était noire, selon Alexandre, « comme une prune », je
sus que l'âge de raison pour moi n'arriverait jamais. Le
séjour de Charles dans les îles avait changé son caractère,
il était moins emporté contre ses beaux-frères et contre
Yvonne. Alexandre reconnut qu'il avait désormais un peu
plus de « plomb dans la tête », ce qui lui valut un regard
appuyé de mon père. Alexandre avait ce charme d'être
autoritaire mais distrait et, de son aveu, avait souvent
navigué dans la vie à coups de gaffe. Faire allusion au
plomb à propos de Charles, même en la seule présence
de mes parents et de moi, n'était pas ce qu'il pouvait
trouver de plus spirituel ni de moins gênant. Il était apparu
assez clairement – à un moment où je ne me souciais
guère de l'enquête, tout ravi que j'étais d'apercevoir dans
un landau laqué, aussi funéraire que le mien, le petit
visage froissé et malin de ma cousine, comme moi débar-
quée en ce bas monde à la suite d'un cruel accident –
que Charles était l'inconnu qui avait tiré à la Clisse dans
le dos de Paul, sans égard aucun pour le bon déroulement

de la distillation si précieuse, si délicate du cognac familial. Et que Paul avait su très tôt la vérité, même s'il n'avait rien dit aux gendarmes, ni à aucun des Balliceaux. Il avait de bonnes raisons pour se taire et Charles avait les mêmes.

Les enfants d'Alexandre et Suzanne L'Ansecoy étaient tous nés à Mornac – Alexandre ne vint qu'ensuite à Providence, après la Grande Guerre – et il n'y avait pas quatre ans d'écart entre Paul, l'aîné, et Yvonne, la dernière, lesquels d'ailleurs ne s'étaient jamais quittés de toute leur enfance, plus liés entre eux qu'avec aucun de leurs autres frères. Mais quand Paul eut seize ans et Yvonne presque treize, il fallut se résoudre à leur demander de faire chambre à part; ce qui n'empêchait pas le moins du monde Paul de rejoindre Yvonne dans son petit lit ni Yvonne d'aborder le grand lit-bateau de Paul. Suzanne protestait auprès d'Alexandre, qui menaçait ses enfants de les battre et de mettre des clés à toutes les portes, ne faisant ni l'un ni l'autre, par principe contre les méthodes d'éducation anglaises et aussi parce que les portes qui ne fermaient qu'à demi ou dont on avait perdu la clé étaient de tradition chez nous, depuis la porte bleue de Taillebourg. Si nous avions eu un blason, c'eût été une clé brisée, un pêne d'azur enfoncé dans une gâche vert d'océan, sur fond de sable. Paul fut menacé du pensionnat, Yvonne des collèges de bonnes sœurs (quelque invraisemblable que la menace ait pu paraître dans un foyer si républicain), tant et si bien que l'un et l'autre comprirent que les jeux tendres et les nuits partagées n'étaient plus tolérés comme avant. C'est donc avec un plaisir aiguisé qu'ils se retrouvèrent en cachette, ce qu'ils n'auraient jamais imaginé sans l'intervention d'Alexandre, dans l'un de ces cabanons noirs, plantés au-dessus de la vase, qui servent d'abri et de magasin à outils aux paysans du Marais éleveurs d'huîtres. Ce paysage, qui deviendrait un jour le mien, j'aime savoir qu'il fut, bien avant ma naissance, entrevu pendant l'amour par un frère et sa sœur, avec ses lignes douces et horizontales, ses bassins multiples plus ou moins remplis d'eau, selon un jeu d'écluses permettant de réserver l'eau des parcs entre deux marées, avec ses canaux vert pâle, noyés de mer, ou tapissés de boue fine, au gris profond et nacré, parfois moiré d'une tache arc-en-ciel de pétrole, avec son réseau de talus cloisonnant les parcs, comme un labyrinthe à l'envers – ici on voit tout, on court sur le faîte des murs – où l'on peut s'allonger dans les hautes herbes face au ciel sans être aperçu du village, et dans le fond, vers l'océan, le clocher d'argent de Marennes. Paul fut le premier amant d'Yvonne, à peine quelques jours après que leurs parents eurent trouvé inconvenante leur intimité d'enfants, et le resta jusqu'à l'armée; quand il revint de son service, Yvonne s'était mariée; et lui porta malheureusement son choix sur la seule fille impossible pour notre famille. Après la naissance de Bayard, Charles dut partir en mission quelques mois, seul en Afrique. Paul quitta la Clisse et revint occuper sa chambre au Marais. Bien que nul n'en ait aujourd'hui la preuve, il n'est pas exclu qu'Yvonne ait alors accueilli avec bienveillance les soins de Paul et qu'elle fût de lui enceinte plus tôt que Charles ne l'eût souhaité. C'est de ce doute que la haine de Charles se nourrit pendant plusieurs mois, qu'il ne sut comment exprimer ni auprès de qui, puisque Pierre mon père prit en toute ignorance de cause et de pleine mauvaise foi le parti de son frère Paul. Charles les confondit dans une même malédiction et déclara ce second fils sous le nom composé de Pierre-et-Paul avant de le placer en nourrice loin de la maison où il se réinstalla auprès d'Yvonne. Paul retourna à la Clisse et Charles « mit en route » Mariane peu après que mes parents m'eurent conçu. Mais l'existence de Pierre-et-Paul et le souvenir ignominieux de son cocufiage tout frais eurent vite le dessus en lui sur la mesure qu'il savait s'imposer, en vrai fonctionnaire au long cours. Une nuit qu'il savait Paul à la Clisse embrumé dans les vapeurs de son cognac, il vint donc lui lâcher une cartouche du seul fusil qui fût en état au râtelier de Mornac.

Ce plomb dont Alexandre, des années plus tard, reconnaissait la présence bénéfique, enfin, dans la jugeote de son gendre, venait par ricochet d'un accord dont Pierre avait été le maître d'œuvre. Les courses de chevaux aux Mathes étaient assez peu fréquentées, essentiellement par des paysans et par les rares propriétaires locaux d'une ou deux bêtes méritant d'être sellées. Paul ne jouait pas, Anicet perdait et Pierre avait convaincu Paul d'une transaction qui devait replâtrer l'unité des Balliceaux pour un temps : Paul oublierait la grenaille reçue dans le dos et, de son côté, Charles ferait un geste en reprenant le petit Pierre-et-Paul à la maison. Il n'était pas normal qu'un fils d'Yvonne fût élevé par une étrangère, sans un homme auprès de lui. Paul accepta de « passer l'éponge » sur le meurtre auquel il avait survécu sans grand mal, mais exigea pour l'enfant d'en avoir la garde partagée avec Yvonne et Charles. Pierre-et-Paul passerait ses vacances, grandes et petites, avec celui qui était officiellement l'aîné de ses oncles. Charles à son tour accepta ces conditions que Pierre lui soumit et la famille fut ainsi ressoudée sur la base de ce qu'Alexandre nomma pompeusement (ironiquement en fait, car il méprisait cette négociation entre ses fils et préférait à tout la mauvaise tête de Paul) le « traité du crottin ».

Le retour de Mariane, conjugué à ce que je pouvais saisir partiellement des événements et tractations souterraines entre le Marais et Providence, eut une conséquence inopinée : je repris le contrôle du Baron rouge. Il lui fut désormais interdit d'être vert, de parler avec la voix de Jouvet et de faire des commentaires oiseux et blessants sur mon entourage sans que je le lui aie demandé. Je licenciai sans préavis mon mauvais génie, avec l'illusion de ne garder que le bon garçon d'ours, aviateur qui ne volait plus et commençait à perdre sa peluche. Sur le moment, le Baron se tut, mit en sourdine sa verdeur et son caquet. Il fut même pour longtemps la créature la plus dévouée de mon imagination, sans doute la meilleure solution qu'il ait pu inventer pour rester dans la place. Selon les besoins de ma cause, les circonstances de mes rêves, je lui ajoutais tel attribut, telle qualité que je pouvais lui ôter du même décret sans papier.

IV

Alexandre disait toujours que ce n'était plus ce que c'était. Que tout était cassé, bousillé, rasé, irrécupérable. Ce n'était pas si nouveau, répondait mon père, la Gaule et les Gaules avaient déjà plié devant tant d'envahisseurs, restait la France au bout du compte. La France, Alexandre était encore plus amer à ce nom, elle était introuvable. Une idée, la France, rien à voir avec ce que nous avions sous les pieds : du sable, du rocher facilement rongé par l'océan, des prés inondés, des marais, des forêts engorgées par les dunes, de la terre flottante, une république instable, des saisons déréglées et cette ville autrefois si belle, construite si généreusement de villas tarabiscotées, manoirs gothiques, palais italiens à tonnelles latines en haut du toit, châteaux londoniens de briques rouges, aux fenêtres saillantes – bow-windows chargés de plantes vertes où se profilait parfois une femme, corsetée dans sa robe, de la dentelle jusqu'au menton –, chalets suisses face aux embruns, en rondins de ciment, petits boudoirs rococo moderne aux lucarnes fermées de grilles en toile d'araignée, aux cheminées enveloppées de volutes de plâtre, aux façades ornées de fausses plantes grimpantes, copies des demeures d'Anjou et de la Loire en tuffeau et ardoise bleue, à deux étages avec fenêtres à meneaux et vitraux en damiers blancs et verts, toutes prévues pour de grandes

perspectives et absurdement collées les unes aux autres en
bord de mer, la vitrine inévitable, ou cachées par une
ondulation du terrain pour les plus riches qui pouvaient
s'offrir la discrétion et l'espace du bois, tournées vers
l'intérieur de la campagne, comme dédaigneuses de l'océan
qui pourtant donnait tout, la pluie et le beau temps, le
poisson et la menace, cette ville réduite à rien en quelques
heures. A la place – et, à l'exception de quarante villas
anciennes épargnées par les bombes anglaises, il y en avait
de la place à revendre –, le béton et l'acier. Le béton
surtout, amplement coffré sur de vastes surfaces par rues
entières, en arrondi le long de la plage, jusqu'au marché
en forme de parachute. Les architectes avaient multiplié
les larges avenues, les esplanades trop dégagées avec
parterres de fleurs et bancs où personne ne venait s'asseoir,
les immeubles secs comme des dominos posés sur la
tranche. En revanche, les particuliers, sans s'en douter
(bien au contraire, beaucoup affectaient de mépriser le
style nouille de l'ancien Royan avec son opéra meringué,
nappé de lumière et de stuc, ses lourdes colonnes, ses
escaliers pansus, ses coupoles encombrées, son esthétisme
de confisier orgiaque), avaient été repris de la même
fantaisie propre aux bords de mer qui étend sa liberté de
la Belgique au Portugal, des *beach houses* de Long Island
aux folies liméniennes de La Punta, comme si l'air marin
avait pour effet de saouler les architectes et les maçons,
de donner aux plans un coup de vent sur le côté. On vit
pousser à toute allure des villas hantées par le fantôme du
modernisme, en béton peint de couleurs criardes, parfois
en deux morceaux avec passerelle de verre; ou penchées
comme après un séisme, à l'imitation des premiers blockhaus du mur de l'Atlantique qui commençaient à s'incliner,
à basculer, sapés par la mer; ou encore closes de tiges en
fer comme des cages à fauves, les barreaux rutilant sous

le minium; arborant des volets bleu roi sur fond blanc, des rideaux jaune d'œuf, lançant des ondes contraires, irritantes avec un sans-gêne, une de ces fausses gaietés provençales qui obligeaient Alexandre à porter des lunettes vertes pour se promener dans les quartiers reconstruits où il ne manquait pas une occasion de déclarer aux nouveaux habitants que ce n'était pas grave, qu'ils pouvaient s'en donner à cœur joie, les bombardiers reviendraient avant longtemps.

Pendant des années je l'entendis pester contre l'architecture de « soucoupes volantes » qui s'était abattue sur la ville et j'eus la sensation, à chaque repas, que la vaisselle dans laquelle nous mangions pouvait à tout instant prendre son essor vers la nuit noire où des Martiens patrouillaient, menaçant de tirer à eux, quand bon leur semblerait, les soupières, les assiettes et les bols où fumaient la blanquette, les moules du dîner, que les tables n'étaient jamais sûres malgré la nappe, les couverts et les plats blancs éclairés par le lustre à breloques, comme un aérodrome suspendu sous lequel nous étendions nos jambes dans l'obscurité : un orage pouvait s'emparer des bouteilles, répandre le vin dans l'air, foulard pourpre, soulever le pain et l'eau, les faire naviguer en apesanteur, tandis que l'escadrille de nos soucoupes fracasserait les vitres de la fenêtre, nous laissant pour toujours déconfits devant nos aliments vivants et rebelles.

L'heure du dîner était souvent le moment choisi par Alexandre pour évoquer l'apocalypse de 1945 à laquelle nous avions réchappé, la journée du 5 janvier où la ville avait été détruite, deux fois survolée par trois cents avions anglais, à cinq heures du matin et à six heures, lâchant six cents tonnes de bombes, ensevelissant plus de mille personnes sous leurs propres maisons, ces Français qui n'avaient pas voulu évacuer la poche de Royan où les

Allemands conservaient leurs positions pour retarder le débarquement. Alexandre était sur la route cette nuit-là. Descendant de Rouen, il s'était arrêté à Taillebourg et avait repris le volant avant l'aube par des itinéraires non surveillés pour rejoindre Suzanne à Mornac dans le Marais. En passant par Sablonceaux, il avait entendu le ciel trembler à l'approche de l'aviation anglaise. Avant qu'il ait atteint Le Gua, les bombes de la première vague tombaient sur Royan, illuminant les nuages par en dessous, flambant d'un coup les bois de Pontaillac à Saint-Georges-de-Didonne. Il pouvait voir le Marais comme au crépuscule dans une lumière rouge et jaune sale. Des paysans qui remontaient de L'Éguille lui dirent de ne pas aller à Mornac par la route. Il se rendit à Nieulle sur la rive droite de la Seudre et laissa sa voiture. Quand la seconde vague de bombardiers pilonna Royan, Alexandre traversait le Marais dans une barque empruntée. Il atteignit Mornac au jour levé, accosta au pied de la maison de Suzanne L'Ansecoy.

Les Balliceaux quittèrent le Marais et se replièrent pour quelques mois au nord, sur Brouage. On disait que les bombardements du 5 janvier étaient une des plus grandes et meurtrières sottises qu'on ait vu commettre au cours de cette guerre qui tirait à sa fin – et pourtant Alexandre avait survécu à Verdun, lors de la précédente Grande Guerre, et pouvait témoigner qu'en matière de bêtise les armées n'étaient jamais à court de munitions –, un crime sans raison, conçu par des généraux ivres, lors d'un souper à Cognac, où les Alliés avaient été convaincus d'anéantir la poche de Royan, plutôt que de négocier la reddition de l'amiral Michaelles; que devant une telle infamie on ne pouvait pas plus compter sur l'intelligence des Alliés que sur celle de l'ennemi et que mieux valait se méfier de tous. Alexandre avait reçu de son père la villa Providence bien avant la guerre et n'y avait pas beaucoup séjourné. Il ne savait même pas si la grande maison avait encore une pierre sur l'autre. A Brouage, un ami qui était passé par Royan vint lui dire que oui, dans le tas de décombres qu'était la ville, il y avait assez curieusement une quarantaine de maisons intactes, oui, la sienne, au milieu de milliers d'autres effondrées. Mais qu'il n'était pas prudent de vouloir approcher de la ville, à supposer que ce fût possible, à travers les champs de mines où seuls les Allemands et quelques FFI connaissaient le gué. Alexandre et les siens attendirent plus de trois mois. Le 15 avril, pendant toute la matinée, les aviations américaine et française bombardèrent à nouveau les dernières positions qu'occupait l'ennemi dans la ville, d'autres maisons tombèrent encore, Providence tint debout, largement balafrée d'éclats. Quand enfin Alexandre put entrer dans Royan, le 22 avril, il vit passer en trombe le général de Gaulle saluant les ruines à bord d'une longue décapotable noire. Il s'installa aussitôt dans sa maison, remplaça les vitres, boucha les trous dans les murs, tandis qu'au-dehors on commençait de déblayer les rues, les plages, les jardins, les caves et qu'on traçait de nouvelles rues.

A la fin de l'été 45, mes parents vinrent habiter Providence, où rien n'avait brûlé, que personne, autre miracle encore plus grand, n'avait pillée, mais il fallut se rendre à l'évidence : plus rien ne restait de la ville qu'ils avaient connue. Au milieu des maisons écroulées, ne subsistaient qu'une poignée de villas du passé, reliques auxquelles les propriétaires s'accrochèrent avec passion, même quand elles avaient été sérieusement endommagées. Ce fut le cas d'une grande maison blanche sur le rivage nord de la conche à Pontaillac qui appartenait à des négociants du Limousin et fut sauvée patiemment, coûteusement, réparée en une année et rebaptisée « Quand même ». Alexandre

considéra qu'il avait eu trop de chance quant à lui pour
donner à Providence un autre nom.

* *
*

Quand Mariane revint, Pontaillac et Royan étaient encore
en travaux, mais la ville dans son ensemble avait adopté
ce style futuriste et plat, triste jusqu'en été, qui naquit en
même temps que moi. Du moins avais-je le privilège de
vivre dans un « monument », selon l'expression de mon
grand-père, un des derniers musées de l'Europe. Dès son
retour, je vis presque chaque jour ma cousine à la plage.
Je ne sais pourquoi les deux clans de la famille nous
laissèrent ensemble des journées entières. Pour faire taire
ceux qui jasaient trop sur les divisions des Balliceaux;
peut-être dans l'espoir de renouer par notre entremise les
liens rompus entre nos parents. Ainsi Mariane déjeuna
régulièrement à Providence entre les deux séances de
plage du matin et de l'après-midi qui occupèrent les
vacances de ma septième année. Au même âge, Mariane
était plus petite que moi, très brune de cheveux et de
peau et pouvait s'exposer au soleil sans risque, alors que
moi, gringalet aux cheveux blonds, je devais m'abriter à
l'ombre du parasol et la regarder se promener au milieu
des autres enfants moins fragiles. La plage était un endroit
qui me paraissait absolument déplaisant. Il y faisait trop
chaud, il y avait trop de gens autour de nous, trop de
garçons autour de Mariane. J'allais me baigner avec elle
en arrivant, puis je restais allongé au soleil le temps de
me sécher. Je passais ensuite des heures dans l'ombre
ovale et mouvante du parasol que mon père ou Charles
plantait pour nous, assez profondément pour que le vent
ne le fasse pas voler, tourbillonner avec son pic assassin

parmi les corps huilés, comme il arrivait parfois sur la plage de Royan où les bourrasques étaient plus fortes qu'à Pontaillac. Là, je me couchais dans le sable, regardant de tout près les grains brillants accumulés en dunes de quelques centimètres s'étendre en un désert ondulé jusqu'au parasol voisin. Des puces de mer y dansaient. Elles avaient un corps à peu près transparent d'un demi-centimètre de long, muni de deux rangées de pattes, ne piquaient pas mais sautaient. Je contemplais aussi les boucles de tissu-éponge des serviettes de bain, la toile des sacs où nous portions nos affaires, la pelle à sable bleue dont je ne me servais que les jours où le temps était vif et la mer agitée, en marée montante, pour construire des digues autour de nous. Je passais des heures absorbé dans une vision très rapprochée des objets, je cultivais le détail jusqu'à ce qu'il perde toute relation avec l'ensemble, devienne énigmatique. Ou j'observais Mariane, quand elle venait auprès de moi, je la découpais en petits morceaux de pure adoration, l'angle clair de son coude, le creux de la jambe derrière son genou, une goutte de mer séchant sur le rond de son épaule, déposant une auréole de sel. Son visage était aigu et triangulaire, son nez légèrement retroussé, ses yeux noirs d'une grande intensité. Jamais un regard d'elle n'était tranquille, ni même simplement apaisé. Sa bouche rouge et charnue s'entrouvrait pour laisser un petit bout de langue rose lécher la sueur au coin de ses lèvres rondes presque sans pli. Elle glissait un doigt dans ses cheveux, qu'elle portait emmêlés et très longs, et dégageait une oreille fine, bien ourlée. Je touchais parfois ses oreilles, ses narines étroites, lisses, en admirant déjà comme tout ce qui ouvrait sur l'intérieur de son corps était délicat, bien fini. Yvonne avait été une mère de grand talent, sans aucun doute, et sa fille n'était pas docile, monnayant la moindre de mes caresses contre des bouderies ou des gages, quand elle ne préférait pas me faire payer un prix plus fort en allant se faire courtiser par un garçon plus âgé d'un an ou deux, mieux bâti que moi.

Il n'y avait que dans le secret de la mer qu'elle se laissait approcher, dans le rouleau des vagues, là je pouvais l'étreindre, plonger ma tête entre ses jambes pour la soulever sur mes épaules, tenir contre moi son ventre rond, son buste plat qu'elle couvrait prétentieusement d'un soutien-gorge en coton froncé, gonflé d'illusion. Je le lui ôtais sous l'eau. « Inutile, disait-elle, il n'y a rien pour toi. » Au contraire, il y avait tout, sur ce torse qui ressemblait encore au mien, l'espérance de ce qui allait s'arrondir bientôt; surtout ce début d'abandon comme un aveu. Pour le reste du maillot, je n'y eus pas accès cet été-là. Il fallait en fin de journée rentrer à la maison, abrutis de soleil, du sable dans les sandales, dans les poches, les cheveux, et, chaque soir, j'espérais un lendemain couvert, un ciel bien anglais qui nous aurait fait ajourner la cérémonie des bains et la présence des autres enfants nus.

La corvée de plage n'était pas cependant sans contre-partie. Avant le déjeuner, c'était une des exigences d'Alexandre, nous devions passer sous la douche et mettre des habits frais et propres pour nous présenter à table. Mariane utilisait ma salle de bains, m'autorisait le plus souvent à la regarder, à lui tendre mes serviettes, mon peigne. Nous disposions aussi d'une heure de sieste dans ma chambre. Nous ne dormions pas bien sûr, parfois Mariane faisait semblant, juste parce qu'elle savait que je veillais à ses côtés. Ces siestes silencieuses étaient son cadeau. Parfois nous parlions, parfois je m'endormais près d'elle, la tenant serrée dans mes bras. Elle fermait les yeux quand je l'embrassais, ne disait rien, tout au plus elle me tournait le dos quand je m'enhardissais trop, m'offrait sa nuque.

Je n'avais en fait aucun moyen de la contraindre. Mariane ne me donnait que ce qu'elle voulait, selon son humeur, ou un code de bonne conduite dont je devais découvrir bientôt qu'elle ne l'observait encore aussi scrupuleusement qu'avec moi. Mais j'étais dans le même état de sidération où je l'avais connue peu après notre mise au monde. A l'opposé de ma mère, qui était douce, blonde, Mariane était une petite reine de pique, pointue sinon méchante, inconstante et, dans les limites de son âge mais au-delà de ce que je pouvais supporter, volage : s'il lui arrivait de s'oublier et de m'embrasser, au milieu des vagues ou au réveil de la sieste, ce n'était, disait-elle, qu'un baiser « à l'étourdie ».

Je connus aussi Bayard cet été-là. Le frère aîné de Mariane avait neuf ans et ne jouait pas volontiers avec nous. Quand il y consentait, c'était pour Mariane, à qui il ne refusait jamais rien longtemps, et un peu par amitié pour moi, me donnant du « cher cousin » avec un nuage de moquerie dans la voix. Il était, selon Mariane, le plus beau garçon de la plage et je ne pouvais pas la démentir. Bayard était à l'âge ambigu où il n'avait pas abordé les métamorphoses torturantes de l'adolescence, où tout lui restait de sa douceur enfantine; mais il savait ce moment déjà menacé, sentait la venue prochaine d'une vie plus sauvage que je ne pouvais deviner et qui le rendait impénétrable pour moi. Il avait, comme sa sœur et comme les autres enfants que Charles et Yvonne eurent ensemble, des cheveux noirs et brillants, le teint mat et le regard sombre. Il faisait beaucoup d'exercice (dans les îles, assurait Mariane, il avait appris à manœuvrer un dériveur et pouvait nager deux heures d'affilée) et sa musculature longue et mince dessinait sous la peau tendre qui était encore la sienne une silhouette d'homme-enfant devant laquelle j'avais vu Mariane frissonner. D'admiration, pensais-je sur le moment. Éprouvant ce sentiment pour Bayard, je le prêtais à ma cousine, sans trop m'arrêter au fait que l'admiration ne provoquait pas habituellement une émotion aussi intense. Bayard haussait les épaules quand Mariane l'appelait « mon frère chéri », « mon amour », il ébauchait un geste désabusé de la main, signifiant « laisse tomber », souriait d'un air mauvais à ces coquetteries de sa sœur pour lesquelles j'aurais vendu aussitôt la peau du Baron rouge. En vain, ce qui pouvait se dire sur le ton de l'ironie entre frère et sœur aurait été mal compris entre cousins. Cet argument, guère consistant selon la morale d'aujourd'hui, l'était encore moins dans le cas des Balliceaux où l'inceste allait bon train depuis longtemps – nos grands-parents aussi bien que Pierre-et-Paul en étaient la preuve –, néanmoins je le pris pour argent comptant. Bayard, bien qu'il fût différent de moi, et en tout point à son avantage, ne profitait pas de sa supériorité physique pour m'humilier. Il s'efforçait plutôt de m'aider, de m'associer à ses victoires ou à ses gains dans les jeux et les paris qu'il faisait avec ceux de son âge. Je ne crois pas que c'était là une bonté particulière de sa part. Il n'était pas plus indulgent ou partageur que moi ni aucun enfant lancé dans les compétitions de la plage, courses dans les rochers, poirier sous l'eau, édification de toboggan pour billes de verre, avec tunnel percé dans le sable par le manche de la pelle, lancer des diabolos rouges d'un coup de corde, ou du couteau à bout rond, entre les doigts de la main. Dans toutes ces épreuves où il m'arrivait de le seconder, il nous faisait gagner à deux, quand j'aurais échoué seul. Quelque chose en moi devait l'intéresser, lui être étranger, pour justifier ces égards, mais je ne voyais pas quoi. Peut-être m'avait-il un peu en pitié, me sachant amoureux de Mariane – j'étais bête au point de penser qu'il aurait pu m'en savoir gré – ou bien devinait-il en moi un déséquilibre dissimulé mais susceptible d'une grande variété de réalisations dans l'avenir, celui que je tenais de la fréquentation des monstres et du Baron et qui donnait par moments à mes propos d'enfant un ton imprévu. Je parlais beaucoup et Bayard le taciturne prit auprès de moi quelques leçons d'affabulation, matière où il n'était pas le premier. Quelles qu'aient été ses raisons à l'époque, je ne les connus pas et, comme nos deux ans d'écart excluaient qu'on pût se déclarer en amitié, nous n'eûmes jamais à mettre un nom sur l'affection qui nous réunit à mesure que l'été avançait. Un après-midi sur les rochers, je lui confessai ce qu'il savait déjà, mon goût passionné pour sa sœur. Il me regarda longuement, moi le transi de sept ans, et hocha la tête comme s'il avait vécu un siècle d'aventures amoureuses :

– Laisse Mariane. Pour le moment en tout cas. Elle n'aime personne.

– Si, elle t'aime, toi.

Cela m'avait échappé sans malice, bien que de toute évidence le Baron ait dû se mettre dans son vert le plus acide pour me faire dire une vérité qui dépassait ma compréhension des choses. Bayard se figea, son regard devint terne, il me prit un bras et le tordit jusqu'à ce que je m'agenouille dans une flaque, le visage contre son maillot où dansaient des petites ancres de marine, brodées de blanc :

– Qu'est-ce que tu veux dire ?

Je ne l'avais jamais vu en colère, j'eus soudain la nausée. Il me tordit encore le bras, appuya mon front contre son ventre, puis me tira la tête par les cheveux.

– Je dis qu'elle est bien capable d'aimer quelqu'un. C'est tout. Même si ce n'est pas moi. Il n'y a pas de quoi t'énerver.

Il me relâcha, me laissa me relever. La colère l'abandonna comme elle l'avait pris, d'un coup. Il était vidé à présent, indifférent.

– Tu as raison. Peur de quoi. Aucune fille ne mérite ça, petit, aucune.

Le petit n'était pas en état de retenir la leçon. J'étais assommé. Et même si Bayard, pendant que nous retournions à la plage en sautant d'un rocher à l'autre, eut quelques mots d'encouragement ou de plaisanterie, je restais bouleversé par sa réaction. Je ne comprenais rien de ce qu'il disait, devinais mal ce qu'il ne disait pas. Sur la plage, il prit un ton de confidence :

– Pourquoi n'essaies-tu pas avec la petite Lou. Je dis petite, mais elle a ton âge. Elle n'est pas difficile et elle aura des gros seins.

– Quand ?

– Un ou deux ans. Ou cinq. Je te dis, quand elle s'y mettra, ce sera du sérieux. T'as qu'à regarder sa mère.

Lou était une brunette aux cheveux courts et aux yeux verts et qui se tortillait comme Mariane dans un maillot deux pièces jaune canari dont elle n'avait pas encore, à sept ans, le plein usage. Elle était souriante, aimable avec les autres enfants, à qui elle prêtait ses jouets, ses bouées. Elle semblait ferme, dodue, faite de la même matière élastique que Mariane et, si elle m'opposait moins de mystère que ma cousine, sa manière directe de me regarder dans les yeux m'intimidait. Il y avait encore peu de gens qui venaient en vacances à Pontaillac et chaque parasol abritait une famille, un petit clan, dont les habitudes étaient réglées et connues de chacun. Les Balliceaux plantaient leur parasol à une cinquantaine de mètres des rochers où s'élevait leur maison. A l'autre extrémité de la conche, près des cabines de bain, de rares étrangers formaient une colonie. D'un bout à l'autre du front de mer, un grand mur descendait, très haut près de chez nous, assez bas vers le coin des étrangers, dont on ne savait s'il clôturait la plage, empêchant le sable et la mer d'envahir la ville, ou au contraire s'il contenait les maisons et les rues, qui se seraient autrement renversées sur les baigneurs. Au milieu du mur, une rampe pavée marquait le lieu où les gens de la campagne s'installaient le dimanche. Pour rien au monde nous n'aurions accepté d'étendre nos serviettes dans la zone des Saintais, cela faisait province. En revanche, dans le coin sud-est où nous étions, les familles de vieille souche avaient, comme au cimetière, leur concession. Les parents de Lou plantaient leur parasol bleu et blanc toujours au même endroit, comme si une marque, ou un signe invisible pour autrui, eût indiqué sur le sable le centimètre carré qui leur était exclusivement dévolu et ce point immuable – sauf au moment des très fortes marées – était à peu près à quinze mètres de celui où se penchait, avec un je ne sais quoi de canaille, le parasol rouge passé de ma famille.

J'ignorais tout de Lou, sauf son prénom, que glapissait à intervalles réguliers sa mère, une belle femme aux seins glorieux, qu'on aurait dit retenus à grand-peine par son bustier noir, prêts à sortir sous le choc d'une émotion, ce qu'avait bien repéré Bayard, mais je supposais que Lou appartenait à une famille très aisée, ses vêtements, son petit peignoir de bain, ses jouets étaient beaucoup plus beaux que les nôtres. Une famille qui comptait même des branches nobles, tel cet homme efflanqué et roux aux yeux pâles et à la mine défaite, comme victime d'un ennui de longue date, qui venait parfois saluer la mère de Lou, vêtu d'un slip de natation noir, d'un petit bonnet noir qu'il ôtait avec autant d'ostentation que s'il eût été paré d'un panache, s'inclinait, se cassait en deux, presque à l'équerre (car celle qu'il honorait ne se levait pas de son petit transat) et devant tout le monde lui baisait la main. Les Balliceaux et d'autres familles avec lesquelles nous avions discuté de la chose trouvaient cela ridicule. Après tout, nous étions en république. Mais en même temps, cela ne leur déplaisait pas que cet homme délavé transformât chaque matin et chaque soir, quand il prenait congé, notre part de plage en salle de bal, ce qu'elle aurait pu être, si l'on exceptait l'océan, avec son mur arrondi, ses deux rangées de tentes rayées bleu et blanc, fixées les unes derrière les autres comme des loges, ces parasols épanouis, robes penchées en une valse immobile. Je compris l'origine du sentiment d'agréable dérision que suscitait le plagiste obséquieux quand Bayard me rapporta de sa petite enquête :

– C'est un oncle de Lou. Il s'appelle Éléazar de Frémigonde.

Avec ce nom, cette particule, on ne l'aurait pas invité à partager notre ombre, mais on se serait tous jetés à l'eau pour le sauver du bain. Des manières comme les siennes, un geste aussi absurde que ce baisemain en cet endroit, on ne verrait plus cela avec les nouveaux estivants qui chaque année envahissaient davantage notre sable. « On n'en fabrique plus des imbéciles pareils », disait Alexandre, quand il voulait nous inspirer quelque respect à l'égard du frêle Éléazar, ou plutôt nous signifier la nostalgie qu'il avait de tout ce qui pouvait subsister du Royan d'avant les bombes, même si en l'occurrence le monument était sans grandeur, sans descendance, et tout à fait périssable – il suffisait d'un coup d'œil pour en juger, bien qu'il ne courût jamais le risque de périr noyé, ne se baignant pas, le maillot et le bonnet n'étant mis que pour sacrifier à un culte anglomaniaque du sport et de l'eau froide. D'autres hommes de son âge et de son milieu venaient, rarement il est vrai, sur la plage comme ils le faisaient autrefois – avant l'arrivée des soucoupes volantes sur cette petite contrée maritime où l'Europe avait dressé face au large une des frontières de béton et d'acier qui allait sanctionner son retrait de l'histoire, avant que la mode ne relance en cette époque paradoxale le goût du « naturel » –, vêtus comme à la ville de pantalons de lin ou de coton clair, d'une veste un peu plus sombre et d'un chapeau de paille à galon bleu, canotier ou panama, ne concédant aux exigences de cette fameuse nature tant aimée des générations ultérieures que de minimes témoignages de laisser-aller : un col ouvert sans cravate, des chaussures de cuir tressé, ou des espadrilles. Seuls les vrais paysans qui venaient voir la mer pour la première fois de leur vie descendaient sur la plage en souliers. On les remarquait discrètement, on éprouvait une petite gêne attendrie comme devant de bons sauvages découvrant une de ces choses qui nous étaient depuis longtemps familières, trop largement données pour être estimées, le vert de nos champs, l'abondance de nos pluies, de nos vignes, de nos châteaux. Mais en quelques années, à mesure que poussaient les maisons nouvelles aux noms pimpants, « Mi-ka-do », « Ré-mi-fa », les corps se déshabillèrent de plus en plus, il devint de bon ton d'être aussi hâlé qu'un pêcheur et, pour les hommes qui en avaient la patience et la volonté, musclés comme s'ils eussent dû lutter pour leur survie au milieu d'une jungle, ce qui ne fit pas mon affaire.

Tel qu'il était, incliné sur la main mollement levée de sa belle-sœur, Éléazar me plaisait. Il était, dans son genre, un des monstres dont j'aimais lire en cachette le sort désolé. Du moins partageait-il un peu de leur étrangeté. Mais il était le dernier de son espèce sous ce parasol où il passait, en visite, sans rester. Lou et ses parents n'avaient pas ces manies et se comportaient en gens « modernes », nageant et bronzant, parfois même déjeunant à midi sur la plage d'un sandwich et buvant de l'orangeade glacée dans une Thermos. J'en conclus qu'ils devaient habiter loin d'ici pour vouloir s'éviter un trajet à l'heure du plus fort soleil.

Une promenade en bateau m'éclaira sur l'identité et le caractère de Lou, aux alentours du 15 août. Le *Nescanar*, gros camion amphibie maquillé en navire, avec cheminée pour abriter le tuyau d'échappement, et banquettes à l'air libre sur le pont pour asseoir la marmaille, passait sur toutes les plages de la région et, contre des points découpés dans les emballages de chocolat, embarquait une vingtaine d'enfants, roulait sur la plage, franchissait les vagues, faisait un tour assez bref, son faible tirant d'eau et son fond plat de camion le destinant mal à affronter les mouvements traîtres de l'océan. Un bonimenteur nous rameutait avec un porte-voix, collait les points de carton et nous asseyait avant de se coiffer d'une casquette de capitaine et de prendre la mer. Ce mauvais marin, obligé pour gagner sa vie de piloter sur la mer ce qui n'était jamais qu'un piètre autobus, eut, sans doute involontairement, la bonne idée de faire asseoir Lou contre moi, tout à l'avant de sa mécanique bâtarde. J'avais en tête les paroles de Bayard et je regardais le torse mince et rond de ma voisine en pensant aux seins extraordinaires qui y pousseraient un jour, peut-être aussi convoités et jalousés que ceux de sa mère. Elle répondait à mes regards par un sourire ravi, candide. Fallait-il avoir honte de mes pensées, Bayard ne me lançait-il pas sur un gibier trop jeune, qui ne méritait pas ça, quoique je n'eusse aucune idée de ce que « ça » pût être exactement? Je commençai par lui demander son âge – sept ans – que je connaissais, puis son nom – du Boisier – et celui de la maison où elle vivait. Au moment où nous passions les premiers rouleaux à grand-peine, ballottés comme sur une vulgaire caisse sans aplomb, elle tendit le bras et m'indiqua la maison en face de Providence sur l'autre bord de la conche, et dit simplement « Quand même ». Après que les vagues nous eurent jetés l'un contre l'autre fort opportunément, elle s'apprêtait à m'expliquer où était la fenêtre de sa chambre quand le capitaine tourna le devant de son camion à bâbord, amorçant une courbe qui nous exposait de flanc à la houle. La moitié des jeunes passagers se mit à vomir sur le pont, l'autre à pleurer. Lou me regarda pour savoir quel parti j'allais prendre dans cette déroute. Elle n'avait ni peur ni mal au cœur. Je saisis sa main et la posai sur ma cuisse. Seule la perspective d'une noyade imminente put m'en donner le courage. Je pensai aussitôt qu'elle allait me repousser, qu'elle me dénoncerait à ses parents si nous réchappions à notre commun et dangereux penchant pour le chocolat. Elle n'en fit rien. Au contraire, sa main glissa doucement vers mon maillot et emprisonna ce que je ne savais alors désigner d'aucun nom, étant entre deux âges et deux métaphores animales, loin du « petit oiseau » de ma prime enfance, comme de la « queue » qui pointerait plus tard dans mes conversations avec Bayard. Quand elle sentit que j'étais dur – passé la surprise, ce ne fut pas long –, le camion voguait enfin sur des eaux plus calmes, droit vers le rivage.

« Nous voilà sauvés », dit-elle en retirant sa main. Pas un mot de plus. C'était elle, cette audace inespérée, ces gestes délicieux que je croyais impossibles à notre âge et presque interdits à tout autre, accomplis sereinement, sans marchander; juste un éclair de joie dans son regard rayonnant, innocent de petite fille, trahissait une gaieté qui me parut suspecte. Peut-être était-elle folle? Ou complètement égarée par notre périple où même le capitaine avait perdu ses couleurs, se retenant pour ne pas lâcher la « barre » et rendre aux poissons la friture de son déjeuner, juste retour des cendres, tandis que les parents s'avançaient sur la plage, les pieds dans l'eau, à la rencontre du bateau où ils avaient vu de loin leur progéniture expérimenter une idée publicitaire qui tourna court l'année suivante après quelques naufrages. M'avait-on vu, avait-on vu la main de Lou? Comme j'étais encore dans l'état éloquent où m'avait mis son bienfait, je crus habile de plonger juste avant l'arrivée, dès que possible, par-dessus le bastingage, pour que l'eau me rende une apparence un peu plus sage. Mes parents me reprochèrent cette imprudence, mais j'en faisais alors si peu qu'ils en tirèrent en même temps une fierté toute neuve, renforcée par les lamentations de mes compagnons malades. Une fois au sec, étrillé, enveloppé d'une serviette et assis au milieu des miens, je vis, deux parasols plus loin, la petite Lou, perdue dans un grand peignoir rose, dont sa mère l'avait affublée momentanément, qui me souriait.

Le lendemain matin je courus pour être dès le premier bain auprès d'elle dans les vagues. Il n'était pas question de la toucher à nouveau, nos familles n'étaient pas vraiment en relations assez proches pour que nous jouions ensemble. Mais je pus lui dire de se trouver l'après-midi au bout de la plage, vers le coin des étrangers, à cinq heures. Il y aurait un match de volley-ball. Elle fit signe que oui et se jeta dans les vagues. J'allais un peu plus tard avec Bayard me promener par les rochers jusqu'à la conche de Gilet où la mer laissait entre les algues échouées des fragments de verre, de bouteilles brisées, usés par le sable et l'eau et qui devenaient polis et ronds comme des cailloux. Depuis quelque temps, Bayard et moi nous les ramassions avec l'idée de trouver une dupe à qui faire croire que nous avions découvert un trésor. Les verres de différentes teintes, blancs parfois, vert sombre le plus souvent, exceptionnellement bleus (un fragment de flacon pharmaceutique, sans doute), étaient soigneusement choisis, enfermés dans une petite boîte métallique rouillée qui avait l'air, à nos yeux, d'un coffret de pirate et le coffret lui-même glissé dans une cachette assez aisée d'accès, une fente du rocher, au fond d'une grotte découverte à marée basse.

A cinq heures, Lou admirait les volleyeurs. Nous étions très loin de nos parasols de départ, les familles ne nous voyaient plus. Bayard m'avait juste jeté un clin d'œil quand j'avais annoncé que je partais à l'autre extrémité de la plage, voir l'équipe de Saint-Palais contre celle de Pontaillac. Quand Lou m'aperçut, elle ne dit rien mais cessa de regarder le ballon. Cela me paraissait incroyable, Mariane ni aucune femme ne m'ayant donné confiance de la sorte, mais je lui plaisais. Il me semblait pourtant être assez mal fait. On voyait mes côtes, je n'étais pas aussi musclé que Bayard, ni batailleur comme l'avait été mon père à mon âge. Je pensais à mon corps avec étonnement et mépris. Il était trop tendre, incapable de se muer en un de ces athlètes souples qui se renvoyaient le ballon devant nous du bout des doigts. En fait, je ne comprenais pas comment je pouvais exercer une quelconque séduction sur Lou, qui me fixait droit dans les yeux avec une expression résolue. Elle était sûre pour deux, convaincue de moi mieux que je ne l'étais, ce qui m'encourageait et me faisait peur aussi, comme si j'avais eu, tout en la pourchassant, à me défendre de son appétit. Je lui fis signe de la tête et nous quittâmes l'essaim des spectateurs autour du match. A quelque cent mètres, la falaise de rochers s'ouvrait en plusieurs cavernes, à la limite des dernières nappes d'eau mourante que le sable escamotait, abandonnant sans cesse de longues traînées d'écume arrondie, des courbes d'écriture blanche ou grise, illisible et tracée d'un seul mouvement, facile, comme la signature de mon père sur mes carnets d'école. En même temps que je songeais assez bêtement à mon père – rien ne pouvait davantage me dissuader d'entreprendre –, je constatais que la caverne au trésor était située juste en dessous de la villa « Quand même » qui, tout comme Providence sur la falaise opposée, côté Gironde, possédait en quelque sorte sa cave en pleine mer, bousculée par les vagues, ce qui représentait pour moi un risque des plus beaux, un danger qui nous sauvait du sort commun. Je pénétrais le premier dans la faille sombre du rocher, suivi par Lou qui devait connaître l'endroit autant que moi. Un peu de lumière tombait par un trou en haut de la falaise, une fente claire où passaient des nuages, comme une ligne de poudre mouvante. Il me semblait que je ne devais pas immédiatement découvrir le trésor, sinon Lou comprendrait trop facilement que c'était un coup fourré, aussi fis-je semblant de m'intéresser à quelques crabes, à des flaques. Ma compagne ne se souciait pas de ces faux-fuyants, restait immobile, plantée sous le rai de lumière. Quand je m'approchai d'elle pour croiser son regard, lui demander : « Tu viens ? Qu'est-ce que tu as ? Tu pleures ? », elle sourit et entre le pouce et l'index se cueillit un cheveu sur la tête et me l'offrit. Je ne savais que faire du cheveu, je n'avais pas de poche où le mettre, le garder à la main me gênait. Je le glissai sous l'élastique de mon maillot, sur la hanche. C'était ridicule, mais je ne pouvais m'en débarrasser devant elle : c'était certainement une forme de cadeau, dont je me doutais qu'un plus hardi n'aurait pas traîné à percer le message muet. J'aurais pu immédiatement toucher Lou, son épaule ou sa joue, l'embrasser. Elle était de toute évidence en position de résistance minimale. Je me repris à fouiller la caverne, au hasard apparemment, me sentant trop ému pour appliquer dans l'immédiat les directives sans détour de Bayard, et mis au jour plus tôt que je ne l'avais projeté la cassette fortunée.

– Des morceaux de verre, dit simplement Lou.

Je renonçais à les lui vanter pour des diamants et des

émeraudes, je laissais tomber aussi sec mon histoire de
pirates qui m'aurait fait passer pour un menteur sans appel.
En revanche, j'eus, sans même y réfléchir, ma main droite
sur sa taille. Elle se laissa aller contre moi, tout en prenant
un bout de verre bleu qui lui paraissait plus lisse et beau
que les autres et le glissa dans la culotte de son maillot.

– C'est sûrement un trésor de corsaires, dit-elle à voix
basse.

A croire qu'elle était folle à nouveau, d'une folie qui
prévenait encore une fois mes projets. Au moins elle n'avait
pas l'air féroce comme j'imaginais les gens vraiment
insensés. Je laissais tomber la cassette et m'attaquais à son
minuscule maillot. Il fallait en finir, pensais-je, en finir,
sans quoi Bayard se moquerait de moi jusqu'à ma mort.
Comme s'il y avait une fin à la découverte de ce petit
ventre lisse et fendu, à ces fesses pleines que je tenais
dans mes mains tandis que j'embrassais ce qu'en temps
ordinaire le maillot recouvrait. Dans la culotte que j'avais
descendue sur ses genoux, la plus rare pierre du trésor
brillait. Une main de Lou se posa sur mes cheveux :

– Il y a des gens qui viennent, murmura-t-elle.

Je remontai aussitôt le trésor emmailloté et la fis partir
seule avant moi. Quand j'eus récupéré les pierres éparses
et rangé la cassette, je filai à mon tour, d'abord vers la
mer me tremper, puis vers le parasol. A mon retour, Lou
avait déjà plié bagage avec ses parents, montait la rampe
du mur sans se retourner. De l'été je ne la revis pas.

*   *
*

Bayard m'assura que les du Boisier, dont l'intrépide Lou
était le rejeton sucré, devaient passer le reste des vacances
chez des parents, dans le Limousin, et que leur départ de

Pontaillac n'avait rien à voir avec la faveur que venait de m'accorder leur fille. Comment auraient-ils pu savoir, se décider si vite ? Je pensais au mot de « faveur », que Bayard avait prononcé avec une ironie où passait malgré tout de l'admiration pour ma conquête – il ignorait que j'étais plutôt celle de Lou –, et à la « fève » de la galette des rois, ce petit jésus difforme endormi dans le gâteau, au caillou bleu sombre, saphir sans doute extrait d'un flacon d'éther, que Lou avait dû garder contre sa fente, pendant tout le trajet du retour. Allait-il glisser en elle, disparaître dans sa tirelire ? Bayard m'apprit que les filles, sans exception, et mieux encore les femmes, bien qu'il n'en ait pas connu, avaient entre les lèvres de leurs lèvres une sorte de fève, comme notre queue à nous en plus petit. C'était peu logique de parler de queue puisque aucun animal ne porte sa queue sur le devant, mais c'était ce qu'on disait dans la classe de Bayard et j'avais intérêt à emprunter son vocabulaire plutôt que celui de mes camarades qui, eux, ne parlaient pas de ces choses. L'existence de cette « fève » recelée par les filles me réconfortait. Elles étaient donc toutes des monstres, comme je craignais de l'être parfois, puisqu'elles abritaient ce petit personnage enfoui, susceptible de grandir, pareil au jumeau embryonnaire qui se logeait en moi, Dieu savait où, et me pousserait peut-être un jour à même la jambe ou le dos, comme un arbre. Je ne mis pas Bayard dans le secret de mes lectures sur les monstres, c'était mon domaine réservé, ma ressource unique, contre lui qui avait sur moi tous les avantages. Je ne l'avais pas encore vu avec une fille se comporter comme qui dispose des « faveurs » de l'autre. La rumeur à l'école était floue à son sujet et j'observais en recoupant les bavardages que personne n'avait pu citer de façon certaine une victime de ses talents. Pourtant chacun le croyait parce qu'il savait distiller sa connaissance des filles avec une autorité naturelle qu'on n'osait pas mettre en doute et que tout ce qu'on avait appris de sa bouche avait été vérifié ensuite sur le terrain, c'est-à-dire dans la partie du bois de Pontaillac où ceux que leurs parents ne venaient pas chercher à la sortie de l'école avaient loisir d'entraîner des fillettes aussi libres qu'eux. Ce n'était pas encore mon cas, malgré l'échéance de ce fameux âge de raison dont ma famille pensa à juste titre que je l'avais sauté sans m'en apercevoir. Bayard ne fréquentait pas ce terrain d'expériences, il avait sans doute quelque fiancée de dix ans du côté du Marais, une fermière qui s'ennuyait entre les huîtres et les vaches, une affaire discrète. Bayard tirait de ses silences un prestige considérable et savait ne pas terminer ses phrases; d'autant mieux que son humeur indocile, orageuse, empêchait qu'on le prenne pour un couard, un timoré. Au contraire, s'il parlait peu, c'était en homme d'action.

Je ne pus manquer de voir dans le départ de Lou une sanction de sa complaisance, de ma curiosité. Je ne m'en sentis pas coupable pour autant; plutôt, je voyais une relation, peu explicable du reste, entre l'amour que pouvait me porter Lou et le malheur, les châtiments qu'elle encourait presque simultanément. En l'occurrence ce devait être un malheur d'être séparée d'un homme de sept ans qui lui offrait des saphirs; un châtiment d'être éloignée de cette plage où jusqu'aux derniers beaux jours Éléazar promena en vain sa silhouette britannique, son baisemain fidèle suspendu dans le vide, avec un petit mouvement du buste, une courbette ébauchée quand il passait près de l'endroit où les du Boisier plantaient leur ombre, qu'il savait, comme nous, déceler (à quels repères?) sur la surface anonyme du sable.

Mariane avait accueilli froidement mes deux escapades avec Lou, et si son orgueil l'avait retenue de m'en faire le reproche, elle n'avait pas tardé à exercer des représailles. Je fus, après l'équipée en bateau, privé des menus plaisirs du bain; et le lendemain du jour où je plaçais mon saphir au chaud, c'est toute la sieste qui s'envola. Elle n'eut plus sommeil, décida de passer les heures de l'après-déjeuner en compagnie des adultes qui ne dormaient pas ou dans un fauteuil de toile au milieu de la terrasse, bien en vue, intouchable. Il me parut même impossible de lui parler, chaque argument que j'aurais pu avancer pour ma défense – après tout, n'avait-elle pas été la première aimée, la plus sollicitée – n'aurait fait que m'enliser encore. Je gardais Bayard en confidence et renonçais à Mariane, perdue pour la saison.

Alexandre avait raison de toujours répondre « adieu » au lieu d'« au revoir ». C'est plus sûr. Combien de fois les enfants d'un été ne revenaient pas l'année suivante, je ne saurais le dire, je n'ai pas noté toutes les défaillances, tous les rendez-vous manqués. Ni Lou ni Mariane ne revinrent partager mes vacances avant que j'eus dix ans. Elles avaient des excuses, des amies qui les invitaient à La Rochelle, à Oléron; Lou passa même un été sur la Côte d'Azur, un lieu de perdition selon Alexandre qui détestait la chaleur, les foules, la gentillesse de façade des Méridionaux. Mariane fréquenta d'autres amies, des filles avec lesquelles elle chuchotait longuement, allongées les unes contre les autres sur la même serviette, soufflant leurs secrets au ras du sable.

On ne se retrouvait qu'aux concours de gâteaux de sable qui se tenaient la première semaine d'août à marée basse vers le milieu de la plage. Les concurrents se voyaient alloué un carré qu'ils pouvaient piocher à leur gré, tasser ou modeler, sculpter en forme de pains, de tartes, de babas, de meringues nappées d'eau. Le grand art venait ensuite dans le maniement des couleurs. La mercière de la rue des Montagnes-Russes vendait des craies de toutes les teintes que l'on pouvait râper avec un petit couteau pour faire tomber sur telle partie du gâteau une poudre jaune, bleue, rose ou verte, chacun maniant la truelle pour dessiner des motifs, séparer les glacis de coloris ou de densité différents. Une ou deux fois je fabriquais une pièce montée rouge et verte face à Mariane qui alignait des tartelettes sans me voir. Mais Bayard me fit abandonner ces divertissements inertes. A l'écouter – il allait sur ses douze ans et s'était mis à pousser et à pâlir –, j'allais me gâter le caractère. Il me fallait des épreuves, du courage. Pour ce que je pouvais en imaginer, il devait être mieux que moi le petit-fils d'Alexandre, lui qui avait choisi des motifs héroïques et batailleurs pour la plupart des pièces de Providence. Comme Alexandre, Bayard voyait la venue d'un orage avec ferveur, délectation. Il commentait les mouvements des nuages ou de la mer comme il aurait décrit les déplacements des infanteries romaines tels qu'il les avait lus dans César; bientôt il y apporta le ton enfiévré des journalistes qui suivaient pour la radio les grands hommes du Tour de France. Ce fut la seule concession qu'il fit à mon jeune âge : il accepta de jouer encore aux petits coureurs, qui étaient en ferraille légère, successeurs sportifs des anciens soldats de plomb. Chacun à son tour nous envoyions une bille le long d'une gorge creusée dans le sable et nous avancions nos coureurs d'autant. Le mien avait des culottes noires, un maillot vert, une casquette blanche. Bayard ne cédait jamais le jaune, même quand il perdait la première place. A la bille suivante, il s'échappait du peloton. Son coureur, malgré une roue abîmée, gardait un mince sourire.

Puis Bayard se lassa des coureurs. Nous nous contentions d'écouter le compte rendu du Tour le soir, lui à Mornac, moi à Providence, et d'en parler brièvement le lendemain en nous promenant sur les rochers. Je m'intéressais encore aux mares, isolées dans un trou par le reflux, aux crabes, aux algues visqueuses dont les boules souples ressemblaient à des glandes, que j'éclatais entre le pouce et l'index. Bayard ne regardait que ce qui était humain et féminin, fixant les filles d'un œil qui me semblait éteint, ou ne regardait rien. Il me fallut avoir son âge pour savoir que ces yeux morts pouvaient être ceux du désir absolu; à douze ans il contemplait les pêcheuses de crevettes pousser leur épuisette le long du rivage, moi je demandais si la pêche était bonne. « On s'en fout, disait Bayard, entre ses dents, on n'a pas faim, imbécile. » Il devait savourer en lui-même ce que notre différence d'âge entraînait de malentendus, sachant combien j'étais proche désormais d'une révélation qui creusait ses joues et, même sous le hâle, lui cernait les yeux. Ma mère me donna un jour raison contre lui dans une dispute où il n'avait pas tout à fait tort, plaidant que Bayard « traversait un âge ingrat ». Le sens de cette expression me resta longtemps obscur et, quand je le saisis, je le trouvai faux. C'était plutôt à Bayard de déclarer le monde ingrat, décevant; il ne s'en priva pas, du reste, et fut montré en exemple d'élève insubordonné, tout le contraire de son frère Pierre-et-Paul qui redoublait gentiment sa classe, sans protester, et se trouvait avec moi à l'entrée de la sixième.

Mon père eut un long voyage à faire, cette année-là, et quitta Providence dès la mi-août sans préciser la date de son retour. Du moins j'ignorais ou ne voulais pas savoir cette date; dès que son absence put être assurée et que notre vie à Providence se trouva réglée sans lui, je m'arrangeai pour tomber malade, pisser dans mon lit, déboucher adroitement ma bouillotte du bout des pieds, ce qui me conduisait au seul lieu tout à fait aimable sur cette Terre, le lit de ma mère Suzanne. Y dormir était un

privilège si grand que je n'en parlais à personne, n'évoquais
même pas la chose avec ma mère. Un parfait silence nous
enveloppait, l'un près de l'autre dans le seul bon sommeil
que j'aie connu. Je chauffais d'abord la place de Suzanne
et quand elle sortait de la salle de bains, ses longs cheveux
d'or dénoués jusqu'à la taille, je roulais sur moi-même vers
la moitié froide du lit. Elle disait : « Axel, tu as fait la
bassinoire ? » et s'allongeait. Il y avait au rez-de-chaussée
une bassinoire de cuivre martelé, accrochée au mur, une
relique de Taillebourg où j'avais, à l'insu de tous, enfermé,
bâillonné et mis en pénitence le Baron rouge pour tout le
temps où mon père serait loin de Providence.

V

Je ne sais pas exactement comment Alexandre s'était
retrouvé en possession de Providence. Tout me porte à
croire qu'il en avait hérité de ses parents, comme sa femme
Suzanne avait reçu des siens la maison de Mornac, la belle
« maison penchée » dont une aile, en effet, s'enfonçait
doucement dans un tertre meuble, d'où elle surplombait
de guingois, ses longues balustrades édentées prêtes à
choir, les champs roses de vase du Marais. C'est là qu'ils
avaient longtemps vécu avec leurs quatre enfants avant
qu'Alexandre ne se sépare de Suzanne et s'installe en bord
de mer. Ses parents eux-mêmes avaient-ils été les premiers
occupants, les bâtisseurs de Providence? Sans doute non.
Mais Alexandre laissait toute question à ce sujet sans
réponse. Il aimait que l'on pense qu'ici tout était à lui,
pour lui, par lui, de toute éternité. Il avait passé une partie
de sa jeunesse, toutes ses vacances d'enfant à Providence
mais jusqu'à sa brouille avec Suzanne n'y avait pas habité
régulièrement. Pendant des années il n'y était venu que
pour de brèves visites, pour constater les dégâts provoqués
par le vent, l'air marin, quand un voisin l'en informait par
courrier, pour surveiller les menues réparations. Cependant,
dès avant la guerre qui avait abouti à la destruction de
Royan, Alexandre avait refait la décoration intérieure et
tout aménagé, de la cave au grenier, en fonction de ses

besoins, de ses usages, et selon sa conception verticale du temps.

Pour Alexandre, le temps était une notion si décourageante à envisager dans toute sa complexité qu'il préférait le traduire dans le registre de l'espace. Il lui était plus facile de penser au temps comme à quelque chose qui s'empilait. A Rome on ne détruisait pas tout à fait les monuments, disait-il, on rajoutait plutôt un étage, un palais sur un autre, une église sur un temple païen, lui-même sur un précédent, toute la ville s'enfonçant dans la mémoire de la Terre, comme les morts au cimetière de Venise, évacués, rendus à la mer par le filtre bourbeux de l'îlot San Michele. De même Alexandre rangeait peu, et préférait ajouter des objets nouveaux aux objets qui avaient cessé de plaire, un papier peint sur l'ancien, et, à l'époque où il grimpait allègrement les escaliers, il utilisait le grenier comme cabinet de travail ou de rêverie, y apportant ce qui l'intéressait pour l'heure, et laissait descendre jusqu'à la cave ce qui n'était plus vivant, vieux journaux, lettres d'autrefois. Par la suite il avait inversé cette disposition, le grenier étant trop malcommode d'accès et la cave nécessaire pour conserver le vin. Mais il continuait de se représenter le passage des heures ou des années de façon tangible par les avancées de l'océan contre les dunes de la Côte Sauvage. Il y avait aussi des lieux de plus ou moins grande densité temporelle, les villes anciennes ou les châteaux étant de loin les plus intenses de ces endroits où le passé se comprimait à l'infini, et, ailleurs, des lieux « vierges ». Royan était dans une catégorie intermédiaire, puisque, à l'exception de quelques demeures qui étaient comme des puits, des tours de forage vers les siècles d'avant, tout avait été ramené d'un coup à l'heure zéro.

Cette impression qu'en poussant la grille de Providence je pénétrais dans une zone de temps exceptionnellement riche, que d'un seul pas je franchissais une frontière, je quittais le temps fade des autres pour celui plus épais et profond où vivait mon grand-père, se compliqua avec le caractère « volant » de nos soucoupes et de la vaisselle en général. Je compris que ma vision du monde et la sensation que j'en avais jusque-là, chaotiques, mais à peu près confiantes, se lézardaient sournoisement en constatant qu'une légère angoisse m'effleurait quand j'entrais chez le boulanger. Le sol de la boutique était carrelé en damier noir et blanc qui me rappelait les dalles du château royal dans le dessin animé *la Bergère et le Ramoneur,* que j'avais vu vers l'âge de huit ans dès qu'on eut reconstruit des cinémas à Royan. Lorsqu'il voulait se débarrasser d'un ennemi, du ramoneur en l'occurrence, le roi appuyait sur un petit bouton toujours à sa disposition et une trappe s'ouvrait aussitôt sous les pieds de l'indésirable; l'aspect surnaturel du procédé tenait moins à ce mode de disparition soudaine qu'au mouvement magique de la trappe, qui se déplaçait à la surface du damier, blanche ou noire, poursuivant le ramoneur fuyard. Un trou imprévisible pouvait donc l'aspirer, le happer, où qu'il soit, le digérer d'un coup, comme s'il avait été sujet à un haut mal, épilepsie ou folie, dont les crises ne sont jamais sûres ni conjurées. Dans ce même château où le roi déployait sa puissance de haut en bas, une estrade s'élevait soudain sur son ordre et, à mesure qu'elle emportait le roi dans les airs, cessait, malgré sa rambarde et ses trois marches, de ressembler à une estrade, se fondait dans la forme plus complexe d'un immense robot casqué ayant sur la tête, comme un plumet d'ornement, le roi gesticulant sur sa plate-forme. Et si je ne craignais pas véritablement que la boutique du boulanger fût creusée de trappes ni qu'un robot fût enfoui sous Providence, enseveli sous le roc, j'étais excessivement attentif à tout ce qui nous est dérobé,

à ce qui s'écoule, s'épuise, à ce monde perdu d'avance qui
file en traître, jamais ne revient sur soi.

Vers la fin de l'automne, ma mère reçut plusieurs lettres
de mon père, affranchies de grands timbres colorés qui
couvraient une bonne moitié de l'enveloppe. Elle annonça
que Pierre serait de retour pour passer Noël avec nous.
J'eus d'abord une forte fièvre, puis une angine qui m'empêcha de parler. Le médecin qui m'examina prescrivit
qu'on me laisse à portée de main une petite cloche pour
appeler, fit un mot pour autoriser mon absence à l'école
et me dit que j'avais beaucoup de chance : on allait m'ôter
les amygdales, ce qui, à l'entendre, devait être une fête.
Alexandre le toisa sans un mot et dès qu'il fut parti me
dit simplement : « C'est un crétin. Il s'appelle Marteau. Tu
seras courageux. » Mon père arriva huit jours plus tard, la
veille du rendez-vous fixé par le médecin. Pierre était
encore plus brun que d'habitude, revenait d'un pays chaud,
hâlé en plein décembre; il venait juste de quitter un été,
ailleurs sur la Terre, et ses valises étaient pleines de
cadeaux. Il déposa au pied de mon lit un petit bateau à
balancier et une paire de babouches dorées dont la pointe
se recourbait comme un cil : les chaussures de Sindbâd,
de tous les héros de l'Orient. Sans doute Pierre dispo-
sait-il d'un moyen particulier de voyager, de connaître à
distance la pensée des autres. On me coucha de bonne
heure et j'entendis par la porte entrouverte entre nos
chambres mes parents parler ensemble tard dans la nuit.

Le lendemain, Marteau arriva de bonne heure, flanqué
d'une infirmière. J'avais peu dormi, n'avais rien mangé,
bu un demi-verre d'eau et commençais à éprouver une
peur panique à la seule vue du médecin dont les vêtements
(son nœud papillon rouge notamment) aussi bien que les
manières me semblaient inquiétants. Il souriait nerveuse-
ment et répétait : « Allons-y, allons-y » en se lavant les

mains à l'alcool au-dessus du lavabo. Il était encore d'usage, à l'époque, sinon d'accoucher les mères dans leurs chambres, du moins d'estropier les enfants à la cuisine ou dans la salle de bains, chaque fois que c'était possible. Le médecin fit chercher une ancienne chaise haute qui m'avait servi à l'âge d'un an et dans laquelle j'entrais maintenant à grand-peine; il en rabattit le plateau devant moi, comme si on allait me servir à déjeuner, m'attacha les bras et les jambes aux montants de la chaise. Il était évident que personne n'allait s'opposer à lui, ni Alexandre, ni Pierre, tous considérant qu'il fallait « y passer ». On laissa faire ce Marteau qui eut l'idée réconfortante de disposer sur le plateau, sous mon nez, les instruments d'acier étincelants qu'il se proposait d'utiliser sur moi. Je levais les yeux vers la fenêtre. Il faisait beau dehors. Un ciel d'hiver bleu dur, une lumière tranchante sur la falaise d'en face où je voyais peut-être pour la dernière fois se dresser la villa « Quand même », avec ses fenêtres étroites, ses volets verts et ses balcons blancs. La maison était fermée depuis la mi-septembre et je n'avais pas revu Lou depuis bientôt deux ans. Peut-être ses parents viendraient-ils fêter Noël ici. Pour l'instant toute la façade était close et la maison blanche brillait dans le soleil comme un décor de sucre sculpté. A la plus haute fenêtre, que j'imaginais être celle de la chambre de Lou, le store extérieur s'était déroulé et flottait mollement dans le vent. Si j'allais mourir, là, ficelé dans la salle de bains de mes parents, sous l'un quelconque des coupe-choux qu'alignait ce médecin, embaumé dans l'alcool et l'éther écœurant, ce serait donc ma dernière image mentale, mon dernier désir : la façade de « Quand même » où je n'avais jamais été reçu, dont la petite locataire grandissait loin de moi, de mes caresses et de mes paroles. Elle n'avait pas eu le temps de m'indiquer où était sa chambre; à supposer qu'elle donnât sur ce côté-ci de la

maison, j'aurais aimé savoir quel balcon regarder, quels
rideaux observer de la plage, et maintenant quels volets,
pour me souvenir d'elle. Et si j'en réchappais, si je sortais
vivant des mains armées de cet homme et de sa complice,
une jolie blonde moulée dans une blouse de Nylon blanc
dont plus tard la seule vue m'exciterait immanquablement
sans pour autant que je puisse rattacher un tel réflexe à
cette première blouse (plutôt à celles que portaient les
grandes filles à l'école pour les cours de chimie), si je
parvenais un jour à connaître cette maison, la chambre de
Lou, et peut-être à regarder par sa fenêtre, à voir en sens
inverse Providence et les vitres de cette salle de bains,
cela ne serait que partie remise, je le devinais : il y aurait
forcément un jour une autre maison entrevue, une autre
fillette ou femme, un autre jardin inaccessible dont l'image
me reviendrait en esprit au moment de tout perdre et me
laisserait quitter la vie dans l'amertume des occasions
manquées. Mais le Marteau, enfin prêt, mit fin à mes
réflexions de condamné en m'appuyant sur le visage un
petit masque dans lequel il fit passer un gaz glacé. Je
savais que j'allais être anesthésié – Suzanne m'en avait
parlé – mais je m'attendais à perdre vraiment conscience,
à glisser tout à fait dans le noir, à ne plus être là pendant
qu'on s'occuperait de moi. Au lieu de ce sommeil, espéré
comme une dispense de peur autant que de souffrance,
j'eus la sensation d'être simplement mal endormi, comme
tombé de travers dans un état paradoxal où je ne pouvais
articuler un son ni faire un geste, mais où j'entendais le
médecin converser avec son assistante (je me souviens
qu'ils parlèrent de la guerre) et où je ne plongeais pas
assez profondément pour être évanoui. La femme en blanc
vit mes yeux ouverts. Allait-elle augmenter la dose de gaz?
Non, elle me mit un bandeau sur le visage pour que je
ne puisse pas voir les gestes de son acolyte. Je ne me

trompais donc pas, ces deux canailles voulaient ma peau.
J'aurais dû m'en douter, le deviner, j'aurais pu être averti
comme je l'étais auparavant de toute chose, par le Baron
rouge, si je ne l'avais mis au cachot dans la bassinoire, de
peur qu'il ne m'explique qu'à dix ans on ne dort plus dans
le lit de sa mère.

Après le passage du bandeau, j'entendis Marteau jurer
contre quelque chose qui n'allait pas comme il voulait, et
je m'endormis. Plus tard, je me réveillai dans mon lit, la
gorge insensible, un tampon de coton dans la bouche.
Marteau avait l'air agité, se démenait autour de mon lit,
retirait le tampon, me faisait sucer des glaçons. Il avait eu
un geste maladroit en sectionnant mes amygdales, avait
crevé une artère qui ne se refermait pas et je me vidais
peu à peu de mon sang. J'allais mourir, mais le plus dur
était fait, tout se fondait dans une paisible indifférence.
Alexandre et Suzanne me racontèrent par la suite que
Pierre avait dû se battre avec le médecin qui insistait pour
me faire avaler d'autres glaçons, m'avait emporté dans ses
bras jusqu'à la voiture. A la clinique où l'on me recousit,
un gros homme vint s'asseoir près de moi, mit son bras à
côté du mien. Un tuyau muni d'une pompe et de deux
aiguilles nous relia et, pendant tout le temps où son sang
vint couler dans mes veines, il me sourit en hochant la
tête, comme si cela le soulageait. Je ne le revis jamais.

Quand Pierre, après m'avoir sauvé des médecins, me
ramena à Providence, je ne pouvais manger rien de solide
ni prononcer plus de quelques mots. « Trop pâle », dit
Suzanne. « Trop silencieux », répondit Alexandre. Ce silence
imposé n'était pas désagréable et me donnait l'air brave à
peu de frais. Le jour de Noël, les Balliceaux du Marais
vinrent partager avec nous un gâteau en fin d'après-midi.
Mariane, pour la première fois depuis deux ans, m'accorda
un regard où passait quelque curiosité. On avait dû lui

raconter mes déboires et elle voulait peut-être en juger
par elle-même. Au moment de prendre congé, elle m'embrassa sur la joue mais je ne lui rendis pas son baiser. Je
fis juste avec les lèvres un petit bruit dans le vide près de
son oreille. Puis je baissai les yeux d'un air grave, comme
si donner un baiser m'était encore douloureux ; de cela,
qui pourrait m'en vouloir ? Elle parut perplexe une seconde,
piégée entre deux émotions contraires. Je venais de
reprendre l'avantage.

Un mois plus tard – j'avais à peine eu le temps de
retourner à l'école et de retomber malade après le départ
de Pierre – il fallut m'enlever l'appendice. Mon père surgit
à nouveau de l'autre bout du monde pour m'assister
pendant l'opération, ce qui confirma l'impression confuse
que j'avais eue en apprenant son intervention contre
Marteau, que tout cela le concernait autant que moi, parce
que ces cérémonies médicales avaient pour but caché de
me faire quitter l'état d'enfance. Être son fils, un petit
homme, un blessé. Pierre ne me faisait pas souvent la
morale, me donnait très peu d'indications sur la conduite
à tenir. Il se contentait d'être exemplaire. « Tâche d'être
un homme comme ton père, si tu y arrives », disait Suzanne,
excluant par le ton de sa voix que la chose soit jamais
envisageable. Mais je ne pouvais reprocher à Pierre d'être
admirable parce qu'il l'était presque malgré lui, sans
ostentation. Ses longues absences le rendaient plus précieux
que les autres pères et, s'il m'arrivait de le craindre ou
d'en être jaloux, il me fut impossible de ne pas l'aimer.
Pendant les jours où il resta près de moi, il dessina
plusieurs des ponts qu'il faisait construire quelque part en
Inde pour une compagnie de chemins de fer. J'imaginais
le climat étouffant, la violence de la mousson, les femmes
voilées, les mendiants qui dormaient dans la rue, les fakirs
et ces mois de beau temps démesuré, le ciel bleu que l'on

finit par haïr dans l'attente d'un nuage, d'une fraîcheur qui ne vient pas. L'ennui du ciel. Pierre n'allait pas plus loin que l'ennui dans l'évocation des sentiments. Il n'aimait pas qu'un homme montre ses émotions et, sur ce point comme sur d'autres, je me savais incapable d'être à son image.

Quand je revins à Providence, j'étais moins silencieux mais je marchais mal. Je pus constater que ma ruse de Noël avait eu sur Mariane une influence favorable. Elle me rendit visite et m'apporta en cadeau des pâtes de fruit qu'elle aimait. Elle s'assit au bord du lit où je devais rester allongé le plus possible et mangea les pâtes tout en me racontant sa vie à l'école, ses amies. Puis elle se tut et me prit la main. Je la regardai dans les yeux, elle eut soudain l'air gentil, presque attendri.

– Comme avant ? lui demandai-je.

– Quoi, comme avant ? dit-elle, comme si elle approchait à petits pas d'un mystère d'elle seule connu. Après, ce n'est plus comme avant, jamais.

Elle souleva le drap pour voir le pansement sur ma cicatrice, écarta les bords dénoués de mon pantalon de pyjama. Ma cicatrice, à suivre ses yeux et ses mains, l'intéressait peu. Elle m'effleura du bout des doigts. Puis elle rabattit les draps et se leva :

– Mon pauvre Axel, dit-elle à voix haute, sans doute pour qu'on l'entende au-delà de ma chambre, ça va être long à guérir, cette histoire.

Avant que je puisse ressaisir sa main, elle fit un saut de côté :

– Tu es malade. (Elle chuchotait à présent, l'hypocrite.) Tu es très malade, il ne faut pas t'agiter, mon petit cousin. D'ailleurs je m'en vais, je crois que je ne te vaux rien dans l'état où tu es. Et puis les pansements, ça me rend triste.

Quand je fus rétabli, Alexandre me fit venir dans la

bibliothèque et me déclara que j'étais un homme, enfin.
Ce qui devait dans mon esprit s'accompagner du port des
pantalons longs, plus conformes à ma nouvelle dignité que
les culottes courtes, et d'une fréquentation plus assidue
des bois de Pontaillac à l'heure où sortaient les filles, se
traduisit, dans l'éventail des distinctions imaginaires dont
mon grand-père pouvait à son gré me décorer, par l'ouverture d'un livre qu'il me tendit :

– Tiens, lis ces deux pages et la suivante. A voix haute.

Un gentilhomme racontait comment il avait été renversé alors qu'il voyageait à cheval par un autre cavalier,
incapable de retenir sa monture; comment il était tombé
à terre, inconscient, croyant faire l'expérience de la mort;
comment il était peu à peu revenu à lui une fois porté
dans son lit par ses gens. La plupart des mots me semblaient
pourtant presque incompréhensibles et les phrases d'une
tournure complexe, déroutante. Alexandre me montra en
bas de chaque page des notes où le français contourné du
gentilhomme était traduit en un français plus commun et
m'enjoignit de lire chaque jour une page du livre en la
résumant. Avec le temps je crus oublier le peu que je lus
des écrits de Montaigne – un voisin pourtant, selon mon
grand-père –, mais en revanche je regardais Alexandre
comme s'il en avait été l'auteur; ou le frère de cet homme
qui voyait dans la fantaisie une méthode et dont les pensées
ne se révélaient qu'à être décousues. Sans doute voulait-il
aussi me prouver que je n'étais pas le premier à m'évanouir,
peu importait que ce fût par la chimie d'un mauvais
médecin ou par la maladresse d'un cavalier : l'essentiel
était de revenir à soi.

Et si je revenais à d'autres ? J'en fis l'essai à l'école où
l'on m'accueillit en vainqueur, alors que j'avais subi ces
rites de passage sans le moindre héroïsme. Les professeurs
m'aidèrent à combler le retard que j'avais pris sur mes

condisciples; les garçons les plus forts, d'ordinaire mes tyrans, me témoignèrent un respect nouveau, comme à celui qui a connu le feu, l'exploit, avant le gros de la troupe. Pierre-et-Paul, plus doux et soumis que jamais, devint mon homme à tout faire, ce qui le mettait lui-même à l'abri des sévices qu'il endurait sans moi. J'aurais pu devenir chef de bande sous le préau, avoir des lieutenants, régner sur les jeux et les chahuts. Un murmure, une acclamation m'auraient sacré pour une année, porté à la tête de trente ou quarante enfants qui auparavant ne m'avaient jamais craint. Mais j'avais peu de temps pour accepter le pouvoir.

Quand Bayard revint, je l'aperçus dans la cour, qui se promenait seul. Il portait un tablier noir sur ses vêtements sombres, dont il ne prenait aucun soin. Il avait les poings au fond de ses poches, le regard absent, balayant le sol vaguement devant lui, une expression si solitaire, si farouche que j'en eus le cœur serré. C'était lui le chef, lui qui dédaignait tout, mon inexplicable cousin. Je traversais la cour, laissant à mes futurs sujets Pierre-et-Paul en otage. Bayard leva les yeux en m'entendant m'approcher de lui, il devait rêver debout, son regard flou et grave fila un instant à côté de mon visage, comme si j'avais eu un oiseau perché sur l'épaule. Puis il me reconnut, moqueur :

– Alors, cher Axel, ils ne t'ont pas tout piqué au moins ? Il t'en reste encore deux ? Ces gens-là te démontent comme une bagnole, mais pour te remonter, c'est moins pressé.

Qu'est-ce qu'il en savait, lui qui n'avait pas été opéré ? Avait-il connu tant de choses là-bas, dans les îles, où la vie devait être tellement plus forte et violente que dans notre Europe grise ? Ces années passées au loin étaient un réservoir de mystères où Mariane autant que Bayard puisaient abondamment pour me dominer, et d'aucun je n'avais eu un récit complet, exhaustif de leur vie tropicale.

– Et toi, Bayard ?

J'étais nul. Je ne pouvais rien contre lui, je ne voulais rien, sinon son amitié. Bayard n'avait pas d'ami, mais il m'acceptait. Une chose devait me sauver à ses yeux, la passion que j'avais de Mariane. Pour le reste, j'étais comme tous les autres, à des siècles-lumière de l'espace où vivaient pour lui les vrais humains.

– Moi ? Rien de rien. Que veux-tu qu'il se passe ? J'apprends des mots anglais, je fais de la barque sur le Marais, rien.

– Et Mariane ?

– Tu la verras à Pâques, à mon avis. Quant à mon frère, il est dans ta classe, tu dois le repérer, c'est le type transparent. Ne t'en sers pas trop. Attends Pâques.

Quand je retournai vers mes camarades, dans la partie de la cour où se cantonnaient les plus jeunes, Pierre-et-Paul était seul, les autres avaient observé mon attitude auprès de Bayard, on ne m'offrait plus la couronne. Il était évident que j'avais prêté hommage à quelqu'un d'une autre classe, et pire à un petit seigneur qui ne les voyait même pas.

Pierre-et-Paul, moins que jamais, ne pouvait paraître le frère de Bayard et de Mariane, même à demi. Il n'y prétendait pas d'ailleurs, ne me parlait pas d'eux. Je me demandais pourquoi Bayard lui montrait tant de mépris et ce qu'il entendait en me recommandant de ne pas m'en « servir ». Pierre-et-Paul me portait parfois mon cartable, me prêtait son buvard en classe, me fournissait en craie quand j'avais épuisé mes dernières cartouches à bombarder les nuques des premiers rangs. Était-ce là servir ? Il y avait pourtant quelque chose de vrai dans l'idée de transparence. Tout comme il avait failli être gommé de la famille – il était, depuis l'accord du champ de courses entre Charles et ses beaux-frères, simplement toléré, souvent omis –, il manquait pour le moins de relief parmi les enfants de l'école. C'est tout juste si je ne m'étonnais pas de le voir figurer sur la photo de fin d'année, à côté de moi au troisième rang ; j'aurais volontiers cru qu'il était trop discret pour laisser son image sur une pellicule, incapable d'impressionner rien ni personne. Il fallut deux ou trois semaines pour que je commence à soupçonner quelque chose qui pouvait donner un sens aux paroles de Bayard. Pierre-et-Paul recevait parfois des petits papiers roulés et pliés en deux, lancés par un élève avec un élastique. Il dépliait sous le pupitre le billet et le déchirait en rougissant. Impossible sans attirer l'attention du professeur de lui arracher ces messages. Malgré l'autorité que j'avais sur lui, il me cachait obstinément ce qu'on lui expédiait ainsi : insultes ou rendez-vous ? Les deux sans doute. Pendant les récréations, il m'arrivait de le perdre de vue. On ne me répondait pas quand je demandais où était mon cousin, mon homme lige, celui qui éventuellement me servait de cheval dans les tournois, bien que la mode commençât à en passer, du moins à nos âges. Plusieurs fois de suite je ne le vis revenir qu'au son de la cloche, essoufflé, décoiffé, refusant de justifier ses fugues, que je désignais comme des désertions, et pour lesquelles je prononçais des sentences de plus en plus sévères, toujours reportées, et que leur cumul rendait impossibles à exécuter. Puis je décidai de ne pas combattre de front le silence de Pierre-et-Paul mais plutôt de le démasquer. C'est moi qui disparus de sa zone d'attention lors de la récréation suivante, me glissai au sein d'un autre groupe, derrière un arbre, et le guettai.

Je le vis hésiter, me chercher des yeux dans la cour, il avait peur. Un garçon roux le prit par le bras, puis un autre. Il se débattit pour la forme, ses deux ravisseurs assurèrent leur prise, lui tordant les bras dans le dos et filèrent vers le bâtiment bas et malodorant au fond de la cour, où, à côté des cabines, on pouvait uriner contre une plaque de métal vert moussu où ruisselait sans cesse une mince nappe d'eau. J'attendis quelques instants, mais ne les vis pas ressortir. Au contraire, deux autres garçons les avaient rejoints. A mon tour je m'approchai des pissotières. J'entendis des jurons proférés à voix basse, incompréhensibles, des rires, pas de cris. Si, comme je le craignis soudain, on était en train de martyriser Pierre-et-Paul, il devait être bâillonné par ses tortionnaires. Un guetteur siffla en me voyant, deux garçons sortirent d'une des cabines dont les portes n'avaient plus de loquets depuis longtemps. Ils riaient de me voir, riaient de ce que j'allais comprendre. A tout hasard, je les frappai à coups de pied aux genoux, entre les jambes. Je tirai encore un élève débraillé de la cabine et le jetai par terre sous la palissade pour qu'il soit vu ainsi, déboutonné dans la boue de la cour. Enfin je distinguai dans la pénombre de la cabine la silhouette de Pierre-et-Paul qui me tournait le dos. Son pantalon était baissé sur ses cuisses, sa chemise relevée, ses fesses apparaissaient comme la seule tache blanche au-dessus de la porcelaine du marchepied à la turque. Appuyé au mur du fond sur une main, il essayait de vomir et se raclait la gorge. Des fesses de femme, claires et pleines. Je ne saisis pas sur le moment la façon dont les autres avaient maltraité mon cousin; même si je voyais enfin la nature de leurs jeux, j'ignorais la procédure, le détail. C'était assez répugnant sans doute, et troublant. Je touchai les fesses nues de Pierre-et-Paul, pour le rassurer, pensai-je, lui signifier de se rhabiller. J'aurais pu lui taper sur l'épaule aussi bien. Sa chair me parut chaude et molle.

– Rhabille-toi et sors d'ici, on va être en retard.

Pierre-et-Paul tremblait, dehors la neige n'était pas tombée comme d'habitude. Elle restait en haut dans le ciel épais, dans ces nuages opaques, en paquets jaunes, dans cette lumière malade qui s'abattait parfois sur nous en février.

Je ne connaissais qu'un tableau de Suzanne L'Ansecoy qui représentât la neige à Pontaillac. L'événement avait été si exceptionnel qu'elle était allée aussitôt chercher son carnet à dessins, puis son chevalet et ses couleurs et s'était installée sur les rochers pour peindre la neige avant qu'elle ne fonde. On distinguait la neige sur la plage, les toits, les arbres, les falaises. Mais tout se compliquait avec la mer. La neige ne tenait pas sur l'eau et il ne fallait pas peindre le blanc des vagues aussi blanc que le reste du paysage. Le tableau ne comportait qu'une zone incontestable, celle à gauche, où figurait le vert de l'océan; pour le reste, il était assez difficile à comprendre, du moins pour moi qui n'avais pas connu cet hiver-là et jamais vu le sable sous la neige. C'était le seul tableau de Suzanne qui me parût « japonais » et Alexandre l'avait accroché dans un coin de la salle à manger, à contre-jour, pour qu'il soit encore plus énigmatique, blanc dans l'ombre, comme m'était apparu Pierre-et-Paul.

J'avais décidé de ne rien lui dire, de ne pas lui promettre non plus le silence, qu'il espérait absolu. L'affaire aurait achevé de le déconsidérer dans cette famille où il n'existait qu'à peine. Les propos de Bayard étaient limpides désormais. Pierre-et-Paul me fut donc dévoué. Et si je fus tenté de lui poser les questions que j'avais retenues, en le voyant une ou deux fois retourner de son plein gré au fond de la cour avec un petit brun de Saint-Palais, je ne me « servis » pas de lui.

*   *
*

A Pâques, les enfants retrouvaient les œufs exactement
là où ils avaient vu les adultes les cacher. D'une année à
l'autre, le déjeuner précédant le raid enfantin se tenait à
Providence ou à Mornac, alternativement. La mise en
place des œufs par les tantes et mères avait lieu en fin de
matinée alors que les enfants étaient attirés par un oncle
qui réclamait toute leur attention pour une histoire de son
cru. Il manquait toujours un enfant à l'appel, l'observateur.
A la fin du déjeuner, la découverte des œufs ne nous
prenait pas cinq minutes. Anicet, qui de tous les oncles
était le moins doué des conteurs, était chaque fois abasourdi
par notre vitesse, contrarié d'être le seul à s'en étonner.
Les uns comme les autres connaissions depuis toujours les
clés de ce jeu, mais personne n'aurait eu l'idée d'en parler
ouvertement. Comme dans certaines familles du Sud,
l'expression d'un secret, même aussi dépourvu de conséquences, nous était presque physiquement impossible.
Mieux valait laisser Anicet devenir idiot que de révéler ce
que tout le monde avait l'habitude de taire. Qui, d'ailleurs,
parmi nous, aurait trouvé la manière, les phrases pour le
lui dire? Ni les rochers à Providence ni le Marais à
Mornac ne permettaient de cacher les œufs en dehors de
l'une ou l'autre maison. La question qui se posait était
tous les ans la même : lequel des enfants aurait le courage
d'aller à la cave chercher le plus bel œuf, lequel irait au
grenier, ou passerait le bras derrière les dix-sept volumes
du Grand Larousse d'Alexandre? Et pour moi, comment
me retrouver seul avec Mariane, si elle consentait à
chercher avec moi?

Cette année-là, elle voulut bien, comme l'avait prédit

Bayard. Au signal donné par Alexandre, je laissai les autres
monter aux étages et, à pas feutrés, je me glissai avec
Mariane vers l'escalier de la cave. La porte ne fermait pas
de l'intérieur. Il fallait donc éviter d'allumer la lumière
dans l'escalier pour qu'on ne nous dérange pas trop vite.
Je connaissais bien l'escalier et je tins la main de Mariane
jusqu'en bas. Je savais qu'il y avait à gauche des bouteilles
de vin et un grand tonneau. Passé le tonneau, on tournait
encore à gauche dans un réduit où un vieux lit était poussé
contre la porte d'acier. Au-delà, en dessous, la grotte où
venait battre la mer à marée montante. Sans un mot, je
conduisis Mariane au tonneau, saisis la torche qu'Alexandre
laissait en permanence à côté de la bonde et n'allumai
qu'une fois au lit. Mariane n'avait pas peur, elle s'attendait
à cela, à mieux peut-être. Elle écarta la torche de son
visage, posa une main sur la porte froide pour sentir les
secousses de l'air quand les vagues butaient au fond de la
grotte. Elle me laissa en revanche éclairer ses jambes. Ces
deux années sans moi lui avaient adouci le caractère et sa
culotte glissa sur ses chevilles sans que j'aie à parlementer.
Elle se laissa caresser et inspecter enfin comme j'aurais
tant voulu le faire avant. Il me semblait en avançant
l'index que j'avais perdu des années. Sa peau était moins
pâle que celle de son frère mal-aimé, plus ferme et dorée.
Son ventre plus caché, plus secret que celui de Lou. Je
voulus toucher ses seins, ou ce qui s'en annonçait, mais
elle m'en empêcha aussitôt :

– Je ne me déshabille pas. Si quelqu'un venait ?

Et d'une main plus habile que la mienne, elle défit ma
ceinture, me serra doucement, résolument :

– Est-ce que tu as déjà essayé vraiment ?

Je ne pouvais pas avouer une totale ignorance, ni
considérer mon expérience avec Lou comme décisive :

– Tu veux dire comme ça ?

130

La main de Mariane allait et venait, à chaque fois me découvrant jusqu'au bout, et elle me fit signe d'éclairer avec la torche ce qui recevait ainsi tous ses soins. Elle allait se rendre compte de ma sottise, c'était imminent. Autre chose me paraissait également sur le point d'arriver, mais je ne savais quoi.

— Attends, dis-je, je crois que je vais pisser.

— Idiot, dit Mariane sans s'arrêter.

Je dus me redresser d'un coup, m'écarter d'elle. Une voix nous appelait en haut de l'escalier. J'éteignis la torche, Mariane me lâcha en me sentant frémir, me tendit un mouchoir secourable et cria :

— On a trouvé !

Je me rhabillai dans le noir, posai la lampe et pris l'œuf qu'Alexandre plaçait toujours entre les château-latour et les la-lagune. Anicet, dans le rectangle clair de l'escalier, cherchait en vain l'interrupteur :

— Vous avez trouvé ? Sans lumière ? Vous n'avez pas eu peur ?

Je montai le premier, l'œuf enveloppé de papier violet à la main :

— Oui, c'est pour ça que ça nous a pris plus longtemps.

Mariane sortit à son tour, sans un pli à sa robe, sans une mèche déplacée.

— Axel a peut-être eu un peu peur, dit-elle à son oncle en me regardant comme si elle n'avait été qu'une toute petite fille de cinq ans.

Anicet referma la porte et nous fit regagner la salle à manger. Tous les autres œufs étaient arrivés. Il ne manquait que nous. Bayard fixait Mariane d'un œil si froid que je m'attendais à la voir se pétrifier instantanément sur sa chaise. Mais non, elle ne vit pas son frère et me lança un sourire triomphal, en louchant discrètement – signe convenu entre nous de la niaiserie la plus totale –, singeant l'ex-

pression égarée qui devait être la mienne tandis que je
fixais le dé à coudre d'yquem qui illuminait mon verre et
me répétais : « Comment ne pas l'aimer ? Comment ne pas
l'aimer ? », mécaniquement, comme une table de multipli-
cation, une formule d'exorcisme.

— Te faire aimer d'elle, c'est ça ta question, me répondit
Bayard quand nous fûmes seuls, à l'heure du goûter, nous
promenant avec nos chaussures de ville et nos pantalons
du dimanche sur le sable dur de la plage.

Mariane était tout à fait « aimable », c'était même la
seule fille « bien » à sa connaissance. Rien de commun
avec les autres, qu'il classait plus ou moins dans le même
sac, selon leur silhouette, leurs seins, leurs jambes, leurs
yeux, leur bonne volonté surtout à se laisser faire par lui.
Mais j'attendis en vain qu'il me conseille sur le chapitre
de Mariane. Peut-être n'avait-il pas une assez bonne idée
de moi pour accepter de parler davantage d'une personne
aussi remarquable. Sur le chemin du retour, je lui demandai
s'il ressentait lui aussi une violente envie de pisser quand
il se touchait. Une telle question ne pouvait que le flatter
et je ne doutais pas que ce fût déjà dans ses habitudes.
Mais il répondit posément :

— Je ne me touche pas, Axel, ce sont les filles qui me
touchent.

Ce qui allait couler sous peu, une affaire de semaines,
selon lui, et de pratique, était un liquide, blanc, avec lequel
on faisait des enfants aux femmes. Il me félicita néanmoins
d'être plus précoce que beaucoup de garçons de mon âge
et me fit jurer de ne jamais croire un mot de ce qu'on
pourrait me prédire de funeste sur ce sujet ; je n'avais rien
à redouter, aucune maladie, aucun châtiment, sinon les
réprimandes ou les sermons de quelques maîtres. C'était
peu et, à bien y penser, encourageant, si l'on considérait
la triste figure des censeurs.

Le soir, Mariane repartit à Mornac avec Bayard et Pierre-et-Paul, dont je continuais à ne pas saisir la nature exacte. La posture et les circonstances où je l'avais découvert récemment dans la pénombre de la cour, la présence de quatre autres garçons, demeuraient une énigme que mes connaissances toutes neuves ne pouvaient résoudre. De ce jour, comme Bayard me l'avait prescrit et en refaisant les gestes fermes, patients de Mariane, je me sentis trembler de tout mon être dans le réduit froid des cabinets. Je regardais flotter quelques gouttes de moi dans l'eau de la cuvette. Elles ne se fondaient pas dans l'eau, brillaient une seconde avant de disparaître dans le blanc de la porcelaine. Je tirais la chaîne à poignée de céramique verte, dont j'avais si longtemps suivi le mouvement pendulaire sans penser à rien, sans remarquer sa forme compliquée – une sorte de poire que l'on aurait taillée à huit pans droits, sertie d'une petite douille de cuivre –, ni le bruit de cataracte de l'eau précipitée dans la cuvette à gros bouillons, ni le sifflement lugubre du robinet qui remplissait le réservoir de fonte verte émaillée près du plafond, où l'on déchiffrait les hautes lettres du fabricant : « la Trombe ». Avec cet orage suspendu et ce trou rond en bas, ouvrant sur le vide, les cabinets de la Trombe étaient à l'évidence une version aquatique de la guillotine qui figurait au chapitre 14 du livre d'histoire de Bayard et que les grands de l'école montraient en cachette aux petits. La Trombe rejoignait ainsi les soucoupes volantes de nos repas, le masque de l'affolante infirmière en blanc, et même le cheval tombé de Montaigne, bien à l'abri dans le gros livre qu'Alexandre m'avait confié. Je l'ouvrais peu mais chaque fois le signet dégageait la page où Montaigne tombait encore et encore, il n'en finissait plus, ni moi de me sentir engourdi par le gaz de Marteau, menacé d'un découpage indolore, définitif de mon corps, séparé du petit Axel en moi qui sentait, parlait pour l'autre que j'étais, du minuscule démon – j'ignorais où il était logé dans ma personne – qui avait conscience de l'existence de l'Axel grandeur nature que j'observais dans le miroir. Même l'eau tournoyant dans le siphon du lavabo me faisait craindre que l'espace, et donc le temps, à en croire Alexandre, ne puissent se plier à l'improviste, brusquement en cornet, aspirant d'un coup sec un coin du monde, une maison, une personne, un instant, de même que Bayard avait avalé un jour devant moi le cornet de sa glace en disant : « Quelle glace ? Il n'y a jamais eu de glace », jurant sur ce que j'avais de plus cher qu'il n'en avait mangé de tout l'été.

Les rochers de Pontaillac, la falaise où Providence était dressée, en dépit du bon sens, de l'avis de beaucoup, étaient d'un gris plutôt laid dont la consistance me paraissait souvent suspecte. La pluie, les vagues et le vent creusaient le calcaire en bloc, selon les lignes de clivage de la pierre, et s'attaquaient à la surface de chaque bosse, burinant les crêtes avec un invisible foret comme si un dentiste s'était acharné pendant des siècles sur des milliards de caries dans cette masse lourde et basse, dépourvue d'élan qu'on appelait « falaise », et qu'il ne restait plus que les mots pour donner du relief à ce paysage. Pour moi, en courant sur les rochers, j'avais l'impression de sauter sur une éponge gorgée de peinture, celle qu'employait parfois Suzanne L'Ansecoy pour préparer un fond de toile ou nettoyer ses pinceaux. Les vacances de Pâques marquaient une trêve entre Balliceaux, au-delà de la cérémonie des œufs, et Suzanne vint tous les jours à proximité de Providence, conduisant elle-même la 203 grise où s'entassaient le chevalet, une ou deux toiles et quelques enfants, dont Mariane. « Bien sûr que tu m'aimes. Et depuis longtemps », disait Mariane quand je l'embrassais sur la bouche, à en perdre haleine, croyant qu'il fallait retenir son souffle lorsqu'on y mettait la langue. « Et toi ? » Elle ne répondait jamais directement, préférait me rendre un autre baiser ou raconter à voix basse ce que disaient nos parents et nos oncles : « Mariane et Axel, les amoureux. » Nous étions les amoureux dont on riait gentiment, sans plus. Était-ce vraiment drôle ? Savaient-ils ce dont nous étions capables ? « Ils ne se doutent de rien », disait Mariane en glissant une main dans ma poche.

Quand Bayard était là, il me fallait jouer avec lui et laisser Mariane à ses sœurs. Mais plusieurs fois Mariane vint seule avec Suzanne. Ma grand-mère conduisait mal, autant par intrépidité que par maladresse. Elle avait horreur d'attendre quoi que ce fût. Lorsqu'on lui offrit beaucoup plus tard un moulin à café électrique, en lui recommandant de compter lentement jusqu'à trente pour bien moudre les grains, elle calcula qu'elle obtiendrait le même résultat en comptant très vite jusqu'à quatre-vingt-dix, ce qui lui donnait l'illusion de perdre moins son temps. Au volant, elle ne supportait pas qu'un véhicule la précède, mais ne savait pas doubler au bon moment. Son caractère décidé la sauvait néanmoins, tant elle était persuadée de son droit sur les quelques kilomètres qui serpentaient de Mornac à Pontaillac. Elle abandonnait la 203 au bord de la falaise, presque dans le vide, pour avoir moins à marcher et pouvoir surveiller sa voiture du coin de l'œil. Je l'attendais toujours au même endroit, là où un raidillon menait aux rochers. Avec Mariane, nous portions le chevalet, les boîtes de couleurs et de pinceaux ; Suzanne descendait les deux toiles auxquelles elle travaillait selon la couleur du ciel, l'une représentant la côte vers Gilet où devrait figurer la villa « Quand même », l'autre la côte vers Royan et la Gironde. Le jour où Mariane vint sans frère ni sœur – la dernière-née, Louise, n'avait pas deux ans –, je restai quelque temps avec elle juste en retrait de Suzanne, l'observant respectueusement étaler les couleurs sur sa palette et revenir pour la millième fois sur le vert de l'océan, comme si elle avait dû pour rendre l'aspect illimité de la mer en peindre chaque vague fugitive à l'infini. Puis j'éternuai.

– Vous allez prendre froid vous deux, dit Suzanne. Allez donc dans la voiture.

A l'arrière de la 203, personne ne pouvait nous voir, d'aucune villa, ni Suzanne. De son pliant, elle ne distinguait que les chromes à l'avant de la voiture qui formaient avec le museau du capot et les deux phares encastrés comme un sourire de métal, ni bon ni méchant. La 203 était une voiture « droite », selon Pierre; une voiture où l'on se sentait à l'abri, avec sa lunette arrière que je masquais d'un rideau et sa banquette où je tenais presque allongé. Cette fois-ci je m'installai sous une couverture avec Mariane et j'entrepris d'enlever tous nos vêtements. Le ciel était assez dégagé pour que Suzanne avance dans son impossible portrait de l'eau et il n'était pas sûr qu'une autre occasion se présente avant longtemps. Je bénissais ces vacances, et même le temps que j'avais cru perdre en ne voyant pas ma cousine, puisqu'elle était à présent aussi ardente que moi à dénouer sa robe, à faire glisser ceintures et lacets, à détacher d'une main comme un papillon tous les boutons de mon pantalon. Elle n'avait pas encore de seins, mais je les imaginais presque, la peau à cet endroit me paraissait déjà plus ronde. Peu d'ombre, au plus un duvet, autour de sa fente. Y aurait-il jamais mieux à partager, plus émouvant? Certainement non. Je pensais que cette première passion ne pourrait jamais être dépassée. Étendu contre elle comme dans un lit étroit, je mis ma tête dans ses cheveux noirs :

– Je voudrais que tu sois ma femme.

– On ne se marie pas à notre âge, Axel.

Une de ses mains tenait ma nuque, l'autre descendait vers ma hanche.

– Je sais, mais plus tard.

– On ne se marie pas entre cousins.

Elle n'aimait pas mes questions, détestait parler d'avenir et crut s'en tirer en me prenant dans sa main chaude. Je me dégageai à temps et filai sous la couverture la couvrir de baisers. Je recueillis une larme de sueur sucrée. Elle gémit. Je me replaçai sur elle en haut de ses jambes.

– Qu'est-ce que ça fiche d'être cousins ? Si tu en as envie, dis que tu seras ma femme.

– Oui.

– Jure-le.

Je ne savais pas comment m'y prendre pour agir tout à fait en homme, mais elle jura en m'embrassant. Elle écarta une jambe qu'elle laissa pendre de la banquette, souleva l'autre contre le dossier et me pressa sur elle, au plus tendre. Suzanne frappa au carreau.

– Venez chercher le chevalet, il va pleuvoir.

Il y aurait un monde, un jour, où personne ni la pluie n'interromprait mon étreinte avec Mariane, j'en fis le serment en me rhabillant, je le jurais encore en descendant vers le chevalet où Suzanne avait cessé de repeindre la mer pour entamer un morceau de la villa « Quand même ». Je pointai du doigt la première fenêtre :

– Mais les volets ne sont pas rouges sur celle-là.

– Est-ce que tu veux vraiment mon avis, Axel ? Mon avis sur toi et Mariane ? Range-moi ça au trot.

Je piquai du nez pour replier le chevalet et le monter à la voiture tandis que ma grand-mère tenait une toile dans chaque main, l'une sèche, l'autre inachevée. Mariane suivait avec les couleurs.

– De toute façon je n'avais plus de vert anglais. Parce

que les du Boisier ont choisi du vert anglais pour leurs volets. Après ce qui s'est passé en 45.

Elle installa les toiles à l'arrière et nous fit asseoir l'un contre l'autre à l'avant.

– Je préfère croire qu'ils ne connaissaient rien à la peinture, car ce sont des gens bien, même si Éléazar est un peu maniéré. La prochaine fois je recouvrirai le rouge avec du vert, voilà tout.

Et elle démarra en marche arrière sans jeter un œil au rétroviseur. Mariane ni moi n'osions rien dire. Il était invraisemblable que Suzanne n'ait pas compris ce que nous étions en train de faire sous la couverture et pourtant aucun reproche ne venait, elle ne paraissait même pas en colère. Elle roulait à grande allure sur la route de corniche, ce qui n'était pas le chemin normal pour rentrer. Puis à Foncillon, elle fit une manœuvre et reprit la route en sens inverse. Elle cherchait à sa manière un détour et le trouva en doublant une camionnette trop lente; à cet endroit le parapet manquait et je crus que la voiture allait verser dans la mer.

– A propos du petit rideau que tu as tiré sur la lunette arrière, Axel, ce qui me gêne, tu t'en rends compte, laissez-moi vous dire à tous les deux que, si vous faites ces choses-là trop tôt, ça ne vous plaira plus après.

Rien n'indiqua dans les jours qui suivirent que notre grand-mère nous ait trahis. Elle n'était pas du genre à vendre la mèche, dit Mariane, qui empruntait trop à mon goût les tournures de langage de Bayard. Et cependant quelque chose d'insaisissable, un message invisible, impalpable fut prononcé dans la famille à notre insu. Les vacances tiraient à leur fin et Mariane ne vint plus aux séances de peinture. Tout conspira soudain à nous tenir séparés. A peu près un mois plus tard, Alexandre parla pour la première fois des mongoliens alors que nous finissions de déjeuner. Une famille que nous connaissions depuis toujours, sans la fréquenter pour autant, du côté de Saintes, avait eu deux enfants anormaux.

– A force de se marier entre cousins, c'était couru. Tu savais ça, Axel, non?

Il m'emmena dans la bibliothèque et prit le livre des monstres que j'avais tant pratiqué :

– Voyons, ils ont bien ça, un ou deux beaux mongoliens baveurs. Oui.

Il me tendit le livre ouvert sur le portrait d'un enfant au menton fuyant, à l'expression paisible :

– Note bien, ils sont gentils, très affectueux. On ne sait pas comment ça arrive, mais entre cousins c'est presque fatal. Dommage, non?

Il ferma le livre et me fixa pour s'assurer que la leçon était bien comprise. Des années plus tard je lui aurais renvoyé l'histoire de la porte bleue, morale pour morale. Ce jour-là, je me contentai de toucher le livre :

– Celui que je préfère, c'est Colloredo.

– Qui est-ce?

– Dans le chapitre après les mongoliens, c'est celui qui a un frère planté dans le ventre.

Alexandre feuilleta le livre, jeta un œil au dessin extravagant, prit l'air dégoûté.

– Tu connais ce livre? Depuis longtemps? Tu as tout lu?

Je hochai la tête sans baisser les yeux. Alexandre m'attira à lui, m'embrassa près de l'oreille et chuchota :

– Ne le dis pas à tes parents, mon petit.

Puis il reposa le livre, saisit une canne dans le râtelier et, désignant toute la bibliothèque en tournant sur lui-même comme une toupie, me dit :

– Lis tout!

Alexandre était bien digne de Suzanne L'Ansecoy et ils

avaient dû s'aimer beaucoup avant de choisir de se donner l'un à l'autre un peu d'air.

Dans la maison penchée de Mornac, ma grand-mère nous avait fait visiter les pièces dans l'aile où l'inclinaison était la plus forte, l'ancienne chambre conjugale qu'elle occupait seule et un petit salon d'où l'on voyait le Marais et le clocher de Marennes. La déclivité du sol était telle qu'on avait tendance à vaciller à chaque pas. Tous les meubles étaient penchés, les pieds des tables rallongés d'un côté, raccourcis de l'autre, les armoires soutenues par des cales, comme le lit dont deux pieds reposaient sur deux briques.

— Ça fait drôle, avait dit ma grand-mère en posant une pomme sur la table.

La pente était forte mais la pomme ne roulait pas.

— C'est nous qui sommes penchés, tous les meubles sont à l'horizontale.

Ma mère et moi nous nous tenions appuyés au mur.

— Et si vous vous asseyez dans ce fauteuil, ajouta ma grand-mère, vous regardez par la fenêtre, dehors tout est normal, bien à plat. Mais vous voyez alors tout le salon basculer. C'est Alexandre qui a installé ça. Tout à fait lui. Je me demande si mon fils Pierre vous en fera des coups pareils, ma petite Suzanne.

Ma mère s'était assise dans le fauteuil en proie à un léger vertige et s'efforçait de regarder le paysage au-dehors pour retrouver son assiette. Alexandre avait placé autrefois toutes ces cales pour continuer d'habiter cette partie de la maison. Ma grand-mère le savait bien, et ne quitta jamais cette chambre et ce salon où elle seule se déplaçait à l'aise sans tomber. Mais après le départ d'Alexandre, elle prétendit qu'il était, d'une certaine façon (elle ne précisait pas laquelle), responsable de la pente du terrain, de ce glissement inéluctable de leur chambre à coucher vers la vase moirée des bassins où bâillaient les huîtres.

VI

Bayard voyait souvent dans le ciel des batailles de nuages, des armées blanches poussées par le vent, des tourbillons d'anges ou d'aviateurs se harcelant en de longues chasses dont l'issue nous était toujours inconnue, repoussée tantôt vers le golfe de Gascogne, tantôt vers Ré. Alexandre, en observant la direction des combats, racontait comment les Arabes étaient venus du sud, avaient tenu tout le pays où nous étions, ou comment, après la bataille de Taillebourg, les soldats anglais nous avaient occupés et avaient fait main basse en Aquitaine sur nos plus belles vignes. Au milieu de la mer, Bayard décelait les silhouettes enlacées de dragons rouges et noirs s'entre-déchirant sous l'eau, quelques vagues au large de Pontaillac signalant leurs ébats tumultueux, leurs coups de griffe ou de nageoire, le passage de leurs ailerons, verts dans le vert. Il devait tenir de notre grand-mère Suzanne L'Ansecoy pour avoir sur la mer ce regard si obstiné, jamais content. Il décrivait, les jours où le vent écrêtait les vagues en sens inverse du courant, des cortèges de bateaux, des équipages de galériens condamnés pour mille ans à ramer sans repos. Dans les bois vers Saint-Palais, il m'avait parlé autrefois des ogres et des bandes d'enfants armés de frondes qu'il allait constituer pour exterminer ces tyrans cachés. Il avait une nostalgie de la guerre qui me semblait assez étrange chez un garçon de quinze ans, mais qui ne l'était pas plus que les rêveries où me plongeaient l'étude du latin et la consultation du dictionnaire; ses rares vignettes, pourtant grossières, me faisaient entrevoir dans le monde antique un univers de sensualité sans faute. Rome et la Grèce étaient les patries du plaisir, les scènes du *Satiricon* baignant dans une aube immuable, au sommet d'une terrasse de marbre lisse, sur des lits où dormaient à la renverse des esclaves de mon âge. Bayard, qui n'étudiait pas le latin mais les mathématiques, était passé en quelques mois du folklore chevaleresque du Moyen Age aux bandes dessinées américaines sur la guerre du Pacifique et laissait parfois, par erreur ou par jeu, un guerrier d'une époque se réveiller dans l'autre.

L'été de mes treize ans, les Balliceaux du Marais vinrent à Pontaillac presque chaque jour. Il n'y avait pas à cela de raison connue, du moins aucune ne fut évoquée devant nous, les enfants, mais nous commencions sans doute à devenir trop grands pour qu'on prenne le risque de tout nous expliquer. Il me semblait, en avançant dans l'adolescence, que le monde s'obscurcissait devant moi, que ma compréhension intuitive de la famille, du temps où j'étais encore porté par Suzanne, m'avait quitté à mesure que j'apprenais le langage et les règles de cette vie inquiète. En fait, pas plus que les hostilités n'étaient franchement déclarées au sein de la famille, la paix n'était signée. Mariane et moi étions plus ou moins tenus à distance par ce qu'elle nomma le péril mongol, elle aussi ayant été discrètement prévenue des conséquences qu'il y aurait à vouloir prolonger au-delà de l'enfance une relation trop étroite avec moi.

Entre les trois ou quatre parasols où se répartissaient les oncles et les cousins, un climat belliqueux s'installa dès les premiers jours. Mon père se livra à quelques manifes-

tations de force en accomplissant diverses prouesses en
canoë. Il pagayait d'une falaise l'autre, sur toute la largeur
de la conche, avec beaucoup d'allure, assis au fond de
cette embarcation ronde et vernie que, les jours de gros
temps, Charles préférait appeler « périssoire », ce mot lui
paraissant contenir la promesse d'un naufrage, puis, d'un
coup puissant de son aviron à double pelle, virait pour
sortir vers Royan et revenir avec le courant de la marée
descendante. Ni Charles, ni Paul, ni Anicet n'étaient de
taille à rivaliser avec lui. Charles nageait bien mais n'était
pas aussi robuste que mon père. Paul et Anicet estimaient
peu ces sports d'estivants et se tenaient sur la plage en
gens de la campagne, pour qui l'exposition du corps au
soleil était en soi assez inaccoutumée et constituait une
forme d'exercice. Je regardais mon père tourner la pointe
de la falaise, à hauteur du chenal où passaient les grands
bateaux qui s'engageaient dans la Gironde vers Bordeaux;
où l'on apercevait fréquemment dans ces années des bancs
de marsouins élégants et rapides accompagnant sans les
heurter les voiliers ou les nageurs au long souffle; et
j'imaginais qu'un jour mon père serait héroïque comme
les hommes qui venaient et mouraient dans les songes de
Bayard, qu'il filerait dans son bateau de bois moulé jusqu'au
phare de Cordouan, glorieux et blanc à l'horizon.

Après deux semaines où Pierre s'assura la conquête de
la baie, une invention publicitaire débarqua sur la plage,
comme autrefois le camion amphibie, sous la forme d'un
immense ballon de caoutchouc de trois mètres de haut
qui vantait les mérites d'une marque de bottes étanches.
Deux ouvriers dépliaient le ballon sur le sable dur, le
reliaient par un tuyau souple à deux bouteilles d'air
comprimé et en quelques secondes il s'arrondissait, s'élevait
en une mappemonde irrésistible où la surface de l'Afrique,
orange sur fond bleu, me paraissait plus étendue que celle

de ma chambre, et la France un petit pays froncé où s'enfonçait, en pleine Bourgogne, la valve de gonflage. Il fallait plusieurs hommes pour soulever ce monstre. Par groupes de six ou huit, les amateurs, dont mon père et mes oncles, formaient deux équipes de part et d'autre d'une ligne tracée de l'orteil dans le sable. Il s'agissait en principe de porter la mappemonde dans le camp opposé, pour cela de faire décoller d'abord le ballon d'un mouvement cohérent – car, une fois tenu à bout de bras, il était impossible à l'équipe adverse de s'en emparer, encore moins de le renvoyer, à cause de sa trop large masse, au mieux on se débrouillait pour éviter de le recevoir sur soi, il y avait eu des bras cassés sur des plages de Vendée –, puis, d'un élan simultané, le lancer en direction de l'ennemi. Ce qui s'expliquait si simplement était presque impossible à réussir sans entraînement. Quand une équipe était en possession du ballon et commençait à se diriger vers le camp d'en face, ceux qui se trouvaient à l'avant du groupe craignaient trop d'être écrasés par leur fardeau élastique pour se résoudre à le projeter comme leur criaient de le faire les meneurs qui poussaient à l'arrière. Si bien que les vainqueurs dépassaient largement les buts visés, couraient sans pouvoir s'arrêter jusqu'à ce que l'un des porteurs tombe ou que toute l'équipe se retrouve dans les vagues. Mon père et mes oncles jouaient indifféremment ensemble ou les uns contre les autres. Les premiers jours – le ballon resta sur notre plage une semaine entière – il s'agit pour tous d'apprivoiser la mappemonde, de s'habituer à la manœuvrer. Pierre était peut-être plus fort que beaucoup, mais il ne pouvait s'en charger seul, il était contraint de partager son effort, ce qui entamait un peu le prestige qu'il tirait, en solo, de ses performances en canoë. En revanche, mes oncles y gagnèrent, puisque, pour les mêmes raisons, ils devenaient utiles, indispensables, et que l'occasion leur était fournie, pour Anicet et Paul surtout, de se jeter enfin, vêtus de leurs seuls maillots de bain, dans une activité physique, virile, qu'en d'autres temps ils auraient déclarée impudique. Et aucun ne se soucia pour une fois du regard des femmes et des enfants, ne fut sensible à la poésie ridicule de ce jeu qui les menait à droite et à gauche sans relâche, les mains plaquées sur l'Amérique ou la Chine, culbutant les pôles selon les hasards de leurs déplacements, lunatiques comme ceux des tables soumises aux doigts des appeleurs d'esprits. La nuit, le ballon était dégonflé, replié, continent sur continent, et remisé dans un enclos sous le casino.

Une autre trêve fut marquée lors d'un pique-nique à l'initiative d'Alexandre qui se sentait exceptionnellement alerte depuis quelque temps et voulait profiter de ce répit. Il avait proposé le banc de sable de Bonne Anse, où, disait-il, le sable était vierge, contrairement à celui de la plage, trop piétiné. Le banc de sable de Bonne Anse, qui formait une sorte de lagune à la pointe de la Coubre, changeait de tracé chaque année dans un sens ou un autre, mais il était assez souvent remodelé par l'océan pour que mon grand-père le juge, au lendemain d'une grande marée, à nouveau vierge. En partant assez tôt et en marchant deux heures, on pouvait atteindre le bout de la langue de sable, au moment où la mer montante l'isolait de la terre ferme, en faisait provisoirement une île.

Je n'aimais pas ces repas en plein air, ni la chaleur. Après le bain et le déjeuner, quand je pus trouver un peu d'ombre dans un creux de la dune pour y somnoler, je vis au loin la mer recouvrir la naissance du banc, nous couper la route du retour, et ma famille au complet assise dans le sable sous des chapeaux de paille, des serviettes tendues comme des tentes sur des branches de bois mort, argenté, mes parents, tous soudain frappés de silence, réunis dans cet espace qui rétrécissait à chaque vague, où il n'y avait en effet, comme l'avait dit Alexandre, aucune autre trace de pas que les nôtres. Je cherchai des yeux Mariane ou Bayard, sans les trouver. Je voulus parler avec Alexandre, mais il s'était mis à l'ombre lui aussi, après cette marche dont il n'avait plus l'habitude, et dormait, pieds nus, le bas de ses pantalons roulé sur les chevilles, la chemise ouverte. Il avait une expression paisible dans son sommeil, et je regardai l'horizon pour guetter une improbable vague japonaise, une de celles qu'il m'avait décrites, hautes comme une maison de cinq étages, infatigable, qui nous aurait tous cueillis dans son rouleau comme on ramasse d'un coup les dés sur un tapis.

Quelques jours plus tard, le ballon étant parti rebondir un peu plus au sud, vers les plages des Landes et du Pays basque, les adultes décidèrent de seconder leurs enfants dans la construction des forts. Nous faisions peu de châteaux en dehors des concours récompensés, mais nous étions imbattables dans l'édification des forts dont le rôle principal était de fournir un logement confortable dans une situation précaire. Il fallait calculer en quel endroit de la plage la mer monterait au plus haut, tenir compte du vent et creuser assez profondément une ou deux petites pièces sculptées de banquettes recouvertes de sable sec en guise de coussins. Le sable évacué était tassé au-dehors, formait des remparts, éventuellement précédés de fossés, destinés à briser le dernier élan des vagues en bout de course. Le meilleur fort était le plus vaste, le plus beau, surtout celui qui durait le plus longtemps contre l'eau, la partie étant perdue dès la première inondation. Je creusais vite et montais mes remparts en proue de bateau; Victoire arrangeait l'intérieur, comme si nous avions dû y vivre plus de cinq minutes, ce qui n'arrivait pas souvent. A peine avais-je le temps de m'allonger entre elle et une des sœurs de Mariane que la mer rasait nos murs, noyait notre mobilier. C'était tout de même des secondes précieuses; on savait la durée du séjour si brève que tout était permis avant la catastrophe, rien ne pouvait mener bien loin dans ces maisons d'un instant. Mais cet été nos parents se placèrent hors d'atteinte des vagues. Pierre se mit à creuser avec moi tandis qu'à une dizaine de mètres Charles et Anicet rejoignaient Bayard et Mariane. En une heure, deux forts de taille respectable se firent face sur la plage. Plus question d'établir des lits de repos, de décorer, l'urgent était de disposer d'un bon mur de protection et d'une réserve de boules de sable. Devant l'inégalité des partis, Paul choisit le camp de mon père et confectionna des dizaines de boules avec Victoire, en sable dur, tassé, roulé dans le sable sec. Les premiers boulets furent lancés par Bayard et Charles vers quatre heures de l'après-midi et s'écrasèrent sur notre muraille. Pierre inaugura aussitôt le tir en chandelle qui permettait de sauter la protection adverse sans dépasser la cible, comme c'était inévitable en tir horizontal. Les dégâts dans le camp d'en face s'étendirent brusquement quand Aurélie, la sœur de Mariane, fut touchée et s'assit pour pleurer sur une partie des munitions empilées. Yvonne prit la relève de sa fille, ma mère vint nous renforcer, les bombardements reprirent. Alexandre devait compter les points de la terrasse de Providence. Suzanne L'Ansecoy était sur la plage, installée dans un fauteuil que ses petits-enfants lui aménageaient dans le sable, en pente douce à l'avant, avec un dossier droit à l'arrière; une fois Suzanne assise, on poussait des cales de sable chaud sur les côtés pour lui soutenir les coudes pendant qu'elle tricotait. Imposante même enfouie, ma grand-mère regardait d'un air sévère deux générations de Balliceaux se faire la guerre en public et montra son mécontentement en repliant son tricot dans son sac.

Personne ne pouvait ignorer cependant qu'une bataille de ce genre était assez nécessaire à l'agréable mésentente qui divisait la famille et purgeait chacun de quelques dettes. Charles était ravi de trouver devant lui Paul et Pierre et de les voir contraints de bombarder le pauvre Pierre-et-Paul qu'il poussait volontiers à monter au créneau. Je ne détestais pas non plus viser Mariane d'un boulet, tendrement moulé par les mains de sa sœur Aurélie, vite gagnée à ma cause, et qui avait, sur un regard de moi, abandonné la petite Louise, la dernière-née, interdite de bataille à cause de ses trois ans, entre les jambes de Suzanne L'Ansecoy.

Même reçu de plein fouet, un boulet ne faisait pas trop mal. Il était interdit d'y cacher des coquillages. Mais dans les yeux, les oreilles, les cheveux, le sable s'infiltrait, on en mangeait jusqu'à la nausée. De temps à autre un combattant courait jusqu'à la mer, plongeait dans une vague pour se rincer; les plus tenaces laissaient s'accumuler sur eux les giclées, les couches de sable humide, qui tombaient par plaques à chaque geste. J'aimais voir Paul dans notre fort, bien qu'il fût du Marais, se battre sans un mot, auprès de Pierre, qui restait même alors son petit frère, et tous deux une fois de plus unis contre Anicet et Marie – coupables de rien, coupables d'être –, et ne visant jamais Yvonne mais plutôt Charles, le beau-frère fécond dont le fils aîné et les filles étaient si vaillants et convoités. Bayard ne m'épargnait pas et je le lui rendais bien. Mariane riait, jurait, se cachait derrière ses frères, tirait en rafales et courait se baigner. Le seul boulet que se vit confier Pierre-et-Paul atteignit sa propre sœur, Aurélie, juste à mes côtés. Bayard attrapa aussitôt ce frère, auquel il ne touchait jamais, par la cheville et le fit s'étaler par-dessus la muraille. Suzanne L'Ansecoy, qui savait interrompre le cours des choses dans la famille, j'en avais fait l'expérience, leva la main : la petite Louise s'avança entre les deux forts et les tirs cessèrent net. Il n'y eut que deux autres batailles de ce genre cette année-là et ce furent les dernières. Nous n'avions plus l'âge, ce n'était plus dans les usages, tout à coup. Il y avait des jeux, des modes, qui disparaissaient d'une plage ou d'une famille, sans qu'on sache pourquoi, immédiatement, et n'étaient jamais repris.

Sous le casino municipal de Pontaillac, qui se dressait au-dessus de la plage – un grand cube en béton, prolongé d'une terrasse soutenue par de gros piliers de ciment armé, en prévision des marées d'équinoxe et des tempêtes –, une salle de jeux démontable s'était glissée le temps des vacances. L'Atlantic-Club était réservé aux plus de quinze ans, en principe, mais on tolérait qu'un plus de quinze ans soit accompagné d'un enfant mineur à condition que ce dernier ne joue pas aux billards électriques. Il y en avait trois, fracassants et magnifiques, ainsi qu'un baby-foot, un juke-box arc-en-ciel qui jouait douze fois de suite *les Oignons* de Sidney Bechet. Il devint évident qu'on ne pouvait plus creuser de forts ni se battre aussi puérilement, même si nos parents y trouvaient leur compte. Bayard, dès l'ouverture de l'Atlantic, nous emmena, Mariane et moi, nous faisant entrer à tour de rôle pour dix minutes – puisqu'il ne pouvait servir de laissez-passer qu'à un « mineur » à la fois –, si bien que nous continuions, là comme ailleurs, d'être l'un sans l'autre, condamnés à nous observer alternativement dans des rôles, des lieux, des temps parallèles, séparés par une étoffe invisible, aussi fuyante que le cornet, le siphon aveugle où je croyais que le monde finirait un jour.

J'aimais le vacarme à l'intérieur de ce clapier de planches ajustées à la sauvette sous le casino. A l'heure du thé dansant, l'orchestre du Sporting-Club, le nom officiel du casino, faisait valser sur la terrasse en plein air au-dessus de nous quelques couples mûrs, ou distillait des rumbas ralenties que les plagistes entendaient à peine, brouillées par les cris des enfants, le bruit de la mer, les annonces du guignol, mais qui témoignaient de la présence proche en même temps qu'inaccessible d'une société distinguée. Je ne connaissais aucun des danseurs que l'on apercevait de la plage quand ils s'approchaient de la rambarde, s'y accoudaient, légèrement penchés au-dessus du vide et du sable où croupissaient les baigneurs (une dizaine de mètres, « un gouffre social », disait Anicet, refusant comme tous les Balliceaux de mettre jamais les pieds là-haut, de se commettre dans des frivolités qu'Alexandre méprisait, lui qui avait connu ce qu'était un véritable casino, un après-midi de bal en habit). J'avais beau savoir que ces gens ne seraient plus là, ni cette demoiselle en rose qui m'avait souri, ni cet orchestre – peut-être n'y aurait-il plus de thé dansant au casino, quand j'aurais l'âge requis pour y participer –, la timidité m'empêchait d'aller en tenue de ville, à cinq heures, me mêler sur la piste à ces femmes, ces jeunes hommes et leurs pères ou protecteurs, dont les évolutions sur le fond bleu du ciel ou blanc de la façade du casino avaient un parfum louche, laissaient entrevoir un mystère suranné. L'Atlantic-Club sous la piste des mondains était comme une bombe anarchiste. On y dansait peu, car la place était mesurée entre les billards, mais on s'y bousculait troublement. Garçons et filles étaient en petits maillots, sous quelques néons blancs que le patron masquait de temps à autre d'une feuille translucide bleue, le temps d'une chanson. La plupart des filles étaient de l'âge de Bayard, elles avaient déjà des seins, portaient des bracelets ou des médailles en plaqué or, se vernissaient les ongles des pieds en rouge corail. Elles ne me voyaient pas. Je restais dans un coin de la pièce quand Bayard partait à la conquête de l'une d'elles et ne le rejoignais que sur un clin d'œil qu'il m'adressait, pour tenir le rôle, voué à la défaite, du goal au baby-foot. Puis c'était au tour de Mariane et je sortais pour dix minutes que Bayard faisait durer, par privilège, jusqu'à douze ou quinze. De l'extérieur, en plein jour, on distinguait mal par la porte ce qui se passait dans la pénombre de l'Atlantic. De temps en temps j'entrevoyais Mariane suivie d'un ou deux garçons sans doute choisis par Bayard et constatais qu'au même âge nous n'étions pas lancés dans la course à vitesse égale. Mariane pouvait plaire, minauder, refuser des gestes, des paroles que j'aurais attendus en vain des filles amies de Bayard. Quant à lui, il ne faisait que s'amuser des plus jolies, ne montrait jamais un sentiment qui eût laissé prise sur lui. Il se plaisait en solitaire, maltraitant un billard, le secouant jusqu'à ce qu'il éteigne toutes ses lampes en protestation, après quoi mon cousin s'estimait satisfait, laissait tomber une main sur le flanc de la machine, comme sur l'épaule d'un vaincu, et marmonnait : « Pauvre type. » Mais il acceptait aussi des compétitions en finesse avec d'autres joueurs qui cherchaient à battre le record des points inscrits en chiffres clignotants sur le cheval du cow-boy électrique peint sur le tableau vertical. Il avait une façon de contrôler la bille et les flippers avec une adresse retenue qui le transfigurait en escrimeur, en danseur assassin. Ses cheveux noirs tombaient jusqu'à son nez en une mèche souple qu'il rejetait machinalement d'un coup de tête arrogant ou laissait pendre et masquer son œil droit quand il cessait de s'intéresser aux autres. Mariane seule avait toujours accès à lui, ce qui renforçait l'attrait qu'ils exerçaient tous deux sur les habitués de l'Atlantic, puisque l'un comme l'autre échappaient toujours aux tentatives de séduction les mieux avouées, et qu'ils ne s'accordaient qu'entre eux, frère et sœur, les rares gestes doux dont ils variaient le répertoire : le bras de Bayard autour des hanches de Mariane, la main de Mariane sur le genou de Bayard, ou sa tête appuyée contre lui, comme si elle avait eu à se reposer de quoi que ce fût.

Un après-midi d'août, après le bain, j'aperçus enfin Lou assise dans le coin opposé de la salle. Elle devait m'observer depuis un moment déjà et ne baissa pas les yeux quand je la découvris. Un cousin se tenait à ses côtés, aussi laid que le roux Éléazar, lequel, assidu des thés du Sporting, devait être à l'heure même en train de s'essayer prudemment au cha-cha-cha dans un costume de lin crème, ses souliers bicolores traçant des triangles imprécis sur la piste au-dessus de nos têtes. Il avait, comme le suggérait Alexandre, toujours prompt à déceler un sang ennemi dans les familles bien établies, la maigreur et le nez « absurdement anglais » de son oncle. Ce cousin-là ne paraissait pas goûter autrement le charme équivoque du Club et n'avait échoué ici que pour permettre à Lou d'y venir, mais il n'exerçait sur elle aucune surveillance et s'intéressait plus aux billards qu'à sa cousine. Lou avait grandi. Elle était comme Mariane, de la même complexion brune et déliée, et j'imaginais qu'elle aussi se réservait aux plus de quinze ans, à présent que son maillot abritait une poitrine mieux qu'esquissée, promettant d'être un jour l'héritière du balcon pigeonnant de sa mère. Je ne l'avais pas vue depuis plusieurs étés et je ne savais pas ce qui l'avait tenue éloignée de Pontaillac, ni quel souvenir elle avait gardé du faux trésor que j'avais découvert pour elle dans la grotte sous la villa « Quand même ».

J'attendis un quart d'heure à l'extérieur puis rentrai dans le Club dès que Mariane eut fini son tour. J'avais peu de temps pour agir. Je filai vers Lou et proposai à son cousin, une pièce de vingt centimes à la main, de jouer une partie pour moi. Il accepta avec empressement et prit un billard libre. Je me plaçai à sa droite, contre la machine, en spectateur, une main sur le bouton du flipper droit, aussi discrètement que possible, cette participation des « mineurs » étant interdite. Peu m'importait. Je restai les yeux plongés dans le regard de Lou, au-dessus du plateau de verre où la bille déclenchait des orages sur son passage. Lou ne me rejetait pas, c'était clair. Elle n'aurait pas eu cette façon de m'interroger en levant à peine les sourcils, ni la patience de soutenir de ma part la même question muette pendant que son cousin achevait de perdre une partie où je l'avais mal secondé. Elle se leva, sortit une pièce de sa sandale, me fit signe d'en allonger une autre et, les glissant dans le billard, dit à son cousin de l'excuser un moment. Elle avait à sortir de façon pressante, il n'avait qu'à jouer seul les deux parties.

Derrière l'Atlantic-Club, l'espace sous le grand casino se réduisait, la plage remontait en pente jusqu'en haut des piliers. On n'y voyait pas grand-chose, mais en retour on n'était pas vu. Lou me conduisit d'autorité dans cette zone aussitôt que Mariane m'eut remplacé dans la salle des jeux. Je m'assis dans le noir à côté de Lou :

– Pourquoi tu n'es pas venue les autres années ?

– Mes parents voulaient essayer la Côte. La Côte d'Azur. Tu as beaucoup changé, Axel. Tu fais du sport ? Du tennis ?

– Je lis, c'est tout. Je nage aussi. Pourquoi ?

– Je fais du tennis, au Garden, près de Foncillon. On pourrait s'y retrouver, j'y vais seule.

– Pourquoi avais-tu disparu ? Je ne sais pas jouer, je n'ai pas de raquette, je vais avoir l'air idiot.

– Mais je peux aller ailleurs et dire que j'étais au tennis. Je laisse ma raquette au Garden.

– Demain à dix heures devant chez Bertin, rue des Montagnes-Russes.

153

*   *

*

Il y avait longtemps que la rue des Montagnes-Russes avait été rebaptisée en rue de Cognac, mais les gens qui voulaient montrer l'ancienneté de leur connaissance de Royan, leur supériorité sur les estivants de fraîche date, continuaient d'employer le nom déchu. Au milieu de la rue, l'épicier Bertin tenait boutique, quand il avait sa tête à lui, et chaque jeudi torréfiait en plein air son café, qui embaumait la rue jusqu'à la plage. Alexandre tenait Bertin pour un « imbécile monumental », donnant pour seul argument qu'on pouvait considérer comme un monument un homme qui avait toujours été là, ne changeait pas ou peu, et dont la boutique n'avait pas été repeinte depuis l'avant-guerre. Toute la décoration intérieure se maintenait dans les tons brun et or d'une poussière de vingt ans, grasse et poissant uniformément les murs, le plafond, les bocaux de présentation majestueux et vides qui trônaient derrière la caisse. Une affiche placée sous verre nous obsédait, moi et mes cousines, représentant un jeune obèse en pourpoint, penché au-dessus d'une table débordante de charcuterie et s'empiffrant, rouge et hagard. Au-dessus de ses mèches folles s'étalait en lettres rouges sur fond vert la marque des saucisses et pâtés offerts sans limites au dément. Bertin était du matin au soir sur le pas de la porte, un bon sourire sous sa moustache, le front dégarni et fuyant. Il souriait tout le temps, ne faisait rien pour vendre, comme s'il avait pour toujours oublié qu'il tenait un commerce. Sa femme derrière la caisse encourageait les clientes qui venaient malgré tout parce que, en saison, il y avait la queue dans les autres épiceries, et déployait son zèle en pointant sa règle en direction des produits qu'on lui demandait et qu'elle priait les clientes de prendre elles-mêmes, ne voulant pas s'éloigner si peu que ce fût de son tiroir à monnaie, de son autel où elle empalait des notes sur un clou, humectant ses doigts sur une petite éponge d'écolier, jetant un œil impitoyable aux six rouleaux de papier tue-mouches pendus au plafond, espérant que son regard convaincrait magiquement des dizaines de nouvelles mouches d'aller rejoindre en kamikazes les rubans funèbres et collants où quelques concessions étaient encore vacantes. C'était un lieu commode pour un rendez-vous, car on pouvait entrer dans l'épicerie et ne rien choisir, juste faire un tour, « en touchant avec les yeux », comme l'ordonnait aux enfants l'épouse du monument, formule dont, avec le temps et la création de l'Atlantic-Club, le paradoxe me semblait s'émousser.

Quand j'arrivai le lendemain, Lou était déjà là, en jupe et corsage blancs de tennis, immobile devant les cageots de légumes défraîchis, indifférente au boniment distrait du moustachu. En me voyant elle tourna les talons et se dirigea vers le bois, qui commençait quelque deux cents mètres plus loin vers l'intérieur. Je la suivis en restant en retrait et ne vins à sa hauteur qu'une fois dans le bois. Il n'y avait que peu de maisons dans cette courte bande de chênes et de pins qui séparait la campagne basse, les prés inondables du Marais et les villas entassées en bord de mer, et très peu de chemins la traversaient. Si petit qu'il fût, le bois avait mauvaise réputation dans certaines familles qui en interdisaient la promenade à leur progéniture, comme si les ronciers avaient abrité des criminels et des mangeurs d'enfants à l'image de l'ogre poupin encadré chez Bertin. C'est là, pendant l'année scolaire, quand, la foule des vacanciers s'étant retirée au nord, il devenait beaucoup plus difficile d'échapper à l'attention des voisins, que les grands élèves de l'école, garçons et filles, se

retrouvaient par couples « en cachette », même si un ou
deux voyeurs étaient acceptés; que les duels proscrits sous
le préau se déroulaient, au bâton ou à mains nues; que
toutes sortes de châtiments votés à bulletins pliés, glissés
dans un plumier faisant le tour de la classe pendant
l'explication de textes, pouvaient être exécutés. sans un
professeur, un parent à qui faire appel. Dans ce bois,
Bayard régnait et rendait sa justice sous tel arbre en
éminence, plus royal dans son blouson de cuir que Saint
Louis à Vincennes. Pierre-et-Paul y avait reçu nombre de
coups de ceinture pour des fautes inventées, contre lesquelles il ne protestait plus guère et avait dû s'exposer nu
un jour de décembre pendant une minute entière. Moi-
même j'avais affronté au bâton deux élèves de ma classe
et je m'étonnai de trouver le bois si calme, si désert en
été, alors que je le parcourais comme un champ de
pénitence ou d'amour d'octobre à juin.

Lou s'engagea vers le plus épais des buissons et s'allongea
sur un coin d'herbe propre. Sa jupe plissée blanche ne
présentait aucun obstacle, mais il était moins facile d'accéder à l'agrafe de son soutien-gorge sans ôter le corsage.
Or c'était là que résidait toute la nouveauté depuis notre
rencontre dans la grotte. Elle ne se refusait pas, mais nous
n'étions pas sûrs de n'être pas observés : ce qu'on disait
du bois – qu'il y avait eu un viol autrefois et un clochard
qui ouvrait son manteau devant les enfants – s'insinuait
entre nous et nous empêchait de nous déshabiller sans
crainte, de nous embrasser sous l'œil d'un rôdeur hypothétique. Je lui suggérai de trouver un autre endroit. C'était
trop tard pour aujourd'hui, me dit-elle, mais si je voulais
l'attendre le lendemain sur la plage de Conseil, elle y
serait à trois heures.

De la plage de Conseil, au-delà de Gilet et Saint-
Sordolin, on voyait la lisière du bois des Fées qui divisait

ma famille et où je n'étais pas retourné plus d'une ou
deux fois depuis que j'y avais connu Mariane en landau.
Je n'étais même pas certain de pouvoir situer le terrain
d'Alexandre sur le bord de la falaise. Lou me guida sans
hésiter entre les dunes boisées, vers la mer, un repaire où
elle nous saurait sans témoins. Il y avait de nombreux
blockhaus à demi enterrés et abandonnés presque intacts
par les Allemands, que le sable et la forêt recouvraient
peu à peu. Arrivés à proximité de la falaise, il me sembla
reconnaître l'endroit où Alexandre m'avait conduit un jour.
Il avait montré de sa canne tendue les limites de sa
propriété, fait un geste évasif en direction de l'océan
comme s'il avait eu droit aussi sur la mer à perte de vue
et tapé du pied et de la canne sur le sol en me jurant que,
chez lui, ce n'était pas comme chez les voisins, ça ne
risquait pas de s'écrouler, non pas grâce à Dieu, mais à
ces salauds d'Allemands, qui avaient fourré dans sa falaise
une indéracinable forteresse. Des milliers de tonnes de
béton, des kilomètres d'acier torsadé, des parois de plus
de deux mètres d'épaisseur. Il n'était pas question de tout
faire sauter, bien sûr, et Alexandre était presque fier de
se trouver propriétaire d'une telle prise de guerre, quand
il oubliait qu'avec le temps et la longue sape des vagues
le blockhaus commençait à s'incliner doucement vers le
vide. On accédait par un sentier aux postes de combat, il
suffisait d'écarter convenablement les barbelés qui obs-
truaient l'entrée. C'était en effet un endroit où personne
ne venait encore, trop loin des plages et sans possibilité
de camper. Lou prit soin néanmoins de ne faire aucun
bruit, de ne pas parler, se retourna pour vérifier que nous
n'étions pas suivis. Elle avait trouvé cette fois une autre
explication à donner à ses parents et ne portait pas ses
vêtements de tennis trop voyants, mais une robe de plage
verte qui dans la forêt lui permettait de se camoufler

instantanément. Nous ne fîmes sans doute pas beaucoup grincer les barbelés en les soulevant, ni claquer nos sandales en descendant l'escalier, ni grincer la porte d'acier, depuis presque quinze ans tordue et trouée par un obus, et je ne compris pas sur le moment pourquoi Lou s'arrêtait au seuil de la porte. Je lui montrai au-dessus du linteau, peints en lettres blanches comme n'importe quel nom de villa, les mots « l'Age d'Or », mais elle me retint par la manche, posant un doigt sur ses lèvres.

Ce que Lou observait au fond de la salle obscure, dans l'espace rond d'une tourelle où la lumière entrait par une meurtrière étroite comme une lame, c'était un corps d'homme nous tournant le dos, que le soleil découpait violemment en une tranche indéchiffrable d'abord. Son dos et ses jambes se déplaçaient à peine, on aurait dit plutôt que l'homme était bercé debout. Il fit un pas de côté, s'offrit au couperet du jour. Son pantalon était baissé, il portait la chemise de Bayard. Deux mains fines le tenaient par les hanches, sans doute une fille était-elle à genoux dans l'obscurité. L'homme ou le garçon chantonnait une plainte sourde, prenait les poignets de la fille dans ses mains, continuait d'osciller. La fille plongea dans la lumière une seconde – la bouche de Mariane sur la peau claire de son frère – et je vis son œil à elle, son regard en coin, nous saisir de côté, Lou et moi, avant de reculer dans l'ombre. Lou me tira en arrière, me fit remonter les escaliers. Avait-elle reconnu mes cousins ? Elle haussa les épaules, au-dehors : « Pas de chance », dit-elle seulement.

Je devais être le dernier à comprendre les liens de Bayard et de sa sœur, le dernier informé, le dernier à pouvoir m'en plaindre. J'avais tout au plus à craindre une vengeance de Bayard si Mariane nous avait vus et le lui avait dit. Mais je n'en étais pas sur le moment à calculer les conséquences d'un rayon de soleil où il avait plu à mon cousin d'incliner une seconde le visage qui s'offrait à lui. J'entendais plutôt le ressac de la mer et le bruit de mes pas sur la route de corniche tonner en moi, me fendre du crâne jusqu'au ventre, comme une matraque sèche, un sabre de verre.

*　　*
*

Je ne sais quand le Baron rouge quitta mon service pour celui de Victoire, qui le garda dans son lit de longues années, ni s'il fut aussi bavard avec elle qu'il avait pu l'être avec moi, mais il me fallut reconnaître assez vite que j'avais beaucoup perdu en l'exilant dans la bassinoire. Dès mon réveil, après les tristes manœuvres du docteur Marteau, et par la suite devant ce mausolée en fonte émaillée, baptisé « la Trombe », dans les cabinets, j'eus la sensation d'un lien coupé. Les jours pouvaient se succéder sans événements notables, je pouvais connaître de longues périodes de calme, cela n'empêchait que, désormais, et de façon irrévocable, un accident était possible : rien ne me garantirait jamais contre une soudaine disparition de l'univers. Je mettais sous le terme d'« accident » toutes sortes de phénomènes dont certains n'affectaient que ma perception des choses, parce qu'ils avaient en commun d'être imprévisibles et de me placer en quelques secondes en position d'étranger, de spectateur, ou d'altérer complètement ma vue, mon ouïe, ma relation physique avec un paysage, une personne. Je redoutais autant un tremblement de terre, ou même le retour des bombardements qui avaient partagé en deux la vie d'Alexandre, que ces courts passages d'angoisse où d'un coup la table familiale me paraissait fausse, ainsi que mes parents, ma sœur ; peu importaient les convives, tous étaient comme les images d'un film, plats, faux, tous allaient glisser sur le côté comme une photo vivante. Autrefois, le Baron rouge me reliait avec un aspect caché de la vie, me servait d'espion et d'ambassadeur auprès de l'incompréhensible. Sans lui, j'avais par bouffées des sensations de mort, d'éclipse imminente. Par beau temps, le ciel bleu, la falaise au nord aperçue par la fenêtre de la salle de bains, la villa « Quand même », ses stores à demi baissés, la cime des pins au-delà, tout ce qui m'avait paru si réel tremblait sur place comme sur un écran. Ces moments d'illusion optique ne duraient pas, mais leur intensité, leur répétition, me faisaient perdre confiance en un monde si fragile.

Ainsi, allongé sur le sable, quand je regardais flotter un des pavillons jaunes du casino dans le ciel vide, ou bien l'auvent de toile des tentes rayées en bandes blanches et bleues onduler dans le vent, j'avais l'impression de me creuser, de me fêler, comme si quelque chose d'atroce allait m'être révélé, un secret masqué par ces images claires du ciel et ces étoffes battantes. Ce qui m'effrayait le plus dans cette peur que le Baron ne pouvait plus dissiper, comme avant, d'un sarcasme, était le silence. Tout allait filer à la trappe, dans une fente, une boîte aux lettres, sans bruit.

Alexandre m'avait raconté, en désignant sur une falaise de la côte quelques planches, vestiges d'un appontement, l'histoire d'un restaurant bâti autrefois sur les rochers, entièrement monté sur pilotis, et qu'un raz de marée avait emporté. Il ne m'avait montré aucune photo de ce restaurant, en avait oublié le nom. Un autre que moi aurait soupçonné Alexandre d'avoir inventé de toutes pièces, pour frapper la mémoire de son petit-fils, ce drame dont il ne donnait pas non plus la date. Pour ma part, j'avais aussitôt vu une construction de bois et de plâtre peint, comme les maisons de jeux tarabiscotées qui s'avancent dans la mer, au bout des pontons, à Brighton – plusieurs cartes postales coloriées à la main et conservées dans un album à Providence attestaient de cette noble et inutile témérité des Anglais –, un échafaudage de cloisons, de vitrages, de coupoles, exagérément orné et tout à fait provisoire, le contraire d'un « établissement », plutôt une « folie », en équilibre au-dessus des eaux. Et, par les hautes fenêtres, la grande salle illuminée de centaines de bougies, au mépris de l'incendie, et des dizaines de dîneurs levant leurs coupes, alors que le jour tombait avec l'arrivée de la tempête. Personne ne prêtait attention au choc de quelques vagues sous le plancher du restaurant, ou bien on en riait, en proie à une insouciance fatale sous la pluie d'or du champagne, et brusquement, venu du fond de l'horizon, une vague de douze mètres, une immense houle ne déferlant pas, une épaule sans écume soulevant le restaurant comme un jouet, le portant en l'air quelques secondes – un tollé parmi les dîneurs surpris, le verre à la main, ahuris par la dimension inhabituelle de ce qu'ils croient sur l'instant être une plaisanterie, quelques-uns se tournant vers les fenêtres pour tenter de comprendre, ouvrant la bouche pour un cri, une prière, mais c'est déjà trop tard – avant de le fracasser sur les rochers en contrebas, noyant les fourneaux, soufflant les bougies et les humains, entraînant le tout dans le ressac au fond de l'océan. Un témoin miraculé – comme je l'étais en pensant bien au sec au restaurant plongé dans la mer obscure avec ses invités en frac, la bouche encore pleine de gibier, collés au plafond, à la renverse dans les lustres – aurait vu le restaurant s'évanouir en une dizaine de secondes, guère plus. Et quand Alexandre revint plus tard sur son récit et me dit, à propos des mêmes planches qui indiquaient le départ d'une jetée, qu'il devait plutôt s'agir d'autre chose, de la passerelle d'un ancien carrelet de pêche, et s'en tint, dans l'arsenal des catastrophes qu'il laissait choir pour expliquer la vie, à ses préférées, les bombes du 5 janvier 1945, je ne le crus pas vraiment et ne remis pas en question l'épisode du restaurant avalé. Alexandre, après m'avoir décrit le mécanisme et l'ampleur des raz de marée japonais, leur vitesse, leur force inexorable, jura qu'on n'en voyait jamais dans nos régions, que ces malheurs extraordinaires n'arrivaient qu'ailleurs, là où l'existence est chauffée à blanc et toute chose poussée à son paroxysme, et que nous étions à l'abri de ces désastres comme de la beauté excessive qui les accompagne. Ce qui ne m'expliquait pas pourquoi on avait inventé le mot de « raz de marée » pour désigner un phénomène douteux, jamais observé sur les côtes où on parlait notre langue, alors que des « rez-de-chaussée », il y en avait partout. Par analogie, la position du casino de Pontaillac, même si le béton avait remplacé le bois de l'ancienne « Restauration », était selon moi des plus exposées, face à toutes les colères que la mer pouvait engendrer, même si ce n'était pas l'usage dans le plus tempéré des pays tempérés. C'est comme une boîte de carton, une maison de papier que m'apparut le casino, au retour du bois des Fées, où s'enfonçait au contraire un blockhaus indestructible. Je ne parlai pas à Lou de ce que nous avions vu, je n'étais sûr de rien et j'espérais qu'elle non plus n'avait pas reconnu clairement les personnages dénoncés par la meurtrière, ni compris ce qu'ils faisaient alors. J'espérais qu'elle ferait une remarque en chemin, un commentaire, mais elle s'en tint au « Pas de chance » prononcé dans le bois.

Le lendemain, Bayard vint en bicyclette à Providence de bonne heure et me proposa une promenade sur les rochers. Dès que nous fûmes seuls, je lui demandai pourquoi nous n'allions pas plutôt à l'Atlantic, comme les autres jours.

– C'est trop tôt, répondit Bayard, le matin il n'y a que des gosses. Les filles viennent à cinq heures.

En traversant la plage, j'aperçus l'intérieur du Club où quelques garçons jouaient au billard dans une lumière bleue. Une fois escaladés les premiers rochers, Bayard me conduisit à la pointe, s'assit au bord d'une crevasse étroite où l'eau montait à chaque passage de la houle :

– Où en es-tu avec Lou ? Je vous ai vus ensemble.

– Quand ?

– Pas d'importance, je vous ai vus. C'est très bien, Axel, c'est même moi qui te l'ai conseillée, celle-là. Alors ?

Alors, il n'y avait pas grand-chose à raconter. Pas encore. N'était-ce pas à moi, en fait, de lui poser des questions sur sa présence, hier, dans le blockhaus ? Bayard souriait dans le vague. Il devait calculer mes pensées, les retourner plus vite que moi. Après tout il pouvait me jeter dans la crevasse d'un geste, d'une poussée.

– Comprends-moi, Axel, j'ai besoin de savoir si tu l'as fait avec elle. Pour de bon, je veux dire.

– Elle a treize ans, tu sais.

– Eh bien, toi aussi tu as treize ans. Tu attends quoi, tu veux une ordonnance, que je te fasse un mot ?

– Elle est d'accord, je crois. On n'a pas trouvé un endroit tranquille, c'est tout.

– C'est tout ?

Bayard me regardait sans ciller droit dans les yeux. Si j'avais le courage de parler du blockhaus, c'était maintenant ou jamais.

– Oui. Et tu avais raison, elle a déjà des seins comme ça.

– Parfait. Tiens-moi au courant surtout.

Il sortit de son short un paquet bleu marine de quatre

cigarettes « Parisiennes » et une pochette d'allumettes. Bayard fumait en cachette depuis le début des vacances, il me l'avait dit, mais ne l'avait jamais fait devant moi. Il dégagea du papier deux Parisiennes et me tendit le paquet :

– Tu fumes ?

– Je sais pas trop. J'essaierai sur la tienne.

Il laissa tomber l'allumette dans le trou à ses pieds, aspira longuement et souffla entre ses genoux un nuage bleu.

– Et toi, Bayard, tu l'as fait ?

Il hocha la tête. Bien sûr, il l'avait fait. Il en était même déjà revenu, de cela comme de tout.

– Avec qui ?

– Dans le bois, avec toutes. Je ne retiens pas les noms.

Il me passa la Parisienne. Je gardai la fumée dans ma bouche un moment, assez pour faire sérieux, et lui rendis sa cigarette. Aussitôt il me pinça le nez et m'ordonna :

– Aspire un grand coup, allez !

Quand j'eus fini de tousser et de cracher, penché au-dessus de la crevasse, il me releva la tête :

– Règle numéro un : on ne triche pas.

Je réussis à ne pas tousser à ma deuxième tentative, mais j'avais assez mal au cœur pour en rester là.

– Et Mariane, elle l'a fait ?

J'espérais le désarçonner à mon tour. Mais il s'attendait à ma question :

– La cigarette ou l'autre chose ?

– Les deux.

Il me regarda sans sourire :

– A ton avis ?

Il ne posait évidemment pas la question. J'avais tellement conscience de lui paraître stupide que je tendis la main pour lui emprunter la Parisienne. Il la jeta dans le tourbillon vert de la crevasse :

– Tu fumes trop.

Il se leva et me donna un carré de réglisse, pour faire passer l'odeur du tabac. Il était temps, du moins pour moi, de rentrer déjeuner et je courus derrière Bayard, sautant d'un rocher sur l'autre, jusqu'à la plage. Arrivé à la hauteur du casino, il me fit un signe d'au revoir et se dirigea vers l'Atlantic.

Après le déjeuner, je sortis sur la terrasse où Alexandre avait allumé sa première pipe de la journée, la meilleure selon lui, qu'il s'offrait en préliminaire à la sieste. Il me regarda aller et venir près de lui, en tirant des petits nuages rapides pour amorcer son gros gris. Cela faisait déjà quelque temps que nous parlions beaucoup moins ensemble. Depuis que Mariane, le jour de Pâques, m'avait fait comprendre dans la cave que j'étais devenu un « homme ». Être un homme était une charge incertaine, écrasante. Je n'étais pas comme Bayard, un homme-né. Pour lui, qui rêvait de guerriers disparus, légendaires plus qu'humains, c'était facile d'être au moins un homme : il l'était sans effort, sans réfléchir. Moi j'avais retenu des propos d'Alexandre et de mes lectures, autant celle de Montaigne que du livre des monstres, qu'un homme était une idée qui variait selon les coutumes et les époques et n'était informé de son existence que dans le plaisir ou en tombant de cheval, à supposer même que l'on pût se mettre d'accord sur une définition du sujet. Est-ce que je pouvais espérer devenir un homme à treize ans, alors que je ne fumais pas, n'avais rien accompli d'héroïque ni possédé une femme ? Toutes choses qui, au fond, ne me semblaient pas constituer des preuves indiscutables. Qui m'empêcherait, moi qui conversais avec le Baron et pressentais si souvent, infiniment mieux que mes camarades, l'autre face de l'univers, son pli caché, de sortir du cadre un jour ou l'autre ? D'être, sinon plus que les autres, différent, ailleurs ? Pour le bien qu'Alexandre disait en général de l'espèce humaine, mâles et femelles confondus, il n'y avait pas grand inconvénient à lui fausser, de temps à autre, compagnie.

– Qu'est-ce que tu fais de tes vacances, à présent? dit Alexandre.

– Rien de plus qu'avant. Je me promène sur les rochers.

Alexandre n'aimait pas les réponses évasives, convenues. S'il avait dit « à présent », c'était pour me signifier qu'il considérait que j'avais changé. Il n'entendait pas être pris pour un sot, je devais avoir quelque chose à avouer.

– J'irai peut-être jusqu'au bois des Fées, un jour ou l'autre. C'est bien là que tu as un blockhaus?

C'était mieux, déjà. Il opina, sans cesser de tirer sur son gris.

– Tu ne le vendras jamais, dis?

Alexandre me fit un clin d'œil. Il était enchanté à la seule pensée que son petit-fils s'intéresse à ce tas de béton, là-bas. Il posa sa pipe dans le cendrier près de lui, laissant les braises s'éteindre toutes seules et s'appuya sur mon épaule pour se lever.

– Je te le donnerai, plus tard, le cadeau d'Hitler.

Puis il rentra dans la maison, passa dans la bibliothèque s'allonger comme chaque jour sur le lit dans lequel, vingt ans auparavant, sa propre mère était morte. De la terrasse, je pouvais voir le bout du lit, à travers une porte-fenêtre, les pieds immobiles et sinistres de mon grand-père. Alexandre gardait ses chaussures pour la sieste et ne bougeait pas dans son sommeil.

Le soir Mariane vint à Providence. Elle avait convaincu son père d'emmener sa sœur Aurélie et de m'inviter avec Victoire pour aller chez Tamisier.

– Est-ce que je ne suis pas la plus gentille? me dit-elle à l'oreille en m'embrassant.

Je lui rendis son baiser:

– Je n'en suis pas tout à fait sûr.

Elle se tourna vers Aurélie en soupirant : « Les pauvres hommes... » et sortit la première au bras de son père. Dans une clairière du bois encore vacante, en bordure de la plage de Pontaillac, se tenait pendant l'été une baraque foraine étincelante, tout en miroirs, ouverte sur le devant par un vaste étal de marbre blanc à hauteur d'enfant. Derrière l'étal, des hommes en tablier et toque plongeaient de longues cuillers dans des bassines de cuivre bosselées, grandes comme des tubs, posées à même la flamme des fourneaux. Le rituel nocturne de l'apparition molle et transparente de la sucette voulait que l'on plaçât les enfants les plus jeunes devant l'étal, les grands se tenant derrière, la monnaie à la main. Au moment venu, un des gros cuisiniers disposait sur le marbre des règles de fer pour former un carré. Un autre examinait les bassines, prenait des chiffons trempés d'eau pour saisir un des chaudrons et versait sur le carré de marbre une coulée de sucre bouillant. Avec des gestes solennels, il reposait le chaudron et, à l'aide d'une raclette, retournait la méduse de sucre dont la couleur variait selon le parfum – blanc crème pour la menthe, noir au chocolat, rouge à la cerise –, selon les jours, jusqu'à ce que la masse d'où s'échappait encore des bulles d'air ait refroidi et pris assez de consistance pour que l'on puisse ôter les règles. Lâchant sa raclette, il se mettait alors à soulever à main nue la pâte brûlante, à la battre comme on fait des pieuvres quand on veut les attendrir, puis la pinçait, la modelait par un bout, en tirait un appendice qu'il débitait à toute vitesse, aux ciseaux, en sucettes chaudes que nous enveloppions d'un carré de papier. Pendant des années, ç'avait été de l'or pur fabriqué sous nos yeux. Maintenant c'était au tour de Victoire, d'Aurélie, d'occuper le premier rang et je me tenais, comme les aînés, avec Mariane légèrement en arrière.

– Alors Axel, tu vas jouer avec nous désormais?

– Avec qui?

Elle donna quelques pièces à Aurélie en échange d'une sucette nacrée qui retomba sur sa main.

– Bayard m'a dit qu'il avait déjà commencé avec toi ce matin.

Elle soufflait sur la sucette pour la refroidir, la durcir, la léchait à petits coups pour la redresser, l'obliger à se tenir à peu près droite, me jetait un regard de côté, faussement innocent, engloutissait la sucette. J'aurais pu la tuer, là, au milieu des autres enfants, pour ce seul regard. Elle le savait à coup sûr, ce jour où elle retira de sa bouche le sucre brillant et murmura :

– Tu verras, c'est un jeu qui dure longtemps.

VII

De tous les hommes de la famille, mon père était le
seul qui trouvait grâce aux yeux de mon cousin Bayard.
Paul était trop paysan, et même si Bayard estimait son
intelligence, son talent pour capturer toutes les femmes
de son village et quelques-unes de leurs filles, il ne pouvait
s'attacher à un homme si peu soucieux de son élégance,
dont les vêtements et les manières « faisaient campagne ».
Anicet était un sujet de moquerie sans fin et Bayard se
plaisait à le décrire dans les postures les moins flatteuses
de son métier, en train de patauger dans les porcheries ou
de seringuer une vache avec du sperme de taureau, le
plus absurde étant qu'elle n'en avait aucun plaisir, ni le
taureau, qu'on avait fait grimper, ailleurs, sur un leurre,
une fausse vache de bois avec un vagin de caoutchouc
plein d'eau tiède ; une vie stupide, mieux valait mourir en
Espagne, dans une corrida. Alexandre étonnait Bayard, qui
le respectait sans l'aimer. Il savait qu'un fil très subtil, un
privilège me liait à mon grand-père, faisait de moi son
héritier moral. Quant à Charles, Bayard en parlait peu,
mais pour autant qu'il ait su comment s'était réglée la
question de Pierre-et-Paul, le coup de fusil tiré par son
père rachetait la médiocrité de son destin de fonctionnaire.
En revanche, Pierre était un homme presque conforme
aux critères de mon cousin. Il était farouche, puissant,

gagnait de l'or, voyageait dans des pays plus lointains et dangereux que les îles où Charles l'avait emmené autrefois, et par-dessus tout possédait une moto.

À l'époque où j'étais léger, entre six et dix ans, mon père m'avait souvent conduit à l'école en moto. Dès qu'il avait fait démarrer le moteur, j'enfourchais le réservoir rond et large comme une guêpe d'acier noir, mon cartable accroché au cou, et mon père s'asseyait derrière moi, fixait ses lunettes étanches, ses « mica », me calait contre lui et rabattait sur nos jambes un tablier de cuir. Il y avait, sous le tablier, une poignée de secours, une courroie de cuir renforcé, pour m'y cramponner en cas de besoin, mais il me suffisait de serrer les genoux contre le réservoir vibrant et de sentir mon père penché sur moi, ses jambes contre les miennes, ses bras tenant le guidon, me protégeant de chaque côté. La poignée de secours ne me servait qu'après le dernier virage, dans la courte ligne droite qui aboutissait à l'école, quand mon père criait pour couvrir le bruit du moteur : « Accroche-toi, on s'envole » comme une formule magique et lançait la moto à fond sur cent mètres, pour me ménager une arrivée pétaradante devant mes camarades. Je descendais de la moto encore tremblant de plaisir, faisais glisser mon cartable sur mon épaule. On ne s'embrassait pas, mon père et moi, devant les autres. Pierre savait que cela aurait tout gâché. Au contraire, il se redressait sans un mot, rajustait le tablier de cuir, levait sa main gantée vers son casque, dans une esquisse de salut militaire, et repartait plein gaz, comme un héros, un pan de son foulard blanc claquant dans l'air comme un fanion.

Bayard savait aussi bien que moi qu'il n'y avait rien d'extraordinaire à partir travailler en moto, mais il appréciait chez Pierre cette façon spectaculaire de jouer son personnage, juste pour éblouir une douzaine d'enfants et me donner à leurs yeux, même brièvement, un peu de

son panache. Après sa longue absence et mes opérations,
Pierre jugea que j'étais désormais trop grand garçon pour
monter avec lui comme avant, qu'une bicyclette me
conviendrait mieux. Je pris le vélo de fille de ma mère,
la mort dans l'âme, et me le fis voler au bout d'une
semaine, après avoir juré, avec Bayard que, sitôt que nous
aurions l'argent et l'âge, nous achèterions pour nous deux
une moto noire et puissante comme celle de mon père.
Trois ans plus tard, j'avais un peu oublié ce projet dont le
succès éventuel était encore trop lointain. Je ne voyais pas
non plus comment Bayard aurait pu partager une chose
aussi précieuse avec quiconque. Mais, s'il n'avait plus fait
allusion à notre promesse d'écoliers, il n'avait pas perdu
espoir de réussir pour lui seul. Ce même été où Mariane
m'annonça que j'allais participer avec elle à un « jeu »,
j'appris que Charles avait commandé à Saintes une moto
avec side-car qui lui serait livrée à la fin du mois d'août.
Bayard avait dû convaincre peu à peu son père en lui
faisant l'éloge de Pierre et de son engin, en exaspérant
sans arrêt sa fierté dans un domaine où il était facile de
se rétablir, avec un chèque et des leçons de conduite.
Quand Charles eut son permis, il alla chercher la machine
avec Bayard, à la gare de Royan. Un mécanicien venu de
Saintes la fit descendre du train par un plan incliné en
bois qui servait ordinairement aux chevaux.

★   ★

★

Il restait peu de temps avant la fin des vacances et
j'ignorais tout du jeu auquel Bayard et Mariane voulaient
me convier. Je craignais d'en savoir trop sur eux, autant
que de me tromper. J'avais la certitude que la moindre

question ferait s'envoler immédiatement la réponse et la vérité, et que mon enquête devrait procéder autrement que par les mots. Bayard m'avait simplement indiqué une règle, la première : ne pas tricher. Quand je crus pouvoir me confier à Mariane, en rentrant de chez Tamisier, elle me répondit :

– Règle numéro deux : le but du jeu est de découvrir les autres règles.

– Et s'il n'y a pas d'autres règles?

– Alors, suppose que tu as gagné. Celui qui gagne est toujours content. Tu es content?

– Je ne sais pas. Peut-être.

– Dans ce cas, je n'irai plus jamais avec toi. D'accord?

Nous marchions devant Charles, qui tenait par la main Victoire et Aurélie. Il y avait trop de promeneurs sur l'avenue, trop de réverbères, et je ne pouvais pas tenter un geste vers Mariane, ni élever la voix.

– Pourquoi? Tu ne peux pas faire ça.

– Mais si.

– Je ferai ce que tu voudras.

– Axel, je ne veux rien, moi. Je t'ai juste montré qu'il y avait sûrement d'autres règles. Tu n'as pas gagné.

– Et à quoi s'aperçoit-on qu'on a gagné?

– On ne pose plus de questions.

Le lendemain après-midi, je retrouvai Bayard à la porte de l'Atlantic-Club. Il venait de faire entrer Mariane et me demanda une pièce de monnaie pour le billard électrique. Je le vis glisser la pièce dans l'appareil et presser un bouton. La jeune femme peinte sur le tableau vertical s'illumina un moment, rose vif dans son maillot vert. Le billard était prêt pour une partie à trois. Après avoir joué sa première bille, Mariane sortit et me fit signe d'aller rejoindre Bayard. Je n'avais pas encore l'âge réglementaire, mais les bonnes relations de mon cousin avec le patron de l'Atlantic avaient levé l'obstacle. Il me sembla que je ne m'en tirais pas trop mal, la bille passait des portes, abattait des panneaux où figuraient des rois, des reines, tombait dans un trou qui l'éjectait à nouveau en haut de la pente, contre les grosses bornes qui clignotaient, bleu, blanc, bleu, pour dix mille points, en faisant tinter quelque part dans les entrailles de la caisse bariolée une cloche argentine. Bayard, lui, traitait le billard en habitué et lui donnait des coups savants qui doublaient le parcours de sa bille et son score. A la cinquième bille, j'étais second, cent mille points derrière Bayard, trois cents devant Mariane. L'appareil émit un dernier hoquet et afficha le chiffre de la loterie, le cinq, en faveur de Mariane. Je me tournai vers Bayard :

– Tu as le plus de points.

Il sortit du Club et s'assit dans le sable près de Mariane :

– Oui, mais ça ne compte pas contre la loterie. Mariane a gagné. Nous avons perdu. C'est elle qui commande jusqu'à demain.

Je m'assis devant eux, attendant la sentence de ma cousine. Elle fit la moue, comme si elle hésitait entre divers supplices.

– Toi, Bayard, tu prendras la moto de papa cette nuit et tu nous feras faire un tour, une fois chacun, par la corniche jusqu'au fort du Chay. Axel fera le mur vers minuit et t'attendra en bas de chez lui, devant l'hôtel du Golf. Demain matin, moi, j'attendrai Axel dans le bois des Fées. Là où il y a un blockhaus.

– Tu ne peux pas le manquer, dit Bayard, l'air maussade, il y a écrit « l'Age d'Or » au-dessus de la porte. A la peinture blanche.

Il se leva comme s'il se rappelait soudain un rendez-vous, jeta un coup d'œil à l'horloge murale sur le flanc du casino. L'aiguille des minutes, en tôle rouge, était aussi grande que moi, trop lourde, et descendait du quart à la demie plus vite qu'elle ne remontait vers l'heure suivante. Tout l'art des estivants familiers de Pontaillac consistait à évaluer sans trop d'erreur son avance, puis son retard, alternativement, pour décider d'autoriser le bain aux enfants ou l'achat d'un beignet au goûter, quand passait le vendeur famélique, son panier sous le bras, lançant son cri entre chaque parasol : « Mascottes, les belles, les belles mascottes! » plus triste et éraillé d'une année sur l'autre. Alexandre prétendait que c'était un ancien garde champêtre de Breuillet, qui avait perdu son emploi parce qu'il buvait. Et qui n'aurait bientôt plus de voix du tout, à cause d'une maladie. Quand il passa près de nous, l'homme était encore audible.

— Il est cinq heures, dit Bayard en le voyant.

La grande aiguille était à moins vingt, mais Bayard connaissait l'exactitude du vendeur de mascottes.

— Je rentre me préparer.

Il disparut derrière les tentes, remonta l'escalier du mur pour prendre sa bicyclette.

Je n'osai pas commenter les ordres de Mariane. Si je voulais me retrouver le lendemain seul avec elle dans le blockhaus, il fallait obéir d'abord. Obéir pour avoir le droit de jouer encore à qui serait le maître.

— Alors, dit-elle, tu vois bien que je suis la plus gentille.

— La plus gentille pour qui?

— Tu le sauras demain. Et Lou, qu'est-ce que tu en fais?

— Rien. Elle ne sait rien. Ça ne compte pas.

Mariane me regarda comme si j'avais dit une sottise impardonnable, une énormité, et se leva en secouant le sable de son maillot.

— Bien sûr, qu'elle ne sait rien. Il n'y a rien à savoir, non? Mais si elle ne compte pas, moi non plus. Reste ici, je vais me baigner sans toi. Ne sois pas comme un chien. A ce soir.

Pendant le dîner, je retournai sans cesse ces phrases et ces images de Mariane, assise, levée, souriant, furieuse, courant vers l'eau. Il ne me semblait pas que cela n'eût aucun sens, mais plusieurs, et que c'était en partie un aspect du jeu, naviguer entre les sens, éviter les mensonges entre joueurs, obéir sans être servile, sans éprouver de honte. Mais je ne pouvais rien conclure, il me faudrait jouer des dizaines de parties pour commencer à deviner comment Mariane et Bayard prenaient leurs décisions, d'où ils tiraient leur assurance, et le plus urgent était d'imaginer un moyen d'être au rendez-vous de minuit. La chose, en fait, se décomposait simplement : laisser croire à tout le monde que je dormais; me rhabiller et descendre l'escalier, sans faire de bruit, sans faire grincer ma porte ni les marches, et tout cela dans le noir complet; prendre dans une boîte de cuivre à l'entrée de la bibliothèque le trousseau de clés d'Alexandre et sortir à l'heure juste. J'attendis dans mon lit que la pendule de la salle à manger sonne le quart avant minuit et pris mes vêtements sur une chaise. Je gardai mes espadrilles à la main jusqu'au rez-de-chaussée et m'habillai sur le seuil de la bibliothèque. Le trousseau de clés faillit me tomber des mains, il y en avait trop sur l'anneau, en plus d'une petite ancre de marine, souvenir d'un voyage d'Alexandre en Bretagne. Je refermai la porte dès les premiers coups de minuit et gagnai la rue en prenant soin de marcher sur l'herbe à côté du gravier blanc. Par-dessus les fusains, je vérifiai que personne ne s'était levé, qu'aucune fenêtre ne s'allumait, puis je contournai les flaques livides, tracées par les réverbères sur la chaussée, jusqu'à l'hôtel du Golf, dont seule une imposte dans la tourelle de l'ouest était à cette heure faiblement éclairée. Un domestique distrait, peut-être. Je n'attendis pas longtemps. La grosse Norton de Charles apparut dans le virage derrière l'hôtel, Bayard coupa les gaz et descendit la côte tous feux éteints. Dans le side-car, Mariane arborait une chemise et un short blancs, beaucoup trop voyants, qu'elle avait dû choisir pour agacer son frère.

– Tu montes le premier, Mariane nous attend ici.

Bayard avait appris à conduire, avec la complicité de Charles, sur des petites routes sans gendarmes, et ne montrait aucune hésitation. Dès que je fus assis à côté de lui, il démarra sèchement, poussant le moteur à fond devant Providence, avant de passer en seconde. Sur la route de corniche, il prit tous les virages à la corde, me fit rebondir dans tous les trous de la route, frôla le trottoir et le bord de la falaise aussi souvent qu'il put. Le moteur était juste à la hauteur de mes oreilles, à gauche; à droite, j'apercevais par intervalles le vide et les vagues qui se lançaient sur les rochers en gerbes blêmes dont je n'entendais pas le fracas, couvert par le tonnerre où j'étais embarqué et dont la chute silencieuse derrière moi était comme une main agitée dans l'ombre, un dernier signe d'un ami dont on ne comprend pas les mots, qu'on ne reconnaît plus tout à fait. C'est, au-delà de la peur, le seul sentiment que je retirai de cette virée, assis sur les marches de l'hôtel du Golf, après avoir cédé ma place à Mariane et laissé mes clés en gage à Bayard. Le tour de Mariane me parut beaucoup plus long que le mien, mais je ne pouvais que rester là à les attendre, puisqu'ils avaient le trousseau d'Alexandre pour m'y obliger. Au bout de vingt minutes, la moto reparut au coin de l'hôtel. Bayard avait l'air un peu gai, comme s'il avait bu. Peut-être y avait-il un flacon derrière le dossier, dans le side-car? Mariane avait ôté ses chaussures et calé ses pieds sur le bord du pare-brise.

– Ta cousine a voulu se baigner à la plage du Pigeonnier,

mais elle n'est pas allée très loin. L'eau paraît toujours plus froide dans le noir.

Les vêtements de Mariane étaient trempés, collés sur son corps. J'enlevai mon chandail pour le lui donner, mais elle refusa.

– Je vais sécher. Nous allons tous sécher, un jour ou l'autre. Ne sois pas gentil. Je n'irai pas au bois des Fées demain. Jusqu'à cinq heures, c'est moi qui choisis. Bayard, rends-lui ses clés.

La Norton redémarra, fit demi-tour lentement et Bayard lança les clés dans ma direction. La moto devait être loin déjà quand je parvins à retrouver le trousseau dans l'ombre. En retournant vers Providence, j'eus brusquement envie de pleurer. Je n'étais pas sûr de pouvoir jouer aussi bien qu'il le fallait pour ne pas décevoir ma cousine. Il y avait une méchanceté en elle que je ne lui connaissais pas et qui devait tenir au jeu, une violence nouvelle toute au bénéfice de son frère. Je replaçai les clés dans la boîte de cuivre, ôtai mes chaussures pour regagner ma chambre. Sur le palier, une tache claire s'avança, la chemise de nuit de Victoire :

– J'ai tout vu.

Elle chuchotait juste assez fort pour menacer de réveiller mes parents. Je lui mis un doigt sur la bouche et la pris dans mes bras. Sa chambre au bout du couloir était isolée, une veilleuse auprès du chevet découpait dans l'ombre le rectangle de la porte. Je fermai derrière moi et déposai Victoire dans son lit. Elle me toucha les yeux :

– Tu pleures ?

– Mais non, c'est à cause du vent dehors.

Elle me prit la tête entre ses bras, m'attira contre elle, comme si j'avais été son petit frère, me berça. Qu'est-ce que je pouvais lui dire, moi qui doutais de tout, que pouvait-elle comprendre, du haut de ses huit ans ?

– C'est la moto qui t'a fait du vent. J'ai vu passer Bayard.

– Il ne faut pas le dire aux parents. A personne. Tu le jures ?

– Donne-moi quelque chose, en échange. Un secret.

Sur une chaise, les yeux du Baron rouge brillaient. Je pris le vieil ours que Victoire commençait à délaisser, lui remis les jambes et les bras d'aplomb, lui lustrai le poil :

– Mon secret, c'est que le Baron rouge est vivant.

– Non. Je raconterai tout à maman.

– Mais je t'assure, il ne vit que dans le noir. Même la veilleuse, c'est trop pour lui. Il se met à parler dès que tu dors. Il connaît tout ce que tu fais.

Je ne savais pas ce que Victoire avait à cacher, mais elle me prit le Baron des mains et le fourra au fond de son lit en le poussant du pied.

– On s'arrête, dit-elle.

Et elle se tourna vers le bord sombre du lit.

*   *
*

A l'automne, Mariane disparut. Elle entrait en troisième, comme moi, mais dans un autre lycée, vers Foncillon, une grande maison d'autrefois, à terrasses suspendues, une ancienne villa « latine » dans un parc clos de murs, dont les grilles étaient fermées aux garçons. J'imaginais des classes penchées sur *Polyeucte* ou Cicéron, des rangées de blouses blanches, de jupes plissées bleu marine, de belles élèves endormies. Y avait-il comme chez nous des salles de gymnastique, des vestiaires au lourd parfum de sueur, des jambes lancées au-dessus des barres parallèles, des cordes glissant entre les seins, les cuisses de ma cousine ? Parfois je l'apercevais sur son vélo, en compagnie d'une ou deux camarades de son âge qui habitaient Mornac. Elle

ne me voyait pas la plupart du temps, ou bien, quand je
me décidais à lui faire signe, elle me renvoyait un salut,
un coup de sonnette, un sourire distant. Il n'était pas
question de lui parler, d'obtenir d'elle un rendez-vous.
Notre relation n'existait qu'en période de vacances, dans
l'effervescence de l'été; et il lui était tout naturel, facile,
de l'éteindre ensuite, comme on coupe la lumière en
quittant une pièce. Pendant l'année scolaire, Mariane
menait une autre vie, exclusivement entourée de filles,
toutes engoncées dans des pull-overs flous, informes, les
cheveux coiffés en nattes, faisant leurs versions en commun,
se récitant les unes aux autres les théorèmes, les formules
chimiques, les monologues en alexandrins, inscrits au
programme. Je ne vis jamais de garçons avec elles, au
plus un petit frère. Ces jeunes baigneuses, qui dès la
mi-juin commençaient à bronzer sous le nez de leurs
cousins affamés, avaient le pouvoir incompréhensible de
ne plus être attentives à nous, ni sensibles au désir d'un
été l'autre, sinon pour les belles mais courtes échappées
de Pâques et de Noël. Sans doute y avait-il parmi celles
qui sortaient du lycée à cinq heures, le manteau boutonné,
les yeux baissés, quelques filles délurées qui passaient
par le bois et venaient, quand le temps le permettait,
perpétuer la tradition dont Bayard se voulait un des
champions. Mais jamais je n'appris que Mariane s'était
abandonnée à ces détours forestiers. Nous n'avions d'ailleurs que peu d'estime pour les naïves qui cédaient; bien
à tort, sans doute, mais je n'aurais pas aimé que Mariane
fût de celles-là.

Une fois, je me rendis au Marais, sous le prétexte d'un
message destiné à Bayard, d'une copie oubliée par Pierre-
et-Paul. La maison de Suzanne L'Ansecoy était déjà dans
le brouillard du soir, son aile penchée vers l'eau, où
s'interrompait la balustrade grise, plongée jusqu'à mi-

fenêtres dans la nuit de coton sourdant des parcs à huîtres.
Aurélie m'ouvrit la porte sans un mot, sans m'embrasser.
C'est à peine si l'on parut me reconnaître. Tous les
Balliceaux du Marais étaient là, autour de la table de la
salle à manger et dans la cuisine. Les enfants travaillaient
à leurs devoirs ou mettaient le couvert. Suzanne surveillait
la vapeur qui montait du faitout, l'air grave. Mes oncles
restaient chacun dans son fauteuil, le visage plongé dans
un journal tenu droit, ouvert à demi, comme un heaume,
une étrave ou un petit confessionnal portatif. Pas un mot,
pas un regard. J'entrais dans une sorte de rêve, sans les
déranger. Bayard m'écouta en approchant son oreille de
ma bouche ; il y avait à cet instant une consigne de silence,
sans doute, un moment de paix, dont ils avaient l'habitude
et qu'un profane comme moi ne pouvait pas troubler. Ils
étaient tous figés dans un enchantement ouaté, comme
s'ils attendaient le sifflet d'un hypnotiseur caché, les sept
coups de l'horloge dans le vestibule, pour se remettre à
vivre, à parler. Mariane, comme ses sœurs, était le nez
dans un livre, en hibernation. En un sens, cela me rassurait
de la découvrir aussi sage, mais la vision de cette maison
tout entière arrêtée avait en soi quelque chose d'inquiétant,
de paralysé, sans rapport avec la vie qui courait à Providence, de haut en bas et à tout moment, avec la voix
d'Alexandre, le battement des portes, le gémissement de
l'ascenseur qui chuintait quand il emportait mon grand-
père vers sa chambre sur le même ton que le vent
s'insinuant sous les portes de la terrasse. Et je ne comprenais
pas comment Mariane, ses sœurs, les filles en général (à
l'exception des malheureuses folles, abonnées du buisson,
qui échappaient aux lois de leur espèce) pouvaient entrer
ainsi dans une longue anesthésie, se mettre en retrait, en
sourdine, durant presque trois trimestres, alors que nous,
les garçons, ne cessions jamais de nous intéresser à elles,

au plaisir en général. Même les mots du plaisir, quand l'acte était différé, simplement envisagé, nous troublaient, nous donnaient l'impression de reprendre pied dans le vrai, de toucher quelque chose de solide, au-delà des jours d'études et de mélancolie.

Bayard aurait dû passer en première cette année, mais il s'était si peu appliqué, avait témoigné d'une telle indifférence à l'égard des encouragements, des sanctions, qu'il redoublait sa seconde. Un an de repos, à l'en croire, il n'aurait qu'à recopier ses vieux devoirs, à peu de chose près. Et se trouvait d'autant plus libre de s'occuper de mon cas, sans préciser, du reste, ce qu'était mon « cas ». Peut-être n'a-t-il jamais prononcé ce mot et n'était-ce qu'une illusion de ma part, que j'avais baptisée de la sorte, n'ayant de toute évidence pas attendu Bayard pour me considérer, pour le meilleur et pour le pire, comme un cas, un parent naturel des monstres dont j'admirais les trois jambes et les deux têtes. Toujours est-il que Bayard m'associa bien davantage que par le passé à ses jeux et au cercle des garçons qu'il dominait, et je crus, un peu vite, pouvoir y lire une marque d'amitié.

Bayard prolongeait, sans le dire ouvertement, le « jeu » commencé cet été. Il me fallut quelque temps pour en venir à cette conclusion ou, pour être juste, à cette hypothèse, parce que je ne concevais pas le jeu sans Mariane. Puisqu'elle seule pouvait dispenser une récompense, à quoi bon jouer pour rien ? Mais je n'étais pas sûr que Bayard ne tenait pas malgré tout Mariane informée de mes performances et de mes échecs, ni que tous deux n'établissaient pas une sorte de comptabilité dont le bilan me serait signifié dès qu'il leur plairait, au premier jour de plage. D'autre part, rien ne m'assurait que nous « jouions » vraiment et nous nous trouvions rarement engagés ensemble dans ce qu'on appelle d'ordinaire un jeu ou une compétition. C'est moi seul qui eus à plusieurs reprises la certitude, pourtant invérifiable, d'être délibérément placé par Bayard devant une épreuve ou de recevoir un châtiment choisi par lui.

Rue des Montagnes-Russes, en face de l'épicier Bertin, la bouchère, une femme rude et moustachue qui régnait sur cinq fils, laissait une petite savane se développer dans le jardin contigu à sa maison. Des chiens s'y promenaient, des clochards y couchaient, mais la bouchère refusait de vendre son « parc » et d'y laisser entrer aucun jardinier. Quelques enfants, dont Bayard, connaissaient, au-delà de la clôture éventrée, un chemin, un passage sous les ronces. Ceux qui en étaient revenus parlaient de cabanes fortifiées, de tunnels dans les fougères, de chats morts pendus à des lacets. Comme si, dans l'espace où un promoteur immobilier aurait planté tout au plus trois villas de taille moyenne, si la bouchère avait lâché son parc, la densité d'aventure au mètre carré eût été sans commune mesure avec ce qu'un arpenteur de bon sens aurait pu relever : là aussi se confirmait peut-être le point de vue d'Alexandre sur la verticalité du temps, des lieux et de toute expérience humaine.

Il était prévisible qu'un jour ou l'autre Bayard m'engagerait à le suivre dans une expédition chez la bouchère et j'y étais prêt. Il fallait juste emporter un bon canif et des gants. Souvent les chemins étaient barrés par des rideaux de ronces nouées, tressées entre elles, qui paraissaient infranchissables, mais dont la serrure de ficelle sautait au premier coup de lame. Après trois de ces portes, que Bayard prit soin de boucler derrière nous, il m'indiqua une cabane, une tonnelle d'épines, sous laquelle on ne pouvait se tenir qu'allongé, appuyé sur un coude. Il me fit signe de l'y attendre et revint avec un bout de liane sèche coupé un peu plus loin dans le sentier. « C'est de la bonne », dit-il. Il en tailla deux bouts de la longueur d'une cigarette.

La liane me parut bien pire que les Parisiennes fumées sur la falaise. Le goût en était plus âcre, un jus amer me remplissait la bouche. Bayard prenait soin de déposer ses cendres dans une boîte de conserve, à quoi se réduisait, avec deux morceaux de pneu en guise d'accoudoir ou d'oreiller, le maigre mobilier de notre boudoir. La fumée de nos tiges passait dans l'entrelacs du toit, paresseusement, laissait dans notre trou une odeur tenace et nauséeuse. La protection qu'offrait une telle cachette me paraissait inutile, démesurée en regard du crime qu'on y accomplissait. Il était facile pour Bayard de trouver n'importe quel endroit du bois de Pontaillac et même certains recoins de la cour de l'école ou des caves du lycée, pour fumer à son aise, seul ou avec moi. Le but de notre promenade n'était donc pas là, dans ces quelques mauvaises bouffées. Je finis par me convaincre que Bayard avait voulu m'éprouver, voir si j'aurais la même audace, la même adresse que lui pour me hasarder ici, si j'accepterais sans discuter ces lianes, sans être malade ni protester (sur le chemin du retour, alors que nous étions encore dans le roncier, il tira une blonde de sa poche et me la fit goûter : « C'est tout de même meilleur, les américaines, non ? »), si je saurais garder un secret sans qu'il me l'ait demandé au préalable, si j'en aurais l'instinct. Je me promis de n'en parler à personne, de gommer cet instant à peu près insignifiant de ma mémoire. Mais j'avais sans doute l'obsession du jeu à l'excès et de ce qui me semblait en être une des « règles » fondamentales (ne jamais commenter le jeu, ne pas en parler alors qu'on y joue), car Bayard, lui, ne se priva pas dès le lendemain d'évoquer notre équipée devant ses camarades. La règle était donc que lui, et non moi, pouvait décider de ce qu'il fallait dire ou taire. D'autant plus que

Bayard adoptait volontiers une attitude taciturne, choisissait de ne pas répondre à des questions apparemment innocentes; le silence et un peu d'énigme sur son emploi du temps ou ses amitiés faisaient partie de l'image qu'il se forgeait auprès de nous. Il m'avait raconté trois fois l'histoire du petit garçon grec qui s'était laissé mordre au sang par un renard plutôt que d'avouer qu'il le cachait sous sa tunique. Et devant l'expression triste et résolue qu'il avait parfois, je le soupçonnais d'abriter lui aussi, sous sa chemise, au chaud dans son blouson, un renard de malheur qu'il n'avouerait jamais.

Peu à peu, je me mis à l'imiter, discrètement, sans le flatter. Je copiais sa démarche, sa coupe de cheveux. J'appris à tracer les *d* et les *r* comme lui. Il s'en aperçut avant moi, très probablement; au début je n'étais même pas conscient de l'avoir pris pour modèle. Un matin de mars, il me confia qu'il se forçait à dormir au grand air, sans couverture, au moins une fois par mois, pour se fortifier, ne pas devenir aussi mou que son propre édredon. Le soir venu, je me glissai hors de ma chambre et passai une nuit blanche sur la terrasse, à grelotter dans un transatlantique. Je pensais à lui, qui devait faire de même dans le brouillard glacé du Marais. A l'aube, je me couchai avec une bonne fièvre, une fièvre d'homme. Quelques jours après, Bayard, qui avait deviné la cause de mon refroidissement, me dit que j'étais fou : quant à lui, il ne dormait à la belle étoile qu'en août. Je ne devais pas vouloir tout faire comme lui, sans quoi il se verrait obligé de me mentir, pour mon bien.

Quand je l'entendis me parler ainsi, je fus pris d'un doute. Il souhaitait mettre fin au jeu. Ou alors, et j'étais dans ce cas au comble du ridicule, il n'y avait jamais eu de jeu ni d'épreuves, plus depuis la fin des vacances. En tout état de cause, il ne pouvait pas ignorer plus longtemps ce qui m'avait conduit à imaginer un comportement aussi machiavélique de sa part. Je lui parlai du blockhaus dans le bois des Fées et des silhouettes que j'avais entrevues avec Lou. Mais non. Il n'y était pas allé depuis des années, il ne voyait pas l'intérêt d'aller aussi loin avec une fille. Et que faisaient-ils, ces deux-là, au juste? Il n'était même pas certain de se souvenir de l'endroit.

– Mais si, Bayard, c'est toi qui m'as dit sur la plage, le jour où Mariane a gagné au billard, que, sur le blockhaus, il y avait écrit « l'Age d'Or ».

– Tu es sûr? Je n'ai pas si bonne mémoire.

Pour le reste, il en convenait, il y avait eu ce pari, fait avec Mariane, de sortir avec la moto de Charles au milieu de la nuit, ce bain de minuit pour sa sœur : les paris, c'était une vraie passion chez elle. On aurait sûrement l'occasion d'en reparler aux vacances de Pâques.

Cette année-là, la cérémonie des œufs ne put avoir lieu chez ceux du Marais parce que Suzanne L'Ansecoy avait eu un malaise et qu'une réunion de famille l'aurait, de l'avis d'Anicet, à nouveau chavirée. Ce qui était une façon de parler pour le moins discutable, car le mal de Suzanne, non seulement dépassait les compétences de son vétérinaire de fils, mais aurait pu aussi bien éblouir, tel un exploit, une véritable preuve de santé, quiconque connaissait la maison de Mornac. Suzanne était depuis longtemps habituée à la pente de l'aile où se trouvait sa chambre. Elle passait de l'horizontale à l'incliné avec plus d'aisance que n'importe qui. Mais depuis une chute qu'elle avait faite en se levant de son lit, elle ne se trouvait en équilibre que là où tout le monde se sentait pencher. Le reste de la maison, le reste du monde, disait-elle, lui donnait le mal de mer. Elle s'alita pour huit jours et on lui fit porter, pour se faire entendre, la même petite cloche dont j'avais dû me servir avant l'arrivée du docteur Marteau.

Depuis que Mariane et moi avions réussi à trouver l'œuf le mieux caché de tous, au fond de la cave, et sans allumer la lumière, le rituel n'était maintenu que pour les enfants les plus jeunes, Victoire, Aurélie et Louise. Le dimanche, Mariane vint avec ses parents, habillée pour la première fois en jeune fille, avec un corsage de soie blanche à col Claudine. Elle garda les yeux baissés pendant la plus grande partie du déjeuner, comme si elle avait traversé une période d'intense modestie ou de foi religieuse. Quand Alexandre déclara la chasse ouverte, elle me lança un bref regard et quitta la table. J'allais la rejoindre dans l'entrée, mais Bayard me prit par le bras. Il avait parié avec Mariane que je ne serais pas assez rapide pour aller chercher l'œuf que lui, Bayard, avait caché dans la grotte située sous Providence. Je courus au-dehors, vers les rochers. La mer était haute et il ne restait plus qu'un faible goulet d'air en haut de la grotte. Je dus enlever mes habits et mes chaussures, les nouer en un seul paquet tenu à bout de bras, pendant que je nageais dans l'eau froide du mois d'avril, dans la grotte où la mer me portait à moins d'un mètre de la voûte. Au fond, un escalier de ciment dont les marches étaient soulignées de blanc indiquait l'entrée de la cave. Je déposai mes vêtements et me retournai. Le passage vers la mer était fermé à présent. L'air à l'intérieur de la grotte était lourd, changeait de pression à chaque mouvement de la houle. Je me réfugiai en haut des marches. Pas un œuf en vue. La porte de la cave s'ouvrit. Mariane avait poussé le lit, trouvé les clés.

– Dépêche-toi, et habille-toi en vitesse. Bayard est un idiot, tu n'aurais jamais dû y aller.

Elle repoussa la porte de métal et fit jouer les verrous. A moitié rhabillé, je l'aidai à remettre le lit en place.

– Tu n'avais pas parié ?

– Mais non, je ne veux pas te noyer.

Elle fila vers le rez-de-chaussée. Tous les œufs étaient découverts. Il n'y avait plus que moi, dont on s'inquiétait. Je m'excusai pour le désordre de ma tenue, les marques d'eau sur mon pantalon. Une chute dans le jardin, rien de grave. Dans ma chambre, je mis d'autres vêtements, je me frictionnai le dos avec une serviette. Bayard vint frapper à ma porte. J'étais sec à présent et j'enfilai un deuxième pull-over, sans cesser de trembler.

– Tu sais, Bayard, qu'en ce moment même l'eau monte au ras de la porte en bas? Tu le sais?

Bayard secoua la tête.

– En voilà une affaire. Puisque Mariane avait la clé, tu ne risquais rien.

*   *
*

Mon père ni mes oncles n'avaient plus l'âge d'être mobilisés quand la guerre s'était développée en Algérie, et aucun n'aurait souhaité y combattre. Cette cause-là, chacun à sa façon l'estimait entendue, « c'est-à-dire foutue », précisait Alexandre dès que le sujet menaçait d'ajouter encore aux discordes dans la famille. Anicet et Yvonne pensaient que l'on devait garder l'Algérie française. Paul était partisan de tout lâcher, sans prolonger les combats inutilement, parce que c'étaient les autres guerres, celles d'avant, qu'il aurait fallu gagner. Pierre disait aussi: l'Algérie, une fois perdue l'Indochine, à quoi bon? Charles était légaliste. Il aurait préféré que l'on restât dans cette ultime partie de l'Afrique, mais pas à n'importe quel prix. On ne connaîtrait plus jamais la paix hors de France. Et pendant ces quelques années où la conversation revenait presque quotidiennement sur la guerre et le retour du général de Gaulle, lui qu'Alexandre avait vu saluer nos ruines en avril 1945, chaque fois qu'un de mes oncles ou un invité de passage se tournait, perplexe, ou à court d'argument, vers la fenêtre du salon, regardait l'eau grise jusqu'à l'horizon où le phare de Cordouan se dressait comme une borne du monde visible, mon grand-père prononçait de sa voix la plus grave, la plus définitive, son verdict invariable : « La perte de l'outre-mer. »

Je n'avais pas les idées très au clair sur ce domaine, mais l'outre-mer, cela sonnait vaste et lointain. Quelque chose d'impossible à voir d'ici, ni à conserver, un continent bleu foncé où l'on ne voulait plus de nos lumières. Bayard et Mariane avaient connu ces terres où la nature se déploie jusqu'à l'ivresse en palmiers, en ciels rouges, en feuilles épaisses et brillantes, en fruits subtils dont la chair ne voyage pas. Ils savaient que cette parenthèse tropicale ne se rouvrirait pas; ou alors trop tard, et les réveils d'enfance dans le hamac seraient abolis. L'outre-mer, c'était plus que la mer, un océan plus lourd, des gens qui marchaient sur des plages illimitées, des animaux qui pouvaient changer de couleur. Mariane ne souriait pas quand mon grand-père laissait tomber sa sentence, même s'il appuyait de plus en plus son effet de comédien. Bayard, comme elle, avait la nostalgie de l'outre-mer, et moi l'amertume envieuse de ces années où ils avaient été nus, ensemble au Paradis. Je n'aurais jamais accès à cette vie passée loin de moi et j'imaginais que là seulement les silences et la morgue de mon cousin trouvaient leur origine, de même que la réserve de Mariane hors des vacances. Ces mois de brume et de froid, ces arbres dépouillés dans la campagne qu'elle traversait, chaque jour, après les pins de Pontaillac, ce climat sans fantaisie, les contraintes du lycée, pesaient sur elle jusqu'à l'été, la renvoyaient, sans même qu'elle s'en rende compte, à son rêve d'îles. Elle avait choisi d'être mieux résignée que ses parents, lesquels souffraient d'habiter à Mornac, loin des jardins exubérants, des *boys* innombrables, et fut sans effort une bonne élève. En juin nous fûmes l'un et l'autre admis en seconde et Bayard accepté en première, bien qu'il ait encore moins travaillé que l'année précédente. On espérait qu'un échec à la première partie du baccalauréat lui serait une meilleure leçon.

Je ne m'étais pas vraiment senti satisfait des quelques mots que Bayard m'avait dits dans ma chambre, à Pâques, après m'avoir envoyé à la noyade. S'il avait parié, c'était sur ma naïveté, mon dévouement à sa personne et au jeu. Ni lui ni Mariane ne s'étaient expliqués par la suite, de peur sans doute de se contredire l'un l'autre. Je pris quelque distance avec Bayard pendant le dernier trimestre et, quand s'ouvrit enfin la période des vacances, la seule dans l'année où il me semblait exister vraiment, je m'estimais, en raison de l'épisode de la grotte, détenteur d'une sorte de créance sur mes cousins. C'était mal compter. Bayard fit l'étonné quand j'osais avancer, en termes pourtant mesurés, ma prétention, alors que nous nous rendions tous les trois à l'Atlantic.

— Mon pauvre vieux, et tu as gardé cette idée-là bien au chaud pendant tout ce temps? Si tu pensais avoir gagné quoi que ce soit, il fallait le dire tout de suite, sinon comment veux-tu qu'on s'y retrouve? Personne ne tient d'ardoise, ici. Et gagné quoi? Sur moi ou ma sœur? Non, c'était un pari entre elle et moi, tu étais hors jeu.

Mariane avait prévu que son frère se débarrasserait de moi avec cette désinvolture. Elle savait aussi qu'en toute justice j'avais raison. La justice n'était pas ce qui réglait le jeu, mais, sans pour autant reconnaître la plus légère dette à mon endroit, elle me retint dans le trio :

— Ce que Bayard ne dit pas, c'est qu'il a perdu son pari.

Moi, j'étais sûre que tu irais dans la grotte, même à marée haute. J'étais fière de toi.

– Et qu'est-ce qu'elle t'a collé comme gage, Bayard?

– Ah ça... Il faut payer pour savoir. C'est la loi au poker. Viens demain chez nous, je t'apprendrai.

*   *
*

L'Atlantic n'avait pas beaucoup changé, faute de moyens ou d'imagination. Ce fut l'une des dernières années où l'on entendit de la musique Nouvelle-Orléans et des chansons françaises sous le casino. Le patron avait supprimé le baby-foot et ajouté deux billards électriques flambant neufs. « En bateau, de New York à Bordeaux, je les ai touchés il y a une semaine. » J'avais rencontré deux fois au cours de l'hiver le patron de l'Atlantic, dans les rues de Royan. C'était un garagiste dont la femme tenait un restaurant de routiers, à la sortie de la ville, sur la route de Saintes. Pour son fils il avait monté l'Atlantic et venait tous les deux jours prélever sa part des recettes. Il nous reconnaissait maintenant et, comme j'étais grand pour mes quatorze ans, il décida de m'en donner quinze et de fermer les yeux sur Mariane. « Trop jolie pour lui donner un âge, n'est-ce pas, les garçons? »

Ayant désormais mes entrées libres à l'Atlantic, je changeai donc de statut. Mais j'étais maigre, peu musclé, trop blanc de peau. Mon visage me déplaisait, j'avais constamment les yeux battus et ne savais que faire de mes cheveux. Seuls Mariane et Bayard me paraissaient beaux. Je ne voulais pas qu'on m'aime plus que je ne m'aimais et laissai sans réponse les quelques avances de celles dont je sus plus tard, par Lou, qu'elles me trouvaient l'air « tendre », plus « mystérieux » que mon cousin. S'il n'y avait eu l'attrait du Club et la nécessité d'y être en même temps que Mariane, je n'aurais plus mis les pieds sur la plage. Dans le bouillon des vagues, j'oubliais mon corps, je me sentais protégé par l'écume, l'eau m'habillait, mais dans la baignoire de Providence, je regardais mes genoux ronds sans amitié. J'avais de trop grandes mains, des bras de fille. Dans le miroir, chaque matin, il me semblait que mes traits tirés allaient dénoncer au monde entier le plaisir solitaire que j'avais pris la veille. Mes cernes n'avaient jamais eu cette signification pour moi, puisqu'ils figuraient déjà sur les photos prises par mes parents dans ma chaste enfance, mais, au lycée, les élèves me considéraient non sans respect comme un débauché, quelqu'un qui ne savait pas s'arrêter. Il y avait moins de ridicule à laisser dire qu'à nier, Bayard m'avait appris cela, et peu à peu je repris la rumeur à mon compte, je me mis à croire en partie à la réputation qu'on me faisait et que j'avais laissée courir. Il n'y avait plus que par Mariane ou par Lou que je pouvais espérer être sauvé de mon mépris et encore fallait-il que le miracle attendu d'elles ne tarde plus. Cette année, les volets de la villa « Quand même » ne s'ouvrirent pas avant la deuxième semaine de juillet.

En redoublant sa seconde, Bayard avait eu le loisir d'apprendre, auprès de trois cancres nouveaux venus, dont il s'était fait aussitôt l'associé, les règles du poker et les manières d'y tromper convenablement l'adversaire. Il ne fallut pas longtemps pour que Mariane laisse à ses cadettes les joies anodines du rami, de la crapette et du barbu. Même la canasta fit naufrage devant ce jeu dur, pour lequel, disait Bayard, des hommes flambaient tout et perdaient la vie, en Amérique. Je fus initié à mon tour en deux après-midi passés dans la chambre de Bayard à Mornac. Comme il avait plu, exceptionnellement, les trois premiers jours du mois, personne n'avait vu d'objection à

ce que nous restions enfermés. Mariane jouait déjà bien
et parvenait à conserver la même impassibilité que son
frère. J'en étais tout à fait incapable. « C'est tout juste si
je ne lis pas tes cinq cartes sur ta figure », disait-il, sans
pour cela renoncer à ratisser les haricots ou les allumettes
que j'avais misés, étant convenu que tout serait au plus
tôt converti en centimes. Je perdis, mais je compris en
même temps que je ne devais pas chercher à me composer
un masque de Japonais ; ce n'était pas dans mon tempérament et rien ne pouvait me retenir de rougir ou de me
trahir autrement. Mieux valait reprendre la tactique qui
avait permis à mon père de gagner chaque fois que je
l'avais vu jouer à Providence. Pierre réussissait à dissimuler
la valeur de sa main en affichant une joie ou une déception
sans réserve, presque toujours démenties par le montant
de ses mises. Il était capable de pousser l'un des partenaires
à faire tapis, alors qu'il n'avait lui-même rien de sérieux
à étaler. Mais quand il avait prouvé une ou deux fois sa
résolution à ne pas tenir compte de son propre jeu (refusant
même, s'il voulait impressionner un joueur nouvellement
convié à la maison, de regarder ses cartes, misant gros, à
l'aveuglette, sûr et certain, proclamait-il, d'avoir au moins
un carré servi), les autres ne savaient plus comment déjouer
cette façon de bluffer, si contraire à l'usage américain.

J'eus à peine le temps de travailler cette attitude que le
ciel redevint bleu. Il était impossible de ne pas aller à la
plage, de ne pas nous baigner sans attirer l'attention ou
passer pour malades. Il fallut réduire la fréquence des
parties et leur durée. Bayard proposa aussitôt d'augmenter
la valeur du point et de mettre à profit l'heure de la sieste,
unanimement respectée dans la famille, Suzanne L'Ansecoy
ayant imposé au Marais ce petit sabbat, comme Alexandre
l'avait fait à Providence. Une ou deux fois, mes cousins
passèrent chez nous dès la fin du déjeuner et, tandis que

mes parents s'installaient sur la terrasse et mon grand-père
dans la bibliothèque, je les conduisis à pas de loup jusqu'à
la porte du grenier. La clé était à portée de la main, au
second étage, dans un tiroir du « fourre-tout » d'Alexandre,
vaste cagibi, assez bien tenu, à mi-chemin de la bibliothèque du rez-de-chaussée et du débarras du grenier, et
qu'Alexandre peuplait comme un purgatoire de tous les
livres et souvenirs sur lesquels il n'avait pas encore statué.
Il suffisait ensuite de tirer un verrou pour être isolé sous le
toit où trônaient les roues noires et le moteur de l'ascenseur.

Ma stratégie, entièrement copiée sur celle de mon père,
déconcerta mes cousins et pour la première fois je repris
à Bayard une partie du butin d'allumettes qu'il avait
constitué à mes dépens. Curieusement, la victoire ne me
parut pas agréable. Je n'y étais pas habitué. Surtout il
m'était presque insupportable de découvrir dans les yeux
de Bayard une admiration que je ne méritais pas et qui
lui ôtait de son éclat, teintait sa mauvaise humeur d'une
expression stupide. Je crus qu'il se ressaisirait dès la partie
suivante, qu'il me battrait à plate couture, mais la méthode
de Pierre, que je ne pouvais plus modifier sans avouer
mon désir de perdre, continua de produire son effet
déstabilisateur. J'allais bientôt être à égalité avec Bayard.
En deux parties, je pouvais le ruiner. Mariane ne semblait
pas aussi affectée par ma façon d'agir et ces revers de la
chance. Elle maintenait ses pertes à un niveau raisonnable
et ne doutait pas de pouvoir payer le vainqueur. Puis
Bayard se plaignit de la chaleur qui régnait sous le toit,
du manque d'aération, de l'obscurité. Ouvrir une lucarne
ne suffisait pas. Il n'aimait plus cet endroit et voulut
retourner à Mornac.

Il était difficile d'échapper à la vigilance d'une maisonnée
plus nombreuse qu'à Providence et, avec un seul étage en
plus du rez-de-chaussée, le bâtiment offrait moins de

cachettes sûres. Il y avait pourtant une ou deux pièces où personne n'allait, dans la partie inclinée de l'aile, juste au-dessus de la chambre où dormait ma grand-mère. Elles étaient encore meublées, parce qu'on ne savait pas où ranger les canapés, les fauteuils crapauds, les deux commodes, la psyché, sinon là, dans ce qui avait été une chambre et un salon, avant que l'aile ne penche. Tout était donc resté en place et les pièces condamnées. Personne ne se sentait le pied assez marin pour y habiter réguliè-rement, sauf Suzanne L'Ansecoy, mais elle ne pouvait plus monter l'escalier depuis son malaise de Pâques. Anicet, sérieux comme un Suisse du Vatican, avait donné un tour de clé solennel à la porte du couloir. Moins d'une semaine plus tard, Bayard avait en poche un double tout neuf de la clé.

Depuis la naissance de Louise en 1956, la dernière enfant de Charles et d'Yvonne, on avait assoupli le régime du partage auquel était soumis Pierre-et-Paul. Il commen-çait à trouver trop longues les vacances chez son oncle en pleine campagne, et Yvonne avait plaidé les bienfaits des bains de mer. Bayard, lui, n'avait en rien modifié son attitude envers ce frère – demi-frère, le savait-il ? – qui lui ressemblait si peu, et il le commandait en tout, à la maison comme au lycée. Pierre-et-Paul fut donc requis pour promener leurs jeunes sœurs dans la lande le temps de quelques parties.

Alexandre n'avait pas corrigé à l'étage l'inclinaison des meubles, comme au rez-de-chaussée, et si les deux pièces y gagnaient en harmonie, il n'était pas évident de s'y mouvoir sans encombre dans un premier temps. Mon cousin devait compter sur cela pour me désarçonner, ayant déjà avec Mariane une certaine pratique de l'endroit.

– Il suffit de parler bas et de ne rien faire tomber. Suzanne dort juste en dessous.

Je m'installai dans un fauteuil devant une table ovale et basse, face à la pente, et Bayard battit les cartes. Par la découpe en forme de cœur dans le panneau des volets fermés, le soleil allongeait sur le sol des taches aveuglantes dont la réverbération suffisait à notre éclairage. Après avoir perdu un tour, j'oubliai la pente, le décor, je recommençai à gagner. En deux coups, je ramassai toutes les allumettes de la table.

– Il va encore falloir que j'emprunte à la banque, dit Mariane. Je suis à moins combien ?

– Tu ne peux plus emprunter, dit Bayard en consultant le carnet des comptes. Moins six cents. Moi je peux emprunter peut-être, un peu.

– Si c'est comme ça, je joue sans allumettes. Et je paie mes dettes. Deux sandales, ça fait deux cents.

Elle se leva, retira son polo.

– Trois cents, dit-elle.

Elle posa sur la table ses chaînes de poignets et sa montre.

– Quatre cents, évalua Bayard.

Elle plongea les mains sous sa jupe pour faire glisser sa culotte et enleva le soutien-gorge de son maillot de bain.

– Six cents, dit Mariane. Est-ce que le compte est bon pour toi, Axel ?

Bayard entrouvrit un volet d'un demi-centimètre pour faire entrer plus de lumière. Il avait de nouveau l'air goguenard que je lui connaissais quand il marquait un point contre moi. Il me donna le paquet de cartes à battre.

– Le compte est sûrement trop bon pour lui, petite sœur. Mais enfin, si Axel est d'accord, à partir de maintenant, on laisse tomber l'argent. Chaque vêtement compte pour cent. Interdiction d'emprunter aux autres, bien sûr.

– Bien sûr, dis-je.

Avec mes sandales, mon pantalon, mon slip de bain et ma chemisette, je disposais de cinq cents.

– Et mes cinq mille en allumettes, c'est convertible en vêtements ? Au même tarif, je suppose.

Bayard se contenta de couper le jeu que je posai devant lui. Mariane leva les bras en l'air comme pour s'étirer, se mit de biais pour que le soleil éclaire ses deux seins blancs.

– Tu crois vraiment, dit-elle, que le plus intéressant est de gagner ? Si je perds tout et que tu as plus de cinquante vêtements d'avance sur moi, tu auras l'air de quoi ?

Je remis toutes mes allumettes dans le sac en plastique qui nous servait de banque et en redistribuai à chacun une dizaine pour la mise. Bayard, sur le moment, me parut aussi perplexe que je l'étais : valait-il mieux perdre ? Je donnai les cartes et laissai peu après ma chemise en plus de mes sandales. Au tour suivant, Mariane dut faire glisser sa jupe et se rasseoir complètement nue sur le velours de son siège. Bayard, qui avait lâché ses dernières allumettes sur le tapis, était, selon mes estimations, à un doigt de la faillite. Il jeta ses cartes sur la table et se leva en jurant. Son fauteuil se renversa en arrière avec un bruit sourd. Nous restâmes un moment sans respirer. Suzanne, dans la chambre au-dessous, avait-elle entendu ? Mariane fit signe que non de la tête avec un petit sourire de défi à l'adresse de son frère.

– Elle dort comme une souche.

Bayard enleva ses affaires le plus doucement possible. Je compris son peu d'empressement quand il ôta son pantalon. Il ne portait pas de maillot. Il traversa la zone de soleil, Mariane fit semblant d'applaudir silencieusement. Puis Bayard redressa le fauteuil et se rassit. Je levai les yeux vers son visage. Il était pâle, plein d'une rage froide.

– Personne ne t'avait interdit de porter un slip, dit Mariane. En voilà des histoires.

196

Bayard se tourna vers moi :

– Et lui, tu ne crois pas qu'il aurait pu amener Lou ? Ça ne sert à rien d'être à trois.

Deux coups frappés au plafond par Suzanne me dispensèrent de répondre. Bayard enfila aussitôt ses affaires, rajusta le volet entrouvert.

– C'est Suzanne, dit Mariane. Bien sûr, elle sait que nous venons ici. Mais elle prévient avec le balai quand il faut redescendre.

Dans le couloir, Bayard passa devant nous, descendit seul les escaliers. Marianne, à demi rhabillée, me retint un instant par la main.

– Il n'a pas tout à fait tort, pour Lou. Ce serait mieux, non ?

– Je ne sais pas si elle aimerait ça.

– Quelle idiote. Mais lui, tu as vu comme il est beau ? Dans deux ans, tu seras comme lui.

Elle prit ma main droite, la fit passer par la fente sur le côté de sa jupe, la guida au creux de son ventre et m'embrassa longuement jusqu'à ce que Bayard nous appelle d'en bas. Pierre-et-Paul était revenu plus tôt que prévu de sa promenade, Louise était tombée et pleurait. Bayard la prit dans ses bras pour la consoler. En descendant l'escalier, j'étais encore dans l'émotion du baiser, ma main filait sur la rampe. Au-dehors, dans la cour ensoleillée, je me sentis pencher vers la gauche, il me manquait une canne, un appui. Sans doute un effet de l'aile, du retour à l'horizontale. Suzanne L'Ansecoy me vit, par la fenêtre de sa chambre, tourner quelques secondes comme un homme ivre. Elle avait reposé le balai en travers de son lit et nous regardait les uns et les autres, avec tous les secrets que nous portions, ceux que nous avions reçus par la naissance et ceux que nous avions voulus, tout ce dont elle ne dirait jamais rien, et ses lèvres bougeaient imperceptiblement, comme si elle nous comptait.

VIII

Alexandre n'avait pas attendu de vieillir pour penser qu'un monde mourrait avec lui. Un peu plus tôt, un peu plus tard. C'était déjà fait, en ce qui concernait le petit morceau de France où il avait passé sa jeunesse, la ville, le paysage même d'avant guerre, mais, il en était tout à fait sûr, le pire était devant nous. Quand sa santé commença à décliner plus gravement et qu'il lui devint pénible de se déplacer, il accusa une tendance, qui avait toujours été dans son caractère, mais longtemps modérée par Suzanne L'Ansecoy, du temps où ils vivaient ensemble, à tenir d'interminables soliloques à l'heure du repas, la cuiller en suspens au-dessus du potage figé ou la fourchette entortillée de spaghetti fumants, son regard fixé vers ses témoins de toujours, le lustre du plafond dans l'indignation, le phare de Cordouan par la fenêtre dans les phases prophétiques. Si Pierre ou ma mère tentaient de le ramener, d'un mot à voix basse, d'un signe, à la réalité qu'il avait sous le nez, une soupe froide, des pâtes cimentées, immangeables, il repoussait son assiette lentement, chassait du doigt une miette, repliait sa serviette, l'air douloureux, comme s'il allait se lever de table. « Évidemment, ce que je dis n'intéresse plus personne. Je sais bien que je parle dans le vide. Mes propres enfants... » Et c'étaient les mêmes protestations en refrain de mes parents ou des autres

convives qui rendaient un peu de couleur à ses joues, le
relançaient dix fois plus têtu qu'avant dans son propos,
regonflé pour une homélie qui tiendrait facilement jusqu'au
dessert. En quoi j'estimais que, s'il avait perdu le sens de
l'humour, mon grand-père n'avait oublié aucune des ruses
qui assuraient son pouvoir dans cette maison et, par
télépathie, sur ses autres fils, sa fille, sa bru, son gendre
et ses petits-enfants, par-delà les bois, les marais, qui
séparaient Providence de Mornac et de la Clisse. Et ses
monologues, qu'on ne pouvait qu'approuver d'un « Ah
oui... », ou mieux, d'un silence attentif, concerné, variaient
subtilement, dans le jeu des arguments, des anecdotes, leur
mise en scène, comme une mélopée arabe épuise en quarts
de ton toutes les possibilités de l'improvisation sans jamais
changer de thème. Alexandre pouvait, à partir du simple
verre d'eau posé devant lui, glisser une allusion au temps
qui lui manquait, qui manquerait toujours à quiconque
d'un peu sérieux, pour achever son grand livre sur les vins
de France, ce miracle sans fond, toujours renouvelé, sur
leurs mérites comparés, leurs caractères si opposés, les
antagonismes presque irréductibles des bourgognes – vins
de fanfare, catholiques et grands seigneurs, mais de tradition frondeuse, téméraire, qui frappaient dans le dos, à
la nuque, des vins trop proches de l'Allemagne, de l'Italie
– et des bordeaux, moins tapageurs, plus réservés, protestants
dans leur fortune de bon aloi, même si les Anglais avaient,
hélas, conquis, géré et bu une bonne partie du *claret* avant
de nous lâcher leurs bombes alliées sur la tête; et, quittant
son livre inachevé sur les vins, se mettre à persifler les
efforts des Américains pour en imiter la fabrication, la
saveur, le grotesque attrait qu'exerçaient les titres et les
couronnes décatis du Vieux Continent sur ces mêmes
riches Yankees, eux dont le pouvoir était à l'horizontale,
dans des propriétés à perte de vue, alors que chez nous la

noblesse, comme le temps, était de dimension verticale. Ou bien il expliquait – et on ne pouvait le soupçonner de croire des récits de bonnes femmes – qu'il y avait bien des choses derrière les choses : on voyait tel arbre s'agiter au vent, le lierre frissonner sur un pan de mur dans une vieille ferme charentaise, et on se disait qu'après tout ce n'était que ça la France; au lendemain de la troisième guerre mondiale, les survivants penseraient que la Terre n'avait perdu qu'un pays vétuste et prétentieux, dont des régions entières étaient sous-développées. Sans comprendre que, sous ces verdures, ces châteaux, ces villages, il y avait beaucoup plus : tout ce qui avait hanté les deux Amériques et une partie de l'Asie, le fantôme paternel de l'Occident. Nous habitions, nous tenions les modèles les plus plagiés de la planète, nous les anciens Européens. Et cela, ce continent des origines, était en train de disparaître, de basculer vers le passé, sans aucune chance de retour, parce que deux guerres avaient déplacé le centre du monde, l'avaient divisé, préparé à sa fin.

L'été 60, Alexandre connut un regain de vigueur inespéré, dû, son intuition était formelle, à la décision qu'il avait prise de s'attaquer aux bouteilles de château-latour entreposées à la cave, un cru souverain contre les rhumatismes, l'arthrose, donc la morosité. Peu après la partie de poker (gagnée ou perdue, qui pouvait en juger?) de Mornac, Alexandre avait demandé à Anicet de venir le prendre, tôt le matin, à Providence. J'étais monté à l'arrière de la grosse Frégate bleue d'Anicet, sur la banquette où se trouvaient déjà Bayard et Mariane; Alexandre s'était assis à la place du mort, habillé comme pour un dimanche, sa canne de randonnée entre les jambes, et avait ordonné : « Rochefort. » Personne en dehors de lui ne connaissait le but de la promenade. Alexandre avait juste proposé une « excursion » pour les aînés de ses petits-enfants, Pierre-

et-Paul excepté, en charge de ses petites sœurs, et nos
parents nous avaient dit qu'il était hors de question de
refuser ce plaisir à notre grand-père, dont on pouvait
redouter qu'il n'aurait plus souvent l'énergie de telles
initiatives. L'excursion, dans le souvenir de Pierre comme
d'Yvonne ou d'Anicet, était une corvée des plus fastidieuses
auxquelles Alexandre les avait autrefois astreints. Pour
nous, c'était un événement si rare et désormais si menacé,
nous avions pour nos grands-parents, séparés mais semblables, un amour tellement plus indulgent que celui de
leurs enfants, qu'il n'y eut pas beaucoup à discuter pour
nous convaincre. Une journée de plage en moins, ce n'était
rien en comparaison du plaisir de monter dans la Frégate
bleue, nos jambes les unes contre les autres à l'arrière,
Mariane entre Bayard et moi, goûtant sans rien dire chaque
remarque, claquement de langue ou soupir par lesquels
Alexandre faisait comprendre à Anicet qu'il conduisait
sans finesse, en poltron qu'il était, au volant comme ailleurs,
et qu'il ferait mieux de doubler au plus vite tous ceux qui
avaient successivement l'impertinence d'être entre nous et
Rochefort. A la sortie de la ville, Alexandre indiqua la
direction de Fouras et la Frégate s'arrêta à la pointe de la
Fumée, devant le débarcadère des vedettes, face à l'île
d'Aix.

Anicet resta seul dans sa voiture, à La Fumée. Il détestait
le bateau depuis toujours. Alexandre fit semblant de s'en
étonner, comme s'il découvrait cette singularité de son fils
quarante-sept ans après l'avoir vu naître, et monta avec
nous sur la première vedette qui partait. Nous approchions
du but, sans le connaître encore toutefois. Alexandre, assis
avec nous à l'avant, regardait vers le large. De la main
gauche, il retenait sur son crâne un chapeau gris qu'il
n'avait emporté que pour la traversée; de la droite, il
pointait avec sa canne les contours des îles d'Aix et

d'Oléron, la silhouette arrondie et massive du fort Boyard. J'avais l'impression qu'il se livrait lui aussi au « jeu » où m'avaient attiré mes cousins, et que j'avais à deviner le sens de cette excursion, sans poser de questions. Mariane ni Bayard ne paraissaient mieux informés et se taisaient en écoutant Alexandre, chacun pour soi. Une fois rendus sur l'île, nous traversâmes la place d'Austerlitz, bien petite pour porter un tel nom, et un guide nous fit visiter la maison où Napoléon avait dormi, à supposer qu'il ait vraiment trouvé le sommeil dans ces circonstances, pendant ses dernières nuits en France, avant de monter à bord du *Bellerophon* pour Sainte-Hélène. Était-ce cette maison, ces remparts qu'Alexandre avait voulu nous montrer ? Dans la chambre de l'Empereur, il tourna le dos à la mer. « C'est par là qu'il est parti. » Je regardai la fenêtre, l'horizon où avait disparu l'ancien maître de l'Europe. L'eau était grise et calme.

Il nous restait une demi-heure à attendre avant que le bateau nous ramène à La Fumée. Je laissai mes cousins et mon grand-père devant le chariot d'un marchand de gaufres et retournai seul vers le Musée africain qu'Alexandre avait déclaré sans intérêt. Dès l'entrée, je fus certain d'avoir « trouvé ». Un dromadaire blanc, « monté par Bonaparte en Égypte », était empaillé, miteux comme le Baron rouge, aussi peu à sa place dans cette pièce basse de plafond que les palmiers souffreteux, presque nains et morts, dont s'ornaient de nombreux jardins de Royan, aussi bien que des villas isolées, parfois des fermes dans l'intérieur des terres, comme pour conjurer le mauvais temps, se persuader que le Sud n'était pas si loin. Alexandre avait dû venir ici des années auparavant et conserver une idée saugrenue et confuse de l'endroit, sans se souvenir ensuite de ce qui l'avait étonné. Avec le temps, Napoléon et la fin de l'Europe l'avaient emporté. Il avait oublié le dro-

madaire blanc. Je n'en dis rien en embarquant sur la
vedette. Alexandre aussi se taisait, sans doute déçu de son
excursion, et fixait des yeux un dessin dans le bois du
pont, entre ses pieds. Sur le chemin du retour, dans la
Frégate d'Anicet, il s'endormit, passé Rochefort, la tête en
arrière, comme s'il voulait nous regarder, nous ses petits-
enfants soucieux et muets, à l'envers, par plaisanterie.

*   *
*

Il n'y eut pas d'autres parties de cartes les jours suivants.
Bayard refusait de jouer à trois; de mon côté, je ne voulais
pas attirer Lou dans un piège dont je n'aurais pas été
maître. D'un commun accord, on en revint aux formes
plus classiques du jeu et Bayard évita de donner aux gages
qu'il m'infligeait le tour ambigu qui en faisait l'intérêt
pour moi. Je devins assez habile au billard électrique pour
triompher plusieurs fois et me voir investi, pour vingt-
quatre heures, d'un pouvoir dont je ne connaissais pas les
limites. Quand ils gagnaient, mes cousins ne manquaient
pas de ressources et ne marchandaient pas les risques qu'ils
me faisaient prendre. Ils m'ordonnaient de nager jusqu'au
plongeoir, à quelque trente mètres du rivage, avec les pieds
entravés, ou d'aller dire à telle vacancière étendue sous
son parasol une liste de mots grossiers établie par eux, ou
de voler des vêtements sous une des tentes bleues et
blanches alignées en bas du grand mur. Moi, je me bornais
à les séparer, j'envoyais mon cousin le plus loin possible
sur son vélo, porter une lettre à La Tremblade, acheter
des tartes aux pommes à Saint-Georges-de-Didonne, près
du vieux phare carré, ou signer son nom sur le registre
des vœux à l'entrée de l'église de Talmont, dont la situation
périlleuse, à pic au bord d'une falaise que sapaient les

marées de la Gironde, était, en plus dramatique, pareille à celle de la maison du Marais. Quant à Mariane, je n'osai pas tout de suite exiger d'elle ce que ma royauté provisoire aurait pu obtenir. Pour ma première journée de dictature, comme j'avais bêtement puni Bayard par une course qui ne l'écarterait pas assez longtemps, je fis monter Mariane dans le grenier de Providence, à l'heure de la sieste.

Mariane souleva la vitre d'une lucarne pour nous donner un peu d'air et, dès que j'eus poussé le verrou de la porte, commença tout naturellement de se dévêtir.

– Je suppose que tu n'as pas envie de jouer aux cartes, Axel. Je me trompe?

Elle ne garda que son maillot de bain, un deux-pièces de Nylon rouge imitant le satin, plus réduit encore que celui de l'été précédent.

– Tu ne te déshabilles pas?

En effet, je n'y pensais même pas. Mariane était prête à tout, selon le jeu, mais trop femme, trop sûre d'elle pour que je la prenne sans appréhension, comme je l'avais tenté deux ans plus tôt, dans la 203 de Suzanne. J'enlevai mes sandales et mon polo. Mon short blanc ne pouvait que souligner la pâleur de ma peau (je ne considérais pas comme un hâle les divers coups de soleil qui se côtoyaient sur ma personne avec malice, sans jamais se fondre en un seul, ni consentir à virer du rose au brun avant de m'avoir plusieurs fois pelé de pied en cap), j'en étais conscient, mais je ne me décidais pas à le quitter. Mariane se plaça dans la lumière qui passait en oblique par la lucarne, se tourna dans le rayon du soleil.

– Tu aimes mon bronzage?

Puis elle laissa retomber ses bras, comme découragée.

– Tu n'es pas drôle, à la fin. Et par là, ça donne sur quoi?

Dans l'ombre, au fond du grenier, une porte ouvrait sur

ce qu'Alexandre nommait sa tour de guet, bien qu'il n'ait jamais rien eu à guetter véritablement, sinon le passage des cargos bordelais, et où il avait installé son troisième bureau. La pièce était ronde et tapissée de livres, on y trouvait un bonheur-du-jour où manquaient quelques pétales dans les roses de la marqueterie, une chaise en bois doré dont le fond perdait sa bourre et un ensemble de photos encadrées, de cendriers, de plumiers, qui reproduisait en miniature le décor des deux autres bureaux qu'il avait aménagés, le fourre-tout de ses appartements, au second étage, et la bibliothèque du rez-de-chaussée, où il ne faisait que dormir. Il n'avait pas dû travailler beaucoup dans cette tour de guet, mais trouver agréable de savoir qu'elle était là, en haut de sa maison, comme un refuge, une oubliette tournée vers le ciel. Deux étroites fenêtres éclairaient la tourelle, l'une au sud face à la pointe de Grave, l'autre à l'ouest, d'où l'on voyait la terrasse de mes parents et toute la plage. Je m'assis sur la chaise tandis que Mariane ouvrait le carreau de l'ouest.

– Il y a ta sœur et tes parents sur la terrasse, me dit-elle sans se retourner. Tu crois qu'ils sont déjà venus ici?

Elle était penchée, accoudée sur le bord intérieur de l'embrasure, et se dandinait d'une jambe sur l'autre. Je descendis son slip jusqu'à ses pieds et posai mes lèvres sur le triangle clair en bas de son dos.

– Non, il n'y a qu'Alexandre qui possède la clé de la tour. Lui et moi.

Je me levai, défis son soutien-gorge de faux satin. Je pressai l'un contre l'autre ses seins dans mes paumes, posai un baiser sur sa nuque et me calai entre ses fesses.

– Tout de même, tu avoues, dit Mariane à voix basse.

Puis elle pivota et tira sur le lacet de mon short.

– Tu sais, Mariane, je ne suis pas encore comme Bayard.

Elle haussa les épaules :

205

– Tu crois? Je me doutais bien que tu allais penser ça après le poker de l'autre jour. Mais tu n'en sais rien. Rien de rien.

Elle baissa mon short et mon maillot sur mes genoux, m'enveloppa de ses mains jointes en fourreau :

– Ça n'est pas une question d'âge. Plus maintenant, en tout cas.

De la terrasse, deux étages au-dessous, la voix de Victoire s'élevait distinctement :

– Si, j'ai vu quelqu'un là-haut, j'ai vu Mariane se pencher.

D'une main, je repoussai le carreau, juste à temps pour entendre ma mère répondre à ma sœur :

– Mais non, regarde toi-même, tu vois bien que c'est fermé.

Mariane fit semblant de s'étouffer de rire, mais se rhabilla précipitamment. Quand je la rejoignis dans ma chambre, où elle avait disposé en hâte un jeu d'échecs sur le tapis, Victoire montait l'escalier. Je m'assis par terre en face de Mariane et m'emparai d'un pion noir. Victoire s'arrêta sur le seuil, tenant le Baron rouge par un pied.

– Laisse-nous, Victoire, je suis en train de perdre.

Je pris l'air contrarié d'un joueur en déroute, trop concentré pour remarquer son expression incrédule :

– Et n'oublie pas la porte en t'en allant.

Victoire balança le Baron, d'avant en arrière, sans répondre, et au bout de dix longues secondes claqua la porte de toutes ses forces.

Quelques jours après, je gagnai un nouveau pari, de hasard cette fois, fondé sur le nombre de pédalos qui seraient à flot à cinq heures juste. Je dis qu'ils seraient en nombre pair; Mariane choisit les impairs; Bayard déclara qu'il serait vainqueur, quel que soit le nombre des pédalos, si au moins l'un d'eux était renversé entre cinq heures et cinq heures cinq, ce qui était bien calculé, compte tenu du vent de mer qui soufflait depuis le matin et de l'heure tardive de la marée montante. Deux pédalos bravaient la houle à cinq heures, au-delà de la zone où déferlaient les vagues, et ni l'un ni l'autre ne paraissaient vouloir revenir à la plage à travers des rouleaux à chaque instant plus puissants. La grande aiguille du casino descendit de cinq heures à cinq heures dix en moins de trois minutes, selon son habitude. Au quart, Bayard reconnut sa défaite. Les deux pédalos chavirèrent ensemble, à la demie. Je choisis d'envoyer le lendemain Bayard assez loin, cette fois-ci, de le faire grimper en haut du phare de la Coubre pour y graver nos initiales à tous les trois, avec la date, sur la peinture du parapet (comme pour le registre des vœux de Talmont, il était toujours possible de vérifier que la mission avait été dûment exécutée). Je pris soin également de faire inviter Victoire à Mornac par Pierre-et-Paul ; elle y resterait tard dans l'après-midi avec Aurélie qui avait neuf ans comme elle et jouerait autant qu'elle le voudrait à la marchande voleuse et à la maîtresse méchante, avec la petite Louise, quatre ans, dans le rôle de l'élève injustement punie, Pierre-et-Paul veillant au caractère raisonnable des châtiments. Mes parents seraient libres ainsi d'aller se promener seuls, ou de rendre visite à Paul dans sa maison de la Clisse, et Alexandre de dormir tout son saoul dans Providence déserte. De la bibliothèque du rez-de-chaussée, il ne pourrait entendre ce qui se passerait tout en haut de la maison, trois étages au-dessus de lui, dans la tour de guet.

J'aimais cet endroit, où je me sentais mieux protégé que nulle part ailleurs et dont l'exiguïté m'excitait particulièrement. Sans que je puisse en expliquer les raisons ni en retrouver l'origine, j'ai toujours ressenti un trouble très aigu, un vif désir de jouissance en pénétrant dans des lieux où d'autres étoufferaient. Même le plaisir douteux, laborieux dans bien des cas, à peu près impossible si le local était trop vaste, que j'éprouvais en m'asseyant sur le trône des cabinets à Providence, où luisait près du plafond le réservoir émaillé, menaçant de la Trombe, devait beaucoup à la surface réduite que mon grand-père avait sagement dévolue à cet usage. S'il fallait – comme ce fut le cas dans une maison de Taillebourg, chez des amis d'Alexandre, où je ne vins qu'une fois, à l'âge de six ans – parcourir en outre un chemin assez long et étroit, monter et descendre plusieurs fois des marches dans un couloir resserré, avant d'aboutir à l'endroit recherché, et si celui-ci était sombre avec une fenêtre assez basse pour voir au-dehors, une porte épaisse, un verrou robuste, le processus de mon exaltation en était décuplé, j'arrivais juste à temps pour me soulager. Du moins croyais-je me soulager d'abord, car j'avais observé ensuite que mon agitation ne disparaissait pas aussi simplement et que je ne retrouvais mon calme qu'en quittant ces réduits. Du moins j'avais retenu de ma précédente visite que les craintes qui m'avaient embarrassé dans le grenier s'étaient envolées dès que Mariane avait eu l'idée d'ouvrir la porte du plus petit bureau d'Alexandre. Il m'apparut plus tard, en réfléchissant à cette scène interrompue par ma jeune sœur, que l'attitude de Mariane avait été déterminante aussi, la pose même pour tout dire. En me tournant le dos, alors que j'étais assis à guère plus de vingt centimètres derrière elle, mes lèvres à hauteur de ses hanches, elle n'avait plus fait peser sur moi son regard et m'avait permis de la contempler à loisir, sans que j'aie eu à me composer un visage pour dissimuler ce qui, je peux facilement l'imaginer aujourd'hui, aurait pu s'y lire d'émotion éperdue. Elle s'était offerte à mon admiration, comme à son insu, attendant, selon la formule de l'épicier, qu'après l'avoir « touchée avec les yeux » j'en vienne à la voir avec les mains. Dans cette posture, je ne l'affrontais pas, elle ne me jugeait pas, pouvait même s'amuser à faire des commentaires sur l'état de la mer ou du ciel, sans être blessante, ce qui aurait été le cas, en face à face, ou observer ce qui se passait sur la plage ou la terrasse au-dessous de nous. Ce qu'elle avait fait, d'ailleurs : en retournant au grenier, elle me dit qu'il ne fallait pas en vouloir à Victoire de nous avoir surpris la première fois. Ce n'était pas de sa faute. Seul l'ours était en cause. Depuis le début des vacances, Victoire avait décrété que le Baron rouge, ex-aviateur, jadis parlant, serait à l'avenir un marchand de glaces et qu'il devait porter un uniforme adéquat, librement inspiré de la roulotte éblouissante de Tamisier. Elle avait fixé sur son ventre et dans son dos deux miroirs rectangulaires, liés par deux bandes de sparadrap, qui le transformaient en homme-sandwich. C'est dans l'un de ces miroirs, alors qu'elle était assise entre mes parents sur la terrasse, que Victoire avait vu en reflet Mariane se pencher à la fenêtre de la petite tour. Que pouvait-on lui reprocher ? D'aimer les ours, les marchands de glaces et son frère ?

Enfin, Victoire était loin pour quelques heures, je conduisis directement Mariane à travers le grenier, fermant toutes les portes après moi. Là, dans la tourelle, elle me fit asseoir sur l'unique chaise et souleva lentement du bout des doigts le devant de sa robe indienne. C'était une robe jaune, inhabituelle à l'époque, que Charles avait rapportée d'une mission en Orient. Yvonne ne l'avait jamais mise, la considérant trop voyante, trop exotique pour les Charentes et pour son âge. Elle l'avait raccourcie et en avait fait cadeau à Mariane, qui ne craignait pas d'être remarquée, quels que fussent le département et l'opinion des femmes : la robe offrait des ressources imprévues dont elle savait jouer, découvrait une de ses jambes ou sa taille dans certains mouvements, semblait en revanche impossible à dénouer sans dommages, cousue autour de Mariane comme un casse-tête de soie. Mais je n'avais pas à résoudre l'énigme de ce drapé, ma cousine en ramassa les plis jusqu'à son nombril et s'avança d'un tout petit pas entre mes genoux. Je l'enlaçai, mon visage contre son ventre et sa toison, mes bras autour de ses cuisses. Elle laissa retomber la robe sur moi comme le voile d'une tente, où je voyais tout d'elle – pour l'occasion, elle n'avait pas mis d'autres vêtements –, tout sauf la tête. Puis elle tira sur un cordon caché et la robe glissa d'un coup sur le plancher.

– Et toi, je suis sûre que tu as un maillot sous ton short. Qu'est-ce que tu attends?

Il ne lui fallut pas longtemps pour me mettre aussi nu qu'elle. J'écartai sa main, toutefois, et la fis s'asseoir sur le bonheur-du-jour, jambes ouvertes.

– Fais-toi plaisir, maintenant. Rien que pour moi.

Je ne l'avais jamais vue se caresser et je pensais que c'était une façon d'apprendre à le faire ensuite qui valait mieux que toute autre. La seule difficulté pour moi était de me retenir de la toucher, pour ne pas modifier les conditions objectives de l'expérience. Mariane, pour sa part, n'était pas gênée de se montrer à moi, fermait les yeux en renversant la tête de côté, poussait de longs soupirs, tandis que son majeur s'enfonçait entre ses jambes. Elle s'immobilisa après quelques hoquets et ouvrit les yeux. Elle paraissait mal réveillée.

– Ça va?

Je posai une main sur sa taille.

– Si ça va?

Elle rit, écarta délicatement les lèvres de sa fente :

– Regarde bien, et mets-toi ça dans le crâne.

Je dus m'agenouiller devant le rose intérieur de ma cousine. Elle me passa la main dans les cheveux :

– Tu peux lui parler, si tu l'aimes.

Je m'enfouis, l'embrassai jusqu'à ce qu'elle perde le souffle, me repousse du pied.

– Et toi? me dit-elle quand je me mis debout devant elle.

Moi aussi, j'avais mon compte. Elle n'eut qu'à tendre la main pour me cueillir.

Au troisième pari que je gagnai – après en avoir perdu bien d'autres dans la dernière semaine d'août qui me valurent quelques pénitences harassantes où Bayard prit sa revanche en m'infligeant des jeûnes, des travaux de bagnard à la ferme, des chapardages dans la cave d'Alexandre –, j'imposai à Bayard de rester un jour entier dans sa chambre de Mornac et demandai à disposer de ma cousine pour la même durée.

– Et tu comptes en faire quoi au juste? demanda Bayard d'un ton mauvais.

– Elle me fera visiter le blockhaus, tout simplement. Celui dont tu m'as parlé, tu sais, « l'Age d'Or ».

A dix heures, le lendemain, je retrouvai Mariane à bicyclette sur la route de Saint-Sordolin. A l'orée du bois des Fées, il nous fallut descendre de selle et marcher jusqu'au bord de la falaise où s'étendait le terrain litigieux des Balliceaux. Mariane laissa son vélo derrière un buisson d'ajoncs et descendit la première l'escalier où je m'étais arrêté un an plus tôt avec Lou. L'intérieur du blockhaus était froid et malodorant. Des clochards devaient y venir de temps à autre; je butai contre des bouteilles vides et des tiges d'acier tordues. En peu de temps, je m'habituai à la pénombre, assez pour ne plus trébucher, et je pus rejoindre Mariane dans la tour de tir au fond du bâtiment. Depuis la veille nous n'avions pas échangé une parole. Elle approcha un matelas gris, éventré, fit voler ses espadrilles dans le noir, d'une secousse des pieds, et s'allongea sur le ventre. Était-elle fâchée d'être ici ? Avait-elle envie de moi ? J'hésitai à m'asseoir à côté d'elle quand le sourire amer de Bayard me revint en mémoire. Quelle que soit l'humeur présente de Mariane, elle me mépriserait à coup sûr de ne pas jouer le jeu à ma guise, de ne pas profiter pleinement de mon droit. Je relâchai les lacets dans le dos de sa robe, la dépouillai de son maillot et lui dis de me déshabiller. Elle se redressa, à genoux, ôta ma chemise, me fit mettre debout et déboutonna mon pantalon, sans se presser, en me regardant droit dans les yeux. C'était donc ça, la méthode : ne pas être gentil, comme Bayard me le répétait à longueur d'année, « pour mon bien ». Je voulus l'embrasser, elle secoua la tête et m'obligea à rester debout.

– Chacun son tour, Axel, c'est beaucoup mieux.

Et j'étais là, presque transi dans l'épaisseur de cette forteresse vaincue, à durcir entre ses doigts, cherchant désespérément comment je pourrais me retenir le plus longtemps possible, jetant de temps à autre un œil vers l'océan éclatant de soleil par la meurtrière, l'instant d'après sur les épaules et les mains habiles de Mariane, pas tout à fait certain d'être enfin dans la situation, la posture qui m'avaient si fort ému l'été d'avant.

– Tu viens souvent ici ?

Elle ne regardait plus que mon ventre, ajustait ses mains l'une derrière l'autre :

– Oui, ça m'arrive.

Il fallait pourtant que je sache la vérité avant qu'elle ne me prenne de vitesse :

– Tu viens avec Bayard, n'est-ce pas ?

Elle cambra ses pieds pour s'asseoir plus commodément sur ses talons :

– Tu l'as entendu toi-même te parler de cet endroit, voyons. C'est lui qui a écrit les mots au-dessus de la porte.

Je crus qu'elle allait perdre son assurance si je tenais bon :

— Et tu fais ça avec lui aussi ?

Ma voix s'était voilée. Elle haussa les épaules :

— Mais non.

Et pour ne plus avoir à me répondre, elle avança sa bouche dans le rayon de soleil. L'image était exactement celle que j'avais surprise l'an passé, de l'autre bout du blockhaus, pétrifié sur le seuil de la porte, c'était la même lumière, les mêmes gestes, la même pose ; je regardai en arrière, une seconde, pour vérifier qu'un autre Axel, une autre Lou n'étaient pas là, à nous observer à leur tour. Il n'y avait personne, c'était moi aujourd'hui qui étais dans l'image, moi l'acteur et je n'y croyais pas tout à fait.

*   *
*

Par la suite, je perdis régulièrement et n'eus pas l'occasion de retrouver ma cousine dans les mêmes dispositions. Il restait à peine dix jours avant la rentrée scolaire et je n'avais toujours pas vu Lou. Le parasol des du Boisier ne se plantait que très épisodiquement dans le carré de plage où l'on continuait de leur laisser un espace libre. Ils avaient peut-être choisi un autre coin de la conche, voire une autre plage ; il y avait des familles qui émigraient jusqu'à Suzac pour éviter la foule de Pontaillac. Car je ne doutais pas de leur présence cette année : les volets de la villa « Quand même » étaient régulièrement ouverts et fermés, des lampes brillaient le soir ; j'avais aussi croisé dans la rue le végétal Éléazar en compagnie de la mère de Lou. Éléazar portait les cabas des commissions avec beaucoup de dignité. La mère de Lou les emplissait sans fin à chaque boutique, comme si le noble à la pâle figure eût été corvéable à merci, un serviteur du temps des colonies.

Il n'était pas difficile de se rendre à « Quand même », par la route de corniche ou les bois à l'arrière de la maison, sans être remarqué; dans un cas, il y avait assez de promeneurs pour s'y fondre, dans l'autre, les arbres me cachaient. Je parvins ainsi à me glisser entre les pins au moment où Lou secouait une serviette pleine de sable par une fenêtre du deuxième étage. Je lui fis signe. Elle posa un doigt sur ses lèvres et descendit au bout de quelques minutes. Il n'y avait rien à expliquer, selon elle. Je n'avais pas fait beaucoup d'efforts pour la trouver plus tôt, ses parents avaient changé leurs habitudes, leurs amitiés, bref on ne pouvait plus se rencontrer comme les autres années quand nos trajets se recoupaient inévitablement. Ce n'était pas à elle, enfin, d'aller me relancer, d'autant qu'on ne la laissait pas trop libre de ses mouvements et qu'elle m'avait souvent vu accompagné de mes cousins. Une voix nasillarde, celle d'Éléazar, cria le nom de Lou à l'intérieur de la maison, elle disparut. Je m'approchai d'une des fenêtres au rez-de-chaussée dont les volets étaient entrebâillés. Les parents de Lou étaient nus dans une salle de débarras, non pour y ranger les meubles ou les livres, car ils n'avaient pas cru bon d'allumer le plafonnier. A peine mes yeux s'étaient-ils habitués à la lumière tamisée qui baignait leurs corps en nage, la chevelure défaite de la mère, les bras arc-boutés du père, qu'un caillou enveloppé d'un papier tomba à mes pieds. Lou, dans un petit mot à l'encre verte, me donnait rendez-vous, le soir même, devant la roulotte du confiseur. Dans deux jours, elle s'en irait. Au milieu de la foule des enfants, à l'heure dite, elle me proposa de venir le lendemain à la Côte Sauvage où Éléazar voulait emmener courir un vieux lévrier qu'il aimait. En partant assez tôt, si j'avais du courage, je pourrais y être au début de l'après-midi.

Je n'avais pas le temps, à l'époque, ni le goût, de me pencher sur le tempérament de ce parent singulier des du Boisier. Un homme qui passait quatre heures à promener un chien increvable sur une plage relativement déserte, où toute baignade était interdite, ne m'étonnait pas outre mesure. Aujourd'hui encore, je trouve dans sa courtoisie solitaire d'alors quelque chose d'assez brave, une façon discrète de reconnaître qu'il n'était plus tout à fait des nôtres. Il suivit son chien à distance sur dix kilomètres de sable dur, aller et retour, sans demander à cette lointaine nièce, ou filleule, qu'il avait en charge, ce qu'elle faisait dans les dunes. Elle y employait son temps et son jeune âge avec moi, dans un creux du sable abrité de touffes d'herbe. Il n'y avait pas un baigneur, pas un marcheur en vue, même Éléazar se brouillait dans les nappes argentées du mirage qui ondulait au bout de la plage.

Je n'eus pas à connaître les ruses ou les règles d'un jeu, ni à parlementer ; depuis des années, nous étions d'accord. Lou était aussi bien tournée que Mariane, et si elle n'avait pas le même talent pour se faire autant désirer, sa capitulation sans délai eut dans l'instant la beauté d'un abandon : j'étais enfin l'élu. Ce qui n'avait pas abouti dans la voiture de Suzanne avec ma cousine, deux ans plus tôt, s'accomplit sans trop de maladresse avec Lou, à peine contrarié par les mouvements du sable, avant que le vent de la mer ne porte jusqu'à nous les aboiements du lévrier épuisé, querellant chaque ressac de l'eau, chaque lisière d'écume frémissante qui se dérobait sous ses pattes en pétillant. Loin encore derrière lui, Éléazar revenait d'un pas lent, indifférent, rêvassant, supposai-je, aux châteaux d'une vie antérieure, au caractère qui aurait été le sien s'il avait eu la fortune de naître avant cette époque déplorable où il lui semblait occuper la place du mort au bridge.

*   *
   *

A l'automne, de retour au lycée, je repris Pierre-et-Paul sous ma protection. Bien qu'il fût plus âgé que moi d'un an, il me tenait pour son aîné, et son caractère s'était effacé d'une façon qui m'était incompréhensible. Il était clair que la plupart des élèves du lycée étaient au courant des événements que j'avais surpris trois ans plus tôt et de ses expéditions derrière la palissade au fond de la cour. Il n'y avait nullement renoncé depuis lors, sans toutefois s'en être expliqué ni avoir manifesté la moindre velléité de révolte. Ce que Bayard appelait la « transparence » de son frère m'apparaissait au contraire opaque, comme la vie double de son double prénom. Pendant quelques mois, jusqu'à Noël, je préférai ne pas l'interroger. Je lui parlai de la jolie figure d'Aurélie, qui était, à m'en croire, sur le point de devenir la plus belle des filles de Charles et d'Yvonne. J'évitais ainsi d'évoquer Mariane, de réveiller le spectre des « amoureux », de dévoiler rien du jeu conçu par Bayard. Et comme Aurélie me vouait depuis quelque temps, par imitation ou jalousie de sa sœur, un amour confus, Pierre-et-Paul pouvait librement me flatter, souligner le bon goût de sa cadette. Mais au début du mois de janvier, il ne fut plus possible de s'en tenir à ces conversations oiseuses sur la précocité d'Aurélie. Puisque Pierre-et-Paul ne me confiait pas de lui-même les raisons qui le poussaient continuellement à disparaître au fond de la cour, et que je trouvais déplacé, sinon humiliant, d'y faire allusion le premier, je choisis un jour, sans comprendre combien plus « déplacée » pour le moins était ma démarche, d'aller voir ce qui s'y passait. Je m'en doutais, mon demi-cousin n'était pas seul. Mais, contre toute attente, il ne montra aucune émotion, aucune honte, ce fut même la première fois que je vis une expression de défi dans ses yeux. Il ne dit rien. N'avait rien à dire. Tout ce que je voulais savoir, je l'avais bien sûr sous les yeux.

Plus tard, Bayard vint me trouver. Depuis trois jours, disait-il, il n'entendait parler que de nous deux, sans arrêt. Les deux malades de la famille, les deux « obsédés ». Bientôt on allait le regarder de travers, dire dans son dos qu'après tout c'était peut-être congénital, ces choses-là. Que lui aussi était comme son frère et, qui sait, comme moi.

– Tu sais que c'est faux.

– Qu'est-ce qui me le prouve ? Où sont-elles, tes petites amies ? Qui les connaît ?

– Toi, tu en connais une au moins. De très près.

J'aurais pu le convaincre aussi bien en lui racontant mon après-midi avec Lou à la Côte Sauvage. Au contraire, je lui fis une description si précise du corps de Mariane, je lui rapportai si bien ses paroles, et dans quelles postures je l'avais prise, qu'il lui fut impossible de ne pas croire que j'avais été son amant. Les détails que je livrai un à un, d'un air presque détaché, insupportable pour Bayard, étaient tous exacts, connus de lui. Seul l'assemblage des parties de mon histoire était truqué, mais il ne pouvait s'en douter, se méfier, l'émotion, la colère où le plongeaient mes aveux l'en empêchaient. En improvisant ce mensonge, j'avais combiné mes souvenirs les plus intimes de l'anatomie de ma cousine et les gestes accomplis avec Lou dans les dunes. Et à mesure que je prononçais les mots qui déchiraient mon cousin, je rajoutais sciemment quelques fioritures dont Bayard, là encore, n'aurait pas été dupe en temps ordinaire.

Cela m'était venu tout seul, sans souci de vraisemblance, comme on associe en rêve des rôles et des décors incompatibles, et je m'étais sans vergogne inspiré de l'étreinte dont j'avais été témoin entre les parents de Lou. Par les volets entrouverts au rez-de-chaussée de la villa « Quand même », alors que Lou était montée dans sa chambre rédiger un message, j'avais eu tout le temps, presque une minute, d'observer la posture des amants dans la demi-pénombre du débarras.

J'avais souvent contemplé la mère de Lou, étendue sur la plage dans les bikinis incendiaires, chaque année plus rétrécis, dont elle avait toute une collection. Une grande partie de son corps (de sa surface, devrais-je dire, tant je l'avais lentement parcourue du regard comme un continent extraordinaire, à quelques mètres du parasol familial, de la serviette sur laquelle j'étais allongé) m'était donc déjà connue, mais le paradoxe du bikini était justement de multiplier à l'infini la valeur des rares centimètres carrés qu'il recouvrait, de lancer ces précieuses zones plus ou moins triangulaires dans une inflation exaspérante. A l'instant où mon regard se coula entre les volets, je vis ces seins hors de prix, enfin considérés dans leur totalité. Je ne pus apercevoir qu'un fragment de la toison brillante, certainement taillée, shampooinée, coiffée avec amour, dans l'espace blanc préservé du bronzage, à cause d'un fauteuil mal placé qui me cachait tout un angle de la scène. Le père de Lou, en revanche, m'était pratiquement inconnu. Je ne lui avais jamais accordé beaucoup d'attention sur la plage, où il venait peu. Il était grand, de belle carrure, mais vilainement couvert de poils, jusqu'entre les épaules. Il avait fait s'agenouiller sa femme sur un fauteuil abîmé, remisé là, comme l'autre qui gênait ma vision, et s'était placé debout derrière elle. Tantôt elle se courbait, posait les coudes ou le front sur le dossier du fauteuil, tantôt elle se redressait dans une plainte étouffée, prenait appui des deux mains, ses seins se balançant lourdement à mesure qu'elle reculait par saccades son bassin pour accueillir plus profondément les coups de l'homme, dont les mains empoignaient ses hanches. Une ou deux fois, il fit semblant de se retirer d'elle et je vis briller sa verge pâle, torsadée d'une veine violette. J'avais peu de notions sur les pratiques de l'amour et n'avais pas imaginé cette posture brutale où la mère de Lou donnait tous les signes d'une jouissance effrayante. Dans le compte rendu que je fis à Bayard de mon plaisir avec Mariane, je la représentai hardiment ainsi, ce qui parut le mortifier plus que tout. Rien dans mes propos n'était vrai, mais, grâce à Lou, j'avais inventé juste. Bayard ne m'adressa plus la parole au lycée.

Pour les vacances de Pâques, on annula cette année le déjeuner familial et la comédie des œufs, qui n'était plus de notre âge. Lors d'une brève éclaircie, Alexandre se fit conduire avec moi par mon père à la Côte Sauvage. Pierre ne voulut pas ensabler la DS noire toute neuve qu'il venait d'acquérir, une voiture de ministre, dont la suspension féline me procurait des sensations de manège délicieuses, comme à mon grand-père son ascenseur, et nous laissa marcher devant. Je dus soutenir Alexandre pour franchir le col entre les dunes et sur la frange de sable sec. Au-delà, sur le sable dur, il s'aida de ses cannes. Il n'y avait personne sur des kilomètres devant nous. Je ramassai une bouteille vide rejetée par la mer, en dévissai le bouchon. Une forte odeur de pastis s'en dégagea. Des marins l'avaient lancée par-dessus bord, au large, des mois, des années plus tôt, des marins peut-être déjà morts, noyés, après une dernière tasse. Alexandre revint à la dune et s'assoupit un moment. Nous n'étions pas loin de l'endroit où j'avais trouvé refuge avec Lou l'été d'avant. Au loin, je regardai la crête des vagues s'ourler de blanc, s'élever, déferler. Combien de fois je m'étais élancé vers telle vague avec le sentiment qu'il fallait me hâter de la rejoindre, celle-ci, avant qu'elle ne retombe, cette vague unique, devenir son écume, c'était ce que je faisais le mieux, épouser les vagues. Alexandre s'était réveillé, m'observait. « Il y aura toujours des vagues quand je ne serai plus là. Pour toi aussi. » Il tenait à peine sur ses cannes en revenant à la voiture. Dans la DS, à l'arrière, j'essayai de me rappeler le nom de l'empereur perse ou romain qui avait fait fouetter la mer avec des chaînes pour la punir. De retour à la maison, Alexandre se coucha dans le lit de sa mère et nous annonça qu'il ne sortirait plus de Providence.

IX

La mère de Lou s'appelait Béatrice, prénom, me dit
Alexandre, que l'on aurait dû réserver exclusivement aux
saintes de l'Église. « Cela signifie plus que simplement
" heureuse ", ou même " bienheureuse ". D'ailleurs, les
bienheureux existent déjà, c'est comme un degré avant la
sainteté absolue. Non, Béatrice, c'est un prénom d'exta-
tique, de ces recluses frénétiques qui tombent en transes
parce qu'elles croient que Jésus va entrer dans leur chambre
d'une minute à l'autre. Des possédées de la croix. Des
folles, à tous les coups, si tu veux mon avis. » Alexandre
n'était pas ouvertement anticlérical, simplement la religion
l'ennuyait. Quand il m'arrivait de regarder dans la bibliothèque les vignettes pieuses qu'il avait laissées au mur
autour de son lit de sieste, en souvenir de sa mère, je ne
voyais rien du côté des joies promises par la foi et le
Christ qui parût approcher le genre de frénésie dont parlait
mon grand-père. Il n'était que trop facile, au contraire,
d'imaginer Béatrice à l'intérieur du « Café chantant », ivre
et debout sur une table, ou lancée au milieu du « Bal »,
où Satan menait la danse et offrait sans compter des
tournées de champagne.

Des premiers jours de janvier, quand je fis à Bayard le
récit trafiqué de mes ébats avec sa sœur, jusqu'en juin, il
n'y eut pas une nuit où je ne pensais à Béatrice ; moins à

la femme réelle qu'à celle dont j'avais, pour Bayard autant que pour moi, transfiguré l'image. A force de me repasser le film de la scène surprise dans le débarras de « Quand même », d'en ralentir les mouvements, de revenir en arrière sur tel détail qui me hantait, de vouloir arrêter la projection sur quelques moments privilégiés, mon souvenir finit par s'estomper, la vision perdit de sa netteté, les contours et les couleurs devinrent flous, presque abstraits. Au mois de mai, il ne m'en restait plus que l'idée d'une violence consentie dans une pièce obscure. C'était beaucoup. Si j'avais déjà eu entre les mains quelques photos, une ou deux revues, louées à la sauvette à un lycéen plus dégourdi que les autres, ce n'était que des femmes posant nues, sur des draps de satin rose, des clichés plus ou moins habilement retouchés, inertes en comparaison de ce que j'avais vu. Aucune de ces photos, de ces brochures, ne montrait un acte amoureux entre un homme et une femme, à moins de retenir comme tel le doigt d'une fausse blonde embusqué dans l'ombre de son ventre, toujours sévèrement brouillée par le crayon du censeur. Ce n'était pas l'usage encore d'imprimer en grand nombre et de vendre librement les clichés devenus aujourd'hui monnaie courante. En tout cas, il n'y avait rien de bien instructif à ma connaissance dans toute la bibliothèque d'Alexandre.

Les élèves entre eux racontaient inlassablement comment ils avaient vu se comporter un oncle, une cousine, un couple d'amis de leurs parents, mais la plupart d'entre eux fabulaient sans rien trouver de précis, d'original qui pût les rendre crédibles. Quelques-uns, parmi les plus âgés, avaient avancé le chiffre astronomique de trente-six, qui fit le tour de ma classe, comme un sésame merveilleux et décourageant. Il y aurait trente-six façons de s'accoupler, tout comme on aurait un jour ou l'autre trente-deux dents. Mais notre imagination était loin de nous conduire au-delà de cinq. Avec Lou, dans les dunes, je n'avais pas réfléchi une seconde à la manière dont j'allais procéder. Je m'étais laissé guider par sa main, allongé sur elle, mes coudes calés dans le sable. Et si j'étais bien sûr de l'avoir « eue », je mesurais aussi qu'il y avait un abîme entre ce que j'avais fait avec Lou et le vertige dont j'avais vu sa mère saisie. Aucun des garçons avec lesquels je spéculais sur l'énigme des trente-six n'avait décrit la posture où Béatrice, au moins dans le ciel de mon paradis personnel, avait été canonisée. Cette femme si réservée sur la plage, dont les gestes, la démarche, la voix étaient d'une grande bourgeoise provinciale, soudain agenouillée comme une bête hors d'haleine, se reculant pour mieux enfoncer la verge en elle, balbutiant des mots inarticulés, rauques, comme un « oui » vingt fois répété, c'était évidemment cela le visage convulsif de l'amour, le vrai, le meilleur, me semblait-il, du programme de la vie d'adulte.

Mais, dans le même temps où pour la millième fois j'enfermais Béatrice brutalement dans une pièce sombre meublée d'un unique fauteuil, une chambre ou un cachot, peu importait, dont j'avais seul la clé, autre chose me contrariait. Je ne pouvais me faire à l'idée que Pierre et Suzanne s'étaient sans doute aimés de cette façon, avec autant d'acharnement. Je ne voulais pas me figurer Suzanne possédée de la furie de Béatrice, même si, par éclairs, le corps mince et clair, la chevelure blonde de ma mère, se substituaient dans mes rêveries aux formes de Béatrice. Moi qui, avant de naître, avais une perception exhaustive du monde extérieur, je n'avais pu distinguer clairement, froidement, l'accouplement de mes parents. C'était même, dans la situation que j'occupais alors, la seule chose qu'il m'était impossible de voir, le point aveugle, l'angle mort. Plus grave, peut-être, je ne savais rien des circonstances de ma conception. Logiquement, l'acte décisif remontait à la mi-août 1945. Mais où ? Dans quelle chambre, ou dans quel coin de la forêt, à quelle heure du jour ou de la nuit, dans quelle position avais-je été voulu, parmi les trente-six dont je supposais que toutes les grandes personnes, à l'exception d'Anicet peut-être, et d'Éléazar, connaissaient le registre par cœur ?

Jamais je n'avais eu l'occasion de surprendre mes parents, ils se montraient désespérément circonspects et ne se laissaient pas abuser quand je simulais le sommeil, non sans talent pourtant ; puis, quand je fus en âge de marcher, ils m'offrirent une veilleuse – une boule de verre bleutée où s'entassaient en un raccourci écrasant les principaux monuments de Paris, pêle-mêle, Notre-Dame sous l'Arc de Triomphe, la tour Eiffel au pied de la butte Montmartre, saupoudrés d'une éternelle neige de paillettes d'or –, celle qui allait ensuite perpétuer son éclat poussiéreux au chevet de Victoire, et fermèrent à clé la porte de leur chambre. Si bien que je ne les vis pas non plus mettre en route ma sœur, comme disait Anicet le vétérinaire, qui pour les humains usait d'un vocabulaire de garagiste, alors que j'avais cinq ans. Pourrais-je jamais leur poser la question ? S'en souvenaient-ils eux-mêmes ? Comme moi, ils avaient certainement tout ignoré de l'amour entre leurs propres parents, le peu d'informations qui circulaient dans la famille se résumant à la vieille énigme de la porte bleue, qui, pour embarrassante qu'elle fût dans l'établissement des filiations et des héritages, laissait, quant au jeu précis des acteurs, à leur étreinte, tout à deviner. Ce mystère transmis de génération en génération et dont je croyais être le seul à m'irriter perdit rapidement tout intérêt à l'approche des vacances.

*   *
*

Mariane et Bayard ne revinrent pas à Pontaillac aussi tôt que les autres années, soit juste après la remise des prix, qui ne nous concernait d'ailleurs jamais, dans la dernière semaine de juin; la santé de Suzanne L'Ansecoy était devenue si mauvaise que Charles avait prié ses enfants de rester à Mornac auprès de leur grand-mère, de jouer dans la cour si possible, pour qu'elle n'ait qu'à tourner la tête sur son oreiller afin de les voir tous ensemble, et cela tant qu'elle n'irait pas mieux ni plus mal. Pour ceux de Providence, une visite tous les quatre jours au Marais, où j'allais en alternance avec Victoire, parut convenable, le temps de la crise. C'est donc seul, cet été, que je retournai à la plage et au Club sous le casino. A quinze ans et en l'absence de Bayard, je pouvais presque passer pour un homme; à l'Atlantic, je fis des progrès sensibles dans l'art de brusquer les billards et de jeter aux filles de longs regards coulés.

Quand les du Boisier vinrent, début juillet, ouvrir pour l'été les volets de « Quand même », je mis un short bleu, une chemise polo blanche, et parcourus bravement la plage jusqu'à leur parasol, fiché, comme l'année précédente, dans un coin de la conche, près du carré des étrangers. Lou venait de s'installer avec ses parents et disposait sa serviette de manière à garder la tête à l'ombre. Elle me vit arriver au dernier moment, mais ne se démonta pas et me présenta comme un camarade de tennis, insistant sur l'amitié qu'elle portait à ma cousine, une joueuse très douée à qui elle devait tous ses progrès. Les parents de Lou me convièrent poliment à prendre place sur leur sable, me posèrent pour la forme quelques questions dont la réponse leur importait peu, tournèrent ensemble la tête quand je leur indiquai sur l'autre falaise la masse blanche de Providence.

– Ah, c'est donc votre famille... dit le père. On se demandait toujours avec ma femme...

Que se demandaient-ils? Ils s'appliquèrent l'un l'autre des couches de crème solaire et s'allongèrent en m'adressant un petit salut comme s'ils prenaient congé, partaient se coucher. Les premières séances de bronzage étaient déterminantes, dit encore le père, il fallait faire les choses sérieusement. Puis il ferma les yeux à son tour, et je pus emmener Lou se baigner.

Cette visite protocolaire me permit une avancée décisive au sein de la famille du Boisier. Non seulement je pris l'habitude de venir tous les jours les saluer, avec le statut de « compagnon de plage » officiellement agréé auprès de leur fille, même si parfois je lui offrais cette compagnie en des lieux moins découverts, mais je fus assez tôt invité à goûter, puis à déjeuner, avec Lou, chez eux, villa « Quand même ». Je ne crois pas que Lou ait pu lire dans mes pensées alors que je contemplais le corps étendu de sa mère, enduite de crème des pieds au front, à l'exception des fameux triangles – cet été, taillés au plus près dans un fascinant Nylon noir – qui pendant six mois avaient aspiré le temps pour moi, comme ces trous de l'espace dont m'avait parlé Alexandre, tous les quatre aigus et bombés comme des petites voiles corsaires. Béatrice non plus ne parut remarquer le ravissement hébété où j'entrais en la voyant exposée, chaque jour mieux dorée, sur le ventre ou sur le dos, tandis que je me blottissais comme Lou dans une serviette-éponge, en sortant du bain. Un jour qu'Éric – c'était le nom du père de Lou – était absent, parti à Royan faire réparer sa voiture, Béatrice allongée tendit son tube de crème au hasard derrière elle sans se retourner.

– Est-ce que l'un de vous deux m'en mettrait dans le dos?

Lou fut la plus rapide.

– C'est les mains de ma petite fille... murmura Béatrice, le visage dans le creux de son bras, comme si elle jouait avec nous à une variante de colin-maillard.

Si je n'avais stupidement hésité, elle aurait sans doute dit tout aussi naturellement : « C'est les mains de mon petit Axel », pendant que j'aurais doucement massé la chair de ses épaules, comme Lou me l'avait appris, pour bien faire entrer la crème, puis dans le sillon le long de la colonne, glissant un doigt plusieurs fois sous l'élastique noir du soutien-gorge, le hauban des voiles avant, à moins qu'elle ne l'ait détaché pour éviter une marque disgracieuse, pour ensuite, moment de suprême félicité, faire couler du tube « Charles of the Ritz » un tortillon blanc sur le morceau de choix, ses reins, et m'en saisir pleinement, en longs mouvements circulaires, appuyés symétriquement juste au-dessus des fesses (faudrait-il, pour mieux procéder, lui demander la permission de me mettre à genoux derrière elle, ses cuisses dans l'étau de mes jambes?), chassant avec mes pouces deux ourlets de chair ondulante, étendant mon emprise sur les côtés et, en l'absence de toute protestation, agrippant enfin ses hanches en quelques discrètes poignées. A la réflexion, il était préférable que Lou se fût chargée de sa mère; je me serais trahi. Il n'empêchait, cependant, que Béatrice avait bel et bien mis au choix le privilège de la masser. Après le déjeuner, il m'était permis d'aller avec Lou dans sa chambre, écouter la radio ou jouer au rami, mais je ne pouvais librement calmer avec elle l'état d'urgence où me plongeait sa mère certains jours; Lou étant fille unique, ses parents n'avaient pas mis de clé à sa porte. Une seule fois, je pus la faire céder, après avoir entendu les parents s'enfermer de leur côté, et parce que nous étions certains qu'Éléazar ne viendrait pas avant cinq heures. Mais Lou avait trop peur pour être à son aise et je préférais de beaucoup partir avec elle dans le bois des Fées. En une semaine, elle m'apprit à la pénétrer de trois manières différentes, je lui en montrai autant et il me sembla moins invraisemblable d'espérer découvrir finalement la série des trente-six. Ce que j'aimais surtout, c'est que Lou ne se retenait pas dans le plaisir, disant des mots plus crus que les miens, secouant en tous sens ses cheveux noirs qui d'un été l'autre avaient poussé plus bas que ses épaules.

Le jour où ses parents nous « confièrent » la maison, pour aller en voiture avec Éléazar visiter une relation à particule de ce cher oncle, non loin de Saintes, je conduisis Lou dans le débarras, au rez-de-chaussée, et la fis se pencher en avant sur le fauteuil. Nous n'avions pas encore procédé ainsi et, après avoir entrebâillé les volets, je m'efforçai de reconstituer en Lou la posture où j'avais convoité sa mère. Ses hanches étaient plus étroites, ses seins plus petits, tout en elle était plus léger, mais elle parut jouir aussi intensément que Béatrice sur ce fauteuil enchanté, criant mon nom à tue-tête, ou bien geignant, le visage posé de côté sur le haut du dossier, les dents serrées, comme dans la douleur, ses deux mains rejetées en arrière vers mes hanches, me pressant contre elle. Je regardai entre les volets les bois ensoleillés au-dehors, déserts, et formulai en moi-même : « Il n'y a plus personne. »

*   *

*

Le lendemain je dus aller au Marais avec mes parents rendre visite à Suzanne L'Ansecoy qui était au plus mal.

– Si mal, dit Mariane à mon arrivée, que tu nous reverras bientôt sur la plage.

On ne savait pas très bien de quoi souffrait le plus ma grand-mère. Elle ne s'alimentait presque pas, ne quittait plus son lit, refusait les médicaments et le médecin dès qu'elle était lucide, quelques heures par jour. Le reste du temps, elle traversait un mauvais rêve, oubliant tout ce qui n'appartenait pas à sa jeunesse. Elle reconnaissait ses enfants, y compris mon père, qui était son dernier-né, mais sa mémoire s'arrêtait là. Elle se trompait dans les prénoms de ses petits-enfants, nous considérait par moments avec une expression panique, demandait à Yvonne ou Pierre qui donc était cette petite fille, ce garçon, en désignant Bayard, Victoire, l'une ou l'autre de mes cousines. Et reprenait le récit à mi-voix de son enfance, de ses années d'adolescence à Taillebourg, dont tous les détails lui revenaient sans défaut, les noms des domestiques et des fermiers, la couleur de ses robes, les motifs du papier peint de sa chambre et le nombre des chaises dans la salle à manger, la succession des Noëls fêtés jusqu'à son mariage. Le médecin, en quittant la maison, dit à mon père qu'il valait mieux éviter, à l'avenir, de laisser Suzanne en présence de tous ceux, trop jeunes, dont elle n'avait plus le souvenir; la terreur qu'elle éprouvait en réalisant l'étendue de son oubli ne pouvait lui faire que plus de mal encore. L'« avenir », conclut-il, était d'ailleurs un bien grand mot.

Sur la route du retour, à la fin de l'après-midi, mon

père ne prononça qu'une phrase, en me jetant un coup d'œil dans le rétroviseur :

– Tu m'aideras à convaincre ton grand-père d'aller la voir une dernière fois.

Alexandre ne bougeait pratiquement plus de Providence. Il restait des heures à somnoler dans la bibliothèque, allongé sur le lit de sa mère, des coussins brodés de grands dahlias mauves le maintenant en position assise, « de lecture », disait ma mère, bien qu'Alexandre, soutenu par ces grands paquets de fleurs empilées, eût le plus souvent la tête renversée en arrière, la bouche ouverte, les yeux fermés, un livre sur les genoux, où son index restait prisonnier en garde-page. Ma mère passait une main légère au-dessus du visage de mon grand-père qui ressemblait avec son cou maigre et son crâne nu, rejeté vers le ciel, à la momie de Ramsès II, dont il m'avait montré une photographie verte, dans un de ces moments de l'hiver où son humeur triste l'engageait à me dévoiler les trésors de sa bibliothèque, séances qu'il m'annonçait invariablement avec un sourire piteux, forcé, de comédien rompu aux ficelles du pathétique : « Allez, reprenons la suite de mon testament. Où en étais-je? » Et, comme si le simple survol du visage d'Alexandre endormi par sa paume, sans doute experte à déceler la présence de la vie, où qu'elle se maintienne, l'eût immédiatement rassurée, Suzanne murmurait : « Laissons-le, il dort », et m'entraînait hors de cette pièce où plus d'une fois, au cours de ces derniers mois, j'avais eu la certitude qu'aucun souffle ne s'échappait des lèvres froides de mon grand-père. Je ne sentais plus en l'approchant, quand il dormait de cette manière abandonnée, comme dans la Frégate d'Anicet en revenant de l'île d'Aix, les ondes invisibles d'une présence réelle; je croyais, sans l'avoir lu dans aucun livre, ni en avoir la preuve, mais par analogie avec tout ce que l'on disait de

l'extrême sensibilité des bêtes, que les humains, comme
la plupart des animaux à sang chaud, émettaient des
signaux involontaires, perceptibles par les fauves ou même
de simples chiens en liberté; que la peur, la confiance,
l'agressivité, et donc la vie, se manifestaient au-delà des
gestes, des odeurs, des sons, par des vibrations subtiles,
aussi impalpables que celles de la radio. En fait, ce n'était
pas une théorie, plutôt le sentiment d'être mieux que
d'autres armé d'une intuition de sourcier pour flairer les
personnes cachées, retrouver les objets perdus, entendre le
pas soyeux des fantômes, me faire aimer des chats. Une
concession courageuse que mon éducation cartésienne
faisait aux domaines inconnus des magiciens et des voyants,
de tous ceux qu'Alexandre emballait dans un égal mépris
comme autant de tricheurs, témoins de notre bêtise plutôt
que d'un autre monde. Il me fallut attendre assez tard
pour être libéré de cette illusion que j'entretenais sur mes
dons d'exquise réceptivité : à Londres, dans le musée de
cire de Mme Tussaud, en me retournant, comme sous le
choc d'une présence très forte et vivante, sur le moulage
de Pablo Picasso, assis sur une chaise, comme un quelconque visiteur. Mais du temps de Providence, j'étais
encore confiant dans la qualité de mon radar, cadeau du
Baron rouge, mon premier maître, pour ne pas prendre à
la légère mon impression de ne plus sentir la vie chez
Alexandre dès lors qu'il était assoupi au milieu de sa
lecture. Le soir, un ou deux verres de vin pris en fin de
repas lui rendaient ses couleurs et sa voix. Il nous parlait
parfois avec un détachement imperturbable de sa mort
prochaine – de sa main gauche, il soulevait, comme un
prêtre célébrant son office funèbre, son calice, le rond de
serviette en argent où étaient gravées ses initiales entrelacées, AB, précédées, à la gauche du A, du millésime de
sa naissance, 1880 – et, la chose lui paraissait, hélas, des

231

plus probables, une prévision sans mérite, cousue de fil blanc, de notre mort à tous, peu après lui, nous les Balliceaux, les Français, les Européens; dans quelque position où l'on pourrait se mettre, pauvres condamnés gesticulant en vain, nous étions et resterions dans le rond rouge de la cible. Pierre l'écoutait patiemment, opinait du chef, ce qui, contrairement au but recherché, froissait Alexandre, trop habité par son rôle, son message terrible, pour accepter d'être approuvé sans combat – il aurait mieux aimé qu'on le laissât seul et incompris, prêchant dans un désert seulement peuplé de nous –, Suzanne rassemblait les verres, les miettes, petit à petit, et quand Victoire éclatait enfin en larmes à l'idée de voir son grand-père mort, comme il l'annonçait avec force détails affreux, ma mère se levait en disant : « Mais non, ma chérie », poussait vers sa fille la pile d'assiettes sales qu'elle tenait prête et commençait à débarrasser la table. Alexandre, satisfait de ce petit drame, glissait sa serviette dans le rond d'argent, marmonnait : « Enfin, ce que j'en dis, après tout, je ne suis qu'un vieux bonhomme », et passait au salon allumer la première d'une longue série de pipes. Il ne parvenait pas à s'endormir avant l'aube, ayant avec les années décalé et divisé son temps de sommeil en deux épisodes de parfait repos, la grasse matinée et la sieste, et, après nous avoir souhaité, malgré ses présages apocalyptiques, une bonne nuit (nous qui avions la chance insolente de pouvoir plonger normalement vers l'inconscience, pré-rogative sans gloire des chiens repus et des innocents), prenait un des livres qu'il connaissait presque par cœur, l'ouvrait sans le lire, le posait sur le bras de son fauteuil de cuir. Peu après minuit, il effectuait bruyamment quelques aller et retour en ascenseur entre le rez-de-chaussée et le second étage – qu'il était censé occuper – pour se faire un brin de toilette, comme ça, « à point d'heure », porter

de sa chambre au salon ou, inversement, de la bibliothèque à sa salle de bains, quelques objets, un cendrier,
un mouchoir, un des petits albums de photos, dont il
n'avait jamais décidé de la juste place (parmi les livres, en
bas? Avec le linge de corps, en haut? Ou nulle part, au
fourre-tout?), en réalité pour nous laisser entendre le
frottement ouaté de ses pantoufles, entrecoupé du double
coup de pilon de ses cannes, et le ronron lointain du
moteur au grenier qui levait et descendait tour à tour la
cabine éclairée d'un plafonnier dépoli, bulle illuminée
dans Providence éteinte, où j'imaginais mon grand-père
souriant tout seul et repensant à la fin du monde. Il était
difficile de savoir s'il faisait ainsi du bruit pour nous gêner,
nous signifier que lui ne dormait pas; peut-être étais-je
moi aussi insomniaque, déjà, avais-je l'oreille trop fine.
Peu importe : les horaires singuliers d'Alexandre, c'était
le sens de la phrase de mon père en revenant du Marais,
l'amenaient à vivre dans un temps différent du nôtre – à
l'exception des repas toujours pris en commun : même
quand il lui arrivait de n'avoir pas d'appétit, il s'asseyait à
sa place et dépliait sa serviette en attendant que nous
ayons fini –, et il n'était pas commode de trouver un
moment de la journée où il fût prêt à un rendez-vous.
Encore moins de le faire sortir de chez lui pour aller au
Marais.

Quand j'entrai avec mon père dans la bibliothèque,
Alexandre venait à peine de quitter son lit pour son
fauteuil, un livre ouvert sur ses genoux. Pierre lui raconta
notre visite à Mornac, sans rien dissimuler de l'état de
Suzanne L'Ansecoy. Il n'y aurait plus beaucoup d'autres
visites possibles, ni d'occasion de lui parler.

– Tu te rends compte que j'ai trois ans et douze jours
de plus qu'elle? dit Alexandre en refermant son livre.

Sur le dos, je lus à l'envers le nom de Gustave Flaubert.

– *Bouvard et Pécuchet,* me dit Alexandre. Et c'est elle qui devient gâteuse et veut filer avant moi ? Je ne pourrai pas toujours la rattraper, pauvre petite.

Je n'aurais pas cru que l'on pût dire de ma grand-mère « Pauvre petite », mais Alexandre devait penser au puits où Suzanne était tombée quand ils étaient tous deux enfants.

– Et si tu allais la voir après le dîner ? De toute façon, elle ne dort pas mieux que toi.

Je crus avoir parlé trop vite, alors qu'on ne me demandait pas mon avis, mais Alexandre tourna les paumes en l'air, comme chaque fois qu'il estimait une proposition, un argument irréfutables :

– Mon petit-fils est le bon sens même, Pierre. Comme moi. Nous irons ce soir.

* *
*

Aucun des enfants Balliceaux n'assista à la longue conversation qu'Alexandre eut avec Suzanne ce jour-là, entre neuf heures et minuit. Il avait mis son costume gris sombre à fines rayures claires (« Un coup de brosse, un coup de fer, avait-il demandé à ma mère. Et surtout une pattemouille propre, c'est mon complet diplomate »), une chemise blanche, une cravate perle (« Pas la noire, Pierre, c'est plus gai, je sais, mais ça pourrait la tuer, ta mère. Elle croirait que je me moque »), ses chaussures anglaises (« Cire-moi ça, Axel, et pas comme les tiennes. Reste au moins un quart d'heure sur chacune. C'est tout ce que les Anglais savent fabriquer mieux que nous. Avec les voitures, soyons fair-play »), et avalé un doigt de cognac en prévision du vertige qui s'emparerait de lui à la seule vue de l'aile penchée où Suzanne gardait la chambre. Charles l'accueillit presque solennellement, comme toute la maisonnée du Marais. C'était la première fois depuis six ans qu'Alexandre venait ici autrement que pour célébrer Pâques ou Noël. Yvonne dit que Suzanne L'Ansecoy, après que mon père eut téléphoné l'arrivée d'Alexandre, avait voulu être coiffée et poudrée. Le médecin aurait vu là une rémission inespérée. Alexandre avança dans le salon, arc-bouté sur ses cannes, demanda qu'on lui ouvre les portes jusqu'à la chambre de Suzanne et qu'on ne le dérange pas. Mon père resta avec les autres dans le salon et Alexandre partit seul, lentement, repoussant d'un coup de canne chacune des six portes qu'il franchit pour se rendre au bout de l'aile.

– Il n'éteint pas derrière lui ? demanda Anicet, en voyant, du perron, la moitié de la maison éclairée.

Paul, qui avait quitté la Clisse pour être auprès de sa mère et habitait ici, à l'étage, dans son ancienne chambre d'enfant, depuis près de trois semaines, n'eut pas besoin de hausser le ton :

– Celui ou celle qui va éteindre une seule lampe entre nous et les parents, je le jette aux huîtres. Par la fenêtre qui est ici. Je le jure.

Anicet et Marie prirent le même air pincé et prudent, montèrent « un instant » dans leur chambre, et s'y enfermèrent. En bas, dans le salon et la salle à manger, la veillée commença pour les autres – tous âges confondus, de Paul qui avait quarante-neuf ans, à ma plus jeune cousine, Louise, qui allait en fêter cinq au mois de septembre –, qui partageaient le point de vue de Paul sur la lumière, les huîtres et la fenêtre ouverte du salon, que Charles avait fait encadrer d'une moustiquaire pour l'été, comme sous les tropiques, et par où montait l'odeur fade, entêtante du Marais.

Comme le temps de la visite se prolongeait inexplicablement, plus long de beaucoup que les dernières phases lucides qu'avait connues Suzanne, mon père ou l'un de mes oncles allait sans bruit dans la cour à tour de rôle constater que la conversation se poursuivait entre les parents. On ne saisissait pas clairement leurs mots, mais le bourdonnement des voix continuait. Pierre entendit même Suzanne L'Ansecoy rire par deux fois. Seul Alexandre savait ce qui, dans le passé reculé, où ma grand-mère vivait recluse, pouvait encore lui donner la force, le goût de rire, quelle mauvaise blague d'enfant, quel visage grotesque entrevu là-bas, dans la campagne d'autrefois à Taillebourg, mort depuis longtemps. Des secrets jamais partagés en trois, des confidences intraduisibles. A minuit sonné, Alexandre reparut au salon.

– Va fermer les portes sans bruit, Aurélie. Et la lumière.

Il avait l'air serein, un peu excité, sans paraître vraiment gai, ni triste. Paul lui servit un verre de vin.

– Elle se souvient de tout, dit Alexandre, bien mieux que moi. Quelle mémoire... (Il goûta le vin : « Côtes-de-bourg, 52, 55 ? », le but doucement.) Bien sûr, la mémoire, ce n'est pas ce que je voulais dire. Pour elle, tout finit en 1917. Mais pour avant, elle est intacte. Voilà, ce soir ma vieille épouse a trente-quatre ans et j'ai presque oublié que j'allais sur mes quatre-vingt-un. Elle est très bien, en jeune femme, je le lui ai toujours dit. Et elle a l'air en pleine forme. Même si elle peut mourir demain.

Alexandre posa son verre en signe d'adieu à tous. Bayard, sur les jambes de qui s'étaient endormies ses sœurs, tête-bêche, au milieu d'un divan, se leva. Alexandre sortit, s'assit le premier à l'arrière de la DS de Pierre. Je montai à côté de mon père, là où d'ordinaire se plaçait ma mère, l'autre Suzanne. Mariane sortit de la maison en courant, ouvrit ma portière et me donna très vite un baiser au coin de la bouche, un papier plié au fond de la poche. Sur la route, dans la nuit noire, je le touchai du bout des doigts. Pierre monta se coucher en arrivant. Alexandre resta dans sa tenue élégante pour aborder son insomnie. Dans la bibliothèque où je le suivis, il bourra une pipe sans l'allumer et sortit d'un tiroir un paquet de cigarettes anglaises. Le recours aux cigarettes était chez lui un signe de nervosité ou de préoccupation si peu fréquent qu'il se plaignait alors de leur goût trop sec, disait les avoir achetées prématurément, dans un jour d'euphorie. Il me montra la boîte rouge des Craven « A ».

– Si tu veux, fumes-en. Je ne crois pas que ton père va redescendre, maintenant. Peut-être qu'il s'en fiche, d'ailleurs, que tu fumes?

Il tirait sur sa cigarette à petits coups, sans avaler la fumée, en habitué de la pipe.

– Peut-être aussi que je ne fume pas, dis-je en allumant une des Craven efflanquées dont le tabac s'était en partie dispersé au fond du tiroir de carton, que je fis coulisser hors de la boîte, d'un coup de pouce, comme j'avais vu Bayard le faire.

– Ce n'est pas ces cigarettes que j'aime, dit Alexandre, en crachotant quelques brins roux, elles sont loin de valoir leurs chaussures. C'est le paquet qui me plaît, les lettres, le petit chat noir à moustaches blanches et noires. C'est un ami. Tu aimes les chats, bien sûr?

Je résistais mal au goût âcre, étouffant de la Craven, aussi sucrée que la momie verte de Ramsès, dont j'imaginais, chaque fois que j'y pensais, découper un morceau avec un couteau, le piquer au bout d'une fourchette et le mâcher (avant même qu'Alexandre m'ait confirmé que tel était l'usage de certains médecins en Europe autrefois), et m'étonnai de l'humeur de mon grand-père après cette longue visite à Suzanne.

– Bien sûr, dis-je.

– Quoi? fit Alexandre.

– Pour les chats.

Je toussai.

– Ah oui.

Alexandre regarda attentivement les deux centimètres qui subsistaient de sa cigarette entre ses doigts :

– C'est quand même fort. On l'allume quand elle est entière, toute neuve. On croit qu'on est le patron, seul à bord de sa cigarette. Et elle se tire en un rien de temps. Tu n'es plus le patron, à bord de rien. Et tu recommences aussitôt avec une autre. Toujours pareil. Si tu tousses, prends donc un petit verre de whisky, cul sec. Là, la petite porte, sous le Littré.

Il m'indiquait des yeux un coin de la bibliothèque dans l'ombre :

– Un petit verre, j'ai dit. Et pour moi aussi, un. La taille au-dessus, tu seras gentil. Ne dis rien de tout ça à tes parents, ils m'en voudraient. Sans me l'avouer, mais c'est encore plus bête. Voyons, nous n'allons pas nous mettre à boire, non? Je veux dire, pas moi, à mon âge, ça ne servirait à rien. Toi, au contraire, c'est trop tôt. Donc on ne risque rien, c'est la logique, toute crue.

Sur la bouteille où marchait un être diabolique en culotte blanche et veste rouge, un monocle à la main, je lus à voix basse :

– *By appointment to her Majesty the Queen...*

Alexandre m'interrompit :

– Oui, mais non. Ce sont des Écossais, ils ont perdu la guerre contre les Anglais, ils sont soumis et le reconnaissent sur toutes leurs étiquettes, même pour les allumettes, mais ce sont des Écossais. Beaucoup moins ennemis de la France que les Anglais. Nuance, donc. Je ne te dis rien des Irlandais, ceux-là nous aiment. Des frères par l'esprit et la guerre.

Je crus quelques secondes que ce peu de whisky, après le verre de bordeaux offert par Paul, avait suffi à saouler Alexandre, qui buvait fort peu, malgré sa connaissance des vins et l'étude qu'il en avait entreprise; Alexandre vit mon regard, tendit son verre pour que je le remplisse à nouveau :

– Mais non, mon petit, il en faudrait plus pour un vieux pistolet comme moi, bien plus. Si tu regardais piutôt ce que t'a écrit Mariane dans son billet.

Je sortis de ma poche le papier plié; je devais être un peu rouge, surpris de l'œil aigu d'Alexandre, qui n'abordait jamais de lui-même le chapitre dangereux pour tous de ma chère cousine. Mais je n'étais pas mécontent non plus, comme si entendre Alexandre prononcer son nom, évoquer son existence devant moi qui l'aimais, erreur notoire dans la famille, au-delà du raisonnable, c'était déjà recevoir de lui l'absolution des péchés auxquels j'avais si délicieusement succombé dans ma chair, dans celle de Mariane, et de ceux, bien pires, que je m'apprêtais incessamment à commettre, déjà cent fois répétés, de cent façons, en pensée. Je parcourus les lignes écrites précipitamment par ma cousine, opérai quelques coupes indispensables et donnai une version édulcorée du reliquat :

– Elle me dit simplement qu'on se verra la semaine prochaine, quoi qu'il arrive.

Alexandre leva les sourcils, incrédule :

– C'est tout? Petit mot pour un grand papier. J'espère que ça veut dire quelque chose pour toi. Enfin, que ça te fait plaisir.

Je bénis le hasard qui m'avait laissé en retrait de la lampe, du regard d'Alexandre au moment précis où il m'avait demandé le contenu de ce pli, dont les termes étaient impossibles à dire tels que Mariane les avait rédigés dans sa hâte. Je me sentais écarlate.

– Oui, oui.

Je bafouillais même sur le mot « oui ». En posant gauchement mon verre sur la table, à côté de la pipe pleine préparée tout à l'heure par Alexandre, il me sembla que j'accusais assez clairement le whisky et le tabac de la Reine de s'être conjugués pour expliquer mon trouble. Fallait-il briser le verre, tituber pour convaincre? Je pris la pipe froide et la tendis à mon grand-père.

– Tu ne la veux plus?

Il était déjà ailleurs, j'avais tort de le croire trop intéressé par mes relations avec Mariane. Il vida la pipe de son tabac, distraitement, et la bourra de nouveau.

– Parfois, dit-il, je ne sais pas pourquoi, quelque chose que je viens de faire me déplaît, sans raison. Cette pipe, par exemple, je ne l'aurais jamais allumée. Elle avait l'air empoisonné. Maintenant, ça va, elle est comme il faut. Ça ne t'inquiète pas, Axel, de savoir que ton grand-père est un peu fêlé? Héréditaire, qui sait? Va donc te coucher, petit, moi j'ai le temps.

Le lendemain, il était enfin endormi, assis dans son fauteuil, toujours en complet diplomate et cravate perle, quand Paul et Anicet vinrent en Frégate sonner à la porte de Providence, annoncer que Suzanne L'Ansecoy était morte dans la nuit, juste avant l'aube.

*   *
*

Mon père, comme dans sa jeunesse, dissimula au plus secret de lui la tristesse qu'il avait découverte au sortir de l'enfance. Je le vis plusieurs fois retenir la montée d'un sanglot, tourner le visage de côté, quitter brusquement la pièce où nous étions. Alexandre ne se montra pas très affecté. Il s'en excusait presque, prétendant qu'un vieillard n'avait plus assez de forces pour être triste, ce qu'il savait pertinemment faux dans son cas; avouant aussi qu'il était content d'avoir rendu visite à Suzanne la veille de sa mort. Parce qu'ils en avaient profité pour « se réconcilier » enfin, tirant un trait sur les raisons de leur dispute antérieure, que personne ne souhaitait éclaircir au-delà des bornes mouvantes qu'Alexandre déplaçait, d'un jour sur l'autre, au fil de la conversation. Le matin de l'enterrement, avant d'aller en cortège à Taillebourg, où gisaient quelques douzaines de Balliceaux et de L'Ansecoy dans un pré au-dessus des champs inondables, Alexandre me dit qu'il était convenable, même si on ne croyait pas en Dieu, d'avoir un livre à la main dans ces circonstances. Il me tendit le volume de Montaigne, prit son *Bouvard et Pécuchet,* dont la jaquette sobre pouvait passer pour celle d'une bible. Plusieurs fois, pendant que trois gros paysans, engoncés dans leurs chemises raides, descendaient Suzanne L'Ansecoy en terre, je vis Alexandre lire pieusement quelques lignes de Flaubert et refermer le livre en soupirant, l'air contrit.

*   *
*

A la fin de juillet, Paul reprit sa valise de carton jaune qu'il fixa à la galerie de sa vieille 15 CV Citroën. Le coffre était occupé par ce qui restait du cochon tué la veille : la tête, dont Bayard avait eu le mauvais esprit de souligner la ressemblance avec Anicet, observation si regrettable qu'Anicet avait exigé que la tête fût bannie du menu. Point d'oreilles ni de museau, ses morceaux favoris pourtant, sacrifiés sur l'autel ordinairement plus étroit de son honneur. Paul ne fit pas de longs adieux, ce n'était pas sa partie, mais refusa de rester davantage au Marais, d'attendre que l'on ouvre le testament de Suzanne, si on le retrouvait;

il devait au plus vite reprendre en main ses affaires à la Clisse : une ferme justement, disait-il, ça ne ferme jamais.

La maison de Mornac parut soudain démesurée aux Balliceaux et aux Gelliceaux, trop penchée, trop vide sans Suzanne L'Ansecoy qui avait toujours réglé la vie entre ces murs et, me semblait-il, tout compris de chacun de nous, tout accepté. Anicet déclara qu'il était presque certain que l'aile de Suzanne penchait désormais nettement plus qu'au printemps. Cela devait pouvoir se mesurer. Il passa un après-midi avec Charles à inspecter le côté nord, un fil à plomb à la main, et tous deux conclurent à la nécessité de fermer cette partie périlleuse de la maison. Les femmes et les filles, plus légères, déménagèrent les meubles de Suzanne, vidèrent la pièce où j'avais joué aux cartes avec Mariane et Bayard, et entassèrent le tout dans un grenier de l'aile opposée, sur la terre encore franche, au sud.

Nulle part on ne découvrit le testament de Suzanne. Elle n'en avait jamais rien dit, mais il était peu probable qu'elle ait oublié de prendre ses précautions, bien avant sa maladie. Alexandre, lui, devait être au courant, puisqu'il l'avait vue consciente, juste avant sa mort. Il ne disait ni oui ni non, écartait les bras, prenait l'air idiot. « Trouvez-le, mes enfants. » En réalité, les biens de Suzanne L'Ansecoy étaient peu de chose. La maison de Mornac valait à peine le coût des réparations qu'il aurait fallu engager pour la sauver. Peu de bijoux, quelques beaux meubles qui paieraient le notaire. Mais ce que tous voulaient savoir, c'étaient les volontés de Suzanne, le jugement qu'elle portait sur chacun, la hiérarchie de son amour pour nous. Et peut-être quelques précisions sur un ou deux mystères familiaux, celui du bois des Fées, par exemple. Ce débat, toutefois, n'agitait que les enfants de Suzanne, ses belles-filles et son gendre. Nous, ses petits-enfants, étions incon-ditionnellement, éternellement aimés d'elle, n'attendions aucune sentence. Alexandre décréta, juste après le départ de Paul, que la plus jeune génération serait dispensée d'observer le deuil, d'en porter les signes vestimentaires, rubans noirs, habits ternes; et seulement tenue d'avoir une pensée chaque jour pour notre grand-mère, au milieu des jeux qu'il nous autorisait à reprendre, comme tous les ans, chacun selon son âge. La pensée de chaque jour, je l'eus sans effort plus de dix ans après la mort de Suzanne, avant qu'un amour, un chapitre achevé de ma vie n'en espace l'apparition. En revanche, l'ordre d'Alexandre concernant les jeux de notre âge me parut bien équivoque, surtout après la conversation nocturne que j'avais eue avec lui, dix jours auparavant dans la pénombre de la bibliothèque, où il avait fait naître d'un seul mot, rien que pour lui et moi, le fantôme fulgurant et tabou de ma cousine.

Sans tarder, les enfants, les uns dans la campagne du Marais, les autres à Pontaillac, se retrouvèrent. Ou crurent se retrouver. Car cette illusion fit long feu entre Bayard, Mariane et moi. Je n'avais pas échangé un mot avec Bayard depuis plus de six mois quand je lui avais menti au sujet de Mariane pour attester de mes relations honnêtes avec Pierre-et-Paul. Je ne savais si Bayard en avait parlé à sa sœur, rien ne l'indiquait, mais, quand le dialogue reprit entre nous, j'entendis dans sa voix plus que de la mauvaise grâce, une haine à peine contenue. De mon côté, j'avais beaucoup changé, grâce à Lou, à ma fréquentation des du Boisier, de la villa « Quand même », aux rêveries inextinguibles que déclenchait en moi le corps doré de Béatrice sur la plage. Comment Lou pouvait-elle ne rien voir sur mon visage dans ces moments, et Béatrice, Éric, continuer à ne rien deviner? Le premier venu, j'en avais peur, aurait su interpréter mon immobilité sous le parasol, l'objet somptueux, lacé de quatre voiles rouges, gonflées, brillantes, que fixait mon regard. Mais cet hypothétique et perspicace « premier venu » ne vint fort heureusement jamais et j'étais bien décidé à ne pas en offrir le rôle à Bayard. Il pouvait tout faire échouer, tout détruire de l'équilibre miraculeux que j'avais conservé dans cette famille, cette maison, observée comme le temple de l'impossible depuis mes premiers pas sur la terrasse de Providence.

D'emblée, Bayard m'interrogea sur Lou, moins pour en avoir des nouvelles que dans l'espoir d'aiguiser la vanité de Mariane contre moi. J'éludai toute réponse d'un geste de la main vers mon épaule, que Bayard – je lui devais, en plusieurs domaines, la majeure partie de mon vocabulaire – accompagnait au lycée d'un « Rien à foutre » définitif. Puis je proposai d'aller au casino où de nouveaux billards avaient été livrés. En chemin, je fis allusion aux paris qui constituaient l'élément visible du jeu commencé depuis deux ans entre nous. Allions-nous recommencer? En étions-nous sortis? Il n'était pas dans le style du jeu d'en parler aussi directement. Mes cousins firent comme si je n'avais rien dit. Bayard répondit complètement à côté – c'est ce que je crus sur le moment – en m'annonçant que sa famille, les Gelliceaux, allait peut-être quitter Mornac, aller à Paris, très prochainement; Charles attendait d'être nommé à un poste nouveau à l'administration centrale.

– Il nous l'a dit hier soir, ajouta Mariane, qui savait ce que son départ pouvait entraîner pour moi, quel effondrement. Rien n'est fait, les réponses mettent parfois des mois à sortir du ministère, d'après papa. Tous des crétins et des manches. Sauf lui. Et même si les parents déménagent cette année, ils nous laisseront encore un an ici, pour le lycée. Bayard finira son bac, et moi je tâcherai d'avoir la première partie. On est encore là pour un moment. Après, il n'y aura que les vacances.

Je n'avais pas l'intention d'attendre cet « après ». A l'Atlantic, il fallut faire la queue devant les deux billards flambant neufs que tous voulaient essayer. J'eus à peine le temps de comprendre le réseau inédit de couloirs et de portes que pouvaient emprunter les billes. Sur le tableau vertical, des hommes de l'espace pourchassaient des petits Martiens verts, les chevaliers et les marins en blanc d'autrefois avaient disparu d'un coup, les fusées envahissaient le ciel noir, crachaient des gerbes rouges, pour mille points. Comme l'avait prédit Alexandre, tout se déplaçait vers l'Amérique et, de là, vers l'espace illimité au-dessus de nos têtes. Au premier tour, je fis exactement le même score que Bayard, ce qui n'arrivait jamais avec les modèles anciens où les points se comptaient sous la dizaine. A la partie suivante, je l'emportai de justesse. En sortant du Club, saisi d'un courage insolite, je tentai un coup d'éclat contre mes cousins. Comme s'ils m'avaient répondu par l'affirmative auparavant, et non par le silence, je considérai que le jeu avait repris et que je venais de gagner la première manche de l'été. Après un moment de réflexion, Bayard parut accepter mon point de vue. Au fond, c'était bien là le ton du jeu, son parfum acide.

– Et qu'est-ce que tu ordonnes, cher cousin? dit-il, d'un air un peu trop respectueux, suspect selon le radar imaginaire du Baron, encore en fonction à l'époque, quelque part, dans une frisure de mon cerveau.

– Que Mariane se rende à Providence demain matin à dix heures. Jupe claire, chemisier, le petit collier de perles d'Yvonne au cou, chaussures blanches à talons hauts. Et qu'elle apporte avec elle l'album de photos qui était dans la chambre de notre grand-mère.

Mariane eut un sourire en écoutant la liste détaillée de mes volontés un peu absurdes, me la fit répéter pour être sûre de ne rien oublier.

– Et pour moi, dit Bayard, qu'est-ce que je devrai faire pendant ce temps-là ?

Autant suivre ce qui me paraissait être la pente du jeu, sa loi retorse :

– Toi, tu iras au diable, c'est tout.

Je le laissais libre de choisir où était le diable, certain que ce dernier saurait trouver Bayard et ne le quitterait pas de la journée. Le soir, dans la paix provisoire de mon lit, m'efforçant d'examiner posément les événements de la journée, les paroles échangées sur la plage, je ne pus décider si Bayard, l'intrépide Bayard, avait véritablement perdu sa force, sa chance, ou si j'étais, en moins d'un an, devenu un « homme ».

Le matin, à dix heures, juste après le départ de mes parents pour Saintes (Pierre voulait savoir auprès d'un ami avocat ce qu'il faudrait faire au cas où le testament de Suzanne resterait introuvable), Mariane se présenta à la porte, dans la tenue recherchée que j'avais prescrite, un album noir sous le bras.

– C'est ce que tu voulais ?

Je la fis entrer, pris sa main droite que j'embrassai sur chaque bague (elle en portait à tous les doigts, sauf au pouce).

– Tout de même, dit-elle, pour le diable, hier, tu as pris des risques, non ?

– Oui. Viens, nous sommes seuls dans la maison.

Elle me précéda dans la salle à manger où ses talons claquèrent à petits coups secs sur le parquet, comme des maillets.

– Vraiment ? dit-elle.

Elle s'arrêta aussitôt en apercevant Alexandre couché dans la bibliothèque.

– Mais oui, c'est du pareil au même, dis-je. Il a dû s'endormir il y a moins de deux heures. Depuis la mort de Suzanne, il veille de plus en plus tard. Et le matin il dort comme une masse. Il n'entend même pas le téléphone au pied de son lit.

Alexandre était sur le dos. Il s'était laissé couler entre deux des grands coussins à dahlias mauves, sa main droite crispée sur un autre plus petit de velours gris. On ne voyait pas son visage, caché par l'exubérance des dahlias, mais sa chemise claire se soulevait doucement à chaque inspiration. Près du fauteuil où il était resté assis jusqu'après le lever du jour, une pipe éteinte, posée à côté du cendrier, avait répandu un peu de cendre noire sur le tapis. Je touchai le fourneau, encore tiède. Au terme de ses nuits blanches, Alexandre devenait maladroit, renversait parfois un petit objet, oubliait de souffler la bougie verte censée détruire la fumée et l'odeur désagréable du tabac froid ; se couchait sans se déshabiller, plus jamais dans sa chambre au deuxième étage, mais ici, dans le lit de mort de sa mère.

Je fis passer Mariane dans le salon octogonal à côté, d'où l'on voyait la mer, de la pointe de Grave aux ultimes vagues sur la plage de Pontaillac. A plat sur la table devant les hautes fenêtres, j'avais ouvert à l'avance un album de photos, pris dans la rangée des dictionnaires, au-dessus du bar où l'homme, sur la bouteille de whisky, poursuivait son chemin dans le noir.

– Supposons, dis-je, que nous éprouvions le plus vif intérêt pour les photos de famille.

Mariane haussa les épaules, s'assit et défit le fermoir de son album.

– Supposons, Mariane, rien de plus.

Je m'assis sur la table devant elle :

– Tu as ton collier, c'est bien. Et rien d'autre, j'espère. Pas de dessous, c'était clair.

Je déboutonnai son chemisier jusqu'à la taille.

– Ici, à côté d'Alexandre? S'il se réveille? On ne peut pas lui faire ça.

Ce n'était pourtant pas son genre, de s'indigner, ni d'invoquer les bonnes manières. Peut-être la mort de Suzanne, l'attitude de mon grand-père, l'avaient atteinte plus que je ne le pensais; ou était-ce un effet contagieux de ses vêtements chics de jeune bourgeoise en visite, de ce collier trop vieux pour elle, un bijou de femme, de ses souliers de ville, qu'elle ne portait jamais, cadeau d'Anicet, du joli plissé de sa jupe blanche, intacte comme son chemisier de pongé blanc, dont le sérieux contrastait si perversement avec ce que je connaissais de son caractère?

– Il ne se réveillera pas, c'est juré. Pas avant midi et demi, pour déjeuner, avant la sieste. Pour le reste, où est le mal?

Elle avait ouvert mon pantalon, s'était inclinée.

– Plus tard, on a le temps, mets-toi à genoux sur la chaise.

Je la fis se tourner vers la mer et me mis debout derrière elle, sans lui ôter ses chaussures, soulevai sa jupe au-dessus de ses reins.

– Ce n'est pas la maison de Lou qui est là-bas, juste en face de nous?

– Oui.

Pour la première fois où je faisais enfin l'amour avec ma cousine, je voulais, par un souci de symétrie inavouable, la prendre dans la même posture où j'avais si bien aimé Lou au début de l'été, sur le bord opposé de la baie; comme pour encadrer la plage avec mes deux partenaires, singer les deux chiens de bronze presse-livres sur l'étagère au-dessus du lit où Alexandre s'était retourné dans son rêve.

Quand mes parents revinrent de Saintes, à midi, guère plus savants qu'à leur départ (« Patience, avait dit l'avocat,

patience et prudence »), ils nous trouvèrent, Mariane et
moi, attablés dans le salon compulsant nos albums, compa-
rant les portraits d'aïeuls inconnus, offrant le spectacle
d'un couple d'enfants irréprochables. Ma mère réveilla
Alexandre et proposa à Mariane de rester déjeuner. Une
heure plus tard, mon grand-père filait droit dans sa sieste
et mes parents descendaient à la plage, sous le parasol
rouge, que je pouvais surveiller du salon. La marée
montante culminait ce jour-là à dix-sept heures douze.
J'eus le temps de prendre encore Mariane dans ma
chambre, et de me laisser faire, en cinq minutes, par elle,
à demi accroupie dans l'entrée – après avoir vu le parasol
familial battre en retraite devant les vagues, et nous être
rhabillés, recoiffés en hâte –, parce que, dit-elle juste
ensuite, en passant sa langue sur ses lèvres, devant la
glace, au moment où mes parents se dessinaient derrière
le gros grain du verre cathédrale de la porte, elle n'aimait
jamais faire cela autant que dans les situations d'urgence.
Elle redressa son vélo, plaça l'album des ancêtres bardé
de courroies élastiques sur le porte-bagages arrière. « Ils
ont pris l'air, les petits vieux », et repartit.

Au dîner, je faillis m'endormir, n'entendis même pas
Alexandre me demander où j'avais passé la journée, à
quoi faire. Pierre fit opportunément diversion et raconta
comment, en remontant de la plage, il avait vu Charles,
le père de ma bien-aimée, sortir d'une pharmacie, en
coup de vent, l'air très contrarié. Bayard avait eu, c'est
tout ce que Charles prit le temps d'expliquer, une « crise »,
dans la journée, s'était mis tout seul en état de fureur,
se tapant la tête contre le plancher, avant de casser
quelques chaises à coups de talon et une fenêtre avec
un des pieds de chaise qui lui restait en main. Le
docteur de Mornac, aidé de Charles et d'Anicet, l'avait
obligé à s'allonger. Il allait dormir sous calmants. Ces

« crises », Charles ne les avait jamais mentionnées, ni Mariane; elles ne devaient pas être fréquentes. Je demandai à Pierre s'il était vrai que Charles allait emmener toute sa famille à Paris.

– Il attend une réponse, oui. Il faudra te faire à cette idée. A moins que nous aussi... Dans les mois prochains, on me demandera peut-être de monter à Paris, pour de bon.

Au soir du lendemain, après le dîner, je retrouvai Mariane dans la foule d'enfants et d'adolescents qui assistaient, dès la tombée de la nuit, à la grande féerie du sucre où les Tamisier se donnaient avec faste, sans chipoter sur les lumières, comme au cirque. J'avais promis à Victoire cette sortie, sans raison particulière, « pour bonne conduite », et ne savais pas que Mariane en avait fait de même avec Aurélie. A moins que Charles, qui les avait conduits en voiture, n'ait voulu changer les idées de Bayard, après sa « crise ». Bayard était pâle, en retrait, près de son père. Mariane vint vers moi, insouciante, vêtue d'un polo moulant et d'un short trop court, fendu sur le côté. Quand les enfants nous entourèrent d'assez près, je passai un doigt sous l'ourlet du short, en haut de ses cuisses, sûr que Bayard ne nous quittait pas des yeux. Un des cuisiniers versa une marmite de sucre sur le marbre et les plus petits s'approchèrent de la méduse pourpre et fumante où reposaient, encore mêlées, indistinctes, comme autant de petites sœurs à naître, leurs sucettes. Les rangs s'étaient clairsemés devant nous et Mariane fut brusquement à découvert. Un autre cuisinier, qui s'apprêtait à soulever la deuxième bassine de cuivre, la vit. L'homme était encore jeune, assez gros, rouge brique. Son regard me déplut. Il s'empara de la bassine, avec ses deux poignées de linge humide, trébucha, tomba, s'évanouit, le bras gauche plongé dans le sucre bouillant.

*   *
*

La roulotte resta fermée pour trois jours et ne rouvrit
que pour de mauvaises nouvelles. L'homme, coupable d'un
seul regard de désir sur ma cousine, avait perdu toute la
peau de son bras dans le sucre. On avait dû casser au
marteau six kilos de sucre à l'anis pour le délivrer. Il était
dans un hôpital, sous morphine. Pendant des semaines,
des mois, il devrait garder son bras d'écorché ligoté entre
ses cuisses, pour qu'une greffe se fasse entre la peau de
ses jambes et son bras brûlé. Des années plus tard, j'ai
pensé encore à lui, à ce nom de « Bras-de-Sucre » aussitôt
jailli en moi, dont je l'avais baptisé, à la position inconfortable qui fut sa prison, le châtiment de sa convoitise
pour Mariane et qui lui valut tout de même de figurer au
panthéon de mes monstres, juste en dessous de l'homme
à trois jambes. Tard dans l'été, presque à la fin des
vacances, Victoire déclara, au cours d'un repas, que « Bras-
de-Sucre » avait chu par la faute de Mariane et la mienne.
Dans sa chambre, après le dîner, elle me dit être sûre de
ce qu'elle avait avancé, elle avait tout vu dans les glaces
de la roulotte, les jambes de Mariane, le regard de l'homme,
mes yeux qui le maudissaient. Comme autrefois dans le
miroir du Baron rouge, lorsqu'elle nous avait aperçus en
haut de la tour de guet. Fallait-il plaider mon innocence,
jurer que je n'avais aucun moyen de faire tomber qui que
ce soit par la seule force de ma volonté, ni contraindre
quelqu'un à distance ? Quand elle eut fini son récit, je la
laissai s'endormir et quittai sa chambre en emportant le
Baron rouge. Dans la nuit, je profitai d'une montée bruyante
d'Alexandre en ascenseur pour courir au bout de la terrasse et lancer de toutes mes forces l'ours sur le toit de

Providence. Victoire le chercha sans relâche. En vain. J'étais seul à savoir comment, d'un certain coin de la terrasse, on pouvait distinguer un tout petit bout de pied velu, derrière une cheminée du toit, cimetière idéal pour l'aviateur visionnaire qu'avait été le Baron dans son bel âge, épave aérienne que les premiers vents de l'hiver firent plonger, une nuit de tempête, dans le ressac de l'océan.

X

L'année s'acheva sans qu'on ait retrouvé le testament de Suzanne L'Ansecoy, auprès d'aucun notaire ou avocat connu de nous, ni dans les meubles qu'on avait dégagés de l'aile en pente. Plus le temps passait, plus les chercheurs – Anicet et Marie principalement, parfois secondés par les enfants de Charles – assuraient que ce bout de papier, cette lettre problématique, n'avait pas d'importance. Que personne n'était vraiment pressé de partager ses biens, de prendre la responsabilité d'une simple parcelle de la maison de Mornac, ni de se battre pour emporter telle commode ou fauteuil, tel de ses tableaux; toutes choses qui ne faisaient défaut à aucun. Par ailleurs, il n'était plus possible d'aborder le sujet avec Alexandre. Après une période où il s'était borné à faire celui qui tombe des nues, à nier connaître l'existence de ce testament et de son contenu, il avait récupéré assez de forces pour se fâcher une ou deux fois, comme au temps où il se déplaçait encore sans deux cannes, et ne les brandissait pas en tous sens, pour un oui ou un non, en infirme exagérément maladroit. Et, la comédie rattrapant peu à peu l'acteur, on l'avait vu piquer des colères noires, passer du rouge au blême, abattu. Le mot « testament » avait été banni de Providence, du moins de l'espace où Alexandre ne pouvait éviter de nous entendre, la pièce même où il se tenait; dans une mesure plus élastique, celles avoisinantes, car il lui était loisible de moduler les progrès de sa surdité, l'étanchéité de son ouïe s'atténuant selon l'intérêt qu'il portait à la conversation.

La plupart du temps, nous n'étions plus pour lui que de vagues émetteurs de bruits indéchiffrables, sans prise sur son intelligence, sinon par le biais, en cas de grande mauvaise volonté de sa part, de petits papiers, qu'il laissait sur ses genoux, pliés ou retournés, prétextant l'égarement de ses lunettes, enfouies par lui dans un creux du fauteuil, qu'il fallait retrouver comme par surprise, en riant, et lui coller sur le nez pour l'obliger à lire une question, un avis : « Veux-tu dîner ici ? Des poireaux ? Ton ami Edmond ne viendra pas demain. Il est malade. » Encore ne lisait-il pas volontiers. Pierre s'était rendu compte que la vue de son père avait véritablement baissé et qu'une autre paire de lunettes était nécessaire. Alexandre ne voulait recevoir ni oculiste ni médecin et avait adopté, pour couper court aux injonctions de ses enfants, au flot écœurant de nos petits soins, une grosse loupe qu'il portait autour du cou, en sautoir, au bout d'une chaîne de plastique blanc. Mais s'il ne pouvait plus échapper à nos messages, l'instrument était à la longue trop lourd à tenir exactement à la distance convenable. Les livres qu'il nous priait de lui sortir de la bibliothèque s'empilaient de chaque côté de son fauteuil, les préférés du jour posés sur les bras de cuir patiné par une vie de caresses, de pianotage des doigts, gifles, pinçons divers, pressions de ses paumes en sueur, c'est à peine s'il les ouvrait. Ma mère dit un jour qu'il en avait tenu un à l'envers, devant elle, feignant de lire quand elle était passée dans la bibliothèque, qu'il n'y voyait plus assez bien. Le plus souvent, il se contentait de les toucher, posant sur la reliure sa main droite, bien à plat, comme s'il était un mage, un devin, ou que les livres fussent des guérisseurs dont il recueillait ainsi le fluide, sans avoir besoin d'en tourner les pages, ces pages dix fois, cent fois lues, et les repoussait au bout d'un moment, le fluide éteint, asséché, les rejetait en arrière des piles, sans précautions, pour nous signifier qu'il était temps de les replacer sur les rayons, dans le rectangle d'ombre où ils manquaient. Quoi qu'il en fût, tout le monde était bien d'accord pour reconnaître qu'Alexandre avait suffisamment « avalé » de livres (selon Anicet, que l'obésité ne menaçait pas par ce biais, expression inquiétante quand je songeais à l'énormité du papier accumulé) pour s'en passer à présent. N'aurait-il que le souvenir d'un quart de leurs titres, ce serait assez pour l'occuper longtemps, un mois entier peut-être. Ce qui paraissait à tous une durée immense pour de simples mots, même si personne ne se risquait à passer pour inculte, indigne des trésors amassés par mon grand-père, en disant les choses ainsi. J'estimais, en ce domaine, comme en quelques autres où sa confiance très tôt m'avait donné accès, être le seul dans la maison, dans la famille, à épouser sa passion, ses élans et son ennui jaloux : un enfant voué aux livres, de quelque façon que la chose s'accomplisse.

Mais quoi que l'on pensât du sortilège qui liait, cet hiver, Alexandre à ses livres, les lunettes et la loupe étaient assez bonnes pour un message, quelques lignes en capitales, et nul n'aurait osé, à propos de Suzanne L'Ansecoy, tracer le mot « testament ». On était, comme avait dit Anicet, dans une période de « vide juridique », termes sonnants qu'il avait plusieurs fois remarqués en écoutant la radio, quand le général de Gaulle était revenu aux affaires, un vide sans inconvénient majeur, puisque de toute évidence Alexandre s'éloignait, ou s'approchait, de plus en plus vite de l'éternité et qu'on verrait sûrement alors tout se résoudre. Tout, sauf ce que Suzanne aurait pu dire, laisser en gage, *post mortem,* à chacun sur son compte. Et ce n'était pas agréable de penser qu'elle était partie en vous prenant peut-être pour un idiot, qui sait, ou un ingrat, hypothèse « fantasque », disait aussitôt Marie. « Pessimiste », corrigeait Charles. Paul, l'aîné, et le plus malheureux en amour, même couvert de femmes, et Pierre, le dernier fils couvé, ne doutaient pas outre mesure des sentiments que leur avait portés sincèrement Suzanne de son vivant. Sur ce point, ils étaient, comme la génération des petits-enfants, certains de toutes ses indulgences. Quant à Yvonne, elle s'en souciait moins, étant fille, que de l'affection d'Alexandre, et avait montré assez d'indépendance pour mettre au monde le scandaleux et fragile Pierre-et-Paul – avec l'aide plus que probable, hélas, de son frère Paul, la complicité de Pierre – et se racheter par quatre autres enfants légitimes, dont deux, Mariane et Bayard, étaient si beaux qu'ils réparaient tout, le bâtard et les petites, trop gamines pour qu'on en juge. Il n'y avait, tout compte fait, qu'Anicet et Marie à connaître l'incertitude, le remords, pour être restés sans enfants (la plus grande faute, vraisemblablement, dans leur esprit) et eux seuls s'étaient donné du mal, bien inutilement, pour mettre la main sur le papier que Suzanne n'avait pu oublier de rédiger avant de les quitter, où elle leur donnerait son pardon, comme aux autres. Ils furent davantage confinés dans ce rôle mesquin par le départ de Charles pour Paris, au Nouvel An.

La lettre du ministère était arrivée à Mornac, miracle de vélocité postale, annonçant très officiellement la nomination de Charles dans les services centraux de l'administration et mentionnant son nouvel échelon : tout proche du grade supérieur. « Une promotion », dit-il, avant son départ. Il fut décidé que les enfants resteraient jusqu'à la fin de l'année scolaire à Pontaillac et que leur mère ferait la navette entre Paris et Royan, au moins jusqu'aux vacances. Les difficultés de trouver un appartement assez vaste pour eux sept, dans les limites d'un loyer raisonnable, la retinrent à Paris plus longuement que prévu, dès son premier voyage en janvier. Bayard et Mariane furent donc sous la garde d'Anicet et de Marie, peu capables d'exercer sur eux une autorité quelconque dès lors que ces deux-là n'y consentiraient plus. Les autres enfants Gelliceaux étaient soumis depuis toujours à Bayard et mon père jugea prudent de rendre visite à la branche clairsemée du Marais une fois par semaine et de leur téléphoner tous les deux jours « au cas où ». Quand mon père, à son tour, dut se rendre à Paris, pour discuter avec la direction de la nécessité de son retour, ma mère se chargea du coup de téléphone « au cas où ». Il n'y avait pas grand-chose à craindre, à dire vrai, Bayard préparait la deuxième partie de son baccalauréat, comme Mariane et moi nous attaquions à la première. Néanmoins, l'absence prolongée de Charles et d'Yvonne favorisa l'affirmation de certains travers dans le caractère douloureux de Bayard et précipita sans doute la montée irrésistible de l'ombre en lui. Je disais, je pensais le mot « ombre », non par goût romantique, mais parce que l'image s'en imposait, presque physiquement, quand je l'observais certains jours. Il était depuis longtemps en équilibre sur un angle à deux versants, comme en salle de gymnastique sur la poutre où nous défilions à la queue leu leu, les bras en balancier, mais ici le support était plus mince, plus étroit encore que la corde raide des funambules, quelque chose d'impalpable, dangereux, le fil d'un rasoir invisible; cette lame où il me semblait le voir danser maintenant, je me garderais d'en indiquer mieux la courbe, je ne saurais dire non plus par où elle passait. Mais d'un côté du tranchant régnait la lumière dont Bayard, pendant des années, celles de l'enfance, pour moi, pour tous, au Marais comme au lycée, avait été baigné, nimbé d'une aura de mauvais garçon angélique, par un mélange précieux de grâce, de brusquerie, de bravoure; c'était vers cette lumière qu'il paraissait tourné au début de notre amitié, vers des héros dont j'ignorais le nom, des aventuriers, des pirates caraïbes, un Walhalla de durs à cuire, sans cesse promus et démis par lui seul. De l'autre, il y avait une ombre aussi intense que le soleil opposé, un puits froid, sans appel, sans le rond bleu rédempteur dont notre grand-père nous avait dit l'importance, quand il avait lui-même, à cinq ans, repêché sa future Suzanne, et qu'il nous conseillait de ne jamais oublier, où qu'il nous arrive de chuter plus tard dans l'existence. Une ombre comme un brouillard actif, vivant, susceptible de se réveiller sournoisement, de s'emparer de Bayard à l'improviste, comme on avait pu le constater l'été d'avant, au moment de sa « crise ». Était-ce la première, d'ailleurs, qu'il ait traversée ? La pudeur des Gelliceaux quant à leur vie privée, leurs maladies à plus forte raison, était telle que d'autres crises avaient pu se produire chez Bayard sans qu'on l'ait su au-dehors, ni dans la famille, où Charles pensait que plus d'un Balliceaux aurait trouvé là une occasion bénie pour cancaner un peu plus sur ses malheurs de père avec ses garçons.

D'après ce que j'en avais su, le peu que Charles avait dit à mon père en sortant de la pharmacie (qu'avait-il acheté ? Y avait-il des médicaments pour les crises ? ou juste de l'alcool et des pansements pour les coupures des uns et des autres sur les morceaux de vitres brisées ?), je ne voyais pas en quoi l'espèce de rage qui avait saisi Bayard dépassait les limites de certaines grandes colères, dont personne ne s'étonnait en général, ou trahissait une violence d'une autre nature, telle qu'il convînt de parler de « crise », comme pour le chien épileptique qu'avaient eu autrefois Anicet et Marie et dont j'avais pu observer, à quatre ans, une attaque subite de plusieurs minutes. Le vieux caniche noir, grisonnant du museau, s'était jeté sur le flanc, avait roulé dans le sable en agitant ses pattes, la gueule débordante de bave. Le retour de son humeur placide avait été aussi rapide, déroutant que l'irruption des convulsions et cette soudaine métamorphose contribua pour beaucoup à nourrir les illusions que j'entretins ensuite sur l'instabilité de la Trombe des cabinets, de la vaisselle volante où nous mangions, et sur l'imminence des raz de marée. Alexandre, sans remettre en question le diagnostic d'épilepsie prononcé par Anicet – un vétérinaire, malgré tout, il fallait lui laisser cela –, soutint que ce caniche, qui accourait bravement à l'appel de son nom, « Veni », était l'unique chien atteint de ce mal qui fût dans les Charentes, voire dans toute la France, et que ce mal qui n'avait rien de haut, puisqu'il vous faisait le plus fréquemment rouler par terre, ne se trouvait plus que loin à l'est, chez quelques philosophes allemands syphilitiques ou dans les romans de Dostoïevski. J'aurais bien vu en Bayard un personnage de *Crime et Châtiment* ou des *Possédés,* avant d'en avoir lu une ligne, pour leurs titres sauvages, mais je ne croyais pas qu'il fût victime du même mal que le chien d'Anicet. Et de ces versants lumineux et obscurs, tranchés par un couteau de verre que ma seule imagination faufilait dans la vie de Bayard (comme souvent, mes erreurs, mes fautes, venaient d'un manque de recul, d'humour, d'une naïveté qui me faisaient voir comme réelles les images des métaphores les plus courantes, tout prendre au pied de la lettre, ce pied même que j'eus soin de dessiner à la craie sur mon ardoise avant ma première leçon d'alphabet), de cette « ombre » houleuse dont je le crus menacé à cette époque, je n'avais aucun indice tangible. Je ne le souhaitais pas, du reste. Bayard était à sa façon quelqu'un d'entier, solide dans mon esprit, comme Alexandre et Pierre l'étaient autrement; et un navigateur aussi vite déboussolé que moi, toujours sans gouvernail sinon sans voilure, avait besoin de plus d'un repère pour ne pas se perdre absolument. Non, j'aurais de beaucoup préféré me tromper, et que le couteau, comme dans les crimes ingénieux, ne fût armé que d'une lame de glace, affûtée pour une blessure brève, sans suite, celle des jeunes années. Mais qui tenait le manche, sinon Bayard? Il avait choisi une direction dans ses études, « Mathématiques élémentaires », conforme aux vues pratiques, progressistes, qu'avait eues son père pour lui-même, l'avenir du monde, selon Charles, étant promis aux hommes qui non seulement se lèveraient tôt, mais vivraient avec leur temps, deux conditions qui pour moi, toujours au ras des mots et n'aimant pas le réveil, n'étaient pas nécessairement l'une à l'autre assujetties. Vivre avec son temps impliquait une bonne connaissance des mathématiques, de la chimie, de la physique, au détriment des lettres, valeurs anciennes, bientôt superfétatoires, efféminées presque. Mariane s'orientait à mi-chemin, vers les sciences naturelles, où je pensais que son goût jamais démenti pour les choses du sexe trouverait un débouché honnête, dans quelque laboratoire où l'on ne torturerait que grenouilles et souris. Pour moi, le choix était fait depuis l'entrée au lycée. J'échouais, sans effort, sans mauvaise volonté ni fierté, dans tout ce qui touchait aux sciences, détestais le sport autant que la géographie, ne me sauvais que par un peu de latin et beaucoup de français. La seule issue qui me serait ouverte l'année suivante serait la classe proprement dite de « Philosophie ». Comme pour confirmer la mauvaise opinion de Charles et les soupçons de Bayard sur le monde des lettres – du sommet, où trônait le cadavre encore tiède, à peine dix ans, de tel auteur honteusement célébré, Gide en l'occurrence, jusqu'au sous-sol où végétaient professeurs et lycéens innocents ou non –,

Pierre-et-Paul ne voulut pas me quitter et m'emboîta le pas. Il reprenait mes versions de Sénèque, où je glissais pour ménager la crédulité du professeur quelques fautes d'inattention, ou une seule, inexcusable, ce qui ne le faisait pas souvent décoller de la basse moyenne de onze (chiffre honni, pire qu'un deux dans sa médiocrité sans espoir, sans rien de la noblesse du zéro, du panache dont l'échec s'entoure hardiment comme un beau geste), et développait en revanche, dans ses dissertations françaises, un talent inattendu, aigu, plus original qu'il n'était en usage au niveau où nous étions censés barboter sans bruit et dans le respect de l'orthographe. Tantôt le maître châtiait l'écriture insoumise de Pierre-et-Paul d'un huit ou d'un neuf, d'une note au rouge dans la marge – tournant plus ou moins autour d'une seule question indignée : « Pour qui vous prenez-vous, Gelliceaux ? », insupportable à avouer, à écrire aussi sèchement, et qui se traduisait par un « hors sujet » badin ou, sur un mode plus ironique, par « Vous pensez ce que vous écrivez là ? » –, tantôt il cédait à ce qu'il finissait par reconnaître au fond de lui comme un début d'estime, une rare surprise dans la carrière d'un professeur relégué dans cette province marine loin des rectorats prestigieux, peut-être la révélation d'un artiste singulier, encore brut et saoulant comme l'oxygène à l'état naissant, et le stylo rouge s'emballait vers un seize, un dix-sept, où plafonnaient sa cote d'amour et son échelle de récompenses : il n'y avait qu'un Racine, un Hugo qui puissent jamais prétendre à dix-neuf ou vingt, sinon plus rien n'avait de sens, et des Hugo, on n'en verrait plus, pas dans sa classe, aucune chance. Ces succès en dents de scie, Pierre-et-Paul ne s'y attendait pas. Il avait même l'impudence de ne pas en tenir compte. Il ne lui aurait pas été trop compliqué de rester sagement dans les limites de ce que le professeur pouvait couronner en toute quiétude, de freiner son penchant coupable pour la digression, le paradoxe, de louer sobrement les idées reçues dont la gamme était au programme de l'année, où piocheraient infailliblement les personnages sadiques, conspirateurs anonymes, qui choisiraient le sujet de l'examen final, bref, de s'assurer sans trop déchoir une moyenne de quinze : du jamais vu dans l'établissement. Mais Pierre-et-Paul ne saisissait pas les perches tendues, restait incorruptible, par distraction, indifférence plus que par témérité. La vérité, je la compris quand il fut reçu, grâce au français, à la première partie du bac, comme moi, en dépit de notes faibles dans les autres épreuves. Charles, de passage à Providence avec Bayard, lui aussi reçu à la deuxième partie, délivré du monstre à deux têtes, ne put cacher son étonnement devant la réussite de Pierre-et-Paul, sans grande valeur à l'entendre (« On savait bien qu'il finirait littéraire... »), comme s'il était obligé de confesser que son fils, oui, son propre fils (bien qu'il ne le fût pas ou justement parce qu'il ne l'était pas), se maquillait. Bayard, qui ne voulait pas relancer une querelle où j'avais, en trichant, si durement triomphé de lui, se hâta de tempérer les insinuations paternelles :

– Charles ne dit pas ça pour toi, Axel, ne le prends pas mal.

Levant les yeux au plafond, pour apercevoir la cime alpine, enneigée, de sa bonne foi surprise, Charles me pétrit l'épaule :

– Évidemment, ça tombe sous le sens. Toi, ce n'est pas pareil, tu as reçu un don, un héritage vivant de ton grand-père. Les livres, ça a été toute sa vie, ce sera la tienne. Tu es, je ne sais pas dire, tu es comme le vœu d'Alexandre.

Pierre-et-Paul n'était donc le « vœu » de personne, ni de Paul, son père par le sang, enfermé dans la solitude de la Clisse, ni d'Yvonne, qui avait dû payer cher, d'une manière ou d'une autre, son écart (comme disait Alexandre, en évoquant un jour de Pâques, au grand embarras de tous, la naissance à Bordeaux chez de grands bourgeois d'un enfant pareillement illégitime et incestueux, c'était, de la part de la mère, une sorte d'étourderie, un « pas de côté »), ni de Charles bien sûr. A qui aurait-il pu souhaiter plaire, lui qui ne convenait à aucun; à qui se soumettre ou se fier, sinon un peu plus à moi qui l'aidais sans rien attendre en retour? J'étais, au demeurant, son seul ami connu, presque son unique parent, auquel on s'adressait lorsqu'on souhaitait convaincre Pierre-et-Paul de suivre quelque conseil et qu'il faisait celui qui n'entend pas, ne comprend pas : « Insiste donc, Axel, toi il t'écoute, il doit garder son chandail et bien répondre aux questions si le professeur l'interroge. Se taire, alors qu'il sait la réponse, c'est inouï » ou « Prévenez votre voisin, Balliceaux, que s'il continue à divaguer en dehors du sujet proposé, moi je ne le louperai pas ». Je ne transmettais rien, tout cela m'était dit en présence de mon cousin, qui, je le savais comme lui, n'était pas sourd.

Une ou deux fois, il me fit de petits cadeaux, des cigarettes, les corrigés (monnayés auprès de qui, à quel prix?) de quelques redoutables devoirs de géométrie ou d'algèbre. Un matin d'avril, pour un service que je lui avais rendu, un mot gentil sous le préau devant les autres, il rassembla son courage et me demanda pourquoi je ne m'étais jamais servi de lui comme tant d'autres élèves du lycée, n'avais jamais rien exigé, « rien de ces choses-là, en tout cas », désignant du regard, en souriant, le fond de la cour, où il était tout de même un expert. Ce petit trait de vanité, il ne devait pas en avoir souvent la liberté. Je répondis très vite, en reconnaissant une sorte d'impuissance désolée, que ce n'était pas dans mes cordes « ces choses-là », ça ne me disait rien. Il devait s'en douter puisqu'il m'avait toujours vu avec des filles, que mes relations d'enfant avec Mariane avaient amusé toute la famille, avant de l'inquiéter, qu'il était également au courant de l'existence de Lou et de mon assiduité auprès des du Boisier; laquelle ne tenait certes pas à leur offre d'un thé, détestable, à cinq heures dans le salon de « Quand même », en plein été, moi qui n'en buvais que pour les rassurer avant de passer dans la chambre de leur fille. « Et alors, répliqua Pierre-et-Paul, ça n'empêche rien. » Il parlait d'expérience. Ses partenaires à l'école, manifestement, n'avaient pas renoncé aux filles, mais, en leur absence ou par jeu, considéraient qu'avec lui ils passaient le temps, se changeaient les idées, sans trahir leur vocation, encore moins leur « nature ». Tout ce qui me retenait d'oser avec lui ces gestes, je ne pouvais alors le concevoir ni l'expliquer à autrui, venait de Bayard, de ses bons mots, de son mépris, que j'avais faits miens sans les discuter depuis toujours et qui me hantaient encore plus d'un an après que je lui eus déclaré la guerre en lui ravissant la moitié de Mariane. Sans Bayard, j'aurais probablement essayé avec Pierre-et-Paul, bien avant ce jour, de connaître de plus près ce qui nous faisait rire parfois en direction des palissades mystérieuses ou les plaisirs que vantait une traduction, clandestine au lycée, de quelques passages du *Satiricon* de Pétrone, que l'on n'étudiait pas en cours. Pierre-et-Paul n'insista pas. Il écouta mon refus et me laissa sur un « Tu y repenseras » où, après coup, je crus sentir au-delà d'une offre, d'une porte ouverte, un écho des mots « je le parierais » qu'il prononçait souvent en connaisseur, comme s'il m'avait percé – juste un souffle dans une de nos sarbacanes d'écolier – d'une flèche minuscule au venin lent, dont il était sûr qu'elle serait longue à pourrir en moi.

*   *
*

Dès la fin juin, sans attendre les résultats de l'écrit, je repris le chemin de la plage et du parasol des du Boisier. Ils étaient en avance pour une fois. On avait cru charitable de les prévenir de bonne heure que Lou aurait à redoubler sa seconde. L'écart se creusait entre nous, ce qui ne changeait rien à nos projets, puisqu'elle avait jusqu'ici eu le bon sens de ne jamais me parler de l'avenir. Au début de juillet, les parents de Lou s'absentèrent trois jours de suite pour veiller l'agonie d'un frère de Béatrice, à Oléron. Je pus donc rester trois après-midi entiers avec Lou sans quitter son lit, sans que nous soyons dérangés, sinon par de brèves visites d'Éléazar, toujours précédées d'un appel au téléphone depuis Saint-Palais où il regardait les régates, que nous expédiions en moins d'une heure, et nous fûmes libres de faire l'amour aussi longuement et diversement que nous le souhaitions et dans la totalité des pièces de la maison; y compris dans la chambre des parents, sanctuaire au seuil duquel Lou me parut tout de même intimidée par un petit fond de respect, « tout à fait naturel », lui dis-je. Comme il était tout naturel aussi que je choisisse précisément le lit, les sièges, tout ce qui meublait cette belle chambre verte, le grand théâtre de Béatrice, pour contraindre Lou à subir l'éventail complet de ce que je lui jurai être les « derniers outrages ».

Essoufflement des risées sur les régates de Saint-Palais, panne du téléphone ou ruse, je ne saurai jamais ce qui nous valut, à la fin du troisième jour de mes noces avec Lou, l'apparition soudaine d'Éléazar, sur la terrasse, droit comme un *i*, dans l'encadrement de la porte-fenêtre, le sourcil levé, dans le rôle de l'oncle abusé, son monocle pendant au bout de son cordon. D'ordinaire, il prenait soin de claquer la porte du jardin, d'en agiter la sonnette et marchait sur le gravier pour signaler son arrivée, une politesse indispensable quand on connaissait le tempérament impromptu de Béatrice et sa manie de ne pas tirer les rideaux dans ces moments. Cette fois il n'avait pris aucune de ces précautions et gravi l'escalier de la terrasse sans poser le talon. J'étais à genoux devant Lou, assise, presque allongée dans le fauteuil d'osier blanc du salon, la payant à mon tour de tout le plaisir « de paresseux » qu'elle m'avait avancé plus tôt. Elle serra d'un coup les jambes, me repoussa du pied, de la main :

– Là, sur la terrasse.

Je me retournai vers la fenêtre.

En bien des circonstances où nous avions couru avec lui le même risque, Éléazar ne s'était jamais départi d'un aveuglement commode, d'un air distrait, sans qu'on puisse le dire complice ou dupe ; que lui prenait-il de retrouver la vue ? Et surtout de nous le faire savoir. Il aurait pu feindre d'être ébloui par la lumière au-dehors, tousser, regarder la mer. Mais non, d'un coup il rompait le pacte : l'imbécile n'était plus un imbécile. « Le salaud », murmura Lou. Je me rhabillai et sortis par la terrasse, le bousculai presque en traversant son nuage de vétiver sans une excuse ni un salut. Je ne sus pas en quels termes il nous dénonça le soir même, au retour d'Éric et de Béatrice, ni comment Lou se défendit, mais la route de la villa « Quand même », du parasol incliné où Béatrice, jour après jour, se consumait, me fut désormais interdite, et jusqu'à la fin août je n'entendis le nom de Lou.

*   *
    *

D'autres événements préoccupaient ma famille et ceux du Marais. Après Charles, mon père était nommé lui aussi à Paris. Il s'y installa à l'hôtel, ne revenant qu'un week-end sur deux à Pontaillac; ses vacances, disait-il, étaient ajournées. On avait besoin de lui en haut lieu et il ne disposait que d'assez peu de temps pour chercher un appartement avant la fin de septembre. Je demeurai seul avec ma mère à Providence, comme aux premiers temps de mon existence. Victoire couchait tous les soirs chez l'une ou l'autre de ses amies. Ayant fait son deuil du Baron rouge, elle découvrait, à onze ans, les joies collectives, la vie en bande comme je ne l'avais pas connue pour ma part, prisonnier au même âge d'un amour, d'un jeu qui n'auraient pas de fin, « pas dans cette vie-là », comme je le croyais. Quant à mon grand-père, il ne quittait pratiquement pas le rez-de-chaussée, ne lâchait qu'une douzaine de mots dans la journée, les seuls indispensables, ne dormait plus.

Charles et Yvonne revinrent à Mornac pour le pont du 14 juillet. Ils ne parlaient déjà que de Paris, du coût des loyers, des embouteillages du soir; de l'excitation immédiate d'y vivre aussi. Rien dans le tableau qu'ils en firent n'enchanta les enfants, à l'exception de Pierre-et-Paul qui devait tout espérer de l'anonymat parisien. Bayard avait eu depuis plus de trois semaines la maison entière à ses ordres – Anicet et Marie, redoutant ses colères, l'avaient laissé passer les bornes – et se disputa avec son père dès la fin du dîner. Il ne voulait pas entendre parler de déménagement, ni d'inscription en faculté, il ne voulait rien de ce qui pourrait faire plus tard de lui un autre Charles; propos

si amers que Charles y vit d'abord l'amorce d'une « crise ».
Ce mot seul provoqua chez Bayard l'éclosion d'une colère
si désordonnée (si peu conforme à l'idéal de *self-control*
britannique prôné par son père, sang-froid qui n'excluait
pas l'émotion ni la décision : le coup de fusil jadis reçu
par l'oncle Paul le prouvait assez) que Charles y trouva la
confirmation de son analyse. Il n'y avait là rien de nouveau,
mais Anicet prit l'initiative de téléphoner en catimini au
service d'urgence médicale. Un docteur, inconnu des
Gelliceaux, se présenta au bout d'une demi-heure, suivi
de deux infirmiers robustes, à l'instant où Charles essayait
de sauver une pendule de cheminée en tenant plus ou
moins les poignets de son fils.

– Voyez vous-même, dit Anicet au docteur.

Les infirmiers ceinturèrent Bayard et le médecin lui fit
une piqûre au bras sans même se présenter à Yvonne et
Charles.

– Les incendies, déclara le docteur, on les éteint d'abord.
On discute ensuite.

Il se tourna vers Anicet :

– Vous êtes le père ?

Anicet secoua la tête, s'avança vers Charles :

– Non, c'est monsieur, mon beau-frère. Comprenez-moi,
Yvonne et toi, j'ai eu peur, ce soir. Parce que j'ai déjà eu
peur quand nous étions seuls avec lui, Marie et moi, et
que vous étiez à Paris. Ce n'est pas facile, tu sais, je ne
sais pas y faire avec les enfants.

Yvonne regardait son fils endormi, inerte en travers du
canapé.

– Est-ce qu'il s'est montré dangereux, Anicet ? Il t'a
menacé ?

Non, dit Anicet, lui personnellement n'avait jamais été
menacé. Mais il était de son devoir, vu la situation, de
raconter un épisode qu'il s'était pourtant promis de taire,

pour ne pas avoir l'air cafard, ni les inquiéter inutilement.
A la fin des vacances de Pâques, une querelle entre Bayard
et Mariane – il en avait oublié le motif – s'était envenimée,
d'autant plus fort que le frère et la sœur se croyaient seuls
dans la maison, tous les autres partis à la plage. Mais
Anicet ne les avait pas accompagnés et piquait sans remords
une petite sieste au premier. Il était descendu sans faire
de bruit, dans l'entrée, et avait vu Bayard et Mariane
tourner comme dans un jeu autour de la grande table.

– Sauf que Bayard avait un couteau à la main. Je ne
suis pas un héros. Alors j'ai pris dans le placard sous
l'escalier mon fusil de chasse et j'ai dit à Bayard de lâcher
le couteau, de laisser Mariane quitter la pièce. Le fusil
n'était pas chargé, bien sûr. Mais ça l'a calmé tout de
même. Il a jeté le couteau et s'est mis à pleurer comme
je n'ai jamais vu pleurer personne. Mariane m'a dit ensuite
que tout était de sa faute à elle, qu'il ne fallait pas en
vouloir à Bayard. Ni rien raconter. Elle n'a pas tout à fait
tort, la petite. Elle ne fait rien de spécial pour l'énerver,
en un sens. Mais c'est quand même vrai qu'il se met dans
ces états-là chaque fois qu'il est trop avec elle.

Après avoir consulté le docteur qui s'était retiré à côté,
le temps pour Anicet de faire sa confidence, Charles monta
se coucher et dès le lendemain fit connaître son ordonnance. *Primo :* on passerait l'éponge sur les humeurs de
Bayard à condition qu'il prenne les comprimés prescrits
par le médecin. *Secundo :* jusqu'au déménagement pour
Paris, Mariane irait vivre à Providence, où, Suzanne venait
de le lui dire au téléphone, la place ne manquait pas.
Pour la suite, on aviserait à Paris, où tout était si différent,
imprévisible.

*   *
*

Ces dispositions, assez justes et mesurées, ne blessaient pas la fierté de Bayard, qui promit de suivre le traitement à la lettre et, dès le départ de ses parents, expédia chaque matin d'une pichenette par la fenêtre de sa chambre ses tranquillisants, un à un, dans les parcs à huîtres. Pierre-et-Paul l'avait vu faire et me le dit quand je le croisai à vélo, vers la fin du mois, à l'orée du bois de Pontaillac. Il approuvait tout à fait cette façon qu'avait Bayard d'envoyer le monde entier se faire voir ailleurs, du bout du doigt. Que l'on soigne Bayard comme un malade mental, c'était déjà rassurant; mais que Bayard se refuse à jouer les fous de bonne volonté, c'était assez pour le trouver enfin sympathique. On ouvrit pour Mariane une chambre au premier étage, où il y avait plus de chambres que d'hôtes. Je descendis avec elle un lit à une place du grenier, en lui faisant jurer de ne jamais y coucher, sinon en cas d'alerte. Les deux portes entre ma chambre et celle de mes parents avaient été verrouillées après mes opérations, six ans plus tôt, et comme Victoire menait sa vie au-dehors, chez ses amies, Mariane jouirait d'un bien meilleur sommeil auprès de moi dans mon grand lit.

– On verra, dit-elle. C'est peut-être toi qui ne dormiras plus.

Ainsi ma chance continuait. Suzanne se levait tard, après nous, jetait parfois un œil dans la chambre de ma cousine où les draps, l'oreiller restaient soigneusement en désordre, et mon père reculait de jour en jour, au téléphone, l'annonce de son retour à Providence. J'étais, sans l'avoir comploté, sinon souhaité, devenu le seul homme de la maison – après Alexandre certes, mais il régnait dorénavant

270

de très loin, sur lui seul – et si, de temps à autre, il me semblait inconcevable, irréel que nos parents aient pu nous placer, Mariane et moi, sans penser à mal, dans une situation si propice à cet amour réputé malheureux, je n'étais pas pressé d'en briser le charme. Il y eut ainsi plusieurs matins, dans le salon octogonal face à la mer, à l'heure encore muette du petit déjeuner, seul avec Mariane (il ne fallait faire aucun bruit, tant le sommeil d'Alexandre dans la bibliothèque voisine tenait à un fil de plus en plus mince), qui me parurent énigmatiquement parfaits, relevant d'une autre forme du temps, ouvrant sur un paradis, un monde absolu, arrêté, immuable, baignant dans une poussière d'or en suspens, Mariane assise de profil devant la mer lumineuse, confondue dans la brume du ciel, son visage penché sur les couverts d'argent, la nappe immaculée, éblouissante. Ce que j'avais appris avec Lou, je l'enseignai à Mariane, bien qu'il n'y eût à peu près aucun de mes tours qu'elle ne connût déjà ; mais elle y ajoutait la marque de son caractère, en renouvelait d'un soir l'autre l'interprétation. Dans la journée, nous allions à la plage tôt avant la foule, l'après-midi nous partions à vélo vers Suzac ou dans la forêt de la Coubre. Après le dîner, nous restions au salon sans parler, nous frottant les yeux, comme hébétés par tant d'exercice, et Alexandre, l'œil finaud, nous libérait : « En voilà deux qui ne vont pas tarder à y aller. » Nous y allions, en effet. Mais jusqu'où, exactement, le savait-il ?

Une dizaine de jours après, au milieu de la nuit, j'entendis des petits cailloux frapper les volets de ma chambre, du côté de la rue. Quelques-uns, passant entre deux lames de bois, tintèrent contre la vitre. Je me levai sans allumer la lampe et m'approchai de la fenêtre. Par les fentes des volets, je ne vis personne dans le court jardin, l'allée blanche de graviers, ni dans le demi-cercle de la rue où

le réverbère laissait pleuvoir une lumière si pâle et faible
qu'on ne pouvait s'y habituer, l'oublier, tant elle semblait
en équilibre, au bord subtil du déclin, et donnait, comme
dans les cinémas où l'intensité des lampes tombe en
douceur avant le film, l'impression de ne jamais finir de
mourir. Le lanceur de cailloux n'avait eu qu'un ou deux
pas à faire pour regagner l'ombre. Et pouvait facilement
par cette nuit sans lune s'éloigner sans être vu, en se
contentant de zigzaguer entre les auréoles anémiques de
l'éclairage municipal, espacées, sur les trottoirs pairs et
impairs, alternativement, d'une bonne vingtaine de mètres
ténébreux. Par une autre fenêtre, sans volets, dans le
couloir, je pus observer tout un côté de la rue, jusqu'au
virage de l'hôtel du Golf. Personne dans aucune des quatre
auréoles qui séparaient Providence des lanternes jaunes à
l'entrée de l'hôtel ; mais juste au-delà, à l'angle du carrefour,
j'aperçus quelques reflets courbes, métalliques, sur une
masse indistincte, la lourde moto de Charles. En me
recouchant, je constatai que Mariane avait bougé, s'était
mise en chien de fusil vers l'autre fenêtre. Avait-elle
entendu les cailloux ? Dormait-elle ou faisait-elle semblant ?
Quoi qu'il en fût, son immobilité, son silence indiquaient
assez qu'elle ne souhaitait pas parler de l'incident.

La nuit suivante, à la même heure, une nouvelle volée
de gravillons me réveilla. Mais au lieu de me lever, je fis
le mort. Je voulais savoir si ma cousine était aussi
profondément endormie qu'elle voulait me le faire croire
ou si, comme moi, elle devinait qui venait troubler nos
nuits, certain de n'avoir à frapper qu'une seule fenêtre
pour nous atteindre tous les deux. Une seconde volée
rebondit, puis une dernière cinq minutes après. Il était
impossible que Mariane n'ait rien entendu. Je lui pris la
main sous les draps, elle murmura, me tournant le dos en
soupirant. Un peu plus tard, il me sembla qu'elle pleurait

en cachette dans l'oreiller. Je sus dès le lendemain que c'en était fini des matins miraculeux. Elle ne fit aucune allusion aux petits cailloux, dit simplement qu'elle n'avait pas bien dormi, sur un ton qui m'interdisait de jouer l'étonné. Tout le reste du jour, elle se tint à distance, comme irritée, et je lui proposai de coucher seule dans la chambre que Suzanne lui avait ouverte. Je pensais qu'elle s'empresserait, comme souvent par le passé, d'accepter une offre qui me contrariait, mais elle insista pour partager mon lit. Je montai dans ma chambre assez tard, après avoir lu, sans en rien retenir, un petit roman relié en cuir noir, extrait de la pile en attente à droite du fauteuil d'Alexandre, et m'allongeai sans un mot dans le lit où Mariane s'était réfugiée de bonne heure, en prenant soin de ne pas la toucher. Je n'avais pas fermé l'œil une seule seconde quand, à trois heures, les premiers graviers vinrent claquer contre les volets. Je fis le mort à nouveau. Mariane, qui s'était finalement assoupie, se renversa brusquement sur le dos. Au deuxième coup de semonce, elle se redressa, assise dans le lit, chuchota :

– Qu'est-ce que tu dis? Tu as parlé? Tu n'as rien entendu?

Et comme je ne répondais pas, elle me donna un petit coup de poing dans les côtes pour s'assurer que j'étais bien là, sous la couverture. A la troisième volée, elle ne se retint plus, me secoua violemment par les épaules, me criant presque aux oreilles :

– Mais tu ne comprends donc pas qu'il nous appelle? Qu'il a besoin de nous? Tu crois que je peux le laisser crever sous ta fenêtre?

Je tâtonnai dans le noir, pris sa nuque dans ma main.

– Ne crie pas, ma mère à côté n'est pas sourde, et Alexandre ne dort pas encore. Qu'est-ce que tu veux faire, maintenant, ouvrir la fenêtre, lui parler?

273

Elle écarta le drap, s'assit au bord du lit :

– Non, il est déjà reparti. Viens voir.

Elle me conduisit à la fenêtre du couloir, la rue était déserte jusqu'à l'hôtel du Golf.

– On peut même rallumer une lampe, dit-elle en refermant la porte de la chambre à clé, ou les deux lampes, si je te plais toujours, et si c'est dans tes moyens, mon pauvre Axel.

Plus tard, la tête au creux de mon bras, elle reprit :

– Tu ne peux pas m'avoir pour toi tout seul. Pas avec Bayard qui prend des cachets contre la folie et qui vient la nuit nous jeter des cailloux dans le noir, parce que sa folie, c'est moi. Si tu veux me garder, n'oublie jamais Bayard. Demain, tu lui téléphoneras.

*   *
*

Alexandre perdait l'ouïe peu à peu, comme il avait un an plus tôt commencé de perdre la vue et l'habitude de lire, au-delà de ce qui n'avait été d'abord qu'une feinte de solitaire. Il nous faisait répéter souvent nos paroles quand il comprenait qu'on s'adressait à lui, s'efforçait de déchiffrer les mouvements de nos lèvres. Dans les rares moments où il s'intéressait encore au monde extérieur et prenait les informations à la radio, il montait le volume du son insupportablement, la voix du speaker déformée, grésillante, lançait à tue-tête dans toute la maison des nouvelles, mauvaises, de la politique, ou précipitées, comprimées par l'urgence, de la progression du Tour de France, puis laissait hurler un chanteur de charme dont Alexandre coupait le sifflet en moins de trois notes. Autrefois, il avait écouté poliment de la musique, quand les circonstances d'une soirée chez des amis, ou le goût de Suzanne

L'Ansecoy pour les orchestres en tournée au grand Casino d'avant la guerre, le lui imposaient. A présent il ne cherchait même plus à dissimuler que la musique l'ennuyait sous toutes ses formes. Il était vraisemblable qu'il n'avait rien entendu des visites nocturnes de Bayard, ni ses cailloux contre mes volets. Il ne se retourna pas même dans son fauteuil quand j'entrai dans la bibliothèque et téléphonai au Marais, priant Marie, à mi-voix, de me passer mon cousin, s'il n'était pas « trop malade ». Bayard, selon ma tante, était calme, dormait tard et se promenait à vélo seul tous les après-midi. Le médecin n'était venu qu'une fois, en visite de routine. Et non, Charles et Yvonne ne viendraient pas en août. En leur absence, Anicet ni Marie ne s'étaient interrogés sur les prétextes avancés par Bayard pour conduire la moto de son père en révision dans un garage des environs, et personne n'avait découvert la clairière, le hangar discret, à bonne distance des oreilles d'Anicet, où il remisait incognito la Norton noire et son side-car bâché de cuir.

Les conditions posées par Mariane me parurent dans l'immédiat peu contraignantes. Dès le premier rendez-vous, et contre la promesse d'autres rencontres, aussi nombreuses que possible, Bayard renonça à ses expéditions sous mes fenêtres. Il avait accepté ma proposition de nous retrouver au bois des Fées, dans le blockhaus où peu de gens se risquaient, surtout lorsqu'on avait rabattu devant la porte le rouleau de barbelés découpé depuis longtemps par Bayard et qui se manœuvrait avec un simple crochet. « A demain, à l'Age d'Or », avait dit plusieurs fois mon cousin au téléphone, comme si ces mots recelaient une astuce dont je ne pouvais, moi, goûter le sel. Nous étions arrivés, Mariane et moi, à deux heures de l'après-midi, en avance, et avions attendu dans l'obscurité de la grande salle. Au bout de quelques minutes, un petit rire avait fusé, juste dans notre dos : Bayard était là depuis près d'une heure, bien avant nous. Il avait caché sa bicyclette et prétendait voir maintenant dans le noir aussi bien qu'en plein jour. Il nous mit à chacun dans la main un petit verre qu'il remplit de gin.

– C'est nouveau, ça, dit Mariane.

– Oui, c'est nouveau. Une occasion comme aujourd'hui, de se voir sans se voir, ça s'arrose. Et puis maintenant, que veux-tu, je bois.

Il n'avait pas la voix d'un homme saoul. Il confirma ce que je savais par Pierre-et-Paul, qu'il jetait aux huîtres la plupart des médicaments qu'on lui avait donnés, sauf quelques-uns, des bleus, qu'il prenait cinq à la fois, de temps à autre, avec un fond de gin, pour voir bouger les murs et même courir sur le parquet des petits chevaux phosphorescents hauts comme des souris. J'avais craint qu'il ne se montre agité ou hostile, qu'il ne veuille s'entretenir seul avec Mariane. Au contraire, il écarta de lui-même tous les sujets d'inquiétude ou de remords qu'avait ranimés l'approche de ce rendez-vous. Il n'avait plus aucun grief contre moi, sincèrement, ni rancune; les querelles de lycée étaient classées, oubliées. Depuis sa « crise » en présence de Charles, il avait eu le temps de mieux juger les gens et les choses, de savoir où était l'ennemi. Moi, j'étais du bon côté, comme Mariane. Bien sûr, dit-il, d'un ton gai – inimaginable encore six mois plus tôt –, il se doutait bien que nous dormions ensemble à Providence. C'était ce qui l'amusait en visant mes volets, savoir qu'il faisait d'une pierre deux coups. J'aurais eu tort de me gêner, puisque toute la famille m'avait pratiquement collé Mariane dans les bras, de manquer une occasion si belle et si bien faite. Je crus que Mariane allait bondir, au moins relever ce terme d'« occasion » que Bayard avait prononcé tout naturellement; mais elle se tut, continua de l'écouter. Lui, Bayard, ne s'embarrasserait certes pas s'il venait à connaître une de mes petites amies, Lou par exemple, qu'il avait déjà croisée deux fois dans la rue par hasard, et se promettait d'entreprendre au plus tôt.

– Elle a l'air encore plus triste que moi, on devrait s'entendre.

Il poursuivit ainsi pendant une heure sans nous poser de question, puis, d'un coup, se redressa, fourra la bouteille et les verres dans un sac de sport et leva le camp; un autre rendez-vous l'attendait.

De retour à Providence, le soir, je dis à Mariane :

– Il a l'air en pleine forme, Bayard. Mais à quoi ça rime tout ça?

Mariane éteignit la lampe de son côté, ne répondit pas tout de suite, comme si elle fixait un point, une étoile dans la zone sombre du plafond.

– A rien, justement. Il a sûrement une idée derrière la tête. Mais pour une fois, je cale.

Lors du second rendez-vous dans le blockhaus, Bayard conserva la même attitude tranquille, si nouvelle chez lui qu'elle me semblait fausse, simulée, me rendait muet, incapable d'aligner trois phrases sensées. Bayard, du reste, ne montrait pas le moindre désir de nous écouter; nous n'étions là que pour l'entendre, lui, parler de tout et de rien. Nous étions assis par terre dans la tourelle de tir et Bayard soufflait dans la lame de soleil, tracée comme au rasoir par la meurtrière, la fumée de ses cigarettes en volutes lentes, en anneaux gondolés, en bouffées rapides, et commentait les arabesques bleues d'un mot, les baptisait au fur et à mesure : « Dragon, tourbillon, serpent, brouil-lard, dragon double, triple démon, cavalier, tempête », au fil de la conversation. Il n'avait pas apporté d'alcool, et pas plus qu'au premier rendez-vous il n'esquissa un geste où je l'aurais reconnu. Il évitait tout contact physique, ne me serrait pas la main, n'embrassait pas même Mariane, ne la touchait pas. Il parlait, c'était tout, allumait une cigarette après l'autre, donnait des claques au mur de béton, presque affectueux, comme à un brave chien, disant « chère baraque ». Soudain, la question sortit toute seule de ma bouche :

– Pourquoi tu as peint ces mots au-dessus de l'entrée ? Pourquoi « l'Age d'Or » ?

Il haussa les sourcils, surpris d'entendre enfin ma voix, modula un lourd serpent de fumée dense (« Basilic, petit roi dont le regard tue. Attention, danger ») et le dispersa d'un revers de la main :

– C'est drôle que tu me demandes ça. Mariane ne t'a jamais raconté ? L'Age d'Or, ça va, ça vient.

Il écrasa sa dernière cigarette et se mit debout. Avant de nous quitter, il me dit :

– Ah oui, pour un peu j'allais oublier de t'en parler.

Il avait été reçu deux fois à la villa « Quand même », avant-hier et hier, les parents devaient ignorer qu'il était mon cousin. Il avait eu le nez creux en me conseillant Lou, presque dix ans plus tôt, déjà l'œil du chasseur. Il y avait toutefois un contretemps : Lou était plus que triste, très angoissée, depuis deux semaines, sans qu'il ait pu en connaître la raison.

Notre troisième retour à l'Age d'Or eut lieu après le 15 août. Bayard nous rejoignit dans la tourelle et alluma une cigarette. Il était nerveux, cette fois, ne jouait plus l'homme tranquille. Il jeta sa cigarette à demi fumée et sortit de sa poche un flacon sans étiquette où flottait un liquide incolore.

– J'ai trouvé ça dans le side-car, sous le siège. Très curieux, vous allez voir.

Il déboucha le flacon, se le mit sous les narines et aspira à fond trois fois de suite.

– A toi, petite sœur.

Il tendit le flacon à Mariane :

– C'est un truc pour enlever les taches de cambouis. Radical...

L'odeur n'était pas déplaisante au début, mais je l'oubliai presque aussitôt. A chaque inspiration au-dessus de la bouteille, des ondes montaient de plus en plus fortes du sol, puis, comme un coup de sabre, me fendaient le crâne jusqu'à la gorge. Rien ne paraissait déformé, cependant, ni hallucinant, mais j'étais secoué comme Mariane et Bayard d'un rire sans raison ni gaieté. Tout vibrait autour de moi en saccades puissantes, les sons, le bruit de nos paroles, les formes des objets, des visages. Par terre, le soleil de la meurtrière balaya lentement, comme une aiguille chauffée à blanc, le paquet de cigarettes de Bayard. Sur le fond rouge vif, le nom « Craven A » se détachait, s'apprêtait à quitter la surface du carton; puis apparut la tête du chat noir, ses moustaches blanches et noires, ses yeux blancs et, de part et d'autre, les mots « Cork » et « Tipped ». Je ne soutins pas longtemps le regard du chat. Plus personne ne riait.

– La trouille de disparaître, dit Bayard, ce n'est pas dépourvu de sens. Tout disparaîtra. Comme la Terre, le Soleil, dans des millions d'années, comme ce blockhaus dans quinze ou vingt ans. Comme l'aile de la maison de Mornac et le reste ensuite, comme Providence un jour ou l'autre. Comme Alexandre un de ces quatre, comme Suzanne l'été dernier, comme...

Je ne l'entendis plus soudain, le visage de l'Ange dans le salon de ma mère m'apparut clairement, en pleine lumière, dès que je fermai les paupières.

– Le flacon est vide, tout s'est envolé par nos trous de nez. Déjà six heures ?

Il lança la bouteille, qui se brisa dans le noir, et sortit.

*   *
*

Bayard laissa une semaine s'écouler, puis, un matin, m'appela au téléphone. Il avait peu de temps, mais voulait me parler de Lou. Oui, bien sûr, il l'avait « eue ». Lou venait enfin de lui avouer dans la nuit ce qui la tourmentait depuis plus d'un mois. Elle était enceinte, pas de Bayard évidemment. Cela devait remonter au début des vacances. Elle ne voulait pas dire de qui, mais s'était décidée à mettre sa mère dans le secret. Demain ses parents la conduiraient à Bordeaux, dans une clinique privée, pour avorter. Ils s'étaient montrés très bien, trop bien, dit Bayard. Avais-je un message pour elle ? Il essaierait de la voir avant ce soir. Non, je n'avais pas de message, pas d'idées, Mariane était partie avec ma mère pour une heure, je n'avais personne à qui demander conseil. Je sortis et me mis à rôder autour de « Quand même », de près, de loin, dans la rue et dans le jardin, près de deux heures sans apercevoir Lou une seule fois. La maison paraissait vide. Je m'en éloignai finalement en prenant soin de passer par toutes les rues qui se croisaient dans Pontaillac. A cinq heures, du haut de la rue Émilie, je vis passer comme un éclair, au loin sur le front de mer, Bayard sur la moto de Charles. A ses côtés, dans le side-car, je crus distinguer une silhouette mince, casquée, masquée par de grandes lunettes de course. J'attendis jusqu'à sept heures au carrefour de Saint-Palais, espérant qu'ils reviendraient par là plutôt que par la côte. Puis je rentrai à la maison. Ma mère était dans la bibliothèque avec Alexandre. Elle se leva en me voyant.

– Où étais-tu? Où étais-tu parti, depuis ce matin, sans prévenir? J'ai failli devenir folle, moi.

Elle ne se rendait pas compte qu'elle pleurait, ne s'essuyait pas les yeux.

– Bayard a eu un accident tout à l'heure avec la moto de son père. Tu savais qu'il s'en servait? Il est blessé à la tête et aux jambes. Dans le coma, à l'hôpital de Malakoff. Il s'en sortira. J'ai appelé Yvonne à Paris, elle viendra demain avec Charles.

Je me mis à trembler tout à coup :

– Et Mariane? Où est Mariane? Je ne la vois pas.

– Elle est retournée à Mornac. Anicet est venu la prendre il y a une heure. Tant que son frère est à Malakoff, il vaut mieux qu'elle soit là-bas.

Alexandre me regardait, tapait machinalement le fourneau de sa pipe sur le cendrier. Puis, s'adressant à ma mère, debout devant la fenêtre où le ciel fonçait :

– Eh bien, ma petite Suzanne, vous ne lui racontez pas tout?

Suzanne dit sans se retourner, sans quitter l'océan des yeux :

– Si. Le plus grave, Axel, c'est que quelqu'un est mort à cause de Bayard, dans cet accident. Il y avait une jeune fille à côté de lui dans le side-car. Elle a été tuée sur le coup. Voilà, tu sais tout. Je monte dans ma chambre, je vais téléphoner à ton père.

Je restai assis en face d'Alexandre qui bourrait sa pipe du bout de l'index et me lançait de temps en temps des coups d'œil pointus, intrigués :

– Ce que ta mère ne dit pas, parce qu'elle est sensible, mais que tout de même il faut que tu saches, c'est que sur la route de corniche, juste avant la plage de Nauzan, en revenant vers ici, Bayard a voulu doubler un camion dans un virage. Idiot. Un gros camion, assez haut. Il y avait une voiture en face et il s'est rabattu trop tard, sous le camion. Tu comprends? C'est comme ça que la petite a été décapitée.

Il alluma lentement sa pipe, me regardant à travers la fumée :

– Tu te sens mal, mon garçon, tu crois que tu vas vomir ou tomber dans les pommes. Et pourtant ce n'est pas fini. Le plus étrange de tout, c'est que sous le choc la moto est allée valser sur les rochers, en contrebas, et que la tête de la petite est tombée à l'eau. Avec le courant qu'il y a là, à marée descendante, on a peu de chance de la retrouver un jour. Si bien qu'à l'heure actuelle on ne sait pas qui elle était. Sans papiers. Bayard est inconscient, on ne peut pas l'interroger. Et même après, est-ce qu'il lui restera un seul souvenir dans son peu de cervelle?

Je montai dans ma chambre. De l'autre côté de la plage, aucune lumière, pas une lampe allumée dans la villa « Quand même ». Au petit jour, je vis que tous les volets en avaient été fermés, comme pour l'hiver.

*　　*
　*

On ne sut pas qui était la passagère de Bayard. Son signalement ne correspondait à aucune disparue de cet âge dans les fichiers de la gendarmerie. Bayard, après plusieurs jours dans le coma, fut d'abord incapable de parler, ensuite de se souvenir de ce qu'il avait fait le jour même de l'accident. Quand il fut rétabli, au début d'octobre, il déclara au tribunal qu'il n'était pas sûr de sa mémoire; peut-être avait-il pris la jeune fille en auto-stop, à la sortie de Saint-Palais. L'enquête fut abandonnée, personne n'ayant porté plainte. Bayard fut condamné pour la forme et autorisé à retrouver sur-le-champ sa famille à Paris. C'est

tout ce que m'apprit Pierre-et-Paul, le seul des Gelliceaux
que je vis avant la fin de l'année 1962. Charles et Yvonne
habitaient dans le neuvième, rue La Bruyère; mes parents
en haut du boulevard Malesherbes. Je téléphonai plusieurs
fois chez Mariane et toujours Yvonne me promettait de
lui faire la commission, dès qu'elle rentrerait. Elle n'appela
jamais, m'envoya juste une carte pour me dire qu'elle était
triste, à cause de tout. On se verrait plus tard, c'était juré.

Alexandre mourut après Noël, autour du Jour de l'An,
sans qu'on puisse dire exactement quand. Un voisin lui
avait parlé le 31 décembre, mais un autre avait sonné en
vain à la porte de Providence le soir du 1er janvier. La
maison était pourtant éclairée jusqu'au deuxième étage.
Le 3 janvier, la femme de ménage fit venir les gendarmes
et un serrurier. On découvrit Alexandre dans l'ascenseur,
en panne, à mi-course entre le premier et le second. Il
était assis, les mains crispées sur ses cannes, un jonc en
travers des genoux, le dos raide contre la glace du fond.
Le docteur conclut à une crise cardiaque. La colère de se
trouver prisonnier dans cet ascenseur avait dû terrasser
Alexandre vers minuit, le 31. A une heure près, dans un
sens ou l'autre, on ne pouvait pas dire. Il fut enterré à
Taillebourg. Son testament, me dit mon père, était long
et difficile à respecter, bien qu'il s'ouvrît par une bonne
nouvelle : celui de Suzanne L'Ansecoy était caché sous le
carton au dos du dessin de l'Ange, au premier étage.
J'héritai d'Alexandre, en tout et pour tout, de son rond de
serviette en argent, à charge pour moi d'en compléter
l'inscription, de faire graver dans le même caractère, après
ses initiales, l'année de sa mort. On me laissait, sur la foi
du médecin, le choix. Je me décidai pour 1963. Jusqu'au
printemps, le notaire s'efforça de traduire en clair ses
dernières volontés. En avril, il put les résumer ainsi :
Alexandre laissait la maison et ce qu'elle contenait à qui

la voudrait, à condition qu'on n'y changeât rien, ni le décor, ni la place des objets, ce qui était bien sûr impossible. Sinon il exigeait qu'on en mure absolument les fenêtres et les portes, sans exception, dans l'état où elle était à sa mort. Et en interdisait la vente avant trente ans. On ne la mura pas. Anicet fit savoir fin juin à sa sœur et à ses frères qu'il avait enfin trouvé un acquéreur pour le château blanc des Balliceaux. « Un original », dit-il. Dans la nuit du 1ᵉʳ juillet, un incendie détruisit Providence, en deux heures, de bas en haut.

II

JOURNAL DE BAYARD

1984

« Quand mes yeux se fermeront sur ce monde admirable... » Alexandre n'avait pas terminé cette phrase, une des rares que j'ai retenues de lui, mais l'avait laissée en suspens. Une citation si fameuse qu'il aurait été inutile, blessant de la dire en entier. Comme si nous étions avec lui sur un pied d'égalité. Il nous donnait en fait à apprécier l'étendue de notre ignorance, l'abîme que des années passées dans la compagnie des livres avaient creusé entre lui et nous, les ignares, Gelliceaux du Marais, condamnés à survivre en barbares, au jour le jour, dans ces temps pitoyablement modernes. Seul Axel, l'hypocrite, avait souri, fait mine de reconnaître, méditatif, l'auteur de la citation inachevée (d'en savoir donc la chute) et s'était absorbé dans l'examen du tapis et des broderies de son fauteuil. J'étais sûr qu'il trichait avec son air entendu. Mais que faire ? Le vieux avait réussi, une fois de plus. Par la suite, j'ai compris qu'Alexandre avait lancé ce début de phrase ampoulée, comme ça, « pour voir ». Quelques mots de son cru, qui lui étaient venus presque sans qu'il y pense, aussitôt jugés par lui trop lyriques, outrés, aussitôt masqués sous les habits d'une citation imaginaire. Bonne occasion, dans le même temps, de pouvoir observer nos réactions, notre soumission, la docilité d'Axel : dupe ou pas dupe, toujours prêt à entrer dans son jeu.

C'était un jour de Pâques, je devais avoir seize ans, peu avant qu'Alexandre ne nous emmène à l'île d'Aix. A quatre-vingts ans, il paraissait increvable (il se mit à décliner juste après, la même année, avec l'été) et, comme tout le monde dans la famille, je le respectais. Sans l'envier, sans vouloir lui ressembler. Alexandre était un roi, un autocrate dans une villa prétentieuse, mais je voyais en lui un champion de bluff, un pitre supérieur. Sincère ou non, escroc, je ne savais, cela dépendait des moments. Assez doué pour bien tenir son rôle sans rire. Pas mal. Il lui fallait une solide confiance en soi et une légère folie, calme, bien tolérée en société. Pas comme celle que l'on devait me coller sur le dos plus tard. Et pourtant, avec l'âge, il devint le plus fou de nous deux, en oubliant la vérité, la vraie, en se prenant à ses propres ficelles. Toujours est-il qu'il m'en imposait, pas autant qu'il l'aurait voulu, mais tout de même davantage qu'aucun de mes oncles ou mon père, et m'inspirait une sorte de tendresse : je lui tirais mon chapeau, comme à un tricheur dont je croyais être seul à piger le tour. Ce côté bateleur, ses discours péremptoires sur la marche des choses et le sens de la vie, cette vieille imposture, dont personne ne semblait s'apercevoir, me touchaient. Dans l'esprit du gamin que j'étais, c'était là une façon qu'avait Alexandre de conserver sa dignité. Une joie privée, de grande allure.

Je dus déchanter en constatant peu à peu qu'il ne distinguait plus bien les frontières de son esbroufe; en soupçonnant surtout mon cousin Axel d'être aussi averti que moi des procédés d'Alexandre; de les avoir découverts avant moi et repris à son profit. Un héritage entre vifs, entre filous. A lire le roman truqué de l'enfance d'Axel, ce *Providence* qu'il a eu le mauvais goût de m'envoyer (dédicacé : « à Bayard, qui y retrouvera son bien et son chemin », il ne manque pas d'air), je vois qu'il escamote totalement cet aspect de ses relations avec Alexandre. Beaucoup d'oublis ou d'impasses me font l'effet d'une photo arrangée, mais je suppose que mon cousin lui aussi, comme notre grand-père, a fini par croire pour de bon à ses mensonges écrits. Peu importe, ce jour de Pâques 1960, Alexandre m'avait bel et bien eu, avec sa voix grave, son débit sentencieux, debout devant les fenêtres du salon, le regard perdu au-dessus de l'horizon verdâtre de l'océan : « Quand mes yeux, etc. » Avait-il jamais éprouvé de l'admiration pour qui ou pour quoi que ce fût dans sa vie, sinon autrefois, avant la guerre, pour le monde qu'avaient écrasé les bombes ?

Et en fin de compte, sur quoi se sont « refermés ses yeux », selon ses termes (le rapport saugrenu établi par les gendarmes qui l'ont trouvé chez lui a mentionné qu'Alexandre avait gardé les yeux ouverts dans la mort et qu'on avait eu quelque mal à lui fermer définitivement les paupières), sur quoi donc ? Deux uniformes de policiers ? Trop tard, il était raide. Non, probablement sur une cabine d'ascenseur coincée, sur des glaces biseautées, des câbles bloqués ; en haut, il avait dû voir le ras du plancher au premier étage ; en bas, le vestibule en vue plongeante. Peut-être, par un coin de fenêtre, un pan de mer ou de ciel noir. Des lampes allumées, partout. Il avait dû regarder ses mains gourdes, les plis de ses pantalons aux genoux, le bout de ses chaussures, et, après avoir appelé sans illusion dans cette maison vide, à nouveau ses mains tremblantes, pâles soudain, crispées sur ses cannes. Puis un voile rouge lorsque son cœur avait lâché, de ce rouge qu'il n'aimait pas, si contraire aux couleurs grises du large.

* *

*

Voilà un détail, inventé mais « vrai », qui t'a échappé comme tant d'autres, Axel. Y as-tu songé au moins en expédiant d'une page notre vénéré grand-père dans l'autre monde de ton roman, par ailleurs si prolixe sur des sujets insignifiants, bavard au-delà de toute patience quand on s'y attend le moins, maniaque dans le futile ? Tu donnes les heures, les dates, la couleur des rideaux, tu notes des circonstances sans intérêt, tu attires notre attention sur une ampoule qui manque au lustre (quelle importance ? sollicitude d'insecte), toujours un petit détail de plus, encore et encore, et soudain plus de « détails ». Tu sautes les yeux fermés et le stylo sec par-dessus ce que tu ne sais pas, tu manques même de grands moments, des morceaux de bravoure que la vie nous avait offerts sur un plateau, tout cuits : « Bras-de-Sucre », dont tu ne dis presque rien, les ruines fumantes de ta chère maison sur les rochers. Il n'y a que pour tes petits exploits avec ma sœur que tu retrouves, si j'ose dire, ta langue. On s'en serait volontiers passé, figure-toi, surtout moi qui te connais assez pour estimer que tu as largement exagéré, plume à la main.

Je ne sais pas ce qui attend Axel dans les semaines qui viennent, quand les juges de son milieu l'auront lu (moi, en tant que personnage, j'ai fait plus vite) et ensuite les gens. Quels gens, du reste ? Axel doit être désespéré au fond de lui pour consacrer tant d'énergie à des mots, mieux placé que moi pour s'être déjà fait ces réflexions décourageantes. Désespéré et tenace. Pour être juste et bien que ce ne soit pas l'idée que je me fasse des « grandes actions » ou des beaux gestes, cette activité de rat bricoleur a quelque chose de stoïque. Cela dit, je m'explique mal

le ton dont mon cousin s'est servi pour donner cours à
ses fantasmes et produire un récit de notre jeunesse. Il n'y
a pas dix pages au bas desquelles je pourrais mettre « Lu
et approuvé » et signer avec lui. Pour moi, ces deux
reproches se tiennent, s'entretiennent. Ces phrases interminables, ces adjectifs qui pleuvent en rafale sur la moindre
chose, objet, animal, personnage, ayant le malheur d'être
cueillie dans le bec de son stylo, ces considérations
démesurées à propos d'événements simples, sans parler des
épisodes ouvertement délirants, ceux où il évoque sa vie
prénatale, dont il n'a jamais rien su, comme chacun de
nous, tout cela répond à deux soucis : l'un, évident et
pardonnable en somme, qui est d'élever un tombeau à son
enfance, à son grand-père, dans le style plâtreux qu'affec-
tionnait justement Alexandre. L'autre, moins perceptible
(et qui, sinon Mariane et moi, Pierre-et-Paul à la rigueur,
pourrait le prendre en flagrant délit d'affabulation ? Qui,
après nous ?) et moins aimable, relève du camouflage, de
l'écran de fumée. Tous les champignons, toutes les excrois-
sances, les tumeurs de cette prose se développent dans des
failles, pour masquer des vides. Il suffirait de compter le
nombre de fois où Axel écrit « je ne savais pas », « j'ignorais
que », « je n'ai jamais su ce qui... », etc., pour le constater.
Tant de pages pour avouer qu'il ne sait pas, qu'il ne savait
pas, c'est d'une malhonnêteté vraiment littéraire pour le
coup.

Je n'ai pas dressé une liste des erreurs ou des lacunes
que j'ai tout de suite vues, dès la première lecture, sans
même revenir sur la façon pour le moins cavalière dont
il traite quelques moments qui, dans la vie, furent plus
« forts » qu'ils n'apparaissent dans son livre, mais Axel a
l'art de ne pas se poser des questions justes. Un art aussi
grand que son talent à fournir des réponses aux questions
que personne ne se pose. Il ne paraît pas s'intéresser le

moins du monde aux causes de l'incendie de Providence,
ni au rôle d'Anicet, qui était sur le point de vendre la
maison contre la volonté exprimée d'Alexandre. Je n'étais
pas disponible à l'époque ni en état de faire le procès du
cher gros oncle, mais j'aurais aimé le coincer à chaud,
juste après l'incendie, il n'était pas si solide, Anicet. Sur
lui, du reste, Axel se montre avare de détails, n'en fait
qu'un petit portrait brouillé. C'est peut-être ainsi qu'il le
voyait, d'autant qu'il le voyait peu, mais il aurait pu mieux
se renseigner. Et plutôt que de nous peindre Marie comme
une épouse déconfite, attendant dévotement que son mari
l'engrosse, sans qu'aucun des deux ne cesse d'espérer ni
ne semble connaître les raisons de leur échec, Axel aurait
dû se montrer plus curieux. Tout le monde savait qu'Anicet
était impuissant comme une limace et que Marie faisait
des miracles pour ne pas être enceinte d'un des paysans
du Marais. Mais non, c'est trop simple pour Axel. Il préfère
laisser une énigme planer sur le lit conjugal de son oncle.
Et s'intéresser en revanche à une invraisemblable histoire
de « porte bleue » dont je me demande s'il ne l'a pas
inventée de toutes pièces. Je n'en ai jamais entendu parler
à Mornac. Comme s'il avait fallu remonter si loin dans la
généalogie des Balliceaux pour savoir que la famille n'avait
pas toujours été à l'abri de l'inceste. Ce n'était pas un
secret, mais une réputation, de Taillebourg à Pontaillac.
Que de précautions pour dévoiler la nature des sentiments
entre ma mère et Paul, et la possibilité de cousinages un
peu trop étroits dans le passé. Il est probable qu'Alexandre
et Suzanne, sa femme, étaient cousins, mais ce n'était
sûrement pas la cause de leur séparation ni de leur querelle
sur le bois des Fées. Suzanne aimait empoisonner la vie
d'Alexandre de diverses façons, lui qui avait su continuer
d'exister sans elle, et ce bois dont les titres de propriété
étaient perdus lui en donnait le moyen. C'est de cela qu'ils

ont dû parler la nuit où Alexandre vint à Mornac, juste avant la mort de Suzanne. Sur des choses aussi banales, Axel échafaude des chapitres entiers. Mais ne fait pas vivre sa sœur Victoire au-delà de quelques paragraphes, de maigres circonstances. Elle n'est bonne qu'à hériter d'un ours en peluche, pour le reste elle tombe toujours mal, elle gêne. Axel la gomme de son livre, l'ignore. De même il croise Éléazar, un homme vraiment hors du commun, sans lui faire un sort. Il a pu côtoyer cet énergumène plusieurs étés et rester en surface, ne voir en lui qu'un snob provincial, trop pressé qu'il était d'aller faire prendre à Lou les positions où il avait vu la mère du Boisier. C'est plus qu'une omission, une faute professionnelle, même à quinze ans, quelle que soit la profession.

Il m'est facile de comprendre pourquoi toute cette période, jusqu'à la chute de Providence, fut douloureuse pour Axel, et incompréhensible. Il est aussi injuste de lui en faire trop grief. Si beaucoup de points sont restés inexpliqués, dans son roman comme dans sa vie, c'est de ma faute, parce que je me refusais à « tout lui dire ». Par pudeur, en partie. Aussi parce que je ne crois pas qu'on puisse jamais dire le « tout », de quoi que ce soit. Je ne voulais pas qu'il pense qu'il y a un « dernier mot », jamais. Et quand il m'interrogeait sur Mariane et l'Age d'Or, je savais qu'aucune confidence, si longue, si détaillée fût-elle, ne serait complète.

*   *

*

Tout a commencé dans les îles et tout s'est achevé sur une route de corniche au bord de l'Atlantique, il y a vingt ans. Quand j'ai quitté l'appartement de mes parents pour m'installer de l'autre côté de la Seine, près du quai Voltaire, je me suis demandé si je n'obéissais pas à une obsession du rivage, une attirance compulsive pour les côtes, les bords de l'eau. C'était un jour de tempête, un jour frais de janvier, les nuages couraient gris sur gris au-dessus des Tuileries, j'avais rompu avec le quartier des jardins cachés et des banques pour un balcon sur la mer. En me promenant à pied dans les rues du septième arrondissement, il me suffisait de lever les yeux pour voir des salons, des plafonds dorés. Derrière les fenêtres, tout évoquait le luxe des vaisseaux anciens. La Seine en crue menaçait les berges, le vent violent de la Bretagne venait jusqu'ici poser ses mouettes et me souffler aux oreilles, j'entrais dans une nouvelle vie.

L'eau partout affleurant, battant les quais, sourdant par les pierres, devait s'infiltrer jusqu'au faîte des maisons, comme dans celle de Blanche, la mère de mon père, à Effondré; peut-être même l'eau indispensable faisait-elle tout tenir debout. Une impression de verticalité, comme celle dont parle Axel, me saisit dès le premier jour à l'idée de cette eau venue d'en dessous, des caves et des catacombes, du plus profond, de l'océan où tout Paris avait flotté, portant ces maisons carrées, basses, imprégnant les murs et les gens, présente en eux depuis toujours. L'eau du fleuve hantait ce monde sévère, calfeutré, des égouts jusqu'à la tête des hommes, non comme l'eau morte de Venise, mais vivante, avec ses marées, ses humeurs, son brouillard et son éclat la nuit. Je venais de visiter un petit logement triste et bien disposé, où les pièces s'ordonnaient commodément en cercle et dont le prix me convenait. J'avais demandé au représentant de l'agence de m'accorder une heure de réflexion. En entrant dans le plus proche restaurant, La Frégate, à l'angle du pont Royal, en m'asseyant dans la salle à manger aux couleurs désuètes comme dans le fumoir d'un vieux paquebot, bien au chaud avec la mitraille du gros temps au-dehors, je sus que j'étais enfin chez moi.

* *
*

Souvent je déjeune là, sur le quai. Aujourd'hui j'ai pris une table près d'une fenêtre et il s'est mis à pleuvoir, un petit crachin derrière la vitre. Toujours cette sensation d'être ici au bord de la mer, à cause de la Seine, de l'espace ouvert, du ciel au-dessus de la houle des arbres des Tuileries, des oiseaux blancs frôlant les piles du pont. Un restaurant de falaise, c'est ainsi que je vois La Frégate, avec ses fausses plantes dans la salle et le vent à la porte, ses serveurs en veste bleu roi sous ce médiocre plafond peint d'angelots se tortillant contre le stuc pour figurer les quatre saisons. Tout ici me fait penser à une station balnéaire, une plage du Nord où personne ne se baigne jamais. Il n'y avait pas le moindre courant d'air là où j'étais, et pourtant la dentelle du rideau ondulait près de moi. Retenu mon souffle un instant, pour voir. En vain, le rideau bougeait mollement comme un pendu. J'ai commandé du bordeaux et écouté la caissière, celle qui a une natte grise roulée en chignon, conversant avec deux serveurs :

– Nous parlons chinois, mon petit Serge (le plus âgé de l'équipe), moi, j'ai deux chiens dans ma famille, un cochon et un dragon.

Un bâtard estropié est passé entre les tables, l'œil noyé, l'oreille basse, que l'on tolère, même dans cet état, parce que c'est un chien d'écrivain que son maître a fait pisser dans deux de ses romans et cité à la télévision. Il aura sa plaque, comme d'autres à la Closerie.

– Là-bas, poursuivait la caissière, même après Mao, les

295

femmes se débrouillent autant que possible pour accoucher dans une année du cochon. Pour elles, le cochon porte chance au petit.

Ainsi l'Auvergnate se pique d'astrologie chinoise. Et moi, je suis rat ou chien? Je dirais plutôt tigre, dans mes bons jours. Axel doit être à la fois rat et chien. Mariane papillon et scorpion, si l'on peut panacher. Mais moi, tigre, ou fou de Bassan.

Le bordeaux (« une rinçure », aurait dit Alexandre), un rouge pas très net, servi dans un pichet rustique, marron vernissé, m'a paru délicieux dès le deuxième verre. Quand j'ai entamé ma semelle de bœuf, des Américains sont entrés, une demi-douzaine, bronzés, ruisselants, riant très fort. Sur le quai, une camionnette a dérapé, s'est plantée contre l'angle du parapet. Je me suis dit : quelqu'un l'a voulu. Ces Américains qui viennent de je ne sais quels tropiques, en virée pour les ruines du Vieux Monde, alors qu'il pleut depuis deux mois ici, juste au moment où je commence à manger (une coïncidence, bien sûr, mais il y a trop de ces coïncidences depuis quelque temps pour que je ne m'inquiète), et cette voiture, construite pour casser, la chaussée bombée pour la glissade, le chauffeur surmené, toutes ces choses promises à la destruction, on l'a voulu. Encore heureux. Continuer pour toujours dans cette vie, qui le pourrait?

J'ai traversé les Tuileries en courant sous la pluie. Rue de Rivoli, une pancarte annonçait : « Paris Illuminations : 150 F » et « Paris Illuminations plus un quart champagne : 250 F ». Puis le métro est remonté une demi-heure après à la Muette. Marché jusqu'au cinéma du Ranelagh, rue des Vignes. Le film était sur le point de finir, mais je le connaissais par cœur. Le comte Zaroff, la sueur au front, jouait du piano, pas très rassuré en voyant s'avancer le chasseur qu'il croyait mort. Et répétait en bégayant cette phrase qui m'avait tellement réjoui autrefois : *You have won, I insist...* alors que le chasseur s'apprêtait à le liquider. Quand Zaroff a basculé par la fenêtre radieuse du salon, dans la fosse où bondissaient ses dogues mangeurs d'hommes, l'écran s'est éclairci, j'ai regardé en douce mes voisins : l'un contre l'autre, une jeune femme et son petit garçon, très beau, une peau d'ange et des yeux terrifiés. Le *The End* est apparu, deux mots pelés, râpés, au moment où les héros fuyaient en canot vers l'horizon aveuglant, et je me suis levé. Je n'ai remarqué personne dans la salle, que des inconnus.

A l'Étoile, je suis sorti du métro, j'étouffais. En descendant l'avenue Marceau, le taxi a ralenti devant la Société industrielle des avions Latécoère, aux volets toujours clos, dont Pierre, le père d'Axel, me parlait à Pontaillac, et un peu plus loin devant la boutique de Kostio de War (« Ses poils de chameau, ses gabardines » en lettres de sang sur les panneaux sombres), elle aussi apparemment fermée. Le conducteur me dévisageait dans son rétroviseur. Un flic ? Et cette affichette insolente me priant de ne pas fumer, ces décalcomanies de footballeurs sur le pare-brise, c'en était trop. Je me suis fait déposer sur l'esplanade des Invalides, malgré la pluie. Un touriste trempé m'a tout de suite abordé et demandé l'heure en anglais. Surprenant, ce type sous l'averse qui ne cherchait pas à s'abriter mais à savoir l'heure. Qu'est-ce que ça pouvait lui foutre, l'heure ? Rien, évidemment. Autre chose l'intéressait. Il m'a fait un clin d'œil timide, un signe de franc-maçon de la jaquette : en es-tu ? J'ai pris l'air idiot, de celui qui ne comprend pas, et, sans regarder ma montre, j'ai répondu : « Seize heures vingt. » Il a fait une sorte de grimace (sympathie, peut-être) et je l'ai planté là. J'ai couru jusqu'à la rue de Lille en me récitant « seize heures vingt » comme un exorcisme.

Et brusquement me suis souvenu que c'était aujourd'hui le jour des Cendres, le jour où l'on fait des vœux au Pérou, en donnant une cigarette à l'ékéko. Sitôt rentré, j'ai fermé les volets, pris la statuette de plâtre rapportée de Lima (un grotesque paysan de quinze centimètres de haut, peint de couleurs criardes, la bouche ouverte en O) et lui ai fourré une blonde allumée dans le bec. Je devais formuler trois vœux qui se réaliseraient dans l'année si l'ékéko consentait à fumer la cigarette en entier. En me déshabillant, j'ai constaté que je n'étais pas fichu de trouver le moindre vœu. D'abord j'ai écrit sur un petit papier : « Argent, filles, santé. » Idiot. Laissé finalement un message en blanc, plié, dans la hotte d'osier de la taille d'un dé à coudre, sur le dos de l'ékéko. Le coup du mépris, en somme, une demande de rien. Il a fumé la Craven jusqu'au liège. Dent pour dent : tu ne souhaites rien, tu n'auras rien, ne seras rien. Exaucé.

Je me suis rasé lentement, posément. Ce n'était pas une heure pour se raser. Dans la glace au-dessus du lavabo, je ne me suis pas reconnu. Pour un homme de quarante ans, je suis bien conservé. Pas un cheveu gris, pas une ride, un miracle injuste. Mais mon regard m'a paru changeant, comme s'il y avait en lui un double fond, un ressac vers un puits de fatigue. Impossible de me dire : « Tu es Bayard. » Quand le soir est venu, peu avant sept heures, j'ai pris le livre d'Axel par terre près de mon lit, me suis allongé pour relire quelques pages. Consternant.

*　　*

*

J'ai des armes. Un couteau à cran d'arrêt dont le manche de plastique blanc luit comme une fausse nacre. Un rasoir de barbier que je sais ouvrir d'un coup sec, tenir entre les trois premiers doigts de la main et glisser, rapide et léger, dans la manche de ma veste, la doublure de mon manteau. Je ne m'en sers jamais vraiment, sinon comme instrument d'intimidation. L'apparition soudaine d'une lame, l'éclat de l'acier jailli dans ma paume en un éclair, suffit. Je préfère cependant, lorsque l'adversaire paraît à ma portée, combattre à mains nues. Je connais la boxe française, le *close-combat* assez pour me tirer d'affaire contre un ou deux hommes de ma force. J'aurais pu faire un bon soldat, un de ces fantassins ou parachutistes qui violent au cinéma les peuples d'Asie. Ni lancier du Bengale ni martyr de l'Indochine, je suis un réformé, un danseur.

Au reste, je n'ai plus honte. Je connais des bals dangereux, des « thés dansants » comme il en subsiste dans quelques sous-sols de Paris, qui deviennent aux petites heures de la nuit ou dans le creux de l'après-midi des coupe-gorge, où l'on risque sa peau en costume de ville; où l'on chasse le danseur, le gigolo comme ailleurs l'Arabe. Il y a encore des jaloux. Et des concurrents. A vrai dire, j'ai cessé depuis quelque temps de m'intéresser à ces lieux et aux femmes qu'on y trouve. J'en ai trop eu, non seulement de ces vieilles avides, mais aussi des esseulées de tout âge, et de leurs sœurs, de leurs jeunes amies, amenées par elles comme alibis ou appâts. J'ai su très vite qu'une honnête performance au lit de la mère m'ouvrait tôt ou tard celui de la fille, quand on ne poussait pas la reconnaissance, l'enthousiasme, à me proposer le fils. Tout cela m'a bien occupé et certains soirs j'ai gagné sans dégoût plus qu'un bon avocat en une semaine. Mais les bars des grands hôtels commencent à se fermer devant moi, la clientèle des pistes a changé, comme les danses, les femmes se sont mises à marchander. La crise, je suppose. Ou c'est moi qui me fais vieux. Il faudrait quitter Paris, aller sur la Côte ou à Deauville, dans des villes de casinos, des stations thermales, dérouiller de belles rhumatisantes, passer professionnel. Je n'ai pas le feu sacré.

Je ne m'habille plus pour le soir. Je n'entre plus dans ces salons miteux où des jeunes hommes redonnent un peu de vie à des malheureuses qui pourraient être leurs mères. J'aime mieux m'attarder, l'air de rien, dans certains cafés à l'Opéra, aux Champs-Élysées, boulevard du Montparnasse, m'asseoir seul devant un verre en attendant que le serveur me glisse un mot ou me fasse appeler au téléphone pour m'indiquer l'offre de telle touriste qui m'a repéré sans que j'y aie prêté attention et me donner l'adresse, l'heure du rendez-vous. Le barman comme le chasseur d'hôtel, le guide trilingue de l'odyssée « Paris by night », le marin d'opérette du bateau-mouche touchent un pourcentage, bien sûr, évalué au départ sur la bonne mine de ma cliente. Avec l'expérience, ils savent distinguer une vraie riche d'une simple bourgeoise, une pingre d'une généreuse. Ils devinent, comme des parieurs, la nature et l'intensité de leurs appétits, le prix qu'elles sont prêtes à payer. J'accepte ou non la proposition et le montant de leur commission, mais ensuite libre à moi d'obtenir plus qu'ils n'avaient escompté et de ne pas partager la différence. Ce genre d'activité, du point de vue économique, ne peut se développer convenablement que dans un cadre de libéralisme absolu. La seule perspective d'une taxe, d'un quelconque prélèvement fiscal sur ces gains m'ôterait mes moyens, comme à tout homme, dans cet emploi où il nous est impossible de feindre. Des hommes, il est vrai, des hommes raisonnables, pensent que nous sommes différents d'eux et capables d'aimer sur commande des femmes défraîchies, oubliant que ce sont parfois les leurs, celles pour qui leur désir à eux est légitime, bien qu'éteint, ou leurs maîtresses. Que nos partenaires ne sont pas toutes des infirmes, des mutilées, à qui l'on ferait la charité. Le désir des femmes est moins misérable que le nôtre, moins impatient et peut se révéler alors qu'elles ont déjà « tout ce qu'il faut à la maison », comme s'en vantent leurs maris. J'en ai écouté de ces hommes de tous milieux, pères de famille, rencontrés au hasard d'une promenade, à une terrasse ou chez des amis, me dire en douce leur mépris pour un gigolo trop voyant repéré à quelques tables d'eux, leur « incompréhension » dans le meilleur des cas, leur soulagement quant à eux de savoir leurs proches à l'abri du besoin, de la tentation. Alors même que du regard j'évaluais le patrimoine féminin dont ils affirmaient s'être assuré la garde et tentais d'imaginer la meilleure stratégie pour le détourner vers moi au plus tôt, en toute discrétion; une fille après l'autre ou ensemble, gratuitement ou non, ma rétribution ne se monnayant pas toujours contre de l'argent, mais aussi des lubies, des services apparemment anodins, qui pour une raison cachée me sont d'un grand prix. Suivant les circonstances, il est plus facile de viser d'abord l'épouse, l'aînée ou la cadette, pour entraîner ensuite les autres, chaque famille répondant selon sa structure particulière à l'approche d'un séducteur. Il arrive que la seule voie d'accès passe momentanément par un frère dont il me faut devenir l'ami, quel que soit son âge, par le bridge, le tennis, les tours de manège à la douzaine, avant que ne se décide ma première victime. Parfois les filles refusent de succéder à leur mère auprès de moi; en revanche les mères suivent toujours la voie de leurs filles, quand j'y consens.

Ayant quitté le réseau des bars que j'utilisais il y a peu encore, je n'ai pas à craindre une rafle ni une bagarre. Mais la chasse hors circuit comme je la pratique, la voile en solitaire, ne me met pas à l'abri de la haine ni de la vengeance. Je tiens mes volets fermés, je dors souvent à l'hôtel, laisse le téléphone sonner sans y toucher, ne sors

301

jamais dans la rue sans mes armes. Sauf une ou deux fois par an, quand je me rends aux convocations de l'inspecteur S.

*   *

*

Frédéric Soutre n'est pas un des plus éminents policiers du Quai des Orfèvres. Il ne dispose à quarante ans que d'un grand cagibi sous les combles, dans une annexe, et tape lui-même son courrier. Je connais mal la répartition des grades et des pouvoirs réels dans ce domaine, mais son titre d'inspecteur (sans autre précision), la modestie de son bureau sans moquette, de ses vêtements, probablement de son traitement, ont quelque chose d'excessivement indigent, factice, bien que je n'aie jamais pu prendre l'inspecteur en défaut. Apparemment, il n'a pas de voiture personnelle, ne possède que deux costumes et une cravate, ne consomme que de l'eau gazeuse, sur note de frais, quand il est en mission dans le monde du luxe, rarement il est vrai. Dans le même temps, il jouit d'une liberté de manœuvre presque totale et semble avoir accès à tous les dossiers de la Préfecture, du ministère de l'Intérieur, des Renseignements généraux. Aucun coffre, aucun fichier ne lui est inaccessible, j'en ai eu quelquefois la preuve, ce qui n'est pas donné à tous les inspecteurs, si haut placés soient-ils. En d'autres temps, je l'aurais soupçonné d'être un frère bâtard du roi, un espion attaché au prince. Peut-être l'administration a-t-elle besoin, pour retarder son inévitable sclérose, de quelques hommes affranchis de toute hiérarchie, plénipotentiaires à qui tous les déplacements sont permis sur l'échiquier. Mais un tel privilège devrait tôt ou tard se laisser voir. Soutre ne se trahit jamais. Comme s'il n'était qu'un squatter, le fils d'un vieux flic, d'une femme de ménage de la Préfecture, oublié là, toléré.

Je l'ai connu peu après mon arrivée à Paris, lorsque j'obtins mon permis de conduire. Quand je vins après quelques jours de délai au guichet des retraits, j'aperçus derrière la vitre un homme de mon âge à peu près, mince, souriant et déjà chauve jusqu'au milieu du crâne, me faisant signe de passer par une porte au fond de la salle et de le rejoindre.

– Soutre, dit-il. Frédéric Soutre, inspecteur. Donnez-vous la peine.

Il me précéda dans un dédale ocre de couloirs et d'escaliers jusqu'à son bureau et me fit asseoir. Le chauffage était beaucoup trop fort, mais Soutre devait aimer cela. Il n'ouvrit pas la fenêtre, n'enleva pas son imperméable, oublia de m'inviter à ôter le mien. Je regardai autour de moi la pièce grise et nue. Dans un coin, le seul bras valide d'un portemanteau esquinté s'ornait d'un chapeau de feutre noir deux fois trop grand pour la tête menue de Soutre. Était-ce un élément décoratif, un trophée, ou étions-nous dans le bureau d'un collègue absent?

– Alors ce procès, dit Soutre en s'asseyant, ça s'est bien terminé, non?

Je levai les yeux sans comprendre. Il avait un bon sourire, tout en lui était d'une banalité fuyante, impénétrable. Sur la table, près d'un encrier de verre où s'empilaient les mégots, mon permis tout neuf entrebâillait ses volets roses. De l'autre côté de la table, un tampon était suspendu à une petite fourche de laiton au-dessus d'un boîtier encreur. Encore une formalité, me dis-je. Ce type s'amuse parce qu'il a seul le droit de prendre le tampon à sa droite pour valider ce bout de carton rose à sa gauche, et il sait que j'ai tué quelqu'un en pilotant une moto sans permis.

– Le procès, oui. J'ai bénéficié d'un non-lieu.

– Je sais, je sais. Un non-lieu. Franchement, qu'est-ce que vous en pensez de ce non-lieu?

Je me levai et très dignement fermai un bouton de ma gabardine, malgré la chaleur, comme si j'allais partir immédiatement, me plaindre au premier chef ou sous-chef que je rencontrerais.

– Inspecteur, je n'ai pas à commenter une décision de justice. Et vous n'avez pas à me demander mon opinion, même pour me donner mon permis, c'est illégal.

Il leva les sourcils, se frappa le front :

– Votre permis? J'avais complètement oublié. Il est là, tenez, il est à vous.

Je pris le carton plié en trois où figurait une sombre photo de mon identité plus sombre encore, oblitérée d'un timbre à sec.

– Vous ne le signez pas, il n'y manque rien? dis-je en désignant le tampon à droite.

– Non, non, tout y est, un permis en règle. Ça, c'est un tampon pour le courrier, je crois. Ou autre chose. Je ne m'en sers jamais, il est râpé.

Je me rassis et sortis le portefeuille neuf que j'avais acheté pour y placer mon permis. Soutre leva un doigt :

– Mais vous, par contre, vous devez le signer. Là, sous la photo, au-dessus de la date.

Pendant que je signais aussi posément que possible, il reprit d'un ton calme, conciliant :

– Illégal, vous avez dit? Mais bien sûr que ce serait illégal de vous refuser votre permis, de vous faire perdre votre temps ou croire je ne sais quoi. Je me demande ce que vous avez pu imaginer. Non, c'est à titre officieux, comme ça, presque amicalement, j'ose le dire, que je vous posais cette question sur votre non-lieu. Question bête, je l'avoue, qui n'était d'ailleurs pas celle que je souhaitais vous poser.

– Pourquoi vous intéressez-vous à moi?

– Par hasard. J'ai lu, par hasard, le récit de votre accident et je ne sais pas pourquoi, parce que nous avons le même âge, que je connais un peu la région où tout ça s'est passé. La mort de cette personne, pardonnez-moi, une mort affreuse, fréquente avec les side-cars, les gendarmes vous le diront, mais cette tête perdue dans la mer... Et vous, un fils de famille, beau garçon d'après la photo du journal, frappé d'amnésie sur son lit d'hôpital. Et par-dessus le marché, personne pour réclamer, reconnaître ce corps. Pas une plainte, pas un indice. C'était, comment dire, miraculeux pour moi. Ne le prenez pas mal, j'étais jeune à l'époque, comme vous. J'ai tout suivi, votre procès, l'enquête, votre incurable trou de mémoire et l'embarras des juges, incapables de donner un nom à la morte, le casse-tête juridique où tout le monde pataugeait. C'était presque beau, pour quelqu'un de l'extérieur, comme moi, quelqu'un sans émotion. C'est peut-être à cause de vous que je suis entré dans la police, plutôt que dans l'enseignement. Du reste...

Il se leva pour me raccompagner à la porte :

– Alors, quand je suis passé il y a une semaine bavarder avec un ami au service des permis de conduire et que j'ai vu en haut d'une pile votre nom sur un dossier et votre photo, tout m'est revenu de cette histoire, d'un coup, et j'ai eu envie de vous rencontrer. Hors service, bien sûr. Vous ne m'en voulez pas?

– Du tout.

Je me levai à mon tour, peu désireux de prolonger une conversation qui me gênait avec un policier dont le caractère et les intentions me prenaient totalement au dépourvu. Soutre ouvrit la porte, me tendit la main :

– Je ne vous raccompagne pas, c'est tout droit, ou à peu près. Il y a des flèches.

Quand je fus au bout du couloir, il me rappela et, l'œil brillant, complice, chuchota :

– Au fait, entre nous, après le procès, ça ne vous est pas revenu? Rien de rien?

– Quoi?

– Mais qui était la jeune fille, voyons...

*   *
*

Si je rapporte dans le détail cette rencontre avec Soutre qui remonte à près de vingt ans, c'est pour ne pas oublier qu'une fois au moins j'ai manqué une excellente occasion d'étrangler un homme. Un innocent peut-être, je n'ai aucune preuve du contraire, mais un persécuteur. En le quittant ce jour-là, mon permis en poche, je pensais ne plus jamais avoir affaire à lui. Mon procès était terminé, oublié, j'avais été déclaré inapte au service militaire en raison de mon amnésie, de mon séjour en clinique psychiatrique. Je n'avais plus de comptes à rendre à aucune autorité.

J'étais libre. Aurait-on retrouvé le nom de la passagère que j'avais tuée en moto, je n'aurais pu être rejugé ni inquiété, les avocats me l'avaient promis. Ce n'est que la malchance qui me remit, un an plus tard, en présence de Soutre. Il avait dû me voir entrer un après-midi d'automne dans un hôtel de la rue de Rivoli avec une femme assez belle, portant fièrement la cinquantaine et qui avait ici ses habitudes. Soutre avait attendu une heure, deux heures, laissé filer ma cliente pour me cueillir dix minutes plus tard.

– Vous vous souvenez de moi?

Je ne pus nier bien longtemps. Soutre répondait à mes protestations par un geste vague, un rire bon enfant :

306

– Mais je ne vous reproche rien. Tout le monde fait ça, même moi je le ferais si j'avais un physique. Où est le mal ?

– Et vous, que faisiez-vous à l'hôtel ? Vous êtes de la Mondaine ?

– Non, la Mondaine, jamais. Je suis inspecteur, simple inspecteur. Je passais devant l'hôtel, le concierge est un cousin, j'ai eu envie de lui dire bonjour. Et je vous ai vu arriver.

– Et vous m'avez attendu. Deux heures, pour rien.

– Oui, je tue le temps, le mien, celui des autres. Et, sans être de la Mondaine, je suis quand même au courant des politesses de la personne qui vous a emmené dans sa chambre. C'est une passionnée, chaque jour. Et qui se montre large quand elle est contente. Deux beaux billets, en général, je me trompe ?

– Trois.

– Bravo. Non, sincèrement, ces choses-là, je m'en moque. Ce n'est pas un crime et si ça peut vous rendre service...

Arrivé à la Concorde, je voulus prendre congé de lui, trouver un taxi.

– Et au fait, côté mémoire, toujours rien ? Le trou noir ?

– Oui. Les médecins disent que c'est irréversible. Quelle importance, maintenant ?

Soutre me regardait de travers, tortillait ses poings dans les poches de son imperméable comme un gamin farceur. Il n'avait rien oublié de mon histoire, se livrait à une enquête solitaire, pour le plaisir, et se délectait de voir monter ma colère. J'allais parler, dire je ne sais quoi, l'insulter, quand d'un geste il arrêta une voiture :

– Le voilà, votre taxi. Allez, ne vous en faites pas. Un oubli sans failles, c'est comme un bon sommeil. Signe de santé.

Le taxi démarra. Il me fallut presque une minute pour

retrouver le nom de ma rue. J'ai déménagé cinq fois en quelques années en prenant soin de couper les ponts autant que possible derrière moi, en renonçant à faire suivre mon courrier. Toujours Soutre me retrouvait, au bout de quelques semaines, deux mois au plus. Je le croisais un matin chez le boulanger, un autre jour je l'apercevais assis au café ou dans un autobus, passant devant ma porte. Il se contentait d'un petit salut de la main quand je n'étais pas seul et, sinon, m'abordait, l'air jovial comme un vieil ami. Les prétextes étaient variés, parfois il n'en avait aucun, il parlait du « plaisir de me voir », n'évoquait même pas son sujet préféré, mon amnésie, la jeune fille. Au début je le rencontrais à peu près tous les six mois, « par hasard », selon lui, c'est-à-dire à son initiative. Au cours du printemps 68, je le vis beaucoup plus souvent, toujours dans le rôle d'un démon protecteur. Il était partout, dans les caves de la Sorbonne, les défilés de masse et les actions de commando, à Nanterre, à l'Odéon. Et quand je me trouvais jeté dans un car ou un commissariat, il surgissait avant la pluie des matraques, sortait une carte tricolore de petit format comme je n'en ai vu qu'à lui et me tirait par le bras, me faisait monter dans une voiture banalisée, me sauvait.

– Des brutes, des ratonneurs. Je ne devrais pas dire ça de mes collègues, mais de vous à moi, les pavés, c'est encore trop bon pour ces gens.

Par la suite, je ne pus refuser de me rendre à son bureau de temps à autre.

– Ce n'est pas une obligation, ni une convocation, bien entendu, venez en voisin, si vous êtes dans le quartier. Disons demain, onze heures trente ?

Ce n'était pas du chantage de sa part. J'aurais été en peine d'être un bon indicateur pour lui, il paraissait connaître mes secrets aussi bien que moi et ceux des gens que je fréquentais. Une ou deux fois, il me demanda juste une précision sans importance sur l'orthographe d'un nom, le lieu de vacances d'un ami, les manies amoureuses d'une femme, rien qui ne me parût une trahison de grande conséquence. Avec les années, mon image de Soutre se modifia plus que celle d'aucune autre personne que j'aie connue sur une longue période. J'ai toujours ignoré les motifs de son insistance auprès de moi. Il n'obtenait rien qui méritât une telle constance. C'était plutôt lui qui m'informait et me racontait ses enquêtes, la vie des autres, comme si ma mémoire ne l'intéressait plus, ni les femmes dont je tirais un peu plus que mon argent de poche. Tantôt je voyais en lui un genre élaboré d'imbécile, un crétin de l'amitié, fidèle obstinément et sans raison, tantôt un fléau d'hypocrisie policière, un détective à la solde des compagnies d'assurances ou, pire, un espion engagé autrefois par mon père, payé par testament, pour surveiller ma vie après sa mort.

Mais si la vérité de Soutre m'échappe encore, je sais déjà combien sa présence occulte, ses apparitions ont déformé mon caractère, m'ont rendu méfiant, ont insinué en moi une peur et l'amour de cette peur.

*   *
*

Ce soir, premier dimanche d'avril, j'ai marché dans mon quartier, après la pluie, refaisant cinq ou six fois le tour de ces pâtés de maisons, de ce labyrinthe tout simple, carré, comme si j'avais quelqu'un à semer, Soutre ou un autre, n'importe qui. N'importe qui pourrait me suivre et vouloir me tuer, j'y ai souvent pensé. C'est aussi cela l'amour de la peur : traverser Paris dans la nuit, impavide, comme protégé d'une armure de verre, sans voir les dangers, les voitures ni les ivrognes. Et soudain, tressaillir de froid, parce que l'armure s'est dissipée, envolée. Entendre mes pas résonner, ceux des autres, craindre l'ombre, les passants, leurs chiens, serrer dans ma poche le manche de mon couteau.

Au bout d'un moment, j'ai senti l'angoisse monter peu à peu, par vagues, comme une idée absurde qu'on croit pouvoir chasser d'un coup, en se reprenant, en faisant appel au bon sens. Mais dont je sais d'expérience qu'elle va revenir aussitôt, tenace, chaque fois plus forte. Quittant le quai, je décidai de ne pas rentrer tout de suite. Il pouvait y avoir un piège. Mieux valait faire encore un ou deux aller et retour pour tromper l'ennemi : sinon Soutre ou quiconque de réel, au moins l'adversaire en moi.

Je me suis arrêté à l'angle en haut de ma rue, devant une porte verte surmontée d'un cinq bleu, une porte que je connais depuis que j'habite ici. Un réverbère éclairait la façade, un grand mur de pierre, des fenêtres aux persiennes closes, d'un dépouillement à peine trompeur, comme beaucoup de maisons riches dans cette zone de Paris, où la splendeur des jardins, des portiques est tournée vers l'intérieur, ne laissant rien à deviner côté rue, parce que l'argent, quand il est de vieille souche, règne en douce, se dérobe à l'envie. A droite, dans une sorte d'impasse, se dressait un immeuble de quatre étages, beaucoup plus démonstratif que le numéro cinq, avec des balcons et des pilastres, des cariatides, des grilles de fonte. Dans la nuit, il paraissait plus élevé, massif qu'il ne l'est, inentamable. Du rez-de-chaussée au cinquième, tout était obscur, peut-être inhabité. Seul, au sommet, un appartement, tout le dernier étage, était illuminé comme pour une fête. Et l'on n'entendait rien d'en bas. Une baie arrondie était à demi masquée d'un rideau rose, tenu sur la gauche par une embrasse. Je ne voyais que le plafond, rose lui aussi, le dessin d'une moulure et personne à bord, comme si d'une chaloupe j'avais regardé les hublots et les ponts inaccessibles d'un paquebot de luxe, déserté de tous ses passagers, femmes en robe du soir, nababs et marins frappés d'une foudre, d'une peste, invisibles, couchés sur le sol, en travers des fauteuils ou déjà rejetés à la mer. Cet immeuble lourd, des tonnes de pierres enfoncées dans l'ombre, c'était la silhouette de Providence autrefois, quand je venais depuis Mornac guetter les fenêtres qui s'éteignaient les unes après les autres et jeter des cailloux contre les volets de la chambre où Axel dormait à côté de Mariane. Une poignée de graviers blancs pour interrompre, comme le remords, son sommeil et son amour.

*   *

*

Il y a tant de choses qu'Axel n'a pas comprises. Il s'est persuadé que l'écriture lui permettrait de pénétrer le passé, serait pour lui une procédure de découverte; elle n'a fait que consolider ses propres fables, tout au plus. Et le désarroi qu'il avoue à plusieurs reprises dans le récit de son enfance s'est prolongé au-delà de la période couverte par *Providence,* puisque dans les années qui suivirent, quand il vint régulièrement à Effondré, je pus encore le manœuvrer facilement. Nos séjours chez ma grand-mère Blanche Gelliceaux, en bordure de la forêt de Fontainebleau, étaient à la fois plus nombreux et plus courts que les longues vacances d'été entre Pontaillac et Mornac. Mais il y avait, dans la maison de Blanche, et dans notre manière d'y vivre, un charme aussi persévérant qu'à Providence. J'aurais trouvé normal qu'à dix-huit ans Axel soit lucide, moins crédule. Il n'était plus béat devant moi et tenait pour rien notre différence d'âge, ces deux ans qui avaient

tant compté au début, me traitait devant les autres d'égal
à égal. Mais derrière cette affectation, je sentais qu'une
fêlure était intacte, sur laquelle j'avais encore beaucoup
d'emprise : il continuait de penser que je « savais ». Que
je possédais un trousseau de clés, un mot de passe. Qu'il
m'aurait suffi de sortir de ma poche ou de ma tête un
baume pour que se recousent les lèvres de sa plaie, pour
faire de lui un homme entier. Cette puissance de guérisseur,
il voulait encore y croire, même s'il n'y pensait pas dans
ces termes ; et je ne pouvais pas ne pas m'en rendre
compte, à une foule d'indices par lesquels j'ai toujours su
mesurer ma séduction. Bien qu'à Effondré il fût « chez
moi », mon invité chez Blanche, il n'était plus question
pour lui de m'obéir mais pour moi de le manipuler. Et
par le biais de son inquiétude constante – dont il ignorait
tout : qui l'avait frappé, quand, en quel endroit exact,
comme un homme ivre ne sait plus au réveil sur quel
pavé il s'est déchiré le bras –, la chose n'était pas vraiment
ardue.

La vérité sur Mariane et moi, il ne l'avait vue que par
un angle étroit et je suis certain que Mariane ne s'est pas
laissé entraîner à trop de confidences, tant sur notre vie
aux îles que sur le reste. Aujourd'hui même, Axel, qui
aime tant faire le malin par écrit, n'est pas plus avancé
qu'à l'époque du blockhaus dans le bois des Fées. Il n'a
pas dû réaliser non plus que c'est moi qui avais poussé
Aurélie dans sa chambre, à Effondré, puis dans son lit.
Que j'avais été l'instigateur de tout ce qui lui était arrivé
là-bas, les bouderies de Mariane, les tendresses d'Aurélie ;
que je réglais le déroulement des nuits de bout en bout,
choisissant pour lui ses partenaires, comme pour mes
sœurs ; que je connaissais et aimais mon frère Pierre-et-
Paul bien plus que je ne le montrais, sachant tout de sa
vie, de ses goûts. Axel s'imaginait dans le rôle de vrai

défenseur de Pierre-et-Paul, en cousin tolérant et ami, contre moi le mauvais dur, le frère sans cœur. Mais ne se doutait pas des liens entre Pierre-et-Paul et moi, ni que je l'avais accompagné au Coq Hardi, ce bouge dans la forêt, ni de ce qui s'y passait. Que j'étais dans cette maison d'Effondré mieux que personne, à l'exception de Blanche, comme un roi dans son royaume. J'ai vécu à Effondré avant d'aller à Mornac, j'y suis toujours venu entre les vacances, et c'est ici autant que dans les îles que j'ai inventé une grande partie de l'Age d'Or. Jamais un bâtiment ne fut exploré comme la demeure de Blanche par moi, arpenté, chiffré, mis en code, divisé par des frontières impalpables, plus couvert de signes que la tombe d'un pharaon. Des années encore après l'incendie de Providence, il est arrivé qu'Axel essaie de nous surprendre, moi ou Mariane, en traître, comme si nous n'avions cessé de jouer à l'Age d'Or, dans l'espoir de nous fléchir, de nous amener enfin à « casser le morceau », comme il me le dit une fois, bien que tout dans l'Age d'Or indiquât, *primo,* qu'il n'y a pas de morceau, *secundo,* que ce morceau est cassé dès le départ. Chaque fois qu'il a pu en prendre le risque, Axel a fouillé ma chambre dans l'espoir d'y trouver un parche-min, une lettre, des notes, où seraient énoncées noir sur blanc toutes les règles du jeu où je l'avais convié dans son adolescence, ces règles dont il devait rêver comme à des formules qui l'auraient « guéri » si nous n'avions eu, Mariane et moi, la cruauté de les garder pour nous, pire, de prétendre ne pas les connaître. J'ai laissé mon cousin dormir dans mon lit en mon absence, assuré qu'il en profiterait pour me faire les poches; je lui ai parfois abandonné un fragment de papier, dans un coin où je savais qu'il irait regarder, un bout de message incomplet, sans signification véritable, mais qu'il pouvait croire être un élément du plan. Puis j'ai retiré les petits papiers. Cela

non plus Axel ne l'a pas compris : il y a bien des règles
au jeu de l'Age d'Or, mais ces règles, contrairement à
celles de beaucoup de jeux, que l'on épuise en y souscrivant,
à mesure qu'avance la partie, ne m'ont pas été données
en bloc. C'est progressivement qu'elles se sont révélées les
unes après les autres – la « dépense mystérieuse » ou le
« partenaire dormant » –, de plus en plus complexes, parfois
contradictoires. Et rien ne me dit qu'il suffira de mes
carnets pour les noter toutes, ni de mille carnets, ni de
ma vie, rien ne m'assure que le nombre des règles n'est
pas infini.

*   *
   *

L'angoisse est revenue dans la nuit. Guetté en vain à
la fenêtre, entre les lames des volets. J'aimerais me réfugier
à Effondré, mais là aussi on irait me traquer. Soutre
enverrait un de ses hommes, déguisé en jardinier, chez les
voisins, ou viendrait en personne me dire bonjour, il en
est bien capable, prendre de mes nouvelles, m'avertir d'un
danger, d'une enquête, me conseiller de rentrer à Paris.
Et je ne souhaite pas me trouver là-bas en présence de
Mariane et d'Axel, obligé d'être beau joueur, alors que
mon cousin m'est insupportable et que Blanche est à peu
près momifiée dans sa chambre. Pensé à me tailler les
poignets dans mon bain. Ou au gaz. Souvent le désir de
mourir me saisit au beau milieu de la journée; alors que
je me promène ou bavarde avec quelqu'un, mon spectre
vient me taper sur l'épaule : « Tu viens dans le jardin ?
Dans la cave ? Non, plus tard ? Je t'attends. » Plus il attend,
plus sa créance sur moi s'alourdit. Chaque fois il insiste
davantage, d'une main plus pesante, il a un droit sur mon
corps, je lui dois ma mort, faire pour lui ce geste simple

de mourir. Sur mon visage, dans ma voix, passe une tristesse que je laisse à chacun le soin d'interpréter. C'est comme un retrait, un repli vers l'intérieur endeuillé de moi, cette chambre profonde où, d'un coup de carabine, d'une balle, je pourrais faire deux morts, lui et moi. Et puis je retrouve une raison de vivre, une manière de m'enfuir.

* *

*

J'ai quitté la rue de Beaune hier matin. Depuis trois jours, j'avais l'impression d'être suivi de nouveau. L'Anglais des Invalides était peut-être un privé. Et j'ai remarqué une croix et un cercle tracés à la craie sur ma porte. La concierge m'a donné une copie d'une circulaire émanant du ministère de l'Intérieur, la liste des signes de repérage que font les cambrioleurs dans les escaliers, pour opérer ensuite en toute sécurité. Une croix signifie « projet de vol ou autre »; un losange, « maison inoccupée »; trois barres obliques, « maison déjà visitée »; un triangle, « femme seule »; un cercle, « inutile d'insister », etc. Mais le dessin sur ma porte ne figurait pas sur la liste, ni à « maison charitable » ni même à « rien d'intéressant » (un cercle barré). Le code fourni par la police était sans doute périmé. Ou bien le message me concernant était très particulier, unique en son genre, ce qui n'était pas pour me rassurer. J'ai fait couper le téléphone et l'électricité. Laissé une petite somme à la gardienne pour qu'elle me dise en voyage si on l'interrogeait et me suis installé avec une valise de vêtements dans une chambre de bonne, rue des Jardins-Saint-Paul. De ma fenêtre, je vois le dôme de l'église Saint-Paul-Saint-Louis. J'ai donné un faux nom à l'agence, payé en liquide et personne dans l'immeuble ne sait qui je suis.

*   *
*

Je suis resté trois jours sans sortir de ma chambre, sans faire de bruit, avec des fruits et l'eau du robinet, n'ouvrant la porte qu'une fois le matin pour aller aux chiottes sur le palier. A peu près convaincu que je n'ai pas de voisins à cet étage, ni sous ma chambre. J'ai collé mon oreille au parquet chaque soir. Après deux nuits blanches, la peur m'a relâché, je me suis endormi comme on se noie et j'ai rêvé ceci :

Nuit du 3 mai. Dans un cabaret dont j'ai oublié l'adresse, se tenait un théâtre. La patronne (je pensais « matrone » en la voyant) dirigeait une troupe de jeunes filles esclaves, entraîneuses ou putains, qui la redoutaient et l'appelaient « Mademoiselle Olga ». Grosse maquerelle violente et fardée, elle disposait d'un pouvoir absolu sur ses « filles ». Tous les soirs, il y avait une représentation à huis clos, dont Olga décidait seule et au dernier moment le programme : opérette, vaudeville, strip-tease ou cancan. Cette obèse à la Goya organisait dans cette cave insonorisée un jeu qu'elle avait découvert autrefois dans les clandés mexicains : le tir sur cible humaine.

Les tireurs étaient les parieurs, Olga tenait la banque. Je ne sais comment elle recrutait ses pensionnaires, mais chaque nuit elle en sacrifiait une ou deux pour le plaisir de quelques *aficionados*. Les clients étaient armés de revolvers, prêtés par l'établissement, et dès qu'Olga coupait la lumière dans le théâtre, ils avaient une minute pour faire feu sur les actrices. D'un côté une vingtaine de tireurs disposant chacun de cinq balles, de l'autre six ou huit filles qui devaient plonger au plus vite derrière les rares bosquets ou rideaux pare-balles du décor, se réfugier dans un des coins de la scène (bouclée par Olga le temps de l'épreuve) ou se mettre à plat ventre. Les balles étaient marquées pour identifier les tueurs chanceux qui avaient abattu une ou plusieurs des comédiennes. Ils se partageaient le tiers des paris déposés auprès d'Olga et avaient le droit de faire sortir de la troupe une survivante dont ils pouvaient user à leur gré.

Peu après, une semaine, un an plus tard, on ne tirait plus, Olga ayant lancé un autre jeu. L'ogresse, vieillie, me semblait-il, choisissait avant la représentation et dans le secret le plus total la « victime » du jour. Sans l'en avertir, bien sûr, pour que chacune fût libre, si l'on peut dire, de craindre tous les soirs pour sa vie. Olga passait dans les vestiaires, un quart d'heure avant le lever du rideau, ne laissait rien paraître, se contentait de rajuster une coiffure, de parfaire un maquillage, resserrer une ceinture – un geste pour chaque fille –, sans indiquer la victime qu'elle avait déjà condamnée. Toutes vivaient dans l'angoisse en se costumant : serait-ce leur tour, ce soir, d'y passer ? Toutes sauf une. Désignée au dernier moment par Olga, l'« assassin » (c'était le terme officieux, au masculin) était tenue au silence, sous peine de se trouver elle-même sous la menace d'un autre assassin en représailles. A la seconde où Olga claquait des doigts dans les coulisses – ce qui pouvait se produire dès la première chanson de l'opérette, au milieu d'un effeuillage ou même au moment des rappels –, la fille élue « assassin » sortait de son maillot, de sa robe à paniers, de sa perruque, une lame, une aiguille et poignardait une de ses compagnes, la saignait d'un coup juste et mortel, sous les bravos. L'« assassin » gagnait le droit de ne plus monter en scène pour un mois.

Soudain j'étais pris dans le programme d'Olga et je

vivais chaque soir l'incertitude atroce d'être tué ou promu bourreau. Mais Olga me confiait une caméra vidéo et me chargeait de filmer les meurtres. Le commerce de ces cassettes était, selon elle, des plus fructueux. Pour que je puisse m'acquitter au mieux de ma tâche, choisir mon angle, elle dut m'indiquer les victimes un peu avant la représentation. Un soir je ne pus m'empêcher d'aller voir celle que je savais condamnée, qui se pomponnait dans sa loge. Elle se poudrait, se coiffait à la Marie-Antoinette. Elle m'aperçut dans son miroir, ne dit rien. Elle savait que je savais, c'était évident. Je soupçonnais alors Olga de m'avoir doublé; en m'éloignant du ballet, en me donnant cette caméra, elle m'écartait de la liste des victimes, elle me rassurait. Il n'en serait que plus délicieux de me faire égorger, la surprise serait du goût des habitués et briserait la routine des tueries. Se renouveler, disait-elle, se renouveler pour durer. Je devinais le danger si proche que j'abandonnai ma caméra sous un lit et quittai le théâtre.

Après une brève insomnie, je rencontrai Olga, des années après, dans un autre paysage, encore plus grasse et laide, se démenant sur les tréteaux d'une baraque foraine, dans la campagne. Il faisait presque nuit. Elle avait tout d'une sorcière, sabrait l'air de ses bras nus, roulait des yeux insatiables, comme animée d'une faim épouvantable. J'éprouvai immédiatement la même impression de folie que j'avais eue devant la photo parue dans les journaux d'un meurtrier homosexuel du Texas qui découpait ses jeunes amants à la tronçonneuse, déguisé en Père Noël. Je revis la barbe d'ouate, le capuchon de velours et de fausse hermine, le sourire bonasse, les yeux écarquillés sous le flash. Puis je m'endormis à l'écart de l'estrade où gesticulait Olga. Souvent, à la fin d'un rêve, je rêve que je m'endors.

318

*   *
*

A l'angle de la rue du Roi-de-Sicile – où, peu avant
mon installation à Saint-Paul, un attentat a eu lieu – et
de la rue Mahler, un cafetier a tracé du doigt sur le blanc
dont il a badigeonné de l'intérieur sa vitrine, non en signe
de deuil, mais de fermeture pour travaux, ces mots :
« Retour le 30. » Ce n'est pas facile d'écrire à l'envers,
l'inscription est maladroite. Les passants la déchiffrent
comme une menace : les poseurs de bombes vont-ils
revenir, oseraient-ils l'annoncer ainsi ? Ou plutôt, pourquoi
se gêneraient-ils pour ajouter encore à la terreur ? Pris
mon petit déjeuner en terrasse, le premier depuis quatre
jours, en observant cela.

Une très jeune fille est passée dans la rue Saint-Antoine,
l'air sévère, tirant sur sa cigarette en creusant les joues,
pressée d'en finir avec la fumée bleue qui déjà la tue. Je
me lève et la suis à cinq mètres en arrière. En trois jours,
Soutre n'a pas su me retrouver, c'est un record. Je me
sens libre d'aller dans la foule comme avant. La fille est
mal vêtue, un pantalon bleu délavé, un blouson de faux
cuir sur un T-shirt blanc trop large, mais très excitante.
Les cheveux noirs, mi-longs, flottants. Bien faite à en
juger par les courbes du pantalon moulant, la finesse des
chevilles, elle doit avoir dans les quinze ans. Trois cigarettes
plus tard, elle s'arrête à la hauteur d'un grand magasin,
s'approche d'un tourniquet en forme de sapin de Noël,
couvert de haut en bas de dizaines de chaussures à talon.
Je dois ralentir le pas à mon tour. Elle penche la tête, me
jette un regard oblique et repart. Je suis repéré, mais pas
refusé, elle ne cherche pas à me fuir. Au contraire, elle
me laisse tout le temps de monter à sa suite dans un

autobus en direction de la Concorde. Nous sommes debout, face à face, et à chaque arrêt de nouveaux passagers nous rapprochent l'un de l'autre. Elle me regarde bien droit dans les yeux, quand je glisse une main dans son blouson pour toucher ses seins à travers le T-shirt et constater qu'ils tiennent bien, fermes et hauts, sans soutien-gorge. Elle sourit et se dérobe en faisant demi-tour. Je me colle aussitôt contre elle, plie à peine les genoux et me mets entre ses fesses. Elle préfère en revenir au face à face, saisit une poignée au plafond du bus, au-dessus de ma tête, m'abandonne un sein, son ventre contre moi. Je manque de jouir sur place et me jure de descendre avec elle où qu'elle aille. Sûrement prostituée mais qu'importe. De sa main libre elle écarte un pan de ma veste. Va-t-elle me toucher ? Non, sa main glisse, voltige contre mon torse, mes hanches, s'accroche à mon bras. Quand le bus ralentit rue de Rivoli, face aux Tuileries, de ma manche le rasoir glisse dans sa main. Elle le regarde, stupéfaite, le rentre dans ma manche et, dès l'ouverture des portes, se dégage, saute dehors, court. Je veux la suivre, lui expliquer, mais n'ai que le temps de détourner mon visage. Axel vient de monter dans le bus.

Il ne m'a pas vu. Je me suis un peu tassé sur moi-même, derrière un gros touriste à chapeau de paille. Il y a peu de chances pour qu'Axel me reconnaisse de dos à la seule forme de mon crâne : depuis quelques mois j'ai fait teindre mes cheveux chez Tony, mon coiffeur de la Bastille. En revanche, je peux observer Axel en reflet dans la glace, par intermittence, quand on passe devant un fond de décor sombre, les arbres des Tuileries, puis, après la Concorde, ceux des Champs-Élysées jusqu'au Rond-Point. Axel est de profil, très élégant, il fait toujours plus jeune que son âge, je ne sais comment. Quand les arbres s'éclipsent, j'appuie mon bras sur la vitre et continue d'observer mon cousin en reflet sur le verre de ma montre noire. Je n'ai aucune raison de me cacher de lui, mais l'incident du rasoir m'a surpris autant que son apparition à lui. Je ne le savais pas à Paris, le croyais vissé pour toujours à Effondré. Et que lui dire ? Il me faudrait lui parler de son livre et cette perspective m'exaspère.

Pourtant, je descends après lui, place de l'Étoile, et le suis un moment vers l'avenue Hoche. Puis je renonce et prends le souterrain sous la place et l'Arc de Triomphe. Axel est bien la dernière personne que j'ai envie de filer en ce moment. Avenue d'Iéna, au-delà de la rue de Presbourg, de grands camions sont arrêtés devant un hôtel, des lampes de forte puissance éclairent un petit attroupement. Perché sur une grue, un cameraman, le bras levé, réclame le silence, s'inclinant pour se faire entendre des comédiens que je ne distingue pas derrière la haie des badauds. Je m'approche, me faufile. Un homme est assis sur un banc et lit un journal, presque immobile. On ne voit pas son visage, seulement ses mains et ses jambes croisées. Un autre, jeune, en costume cintré gris à rayures et chapeau noir, se tient debout derrière le banc et fixe le bout de ses mocassins. Une voix dit calmement : « Action » et le jeune homme plonge une main dans sa veste, en sort un pistolet prolongé d'un silencieux noir, contourne le banc en trois pas rapides, comme un valseur, tire sur l'homme assis cinq balles à travers le journal. L'assis froisse le journal sur son cœur, s'enfouit dans le papier sanglant, roule sur le trottoir, jusqu'au trait de craie indiqué par le cameraman.

– On recommence, dit la voix, c'est trop mou encore.

Sous la grue, Jason, le metteur en scène, se passe un mouchoir sur le front puis arrondit ses mains comme pour caresser une fragile bulle d'air :

– Trop gentil. Peut-être ce serait mieux sans le silencieux? Pan, pan, pan? Ou avec un couteau?

Le mort se relève, tend son journal à un assistant. Une costumière brosse sa veste et ses manches, on lui donne un nouveau journal dont il vérifie le trucage – des amorces pour l'impact des balles, un sachet de colorant pour le sang – et va se rasseoir sur le banc, à la même place, au centimètre près. Le tueur engage un nouveau chargeur dans la crosse de son arme, recule, se concentre.

– Pas gentil, cette fois, il faut être méchant.

Jason murmure, d'un ton presque suave. Le tueur sourit, la victime hausse les épaules. Et là, juste avant de dire : « Action », Jason m'aperçoit, lève un doigt : « Un moment », s'avance et me prend les poignets, comme toujours.

– Bayard, vous êtes là. J'ai bientôt fini ce petit crime, attendez-moi au bar de l'hôtel.

*　　*
*

Dix ans plus tôt, j'ai fait le mort, moi aussi, pour Jason. Figurant dans son second film, pour à peine trois jours, rien de mémorable en principe. Mais, un soir, je l'avais aidé à trouver un pigeon pour une partie de poker, un partenaire assez riche, à la hauteur des dettes qu'il avait déjà. Un producteur allemand, la cinquantaine élégante et une excellente réputation d'avare, ayant commencé à me faire une cour discrète à la cafétéria des studios, lui en costume trois pièces marine, moi en client de hammam, un torchon autour des reins bâillant à souhait sur mon sexe quand je me déhanchais un tant soit peu, des sandales de bois aux pieds, me parut devoir faire l'affaire. J'acceptai le verre qu'il m'offrit et le présentai à Jason. Cinq heures plus tard, au petit matin, après avoir perdu consciencieusement des petites sommes que nous n'avions pas, Jason et moi avions mené notre homme à la faillite. Il transigea, obtint de financer l'achèvement du film.

Jason n'a jamais oublié cette nuit où je lui ai sauvé beaucoup plus que la mise. Chaque fois qu'il vient à Paris, il s'arrange pour me joindre et me demande conseil sur le choix des comédiens, telle péripétie du scénario; d'un mot, il ne manque jamais de faire allusion au poker d'autrefois.

– Ces petites mains, dit-il, elles savaient donner les cartes comme seul le diable sait.

L'homme au journal avait dû mourir de façon convaincante et rapide; je venais de m'installer près d'une table basse dans un coin du bar et n'avais encore rien commandé quand Jason vint s'asseoir près de moi ou plutôt s'effondrer dans un fauteuil à peine assez large pour le recevoir, et souffla en direction du garçon derrière le comptoir le mot « Champagne », aussi doucement qu'il avait prononcé « Action » toute la journée.

Il a encore grossi depuis notre précédente rencontre, il ne pourrait pas fermer sa veste, et sa chemise le serre, un pan est sorti du pantalon qui, lui, doit dater, à voir la forme des pinces cousues sur le devant, ce qui ne paraît nullement le gêner. Il passe une main amicale sur son ventre de temps en temps. Plus gros, plus débraillé, plus barbu, ses lunettes sur le front ou pendant de travers au bout de leur chaîne d'écaille, il ressemble de plus en plus au cinéaste pantagruélique et subtil dont il se proclame l'unique héritier. Rien dans ses films n'évoque la puissance désordonnée où l'œuvre de son maître puise sa beauté, il ne l'imite pas dans son travail, mais affirme jouir d'un génie égal au sien, sans en avoir, la critique le répète volontiers, donné la preuve encore. Du moins il s'en fait la silhouette, énorme et confuse, ses yeux perçants dans un visage empourpré, et joue de sa voix, parfois très grave, avec une souplesse imparable. Il n'a pas besoin de hausser le ton pour se faire entendre du serveur ou des comédiens. Il leur « parle » normalement, dirait-on, et la distance s'abolit, ses mots traversent le brouillard des autres voix, les bruits parasites entre lui et celui ou ceux à qui il s'adresse. Et ensuite, sans rien y changer, la même voix ne porte plus qu'à un mètre ou deux de ses lèvres, là où s'ouvrent les oreilles de son interlocuteur.

Et tournant ses mains fines, les doigts en tulipe vers le haut, comme s'il parlait de marionnettes à un enfant, il a poursuivi :

– Des mains de médium, des mains qui voyaient à travers les cartes.

– Vous ne jouez plus?

– Plus comme avant. J'ai perdu plusieurs fois le budget de tout un film, en une nuit. Contre des mafiosi, des tricheurs. Dans certains pays, comme ici, je suis interdit de jeu, dans les cercles et en privé. Une espèce de policier me surveille, d'ailleurs.

– Comment est-il? Vous savez son nom?

– Jamais pu le pincer. Mais je sais qu'il est là. Et si ce n'était pas lui, ce serait pire. Beaucoup de gens ont juré de s'occuper personnellement de moi et de mes dix doigts si je touchais une seule carte. Il faudrait se déguiser, ou aller jouer en Patagonie, dans le désert, là où il n'y a personne à ruiner.

Il s'est tu, a renversé la tête sur le dossier de son fauteuil, les yeux vers le plafond, comme s'il se livrait à un exercice de yoga. La pièce était sombre, les rideaux tirés, le sol couvert de tapis rouge et beige, les murs entièrement lambrissés d'une boiserie foncée et la lumière des lampes si faible que plusieurs fois je crus qu'elle allait se fondre au noir, juste avant qu'apparaissent sur le mur

au-dessus du bar un lion rugissant, un coq éclatant. Mais
non, les lampes se maintenaient à ce régime crépusculaire,
le maître d'hôtel avait dû calculer de manière scientifique
leur disposition ainsi que l'intensité du courant électrique
et même la nuance blanc cassé, ivoire jauni par la fumée
des cigares, dont le plafond était peint. Nous étions seuls,
depuis longtemps. Depuis toujours, en y repensant. Je
n'avais vu personne en pénétrant dans l'hôtel, ni dans le
hall, après la tribune en marbre et bronze du concierge,
ni dans le couloir où l'on devinait de grandes toiles
anciennes aux sujets allégoriques entre les portes de la
salle à manger, du bar, des toilettes miroitantes, des cabines
téléphoniques sculptées dans l'acajou, comme des cercueils
verticaux, avec leurs poignées de cuivre et leurs combinés
luisant dans la pénombre (il était tout à fait improbable
de voir jamais quelqu'un les décrocher, y parler, ni obtenir
une ligne vers l'extérieur de l'hôtel), ni dans l'escalier du
fond dont la spirale tapissée de rose s'envolait vers les
étages à côté d'un ascenseur, récemment concédé aux
clients âgés, podagres fortunés, claquemurés dans leurs
suites, dont la lampe rouge à côté du bouton d'appel ne
décollait jamais vers les chiffres, semblait condamnée aux
trois lettres RdC. Peut-être n'y avait-il aucun autre client,
rien que Jason et moi entre ces murs, ces domestiques
muets. Sortant de sa minute de méditation bouddhique,
Jason remarqua l'expression de mon visage :

– C'est le Gabriel. Un endroit très spécial. Je ne connais
pas un autre hôtel en Europe qui donne la même sensation.

– Laquelle ?

– La vôtre, là, à l'instant, j'ai vu votre air stupide. La
sensation, presque la certitude qu'on est seul ici, avec le
concierge, les garçons, les femmes de chambre. Et encore,
on jurerait que la moitié sont en congé. Le seul hôte,
donc. Ce qui n'est pas vrai. Il y a des clients, pas des

foules, mais tout de même. Et des gens qui vivent à l'année ici, avec leurs meubles, toute leur vie. Je vais vous montrer, ma chambre est au troisième. Vous ne terminez pas votre verre?

Il se leva. Je finis ma coupe et suivis Jason dans le couloir. Il voulut ouvrir une porte basse « Accès réservé au personnel », mais elle était verrouillée.

– Dommage, je voulais vous montrer les tripes de la maison. Une chaudière d'époque, comme une locomotive debout, de la cave au premier étage. Chauffage et eau bouillante jusqu'au grenier. Une œuvre d'art. Tous les gérants ont essayé de la remplacer par un système plus moderne, plus économique, il y en a un qui a dû réussir, finalement. Les économies, pourtant, ce n'est pas le genre du patron.

Il entra dans l'ascenseur et, comme il occupait à peu près toute la cabine, me dit d'attendre le voyage suivant. Je montai l'escalier jusqu'au troisième, à temps pour lui ouvrir la porte palière. Il reprit :

– Car le patron a un genre. On ne le voit jamais, mais il règne. Dès qu'un gérant ou un directeur commence à lui plaire, et surtout à se plaire ici, à réussir, s'attache à son travail, il le chasse. Il ne supporte pas qu'on aime son travail, qu'on le fasse pour de bon. C'est peut-être à cause de la guerre, il y a eu des nazis, comme dans tous les palaces, je suppose. Il n'aime pas son hôtel, ne veut pas qu'on l'aime. On ne peut y rester, même comme client – parce qu'il lui arrive souvent de refuser ses chambres –, qu'à condition de jouer, jouer au directeur, au valet, au concierge, au client. C'est pour ça que je parle fort par moments ou que j'engueule une bonne pour rien, sans motif. Pour faire plus client, aux yeux du patron. Il tient même à perdre beaucoup d'argent. Il en a bien assez, le seul mot de « bénéfice » le dégoûte. Un cas. A New York, je connais un hôtel où l'ascenseur ne s'arrête pas à certains étages. Il n'y a pas de porte, ni de bouton, correspondant au huitième par exemple. On passe du sept au neuf. Du douze au quatorze. Qui vit dans ces étages? Par où passent-ils pour entrer et sortir?

Il me précédait dans le couloir désert, allumant les plafonniers, les appliques des vestibules, au fur et à mesure de la visite, me priant d'éteindre après nous. Il ouvrit des chambres, sans frapper, des chambres vides, les unes ornées de boiseries, les autres tendues de tissus anciens, meublées pour la plupart en copies de style Louis XVI, des lustres dorés à pendeloques de cristal au plafond, un voilage opaque aux fenêtres, des doubles rideaux à demi fermés. Jason commentait :

– Le 306, ici le grand Douglas est resté huit jours sans sortir. L'amour, bien sûr. Le 304, elle en a vu celle-là. Si le plumard pouvait parler. La Sofia, la Lolo, la Claudia, toutes les Italiennes se sont fait mettre ici. Sur ce lit, ce fauteuil, par terre peut-être. Après le néo-réalisme, ça n'a pas chômé. Et on leur donnait toujours le 304. Et au 308, les Françaises, la Martine, la Mylène, la Brigitte, toutes celles qui vous ont fait bander quand vous étiez petit, elles sont passées là, pour le plaisir ou le boulot, et elles en ont dégonflé plus d'un. Voilà, moi je suis au 312.

La chambre de Jason était plus grande que les autres, au coin de l'immeuble, et paraissait plus vivante parce qu'il avait ouvert les rideaux et renversé un peu partout le contenu de ses valises. Il se saisit du téléphone, prit un ton agacé :

– Alors quoi? Je suis le 312. Ça fait quatre fois que je demande du champagne. Et rien, vous ne faites rien. Je vous laisse trois minutes et j'appelle le patron.

Il reposa l'appareil tranquillement :

– Qu'est-ce que je vous disais : une crise par jour, c'est un minimum. Ils acceptent plus. Vous permettez?

Il ouvrit en grand la porte de la salle de bains, ôta ses vêtements. Je l'entendis se doucher à grande eau. J'imaginais la pluie chaude sur son corps de poisson, cette chair fumante. La douche se tut, on frappa à la porte. Un vieil homme en veste blanche apportait le champagne et deux coupes. Dans la glace, à l'intérieur de la porte de la salle de bains, je vis Jason assis sur le trône jeter un coup d'œil furieux et crier :

– Sortez de là, vieux crétin!

Le serveur posa son plateau sur la commode, m'adressa un sourire ému, sortit. Jason, drapé dans un peignoir de bain en tissu-éponge blanc frappé d'un large G, revint :

– Il était content le vieux?

– Le serveur? Enchanté, oui.

– C'est bien, c'est Antoine, le doyen de la maison. Si je ne râle pas, il se vexe. Et je dois être grossier, ça compte pour lui. Je le reçois tout nu ou en train de pisser, il estime que les vrais clients doivent se conduire ainsi. Alors je fais semblant de chier, en réalité je suis coincé depuis deux jours, si vous voulez tout savoir. Une coupe?

Il s'allongea en travers d'un canapé, but son champagne à petits coups :

– Asseyez-vous donc. Pas la chaise, prenez la bergère. Buvez donc.

Puis, comme soudain frappé par une évidence :

– Mais j'y pense : vous passiez par hasard avenue d'Iéna?

– Oui.

– Vous ne savez rien de mon film? Vous n'étiez pas au courant?

– De quoi?

– Mais de tout. Je vous raconterai l'histoire tout à l'heure ou demain. Je suis là pour trois semaines, nous aurons le temps. Ce que vous devez savoir dès maintenant tient en un mot.

Il but lentement tout le contenu de sa coupe, se resservit, pour le plaisir de m'impatienter.

– N***. C'est elle qui a le premier rôle dans mon film avec Rodolfo. Vous vous souvenez, la jeune actrice?

Je lui tendis mon verre.

– C'est ça, buvez. Et elle habite l'hôtel. Chambre 509. Je peux lui dire un mot pour vous. Au fait, pourquoi ne pas vous installer ici? Il y a tant de place. Un coup de fil au concierge et il vous donne une chambre. Où vous voulez. A prix d'ami. C'est oui?

J'ai refusé, dit que plus tard, peut-être, et me suis levé. Je suis rentré dans mon grenier près de Saint-Paul, sans être suivi. Pas bougé pendant quarante-huit heures. Retourné le matin du troisième jour au Gabriel, avec quelques affaires de toilette et mes carnets dans une sacoche.

*   *
*

J'ai connu N. il y a quelques années, sur le tournage d'un des premiers films de Jason, à Cinecitta. Je n'avais vu d'elle auparavant que des photos où elle posait en Lolita blonde, au profil droit, aux hanches larges, aux formes lourdes, terrestres. Une bouche épanouie, un regard trop innocent. Elle jouait alors le rôle d'une adolescente fatale en robe de crêpe de soie rouge, debout dans une décapotable du même rouge et toisant un jeune premier ivre, une épave dans le scénario, venant des bas quartiers de Marseille pour chercher vengeance à l'ouest de la ville. Un faisceau de lumière blanche éclairait le visage de N., le jeune premier titubait et répétait : « Tu vas payer, c'est

ton tour... » N., méprisante, rejetait son écharpe de mous-
seline sur son épaule : « Tu crois ça ? Petit Français... »,
soupirait. C'était, d'après un des machinistes, sa meilleure
scène. Au bout de trois prises, Jason s'était déclaré satisfait.
Étant son ami, une sorte d'assistant, j'avais pu approcher
N., la voir descendre de la voiture, ôter ses escarpins qui
la serraient.

Plus tard, Jason avait dit à N. qu'elle n'aurait jamais un
admirateur aussi dévoué que moi, exagérant comme à son
habitude les quelques mots que j'avais dit à son sujet,
d'homme à homme, une vieille farce de sa part, pour le
plaisir de l'embrouille. En même temps, il m'avait fait
comprendre que N., la capricieuse, me trouvait sûrement
à son goût. « Je me demande bien pourquoi », avait dit
Jason en m'indiquant la roulotte où dormait N., garée
derrière le décor. Le soir même, je lui rendis visite et
passai la nuit à lui raconter, à improviser pour être honnête,
un projet de scénario conçu exprès pour elle. Elle avait
paru s'y intéresser, m'avait demandé de lui rédiger un
synopsis. Trois jours plus tard, je me réveillai dans son lit.

Cette fortune rapide, impossible à cacher au sein d'une
équipe restreinte, m'avait valu l'estime des techniciens :
N. passait pour une intouchable. Peu m'importait d'ailleurs,
nous n'avions que deux semaines à partager et je ne voulais
pas être prisonnier d'une aventure dont le terme était si
proche. Ces nuits, ou les pauses de tournage dans la
journée, je m'efforçais de les employer pleinement, presque
à la manière d'un sportif décidé à se rompre à tous les
exercices du gymnase. Quinze jours, c'était peu pour tout
obtenir de N., me semblait-il. En réalité, c'était plus
qu'assez. Dès la troisième nuit, je m'endormis en me
souvenant d'une phrase lue : « Elle n'avait plus rien à me
refuser. » Certains soirs, on entendait des bruits de pas au-
dehors, des voyeurs. N. laissait la lumière allumée dans la

roulotte : « Qu'ils en profitent donc. C'est leur punition, ils n'avaient qu'à essayer avant toi. » Je la prenais en égoïste, mais me retenais de l'aimer; elle, en revanche, baissait sa garde chaque jour davantage, s'abandonnait. Il n'y avait plus de préambules, de diversions, aucun détour entre nous, je la possédais sans un mot, dès que le désir m'en venait sans me soucier du sien. La veille du dernier jour, pourtant, elle partit sans prévenir. Réfugiée chez une amie, dans un hôtel, pour une autre ville, un autre film, je ne le sus pas et Jason ne me dit que : « Tu ne l'as pas volé, mon vieux. »

Il se trompait sur mon caractère. Je n'étais pas capable de souffrir longtemps, pour qui que ce fût. Je rêvais souvent de N., sans tristesse. La jalousie, abjecte et tardive, me saisit plus d'un an après notre liaison, quand je vis N. embrasser, en gros plan, dans un mélodrame policier, un comédien de son âge avec une ferveur dont les journaux à potins faisaient d'ailleurs le plus grand cas. De ce jour, j'ai suivi sa carrière, de loin, dans les moindres détails, j'ai vu tous ses films, plusieurs fois, comme saisi d'un amour après coup.

*   *
*

N. était au cinquième étage, au bout d'un couloir vert dont le tapis épais, à mesure qu'il enterrait les bruits, les pas, dégageait une légère odeur de renfermé, le fumet inépuisable des vieux hôtels. Jason lui avait-il parlé de moi ? Elle n'a pas paru surprise de me voir quand j'ai frappé à la porte 509.

— Jason m'a trouvé une chambre au quatrième, je pense y rester quelques jours. Le concierge te donnera mon numéro, si tu veux.

N. a refermé la porte, m'a regardé, a poussé le verrou, débranché le téléphone. Elle a laissé tomber sa tunique de gaze blanche, dénoué ses cheveux.

– Comme avant, a-t-elle dit pendant que je me déshabillais.

Elle n'a plus prononcé un mot jusqu'au matin.

– Et alors, m'a dit Jason le lendemain, qu'est-ce que ça peut bien vous foutre ? Vous avez, gratis et dans les grandes largeurs, une fille qui allume la planète entière. Elle ne dit rien ? Tant mieux. Faites comme elle, surtout, allez-y sans réfléchir. Ne la prenez pas au mot, puisqu'elle se tait, prenez-la comme elle se présente.

Mais N. s'est mise à me parler, des nuits entières. Elle n'a aucune confiance en elle, sait parfaitement que tous, Jason le premier, la trouvent plutôt « mauvaise ». Qu'on ne l'engage que pour s'assurer un minimum d'entrées. Elle voudrait tant être douée comme les moins belles, qu'on lui propose de vrais scénarios, difficiles, ennuyeux, où elle pourrait s'enlaidir. L'histoire que j'avais ébauchée à Cinecitta n'a jamais vu le jour, mais N. demeure persuadée que je finirai par trouver l'idée, le rôle sur mesure qui la révélera. Je ne l'ai pas détrompée, plutôt entretenue à petit feu, en lâchant des bribes de dialogues, en esquissant des scènes, comme si je travaillais vraiment à notre grande œuvre.

La « sottise » de son caractère, qui me plaît tant, bien que je ne sois pas fier d'un tel sentiment, ne passe plus comme à ses débuts pour de la naïveté auprès des producteurs. Plus d'un a renoncé à faire jouer N. autrement que dans des rôles sans textes et sans vêtements. Elle en est pleinement consciente et me l'a dit, comme si peu lui importait l'avis des financiers de l'art. Jason, au bout d'une semaine après mon installation au Gabriel, m'a pris à part dans le bar du rez-de-chaussée :

– Vous qui couchez avec elle, vous pouvez me dire si je me trompe. Elle est idiote, non?

J'ai hésité, répondu qu'on ne lui avait pas proposé un rôle ni des dialogues qui permettraient d'en juger à coup sûr. Et que les idiots, hommes ou femmes, sont peut-être des saints envoyés par Dieu ou Satan pour confondre notre intelligence. Jason m'a soufflé la fumée de son cigare dans le nez :

– Une sainte? A d'autres, mon cher Bayard. Elle a un cul de paradis, c'est tout. Je ne suis pas un Père de l'Église, mais je peux vous jurer que le miracle chez elle s'arrête là. C'est déjà immense.

Puis il m'a demandé si je voulais collaborer avec lui, effectuer quelques modifications dans le scénario, « pour des raisons d'économie » qui, en réalité, visent à réduire le nombre des séquences où N. a un texte à dire. Je lui ai promis d'y penser.

* *
*

Les nuits passent et je m'habitue à son odeur, à ses jambes contre les miennes, à ses murmures dans le sommeil, à son « idiotie », tellement plus juste que mes combines malades. Je crains de la perdre quand Jason en aura fini avec elle. Je me suis fait prêter un exemplaire du scénario et j'ai entrepris d'en montrer les incohérences, de suggérer des changements qui prolongeraient le temps du tournage mais réduiraient les coûts. On pourrait très bien situer le règlement de compte final des gangsters près du canal Saint-Martin, pour un prix très raisonnable, plutôt qu'emmener toute l'équipe à New York, ce qui n'étonne plus personne. Et je réintroduis à chaque fois les scènes de N. que Jason a écartées. Il en est convenu et je l'ai guidé vers les écluses et le double pont de la rue de Crimée. Il lui suffira d'un ou deux cascadeurs pour faire les noyés et de quelques balles à blanc pour conclure son histoire. En revenant au Gabriel, je n'ai rien dit. Après tout c'est si facile de modifier l'imaginaire des spectateurs, si simple de jeter à l'eau la femme que je commence d'aimer, elle ou sa doublure. N. ne saura jamais que c'est moi qui l'ai fait rouler du quai dans l'eau, plutôt que s'écrouler sur le gazon tendre de Central Park.

*   *
*

La nuit suivante, alors qu'elle m'informait, mécontente, du changement de l'intrigue, j'ai glissé dans un rêve de surface, un de ces rêves où l'on se voit rêver sans cesser de se croire éveillé. Elle était auprès de moi, prisonnière consentante, allongée dans mon lit, prête à tout. Dès le début du rêve, je la violais de cent manières, avec son plein accord. Puis je commençais à la mordre, sans qu'elle ose même résister. D'abord je lui rongeais les ongles comme par jeu, puis les peaux, le bout des doigts jusqu'au sang. N. paraissait insensible. Je la retournais, lui liais les mains. Peu après, alors qu'elle était évanouie dans le sommeil, je la tuais d'un coup de couteau entre deux vertèbres du cou, comme un *torero*, pensais-je, et à l'aide de mon rasoir, je la découpais soigneusement. Aucun sang ne coulait, les os de son corps cédaient sous ma lame comme de la pâte d'amandes. En trois heures de nuit, sans qu'elle fût jamais sortie de sa torpeur, n'eût manifesté une quelconque souffrance, je l'avais dévorée en entier, des orteils à la tête, ne renonçant qu'à ses cheveux dont je tressais une longue boucle en bracelet. Vers la fin du rêve j'étais convaincu de sa mort, elle était en moi, chair de ma chair, comme une drogue sans retour. Au matin de ce repas terrible, j'étais seul dans le lit de N.

Je n'ai pu retrouver Jason qu'à la pause de midi. Il déjeunait seul dans la salle à manger du Gabriel. Il était soucieux : mes suggestions quant au scénario lui convenaient, mais il ne parvenait pas à se convaincre du talent de N. Elle jouerait faux, oublierait son texte.

– Démobilisée, comme vous dites. Pas prête à se battre.

Un serveur déposa le café sitôt que Jason eut fini son baba ruisselant. Au fond du bar, j'aperçus deux silhouettes. Un homme, de dos, était accoudé au comptoir. Une jeune femme, de profil, lui parlait, à voix basse, inaudible. De grandes lunettes noires, insolites dans un endroit aussi peu éclairé, la rendaient méconnaissable. Elle ressemblait à N. dans les moments où elle voulait passer incognito. Mais en même temps, je lui trouvai, sous certains angles, le dessin de la bouche, le maintien, une parenté bouleversante avec Lou telle que j'en avais gardé l'image. Un instant, je calculai l'âge de Lou. Jason me demanda du feu, se pencha sur mon briquet :

– S'il le faut, dit-il, je m'arrangerai pour finir le film sans elle. Au montage, on peut toujours bricoler. Les acteurs sont tellement bizarres, il y en a même qui meurent avant la fin du film, vous imaginez si c'est commode.

Il pinça les lèvres, lança une fusée bleue de sa cigarette, ajouta :

– Le type, là-bas, au bar, vous le voyez? C'est peut-être lui le flic qui me surveille, mon ange gardien, celui qui m'empêche de jouer au poker. Pas sûr, mais c'est comme ça que je l'imagine.

L'homme au bar avait tourné la tête. De loin, il avait le profil de Soutre. Le soir, j'appris que N. avait disparu sans explication.

– Un lapin, dit Jason, c'est bien une idiote, je le savais.

Je quittai aussitôt l'hôtel avec ma sacoche, par une porte de service.

*   *
*

Je ne peux que me méfier d'un sourire qui découvre les dents. J'ai eu trop peur de ma mère quand elle me tenait dans ses bras, de l'éclat meurtrier de son sourire s'approchant de ma bouche, de mon ventre. Depuis le rêve du mois dernier où je dévorais N., j'évite de regarder mes dents le matin dans la glace, elles sont trop blanches, trop dangereuses.

Je ne suis pas retourné au Gabriel. Jason est reparti pour New York en laissant pour moi une lettre à son agent en France, un jeune homme roux que je croise parfois tard dans la nuit dans les bars de Montparnasse. J'ai ouvert la lettre devant le roux. Jason avait terminé son film et me jurait n'avoir gardé que les meilleures scènes de N. « Les producteurs ne pourront rien me reprocher. Ils seront, j'en suis sûr, sensibles au ton " européen " que vous avez apporté à mon histoire. Évidemment, j'ai dû changer encore une fois la fin, puisque N*** n'est pas revenue tourner, mais c'est mieux ainsi... »

– Aucune nouvelle de N***? ai-je demandé.

– Complètement disparue. Depuis quatre semaines. On ne sait où elle est passée. J'ai été forcé d'annuler ses contrats. Elle ne vous a pas fait signe à vous non plus?

– Comment le pourrait-elle?

Remercié le rouquin et rentré à Saint-Paul, où personne ne me fait jamais signe, pas même Soutre. Mal dormi. Au matin j'ai pensé que le silence prolongé de mon inspecteur était une ruse, qu'il me surveillait. Déménagé pour une chambre de bonne qui sent la pisse de chat, rue de

Chaillot. Par la fenêtre, je vois les toits de l'église Saint-
Pierre. Tous les jours, je passe devant la boutique noire et
rouge de Kostio de War. Ce doit être une tombe.

*   *
*

Avant-hier soir, le 10 juillet, j'ai repris le collier. A la
terrasse du Fouquet's, une femme seule, deux tables à ma
gauche, me regardait ostensiblement. Les yeux clairs, les
cheveux (teints?) blond léger, un tailleur blanc. Entre cin-
quante-cinq et soixante ans. J'ai payé mon verre, elle s'est
levée et je l'ai suivie jusqu'à sa voiture, avenue George-V.
Une Jaguar blanche elle aussi – la carrosserie, le cuir des
fauteuils – du modèle que je préfère, pas arrondie en fauve
comme les anciennes, mais basse, allongée en forme de
bateau. Elle conduisait bien, vite, sans parler. A Passy, dans
une rue dont je ne relevai pas le nom, elle s'est arrêtée, m'a
précédé dans un petit appartement, se bornant à dire en
fermant la porte derrière nous :
– Bien sûr, ce n'est pas chez moi.
Je crus qu'elle se méfiait, voulait me faire comprendre
que je ne devais pas, comme tant de gigolos, chercher à
connaître son nom ni à l'utiliser, comme si le numéro de
la Jaguar n'avait déjà été un indice suffisant. Je répondis :
– J'oublie toujours très vite, si cela peut vous rassurer.
Elle ferma les rideaux de la chambre, alluma quelques
lampes dont les abat-jour de papier verni noir ne laissaient
pas la lumière s'élever beaucoup plus haut que le lit.
– Mais je suis rassurée. Je voulais dire par là que chez
moi c'est plus beau et plus grand. Je m'appelle Hélène.
– Et moi, Roland.
Sur le moment, je ne pensais pas relater cette rencontre

337

dans mes carnets, comme je le fais maintenant. Je n'ai jamais tenu la liste de mes clientes, par prudence et paresse. Et à quoi bon? Hélène était une partenaire comme les autres. Une femme qui aimait le plaisir et, à mon avis, n'aurait eu aucun mal à trouver un amant de mon âge sans le payer. Quand elle sortit l'argent de son sac, au pied du lit, je ne pus m'empêcher de le lui dire.

– De temps en temps, je suis comme les hommes, j'ai envie de quelqu'un tout de suite et sans phrases. Et puis il y a quelque chose en vous qui m'intéresse. Vous avez l'air bien élevé, vous devriez lui plaire.

– A qui?

– A ma fille. Voulez-vous gagner beaucoup d'argent?

*   *
     *

Hélène est très riche, le sera encore plus à la mort prochaine de son mari. Elle veut que je séduise sa fille, Céline, qui s'est bêtement mariée, à vingt-quatre ans, avec un fonctionnaire international, Louis.

– Un naïf, dit Hélène, qui attend un bout de mon héritage. De plus, il est nul au lit. Et jaloux. Faites-les divorcer, devenez l'amant de Céline, séparez-les. Je vous paierai.

En trois semaines, je suis devenu l'ami du mari de Céline. Hélène m'a invité avec une dizaine d'amis chez elle, m'a présenté à Céline et Louis comme un homme d'affaires et un bon joueur de tennis. J'ai commencé par ignorer Céline, pour me consacrer à la conquête de Louis. Un grand type maigre et pâle, au nez trop long, aux cheveux crépus en boule. Il a dû penser un jour que cela lui vaudrait quelque sympathie de la part de ses interlocuteurs africains (il parle abondamment de lui-même, de ses responsabilités au sein de la FAO, de ses missions au plus haut niveau). Dès le premier soir, il m'a entretenu près d'une heure de sa personne et je n'ai fait que le relancer sur le sujet, en lui témoignant un intérêt infatigable. Quand il a finalement condescendu à me rendre en partie la politesse, je suis resté très imprécis sur la nature de mes affaires.

– Je n'ai pas de titre officiel, mes activités sont très discrètes. Disons que je travaille au coup par coup, pour des gouvernements, des groupes d'investisseurs qui ne veulent pas apparaître au grand jour. Des affaires délicates.

Sans qu'il puisse déterminer si j'étais un envoyé d'Amnesty International, un marchand d'armes.

– Curieux que nous ne nous soyons pas déjà rencontrés, à Paris, Londres ou New York.

Au second dîner organisé par Hélène, il ne m'a plus lâché. De toute évidence, mon cas le passionnait, il brûlait de connaître l'univers parallèle au sien dont je lui avais indiqué l'existence dix jours plus tôt. Je me suis défilé, comme si je ne comprenais pas ou ne voulais plus me souvenir de notre conversation, et me suis obstiné à parler tennis avec Hélène. Céline était assise en face de moi et, en même temps que sous la table je glissais mon pied gauche déchaussé entre ses genoux, je lui ai demandé :

– Hélène me dit que vous jouez très bien, c'est vrai ?

Céline a eu comme un hoquet, sous la surprise, a serré les cuisses sur mon pied.

– Mais oui, a dit Louis, elle est imbattable. Vous devriez venir à la campagne, il y a un court à la maison. Moi je ne joue pas.

Céline a libéré mon pied, que j'ai replacé dans mon mocassin. Elle était troublée, mais pas au point de faire un scandale. Avec ses cheveux mi-longs, son expression boudeuse, ennuyée, elle me plaisait assez fort tout à coup.

J'acceptai l'invitation de Louis et, plus tard, au moment où il allait partir, je l'ai rejoint dans la chambre où les manteaux des invités étaient pendus.

– Excusez-moi, Louis, j'ai dû vous sembler distrait. Il y avait ce soir des gens devant qui je ne pouvais pas dire certaines choses, comme à vous. Vous ne m'en voulez pas?

*   *
*

Début août, l'amitié de Louis est devenue fastidieuse. Je le vois presque chaque jour, nous déjeunons à midi trente à son club au Bois et je ne sais plus quoi inventer pour le maintenir sous pression. De plus en plus je l'engage à me parler de sa vie « personnelle », à se confier, faisant pour cela les premiers pas, avec des récits croustillants qui le laissent sans voix, je le provoque : « Et toi, Louis, tu ne vas pas me dire... » Il avoue une ou deux aventures en voyage, des secrétaires en congrès, une hôtesse de l'air en Thaïlande, des clichés auxquels je fais semblant de croire, avant d'ajouter : « Et avec Céline... c'est bien? » Là, il redevient muet. Il lève en même temps les sourcils et les mains, un geste qui peut tout signifier et ne dit rien.

Qu'importe, moi je sais, pour Céline. Je ne pouvais pas me tromper sur elle, je les connais ces filles du Ranelagh, ces ex-collégiennes à jupes plissées bleu marine et socquettes blanches, qui gardent une moue de bébé jusqu'à trente ans et font du sport sans ôter leurs bijoux. Leur air détaché, lassé par ces vacances qui n'en finissent pas, n'en finiront jamais en ce qui les concerne. Céline, depuis qu'elle avait senti mon pied entre ses jambes, n'avait qu'une idée, attendre le départ de Louis au bureau et m'entraîner au club du Bois avec deux raquettes. Elle s'est efforcée de

340

bien jouer la première fois, mais n'a pas tenu longtemps. Il faisait chaud, pourquoi ne pas nager ? Elle m'a montré où étaient les vestiaires des hommes près de la piscine, elle a regardé autour d'elle, fait trois pas dans le couloir des femmes, puis, se ravisant comme si elle avait oublié de me donner une clé, une serviette, est revenue de mon côté, s'est faufilée dans ma cabine juste avant que je ne pousse le verrou. Les cabines voisines étaient occupées, on entendait claquer les portes. Céline mit un doigt sur ses lèvres, il fallait se taire, ne pas faire de bruit. J'ai voulu l'attirer à moi pour l'embrasser, mais elle a murmuré : « Non, d'abord comme ça », s'est agenouillée, m'a pris dans sa bouche. J'ai passé un doigt sur son front pour écarter ses cheveux, effleuré sa nuque. Elle était en nage.

Le lendemain, nous n'avons pas joué plus d'une heure avant de nous retrouver au vestiaire, dans une cabine semblable à celle de la veille. C'était à mon tour de choisir. Je l'ai fait se pencher en avant, appuyée contre la porte, j'ai soulevé sa courte jupe de coton blanc. Une goutte de sueur coulait de sous sa chemise. J'ai eu l'impression qu'elle frissonnait, qu'elle avait peur. Qui sait où le peu d'ardeur de Louis l'avait menée, à quelles pratiques, quelles ignorances ? Dans le doute, je lui ai tendu une serviette à mordre, pour qu'on ne l'entende pas crier.

*   *
*

Le 16 août, Louis est parti en mission pour une semaine en Afrique du Sud, sans que j'aie pu le confesser davantage sur ses rapports avec Céline, misérables sans doute à en juger par l'ardeur de celle-ci. A Céline, je ne pose pas de questions, seul l'aveu de Louis m'importe, me semble capable de le déséquilibrer. Je n'ai pas quitté leur appar-

tement pendant trois jours, au lit avec Céline, ne me levant
que pour aller sous la douche ou vider les réserves du
congélateur. Nous avons peu parlé, je n'avais quant à moi
rien à dire. Céline passait des heures d'affilée les mêmes
vieux disques de rock'n'roll. Quand je m'endormais, elle
descendait au fond du lit, me réveillait du bout de la
langue, m'avalait comme une poire d'angoisse. Ou bien
s'allongeait sur le ventre, les jambes à peine écartées, me
guidait elle-même de la main. « Comme un garçon, encore. »
La veille du retour de Louis, je suis rentré rue de Chaillot
dans ma chambre au sixième étage. Deux jours plus tard,
j'ai téléphoné à Hélène.

– Où en êtes-vous, mon petit Roland ? Louis est à Paris,
il m'a demandé votre adresse. Je ne la lui ai pas donnée.
Mais ça ne peut pas durer trop longtemps. Qu'est-ce que
vous comptez faire, au juste ? Il m'a laissé une lettre pour
vous.

*　　*
*

Je n'ai plus revu Céline depuis un mois. Ce soir, Hélène
m'a fixé rendez-vous place du Trocadéro. Elle m'attendait
dans la Jaguar devant le musée de l'Homme. Je me suis
assis à côté d'elle.

– Merci, Roland. C'est fini. Voici une enveloppe avec
votre argent. Je ne sais pas si vous l'avez mérité, pour être
juste. Mais je préfère payer. Louis est mort il y a quelques
jours. A New York, il est tombé par la fenêtre de son
hôtel. Il était peut-être saoul. Les médecins ont dit qu'il
avait pris des somnifères ce soir-là. On a renvoyé ses
affaires chez ma fille. Il y avait des lettres de vous dans
sa valise, les voilà.

Elle m'a donné une autre enveloppe. J'ai tiré une lettre

au hasard. C'était la première que je lui avais envoyée :
« Mon cher Louis, tu me demandes comment j'ai joui de
ta femme pour la première fois. Etc. »

– Il vaudrait mieux qu'on ne les retrouve pas, ces lettres,
a dit Hélène. Maintenant, vous pouvez partir.

Je suis descendu de la Jaguar, l'ai regardée s'éloigner
dans un souffle. Je suis entré dans un des cafés de la
place, j'ai commandé un double cognac et me suis enfermé
dans les toilettes pour brûler les lettres.

*   *
*

J'ai fait la connaissance du vieux le jour de la Toussaint.
Ce n'était pas la première fois que je le voyais au café du
Trocadéro, il y est tout le temps : à cinq heures de l'après-
midi, pour le thé, jusqu'à sept heures et demie, et le soir
de neuf heures à minuit. Entre-temps il part dîner chez
lui, il habite probablement tout près. Parfois il reste au
café sans interruption, se fait servir une salade et une
demi-bouteille de vin. Contrairement à la plupart des gens
qui ont leurs habitudes au restaurant ou au café et mettent
un point d'honneur à s'asseoir toujours au même endroit,
à posséder « leur » table comme une concession diplomatique, inviolable, tout comme ils veulent avoir une « gueule »,
un genre (barbe ou pipe, nœud papillon, petites bouées
d'existence), le vieux n'a pas de table réservée. Il s'installe
aussi bien en terrasse qu'au fond de la salle, au milieu
des autres ou en retrait. Au début j'ai pensé qu'il s'en
fichait, qu'il venait au café juste pour se sentir entouré,
même s'il restait seul avec sa tasse, son demi, parlant peu
avec les serveurs, balayant la salle d'un regard myope et
s'absorbant dans la lecture du journal. Il ne doit pas être
si âgé – moins de quatre-vingts ans en tout cas – mais

semble fragile et prudent comme un grand vieillard, tremblotant dans un de ses costumes anglais démodés, inusables, trop grands pour lui, comme son col de chemise trop large. Immobile, on dirait un gâteau sec. Au moindre mouvement, c'est l'image d'un oiseau qui s'impose, un oiseau déplumé, un ancien prédateur. De rares cheveux qui ont dû être roux jadis, ramenés d'une tempe sur l'autre et collés à la Gomina, un nez busqué, des yeux bleu pâle, embués, un regard liquide, presque pathétique, dans un visage creusé, pointu en bas, bombé au crâne où s'épanouissent de larges taches de son. Des mains très fines, aux longs doigts soignés. Une pochette de soie jaune un peu bouffante lui donne un côté vieux beau, un air d'ancien efféminé.

Dès octobre j'ai su qu'il m'avait remarqué. Ou remarqué mon regard. Ses yeux m'ont paru moins troubles, moins noyés, une ou deux fois il m'a salué de la tête, très discrètement. Puis je l'ai vu sortir du café un soir en compagnie d'un garçon d'une vingtaine d'années que je sais être un gigolo. Le lendemain, il m'a fait porter par le serveur une coupe de champagne alors que je venais à peine de m'asseoir à ma table, et s'est fendu d'un sourire, la tête penchée, les yeux plissés, levant son verre à ma santé. Je lui ai rendu son salut et, levant ma coupe, j'ai compris aussitôt, dès que les petites bulles ont pétillé dans ma gorge, que c'était un contrat. Le vieux m'avait choisi. Quand il a fait signe au garçon d'aller me porter un petit mot, je me suis levé sans ouvrir le papier et je l'ai attendu dehors.

* *
*

– C'est par là, je passe devant vous.

La voix était plus assurée que je ne m'y attendais et il marchait d'un bon pas. Au tout début de l'avenue Georges-Mandel, il s'arrêta devant la grille d'un petit jardin et sortit ses clés. La maison haute était dans l'ombre, construite dans le style normand, appuyée sur la gauche contre le rocher massif du cimetière de Passy, les morts au niveau du toit. Le vieux me précéda dans le hall, puis l'escalier, allumant et éteignant les lustres, les lanternes en fer forgé qui diffusaient une lumière verte. Le tapis sur les marches de pierre étouffait tous les sons. Au second étage, je demandai :

– Vous êtes seul ici ? Pas de voisins, pas d'autres locataires ?

Sans se retourner, le vieux fit de la main le geste d'épousseter, d'écarter du bout des doigts l'idée même d'un voisinage, comme une miette, et d'une voix forte :

– Des locataires ? Jamais. Tout est à moi, de la cave au grenier. J'habite au quatrième, pour moi c'est assez, et ça me fait faire de l'exercice. En dessous, c'est vide et ça le restera.

Arrivés au dernier étage, il souffla.

– Ce vide coûte une fortune, mais j'y tiens. Trop tard pour changer de caractère. Entrez.

L'appartement était à peu près aussi sombre que le hall en bas, éclairé de lampes aux abat-jour bleus ou verts, séparées les unes des autres par des zones de nuit où je ne pouvais que deviner la silhouette d'une chaise, d'un guéridon. Le vieux me conduisit au salon où deux bûches se consumaient dans la cheminée.

– Il y a du bois, là.

Il désigna un coffre :

– Allez-y, c'est plus gai. Je reviens dans une minute.

Je relançai le feu et tournai tous les interrupteurs que je trouvai. Le salon était grand, meublé de quelques lourds fauteuils de cuir, d'un canapé. Les murs étaient couverts de bibliothèques noires où les livres cédaient par endroits la place à des bibelots, des photos sous verre. Je m'approchai de l'une d'elles. Le cliché devait avoir un peu plus de vingt-deux ans. Le calcul n'était pas difficile pour moi : c'était une semaine avant mon accident de moto, on voyait, devant la villa « Quand même », debout en haut du perron, Lou, vêtue de sa robe de soie rouge, et, à ses côtés, l'oncle Éléazar, maigre et dégarni, pas encore autant que l'homme que je venais de suivre aujourd'hui jusque dans ce salon, mais déjà voûté, hanté par l'oiseau frêle qu'il allait devenir. Tous deux souriaient en grimaçant à cause du soleil, fixaient l'objectif. Le photographe qui avait tenu l'appareil d'Éléazar ce jour-là, ce dernier été, l'homme invisible, c'était moi. A côté de la photo, sur l'étagère, une boîte laquée noire brillait. Je soulevai doucement le couvercle. Mes doigts rencontrèrent un nuage lisse. Des pas dans le couloir se rapprochèrent. En tirant une seconde un pan du nuage, je reconnus la robe rouge de Lou.

– Où êtes-vous ?

Éléazar venait d'entrer.

– Ah, vous regardez mes livres... je n'ai pas tout lu. Un cognac ?

*   *

*

Je m'étonne de ne pas avoir fait plus tôt le rapprochement entre l'oncle de Lou et le vieux beau du Trocadéro. Il avait beaucoup changé avec l'âge, sans doute la maladie, mais c'était lui, son air triste et faux, ses manières. Savait-il qui j'étais ou faisait-il semblant d'avoir la vue aussi basse que ses lampes? Il avait bien des raisons de se rappeler mon visage, à dix-huit ans, dont je me suis moins écarté que lui du sien. L'été où je fis cette photo à la demande de Lou, deux incidents m'avaient dévoilé la nature d'Éléazar. Un après-midi, alors que j'étais certain d'être seul à « Quand même », avec Lou au rez-de-chaussée, j'aperçus au-dehors, par l'entrebâillement des volets, le visage oblique d'Éléazar qui nous observait. Depuis quand? Il s'était éclipsé sans bruit, sur ses espadrilles d'espion. Lou ne s'était rendu compte de rien. Il me parut inutile de l'avertir contre son oncle. Il tairait vraisemblablement un épisode où il était lui-même dans le rôle du voyeur. Peu après ce jour où je pris la photo sur le perron, je croisai Éléazar le matin dans une rue de Pontaillac. Il me prit par le coude : il avait à me parler. En ami, dit-il. Je n'avais rien à craindre, il comprenait la vie, n'avait-il pas lui aussi ses petits secrets? Il n'était pas de ceux qui se permettent de juger les autres. Nous étions presque arrivés au bois de Pontaillac.

– Oui, allons un peu par là, c'est plus frais, dit-il, sa main toujours refermée sur mon bras.

Soit, je voulais bien le croire, il ne nous trahirait pas, le scandale serait d'ailleurs aussi grand pour lui que pour nous (il eut un petit rire de gorge, comme une fille), mais pourquoi ses scrupules ne l'avaient-ils pas empêché de dénoncer mon cousin Axel, dans les mêmes circonstances, un an plus tôt?

– Mais, je ne sais pas... Lou était trop jeune, ça me choquait. Et je vous préfère... vous.

Je dégageai aussitôt mon bras. Éléazar prit son porte-feuille dans sa veste, en sortit quelques billets : je ne devais pas faire le malin, il était capable de tout dire malgré tout, de faire beaucoup de tort à cette nièce. En revanche, il me paierait largement si j'acceptais de revenir à la villa « Quand même » un jour où Lou serait absente. Je lui crachai au visage. Le surlendemain, je perdis connaissance en moto sur la route de corniche.

⋆ ⋆
⋆

J'ai bu mon cognac pendant qu'il sortait d'un tiroir un appareil photographique et s'installait dans un des fauteuils devant la cheminée.

– Quel beau feu. J'aurai quand même besoin du flash.

Il chargea l'appareil, vérifia les piles.

– C'est très commode ces trucs américains. On appuie sur le bouton et la photo sort du boîtier dans les cinq secondes. La qualité n'est pas toujours excellente, mais on n'attend pas. Et j'aime bien les photos un peu ratées. Mettez-vous donc à l'aise.

Je m'assis dans le fauteuil en face de lui, allumai calmement une cigarette.

– Je vous dis de vous mettre à l'aise, répéta le vieux, vous comprenez, je suppose.

Je fis oui de la tête et ne bougeai pas. Éléazar soupira, plongea une main dans sa poche en secouant la tête comme si tout d'un coup le genre humain le décevait et posa sur la table basse à côté de lui cinq billets de deux cents francs. Je n'y touchai pas.

– Ce n'est pas assez ? Pour des photos, vous y allez fort. Cinq cents de mieux, ça ira ?

Je me suis levé et j'ai fait glisser mon blouson en arrière d'un mouvement d'épaules.

– Formidable, a murmuré le vieux, vous pourriez le refaire?

J'avais eu sans m'en douter un geste de strip-teaseuse, à ses yeux du moins. Tout, jusqu'à l'expression de mépris sur mon visage, devait l'exciter. Il a commencé à photographier très vite, aussi vite que le permettait son appareil dont les clichés sortaient trop lentement.

– Attendez-moi, je ne peux pas vous suivre avec cet engin.

Je n'avais jamais fait cela pour personne, encore moins pour un homme. Fallait-il se mettre torse nu avant d'enlever le bas, comment se déchausser sans ridicule? Mais lui ne trouvait rien de ridicule à cette situation, tout lui était bon. J'étais seul à éprouver cette impression de visite médicale, immobile, alors qu'il rechargeait son appareil, les mains fébriles, maladroites, et disait : « Allons-y. »

Je déboutonnai ma chemise en cabotinant un peu, l'ouvrant, la refermant, comme les vieilles professionnelles de Pigalle, et pris deux bonnes minutes pour défaire les cinq rivets de ma braguette. Puis je me tournai devant le feu et m'étirai.

– Eh bien, qu'est-ce que vous attendez? Vous n'allez pas rester en slip, non? C'est plus cher, c'est ça? Un supplément, vous voulez un supplément?

Je fis glisser mon slip et d'un coup de pied l'expédiai dans le noir, vers la bibliothèque et la photo de Lou. C'était ce qu'Éléazar appelait « se mettre à l'aise ». Je l'étais plus que lui dans l'instant. Être nu m'embarrassait moins que de retirer mes chaussettes; en revanche, lui s'agitait de plus en plus, empilait les photos, me donnait des ordres brefs, m'indiquait des poses, que j'acceptais ou refusais selon les cas, chaque refus paraissant l'exciter davantage encore que l'obéissance. Il me fit signe de m'approcher et prit quelques gros plans.

– Vous ne pourriez pas faire un petit effort ?

Je haussai les épaules, navré :

– Je n'y peux rien. Moi, c'est les filles, les très jeunes filles, uniquement.

Éléazar se gratta la nuque, réfléchit un moment :

– J'ai ce qu'il vous faut.

Il fouilla dans un autre tiroir du petit bureau près de la cheminée, en sortit un miroir de la taille d'un livre de poche et un sachet de papier blanc, posa le miroir sur ses genoux et fit couler du sachet deux traînées de poudre blanche. Il me tendit le tout ainsi qu'une paille en plastique.

– Logé, chauffé, dopé, qu'est-ce qu'il vous faut ? Allez-y à pleins poumons, vous m'en direz des nouvelles.

Je pris le miroir, m'agenouillai devant le feu.

– Pourquoi sur une glace ?

– Tiens, vous êtes nouveau là-dessus ? Comme chez les bijoutiers de pacotille : la pierre paraît plus grosse. Là, vous avez l'impression d'en avoir deux fois plus. Psychologique, ça aussi.

Une impression de neige m'envahit comme un feu d'artifice entre les yeux jusqu'au crâne.

– Ça va ?

Était-il inquiet ? Je lui rendis la glace et la paille, me redressai. Il leva une main hésitante :

– Faites quelque chose, ne restez pas comme une chiffe.

Tout m'était soudain égal, étranger, même ce vieil homme avec ses photos entassées sur la table. Je me tournai face au feu en me caressant lentement, oubliant le photographe dans l'ombre, concentré sur la neige qui tourbillonnait dans ma tête.

– Bravo, dit Éléazar.

Je ne m'étais pas senti venir. Je n'y avais plus pensé, à dire vrai, et j'étais là dans ma main, loin au bout de mon bras, gourd et dur, comme si je tenais un autre. Éléazar

était hors de lui, congestionné, bégayait. Il devait louper
une photo sur deux dans sa hâte. Il posa son appareil, ou
le laissa tomber plutôt, haletant comme s'il venait de
courir, le front couvert de sueur. Je le tenais enfin : un
pas vers lui, il aspira l'air bruyamment, suffoqua, s'effondra.
Je le saisis par le revers de sa veste, le secouai. En vain.
Les yeux d'Éléazar avaient basculé en arrière, vers sa mort,
le sang quittait ses joues, ses lèvres, il serait bientôt gris.

Je me suis rhabillé en prenant soin d'effacer toute trace
de mon passage. J'ai jeté au feu les photos, le miroir, le
sachet vide et la paille. Empoché les deux mille francs de
mon salaire et laissé le cadavre d'Éléazar en plan devant
son feu. Descendu l'escalier sans allumer, essuyant un peu
partout avec mon mouchoir. Dans la rue je me suis aperçu
que je tenais une grande boîte noire sous mon bras gauche.
Impossible de me rappeler quand ni où je l'avais trouvée.
Il y avait trop de lumière et de gens au Trocadéro pour
que je puisse l'ouvrir, regarder ce qu'elle contenait, ni
l'abandonner par terre, dans la rue, sans paraître suspect.
Depuis la disparition de N. et la mort de Louis, Soutre
devait être sur mes talons.

*   *
*

Le soir même, rue de Chaillot, en sortant de mon bain,
j'ai renversé le petit flacon capuchonné de blanc où sont
enfermés mes tranquillisants « Rancune 12 mg » des labo-
ratoires Hoffmann et E.T.A. Je me suis mis à quatre pattes
comme un chien pour ramasser ma pitance calmante, mes
gélules répandues sur la moquette synthétique, étanche –
une bizarre imitation de gazon – de la salle de bains et
les replacer dans le flacon, précautionneusement, une à
une. Un bien-être si fragile. Et quatre d'entre elles dans

la boîte de poche où je garde en permanence ces capsules d'oubli rose chair, pour pouvoir disposer à tout instant du jour d'un minuscule bouclier chimique.

Au réveil, en allant lever le store, j'ai bousculé du pied le panier d'osier où mon linge sale patiente près de la commode. Le couvercle du panier est tombé et j'ai vu un pantalon bouger, se déplier une seconde, comme animé. J'ai failli croire à un fantôme. Mes vêtements allaient me quitter. J'ai plongé une main entre les chemises, le pantalon, les chaussettes, et trouvé quelque chose de doux. La robe de soie rouge de Lou. Celle qu'elle portait sur la photo. Je ne me souvenais pas de l'avoir prise en quittant Éléazar, ni de l'avoir cachée dans ce panier. Juste la sensation de la boîte noire sous mon bras, légère. Je l'ai mise quand même dans la machine à laver, avec mes chemises et un maillot de corps noir où figure encore en fragments blancs la silhouette collée, effritée d'un chanteur dont j'ai oublié le nom.

*   *
*

Comme il habitait seul dans son manoir normand appuyé au cimetière de Passy, sans voisins, sans locataires, sans famille ni amis, il est vraisemblable qu'on ne découvrira pas Éléazar avant des semaines, des mois. Le courrier s'entassera sur le sol de l'entrée. Il ne paiera plus ses factures, mais qu'importe. On lui coupera le téléphone, le gaz, l'électricité, après avertissement, comme à un vacancier distrait, un voyageur retenu au loin. Il n'avait pas de chien, à ma connaissance, rien qui aboie ou donne l'alerte. Il ne sera pas dérangé dans son fauteuil, devant son feu éteint. Il aura tout le temps de raidir, de pourrir, de se ratatiner en poussière à l'intérieur de son costume. Un squelette

tout habillé, chaussures aux pieds. Même s'il pue, l'odeur
filera par la cheminée. On dira que ça vient d'à côté, du
cimetière, des morts. Et ce sera vrai.

Mais moi je ne peux pas espérer cette paix. Je dois
sortir pour manger, on m'entend marcher dans ma chambre,
faire couler de l'eau. Il est impossible que Soutre ne finisse
par me retrouver. Ni qu'il ait renoncé à moi. A moins
qu'il n'ait été muté en province. Je devrais téléphoner à
la Préfecture, mais je n'en ai pas le courage. Ils me
repéreraient tout de suite, ils écoutent tout.

*   *
*

J'ai pensé me suicider, mais c'est idiot. Je n'en ai pas
envie. Et comment faire pour échapper aux vivants ? Je
ne veux pas qu'on me voie mort, qu'on me tripote, qu'on
m'autopsie, qu'on m'enterre. Il faudrait se tuer en esca-
motant son corps. Comme ces ouvriers des hauts fourneaux
qui tombent dans le métal en fusion et sont immédiatement
transformés en vapeur. Il n'en reste rien. On donne à leur
veuve un lingot d'acier en souvenir. Ou faire naufrage en
mer, loin des côtes, des sauveteurs, me faire dévorer par
les requins. Rien de très pratique. Le mieux est plutôt
d'organiser ma disparition. Changer de vie, d'identité, de
tête, habiter peut-être juste à côté de là où j'ai laissé ma
maison sans moi. Laisser croire éventuellement que j'ai
un peu connu le défunt, le disparu, demander de mes
nouvelles au tabac du coin. Sans insister.

*   *
*

Hier, 20 décembre, j'ai appelé Blanche, à Effondré. Elle
m'a dit qu'elle était seule, Axel et Mariane étant partis à

Venise pour Noël. J'ai pris le premier train et coupé par la forêt, de la gare à Effondré. Blanche était couchée, le téléphone à côté de son lit, le poêle près de la chambre éteint. Le jardinier est censé lui faire ses courses chaque jour, mais il n'est pas venu depuis avant-hier. J'ai nourri Blanche, fait du feu, l'ai soutenue jusqu'aux toilettes. Elle a du mal à marcher maintenant. Ce matin elle m'a demandé si cela m'ennuierait beaucoup de l'aider à prendre un bain. J'imagine son embarras, plus grand que le mien. J'ai dû la déshabiller, la porter, la déposer dans la baignoire, rester auprès d'elle pour l'empêcher de se noyer. Une fois dans l'eau chaude, elle était rayonnante. Je n'aurais pas cru qu'une femme de quatre-vingt-quatorze ans pouvait avoir encore des formes, une apparence si convenable. Je ne sais pas ce que j'imaginais, au juste : des membres tordus, une peau comme du cuir ou de la cire fondue. Rien de laid chez Blanche. Elle a de belles jambes, un ventre plat. Sa toison est grise, les seins se sont résorbés, Dieu sait où. Son visage est presque lisse par endroits, aux pommettes, au menton. Elle s'est savonnée, rincée, puis je l'ai sortie du bain, enveloppée dans une grande serviette et recouchée. Elle s'est endormie dans la minute.

*   *
*

Blanche n'est pas morte, mais c'est déjà une momie. Elle mange à peine, parle peu, reste tout le temps au lit, sur le dos, les yeux clos, qu'elle dorme ou non. Je me suis installé d'abord dans la chambre voisine, celle d'Aurélie autrefois, pour être à portée de voix de Blanche. Mais c'est inutile, elle ne demande rien, se passe à peu près de moi comme du reste.

Une ou deux fois, j'ai cru qu'on me regardait de la rue,

le soir quand la lumière est allumée dans ma chambre ou le salon. J'ai donc déménagé pour le pavillon dans le parc. Il y a un sommier près de la cheminée. Il suffit de chauffer beaucoup. Je suis allé dans mon ancienne chambre au bout de l'aile ouest. Rien n'a bougé. Personne ne vit là. Ce ne sont pas les chambres vides qui font défaut.

*   *
*

Je dois faire attention à écarter de moi tout objet de verre, photos encadrées, vases, bouteilles, dès le soir, avant de boire, en prévision de mes moments de déséquilibre qui me prennent plus souvent, plus sournoisement qu'avant. J'ai l'impression de vivre dans un monde de verre, d'être un homme de verre, un verre plein de sang, prêt à se couper d'une minute à l'autre.

*   *
*

Retrouvé le soir de Noël une cachette de cinq bouteilles de marc. Et le manteau noir à huit poches intérieures que Mariane m'avait arrangé quand j'espérais réussir une carrière de pickpocket. Rapporté les bouteilles au pavillon et laissé mon manteau dans la chambre de l'aile. Il me servira de coffre-fort. Dans chaque poche, un cahier ou deux de mon journal à l'abri des curieux. Sur la table du pavillon, j'ai commencé à dessiner le plan de l'Age d'Or. La forme de l'île m'est revenue assez facilement, les routes, le village, le trésor enfoui. Les personnages ne m'ont pas trop tourmenté, bien qu'un ou deux se soient égarés dont je ne sais plus les noms ni les attributs. Dans ce genre de jeu, il n'y a pas de petits rôles, tout le monde peut être

important un jour ou l'autre. Mais j'ai oublié plusieurs
règles du troisième niveau. Même si, au premier, il est dit
qu'il n'y a pas de règles; et au deuxième, que la seule
règle est de n'en pas parler. C'est très gênant, mais je ne
peux qu'attendre un retour de mémoire.

Essayé de faire comprendre hier à Blanche que c'était
Noël. En vain. Elle a grignoté un morceau de gâteau,
avalé un verre de vin comme si c'était de l'eau, m'a
regardé de ses yeux clairs et quand je l'ai embrassée m'a
dit : « Longue vie, mon garçon, longue vie. » Et s'est
endormie avant même que je l'ai débarrassée de son
plateau. Me suis retiré dans le pavillon, avec la radio et
une bouteille devant le feu. Dans quelques heures, Axel
et Mariane seront ici et moi très loin. Rêvé que j'avais
laissé des milliers de chandelles brûler, que je traversais
un château illuminé, un palais de cristal. Ce matin, retenu
par téléphone un taxi pour demain de bonne heure.

III

EFFONDRÉ

à Bayard

I

Un château de glace illuminé dans la nuit, c'est ainsi
que Bayard se représentait souvent l'état de bonheur
chimique auquel il s'était tôt accoutumé, dès l'époque du
blockhaus de l'Age d'Or, avec ses fioles de détachant, puis
en abusant des gélules prescrites par le médecin de Mornac
pour juguler sa folie d'alors. Sans prétendre envelopper le
songe de mon cousin dans mes draps, je crois que cette
image du château lui vint au cours d'une ou deux saisons
froides dans la maison d'Effondré, à la lisière de la forêt
de Fontainebleau, où les enfants Gelliceaux passèrent leurs
vacances, chez Blanche, la mère de Charles, après que
Providence fut incendiée et le Marais abandonné aux soins
d'Anicet. C'était, selon Blanche, un manoir; une demeure,
rectifiait Charles, que des livres mentionnaient sous le
nom de « maison Bel-Air »; pour nous, le Bel-Air au
masculin. Une vaste bâtisse en U à deux étages, couverte
de tuiles roses et crépie de haut en bas d'un mélange de
ciment et de sable si abondamment projeté près d'un siècle
auparavant par centaines de volées de truelles et si érodé
par la pluie qu'il évoquait dans ses ondulations, ses crêtes,
son gris, pour peu qu'on le regardât de trop près, la
lumière de l'œil rasant cet océan plat, les vagues de la
mer avant l'arrivée d'un grain. De l'autre côté de la rue,
un jardin descendait jusqu'à la Seine; à l'arrière, entouré

359

de hauts murs, un parc s'étendait, épais et sauvage à mesure qu'on s'éloignait de la maison, piégé de grandes ronces par endroits, ce qui, les premiers temps où je fus invité à Effondré, l'étoffait à mes yeux d'une dimension impénétrable. Le dessin du crépi, les limites imprécises du parc n'étaient que deux indices parmi d'autres qui me firent trouver à cette maison un air « penché », une parenté bâtarde avec les villas marines de mon enfance; mais Bayard devait être habité par celle-ci comme moi par Providence et se souvenir de quelques hivers où il était arrivé, le soir tombé, dans le manoir de Blanche, avait tourné l'interrupteur à l'entrée du perron, découvert le couloir ruisselant d'eau, les salons, les escaliers, les chambres de l'ouest scintillant de givre – son souffle, nos souffles éméchés en courts nuages devant nos bouches – et parcouru l'étage en laissant tout allumé après lui.

Nous y venions en train le vendredi soir, mes cousins et moi, sans Yvonne et Charles qui disaient ne pas aimer la campagne. Yvonne supportait mal la présence de Blanche, sa belle-mère, qui à soixante-dix ans n'entendait pas changer son caractère, assez mauvais, ni ses habitudes. En revanche, les enfants étaient toujours bienvenus et Blanche avait donné à Bayard un jeu des clés de la maison pour qu'il pût s'y rendre à n'importe quelle heure du jour ou de la nuit, sans même avoir à la prévenir. Bayard devait seulement prendre garde de ne pas faire de bruit pendant les heures de sommeil, même si Blanche, qui était plus jeune qu'Alexandre de dix ans, ne dormait pas vraiment mieux que lui à la fin de sa vie; il fallait respecter les formes, les rites établis par Blanche, dont seul Bayard paraissait connaître le nombre. Ainsi, le chauffeur du taxi, René Valotti, qui nous menait de la gare – au cœur de la forêt, une pauvre bicoque éclairée avant même la fin du jour d'une falote lampe jaune – à Effondré, deux kilomètres plus bas vers la Seine, savait qu'il fallait, le soir, profiter de la pente, rouler au point mort dès que possible avant la maison de Blanche et s'arrêter cinquante mètres au-delà, pour que le claquement des portières et du coffre ne fasse pas sursauter la vieille dame dans sa chambre. « Juste dans mon premier sommeil, le meilleur », avait-elle protesté une ou deux fois d'un ton si indigné que Valotti, par ailleurs chargé d'entretenir le jardin, de retarder à lui seul le retour du parc à l'état de nature et de préparer le bois pour les cheminées, avait retenu la leçon. Blanche était petite et très énergique, mais ce n'était pas son âge qui lui valait d'être aimée de la plupart des gens du village, comme elle était obéie par nous, ni l'étendue de son domaine, l'un des plus anciens d'Effondré; elle n'était pas riche, du reste, vivant depuis vingt ans des rentes laissées par son défunt mari et de la vente petit à petit de quelques bouts de terrain bien situés que les Parisiens toqués de colonisation rustique payaient au prix fort pour y construire des fermettes à poutres imitées; les vieux villageois, les « indigènes », selon Bayard, éprouvaient pour Blanche un mélange de respect, pour sa silhouette menue, son chignon blanc impeccable, ses efforts de toilette, sa manière de se tenir droite, tête haute, et d'irritation devant ses manies, sa morgue. D'admiration aussi pour son courage, sa volonté de maintenir envers et contre tout – l'âge, le fisc – le monde qui l'entourait comme autrefois. Elle savait quand et comment on devait tailler les chasselas qui poussaient le long des murs de grès dans tout Effondré et sur la colline au-dessus; de quelle manière on pouvait suspendre la maturation des grappes et les conserver jusqu'au printemps suivant dans des chambres à raisin; elle avait refusé en bloc le chauffage central, les fours électriques et la télévision que Charles lui avait proposé d'installer à ses frais, se chauffant au bois, au charbon en cas de froid intense (« Pour les autres, les Parisiens, disait-elle, moi je dors la fenêtre ouverte, neige ou pas »), et n'avait accepté que deux instruments relativement modernes, un gros poste de radio à cadran lumineux où brillait un œil vert de chat, l'œil magique, maléfique du progrès, et, à la suite d'un cambriolage chez les voisins, un téléphone dans sa chambre.

Cette absence de confort constituait pour Yvonne un motif supplémentaire de toujours différer ses visites à Effondré, mais il offrait pour mes cousins et moi (que Blanche enveloppait d'une même affection avec toutefois une préférence pour Bayard l'ombrageux, « un homme, celui-là ») une source d'occupations et de travaux presque exotiques, ceux de jeunes Robinsons débarqués sur une île en mer du Nord. L'hiver venait tôt à Effondré, durait plus tard qu'ailleurs; et dès avant l'hiver, le froid griffait le sommet des arbres dans le parc, la pelouse et la colline sur la rive droite de la Seine, s'insinuait en vent coulis sous les portes, gémissait dans les conduits des cheminées. Ce n'était que l'aspect théâtral de l'hiver à Effondré. Sa manifestation la plus forte était fantomatique et massive, celle d'un nuage, d'un édredon d'acier enserrant toute chose, étouffant les feux dès que l'un d'entre nous avait le dos tourné, glissant un tourbillon de coton glacé dans le tuyau des poêles, mouillant les draps comme autant de voiles affalées, posant un suaire sur les vitres, refoulant l'eau du sol à travers les fondations jusque dans les murs, à la surface du papier peint, posant une lourde et molle chape sur la maison où nous allions le soir, de plus en plus ralentis, d'un feu à l'autre, constater leur faible éclat, le soupir des bûches baveuses, petits personnages errants, s'agitant encore sous sa patte de velours.

Ces inconvénients dus à l'austérité de Blanche étaient, d'après Bayard, du dernier grand genre. Ils donnaient à notre façon de vivre ici un parfum de gloire ancienne et, plus prosaïquement, nous préparaient à survivre à la prochaine guerre mieux que tous ceux, victimes du déploiement ridicule de la technique, qui ne savaient plus faire une flambée ni greffer un arbre. D'où l'importance de tout ce qui servait au chauffage, du bois entassé sous le hangar par Valotti aux poêles des chambres et à la cuisinière de fonte au rez-de-chaussée, sur laquelle Blanche préparait tous les repas.

De même qu'Alexandre à Providence, Blanche n'en finissait pas de rappeler la splendeur passée du Bel-Air, dont nous n'avions aujourd'hui que les miettes, les reliefs, pauvres petits conviés trop tard à contempler les ruines debout, à vivre au milieu d'elles, à s'y loger tant bien que mal. « Ce n'est plus qu'une fin de siècle », disait déjà Blanche lors de mon premier séjour en 1964. Il y flottait encore un parfum tendre et corrompu, celui des pierres et de la terre humides, le même que j'avais aimé au Marais de Mornac et que je ne retrouverais plus tard qu'à Venise ou les soirs de pluie sous les arcades de la place des Vosges, une odeur fade de lent désastre, à laquelle se mêlait aux saisons tièdes la nuance douceâtre d'un cadavre discret : l'âge émoussait la mémoire de Blanche pour les choses du présent, et des plats entamés, des aliments gardés en en-cas, oubliés par elle dans un fourneau, un placard, se laissaient gagner par la pourriture.

– Tu ne connais pas la fourrure grise? me demanda un jour Bayard en me précédant dans la cuisine. C'est une spécialité de ma grand-mère, une curiosité locale.

Il ouvrit la porte du four qui, en été, faisait office de garde-manger et en sortit un plat de porcelaine contenant un objet aux contours arrondis recouvert d'une sorte de pelage gris clair uniforme et serré. Je risquai :

– Un poulet, peut-être?

Bayard me le mit sous le nez :

– Absolument, dit-il. Un poulet, intact et parfaitement moisi. Oublié par Blanche depuis une quinzaine, et momifié après cuisson, tel quel. Je le jette, inutile d'en parler à Blanche. Il va bientôt sentir très fort.

Et il m'encouragea, si le cœur m'en disait, à chercher un peu partout, de coins de brie en souris mortes, tout ce qui avait été frappé en traître par la fourrure grise.

Bayard venait parfois sans nous à Effondré, avec une fille de passage qu'il voulait éblouir et pour laquelle il empruntait une voiture. Il entrait dans le Bel-Air avec des ruses de voleur, bien qu'il eût la clé, et Blanche du fond de son lit faisait la sourde oreille jusqu'à leur départ au petit matin.

– Je dis aux filles que c'est mon château, expliquait Bayard, mais que je ne fais pas de bruit parce que mes créanciers s'y sont installés. N'importe quoi. Elles sont deux fois plus excitées qu'à l'hôtel.

Hormis ces visites, Bayard nous emmenait avec lui presque chaque semaine, Mariane, Pierre-et-Paul, Aurélie et moi; Louise était « trop jeune » et ma sœur Victoire ne voulait en aucun cas se trouver dans la compagnie de Mariane. De semaine en semaine, par les jours partagés dans cette maison, il me semblait changer de famille et tenir Blanche pour ma propre grand-mère, Aurélie et Mariane comme des sœurs; pourquoi pas, si l'on connaissait comme moi l'usage qu'en avait eu leur frère par le sang.

Il n'y avait pas que les clés de la cour et du perron au fond des poches de Bayard. Dans l'atelier, sous sa chambre, il avait déniché une caisse de vieilles clés et à l'aide d'une petite meule de pierre s'était confectionné des passes pour toutes les serrures connues de la maison. Nous avions accès à bien plus d'endroits que ne l'aurait admis Blanche : au pavillon dans le parc, son « atelier », où elle n'allait plus depuis dix ans, après avoir renoncé à la peinture; à la chambre verte, tapie au centre de la maison, un débarras sans autre fenêtre qu'un vitrail étroit donnant sur l'escalier et dont l'unique porte était cachée par une bibliothèque dans la chambre de Mariane (la chambre baptisée « verte » par nous, à cause de la lumière filtrée par le vitrail et de la couleur des murs, renfermait un coffre-fort qui tenait tête à Bayard, des armes – carabines, revolvers, fusils – et quelques obus non désamorcés de la Deuxième Guerre, récupérés dans le jardin ou le carré de peupliers en bord de Seine), pièce secrète, sans doute à cause des obus, ou du contenu du coffre, dont jamais Blanche n'avait parlé, comme s'il n'y avait rien dans cet espace au cœur du Bel-Air et que nous étions assez peu curieux pour ne pas remarquer ce « rien » de huit mètres carrés au premier étage; au grenier, très chaud en été, où s'empilaient les jouets d'enfant de Charles, la vaisselle cassée, des négatifs de photos de grand format par pleines valises; et surtout à quantité de placards dissimulés sous un escalier, dans l'épaisseur d'un mur, au-dessus d'une porte, sous le tablier d'une cheminée condamnée, dans le double fond d'une armoire à linge. Bayard, en ayant repéré près d'une vingtaine, pensait qu'il devait en exister encore quelques autres, dans la chambre de Blanche, territoire tabou. Il les avait tous ouverts avec un jeu de trois passes élémentaires. Quand ils n'étaient pas vides, ils contenaient des petits verres à liqueur et des bouteilles de bourgogne ou de vin d'Arbois. Dans la chambre verte, à l'intérieur d'un faux meuble d'archives aux tiroirs en trompe l'œil, il mit la main sur une bonbonne de marc, distillée par son grand-père du temps des bouilleurs de cru, et l'emporta dans sa chambre. Seul le coffre résistait à ses investigations, scellé dans le mur et bouclé par un code à quatre chiffres. Bayard ne désespérait pas de l'ouvrir un jour et s'efforçait de deviner toutes les combinaisons qu'avait pu concevoir Blanche sur la base de telle ou telle date facile à retrouver pour elle.

Mais serait-on jamais certain d'avoir tout sondé? Pour ma part, j'en doutais. Cette maison devait engendrer des cachettes comme elle favorisait le développement de la fourrure grise. Aurélie me dit en confidence que, du temps où Blanche n'était qu'une petite fille de moins de dix ans (Aurélie venait d'en avoir treize), une servante avait disparu dans la cour de la maison, avalée par un trou, un éboulement du sol, au-dessus d'une cave ou d'un tunnel ne figurant sur aucun plan, bref aperçu de l'enfer aussitôt comblé et rebouché. L'attrait de l'histoire venait de ce qu'on ne disait rien du sort de la servante, comme si à cette époque les gens d'ici avaient été assez épouvantés ou féroces pour ne pas lui porter secours et l'achever sous les pavés de cette tombe imprévue. Aurélie ne connaissait pas l'emplacement exact de l'oubliette et m'interdisait d'en parler à Bayard, ni à personne, tout cela était trop grave. Je promis. Et, sans croire un mot de la légende, j'eus néanmoins plusieurs fois en foulant le gazon de la cour l'illusion de la servante ensevelie, tenant ses paniers ou un plateau, un poulet saigné, un chat puni par la peau du cou, descendue toute droite comme une poupée en costume régional, souriante entre les pierres, peut-être parée elle aussi de la fourrure grise.

*　　*
*

La longue rive où s'étendait Effondré était dans une courbe du fleuve, basse et souvent inondée. Le sol était meuble, d'argile ou de sable, gorgé d'eau même dans les mois les plus chauds de l'année, saturé comme une éponge pendant les crues. Dès l'automne, le bruit de nos bottes dans l'ancien chemin de halage résonnait sourdement sur la terre élastique et lourde. Par endroits, des affleurements de calcaire se devinaient dans l'herbe grasse, mais l'ensemble des prés, des routes, des jardins cultivés ou plantés d'arbres paraissait constamment malléable, soumis aux débords de la Seine. On disait que les maisons anciennes étaient construites en grès et ne tenaient debout, en équilibre dans ce lieu mouvant que grâce à l'eau, dont le grès s'imprégnait de haut en bas, la puisant par les fondations et la restituant à l'intérieur des pièces en un fin brouillard, parfois un ruissellement, comme une transpiration froide à la surface des papiers fleuris, une haleine muette sur toutes les glaces. Le Bel-Air était sans aucun doute une des demeures les mieux trempées de ce village aquatique; le cycle de l'humidité – presque une merveille comme la résurgence de la Sorgue à Fontaine-de-Vaucluse – ne s'y interrompait jamais, d'autant que Blanche, sèche de constitution quant à elle et habituée de toujours au phénomène, se refusait à chauffer le rez-de-chaussée, encore moins à isoler le pied des murs, le sol de la cave. L'eau tenait les pierres ensemble, elle en était convaincue, et toute tentative d'assèchement mettrait le Bel-Air en danger d'écroulement à court terme. Elle-même, qu'en savions-nous, ne devait sûrement sa santé, sa longévité qu'à la présence occulte de l'eau souterraine, cette eau dont le ciel paraissait si souvent saturé, même par temps clair, comme un air palpable, épais dans la gorge.

Quand les péniches remontaient le courant, chargées de gravier, le bastingage au ras des tourbillons verts striés d'écume sale, leur moteur tournant à plein régime, au plus profond du fleuve, on entendait alors un tambour noyé dont les coups se répercutaient en cadence à travers les berges et les jardins jusque dans les murs les plus larges du Bel-Air, des assises aux poutres maîtresses et au toit. Les portes grinçaient, s'entrouvraient parfois (Blanche les fermait aussitôt, calmement, comme pour témoigner de l'insignifiance d'un cataclysme familier, dompté par elle dès le berceau), les chaises et la grande table à pieds de lion de la salle à manger se déplaçaient de quelques centimètres, toujours du côté du parc, le lustre à pendeloques du salon carillonnait dans un souffle, un tableau glissait de guingois sur son fil. A l'étage, on entendait la plus légère des chaises dans la chambre de Mariane trembler sur le parquet, puis le silence revenait. « Jusqu'à la prochaine », disait Bayard. Blanche faisait l'étonnée : « De quoi parles-tu ? Il se passe quelque chose ? »

Elle ne pouvait nier toutefois qu'il s'était vraiment produit un événement jadis qui s'apparentait aux tremblements de terre provoqués par les péniches. Du temps où ses parents vivaient encore ici, la municipalité, ou un quelconque ministère des Transports, avait décidé de faciliter la navigation marchande à la sortie et un peu en aval d'Effondré. On avait donc éliminé quelques petites îles gênantes pour les bateliers. La quantité de dynamite avait-elle été mal calculée, les charges mal placées ? L'onde de choc avait si bien voyagé dans le sol marécageux que la totalité des maisons en était restée fêlée. Au Bel-Air, une fente large et nette avait traversé les cinq marches massives du perron, d'un coup, comme au rasoir, ainsi que la maison, de part en part, et le mur d'enceinte. Le tracé, que l'on retrouvait à l'intérieur dans le plâtre des plafonds, était presque parfait et n'indiquait qu'une direction, celle où les îles avaient été coulées.

Une fêlure de cette taille n'était pas réparable, sinon à très grands frais, et en fin de compte guère gênante. Blanche, sans le dire ouvertement, en était plutôt fière, comme si cette blessure en temps de paix rachetait l'espèce de disgrâce dont tout le monde avait souffert ici de n'avoir pas été bombardé pendant la guerre, pas suffisamment du moins. La fêlure, la balafre indélébile avait apporté au village la perspective héroïque qui lui manquait. Les parents de Blanche posèrent sur la cicatrice, au milieu de la façade, des petits témoins de plâtre pour s'assurer que le bâtiment ne « travaillait » pas, que la fente ne s'élargissait pas, et comme le blanc des témoins sur le gris du crépi était d'un assez bon effet, ils en firent placer sur les ailes également, où il n'y avait nulle faille, à titre décoratif. En fait, après leur mort, Blanche avait constaté que même les témoins superflus se fendillaient avec le temps, très lentement, que le plafond du salon s'incurvait le long de la fissure, que les deux ailes est et ouest commençaient à piquer du nez vers le nord. Et rien, aucune explosion notable, ne pouvait expliquer cette infime et sournoise dislocation de son manoir. Elle ne voulait pas entendre parler des péniches, trop nombreuses, trop puissantes, ni des camions qui desservaient l'usine du village voisin et passaient pourtant matin et soir sous ses fenêtres. Tout cela était secondaire, accessoire. Elle n'aimait pas ce bruit, ce trafic, cette frénésie économique depuis la fin de la guerre, un peu vulgaires, mais une éducation laïque et républicaine, un sens moral inébranlable l'empêchaient de critiquer, ne fût-ce qu'en pensée, l'agitation, même brouillonne et confuse, des gens qui travaillaient plus qu'elle et n'auraient jamais une si grande maison avec tant de chambres inutiles. Mieux valait lire dans ces pierres malades un calembour du destin.

— Après tout, ça s'appelle Effondré, ici. Et ce n'est pas que la colline de Chantoiseau ou les Hautes Buttes menacent de nous tomber dessus. Ni que le village ait jamais été plus haut sur la Seine qu'aujourd'hui. Je n'ai pas raison, Bayard ?

– Si. Tout s'effondre, toujours.

– Je n'ai pas dit ça, concluait Blanche, contente.

Nous ne comprenions pas comment la grand-mère et le petit-fils parvenaient à s'accorder dans cette conversation brève, maintes fois répétée, mot pour mot, comme une blague figée, une cérémonie de famille, elle posant toujours la même question, lui donnant toujours la même réponse sibylline qu'elle écartait sans la réfuter, feignant de ne pas être de son avis, en paroles seulement, pour nous, la galerie, mais tous deux partageant à notre insu le même secret, la même conviction quant à la justesse ou l'origine du nom d'Effondré. A croire qu'il était de leur cru, ce nom vieux de plusieurs siècles. (Parfois l'un de nous posait, sur le ton d'une comptine, la question convenue : « Comment s'appellent les habitants d'Effondré? » et Blanche enchaînait : « Ils n'ont pas de nom. Ailleurs, on les croit morts. Ici, on ne se parle pas. ») J'imaginais assez pourquoi Bayard continuait dans son rôle désenchanté; il n'avait jamais souhaité paraître en avoir d'autre et la tournure qu'avait prise sa jeunesse n'était pas de nature à le faire y renoncer; pour lui, la vie, la vraie vie était un continent perdu, une île détruite dont il ne pouvait que relever l'absence, le vestige en creux, dans les murs brisés du Bel-Air et les turbulences de son existence, à Paris, ici, comme au bout du monde. Mais la philosophie sereine et pessimiste de Blanche me surprenait, pour le peu qu'elle en dévoilait au détour d'une phrase, d'un sourire. Je ne connaissais rien de sa vie et à l'époque me souciais plus de mes propres pensées ou de l'humeur de mes cousines. Peut-être Blanche ne prenait cette attitude que par affection pour Bayard, pour le rejoindre tendrement où qu'il aille, quoi qu'il dise. Le nom d'Effondré m'importait peu, au mieux je concédais qu'il sonnait juste pour cette maison-ci, forte et menacée, pareille en cela à celle de Suzanne

L'Ansecoy, où Bayard avait vécu et dont la catastrophe
était autrement avancée.

*　*
*

Le vin qu'il découvrait, Bayard était d'avis de le boire :
Charles, qui avait dû constituer ces petites réserves avant
son mariage, ne revenant guère à Effondré, sinon brièvement et sans Yvonne, pour Noël ou l'anniversaire de
Blanche, n'y pensait certainement plus, et n'avait pas les
clés de surcroît. Je ne buvais presque jamais jusqu'alors
chez mes parents, mais Bayard m'assura que c'était sain
et même indispensable, comme de savoir l'amour et le tir
au pistolet. Nous commençâmes par le vin d'Arbois, le
plus facile, tous les deux dans sa chambre après le dîner,
puis avec Mariane. J'appris très vite à boire trop, à être
malade, puis à ne plus l'être, ce qui était, d'après Bayard,
le début de la maîtrise de soi. Il y eut dès lors peu de
soirs où je ne le quittais pour regagner mon lit sans me
tenir au mur avant de me coucher tout habillé.

Chacun de nous avait sa chambre et il n'en restait
qu'une vacante, pour d'éventuels invités ou, plus impro-
bables, les parents Gelliceaux. Bayard avait choisi au bout
de l'aile ouest une grande pièce sans cheminée ni poêle
et placé son lit sur des tréteaux, à un mètre du sol, pour
que son oreiller soit à la hauteur d'un œil-de-bœuf, qui
s'ouvrait au nord, sur la rue et vers la Seine. La chambre
précédente, en deçà de l'escalier de l'aile, était vide; la
troisième, donnant sur le parc, était la mienne, qu'on
désignait aussi comme chambre des cannes parce qu'une
collection de gourdins et de joncs y était conservée, en
montre dans un râtelier face à mon lit. Dans le corps
central du bâtiment, après moi, Louise dormait dans une

371

pièce où Blanche avait fait placer la sonnerie du téléphone et il me fallait passer par chez Louise pour rejoindre le grand escalier et le couloir qui desservait les chambres de Mariane, Aurélie et Blanche, outre la « verte ». Je pense que Bayard m'avait délibérément opposé ce handicap, pour éviter des rendez-vous trop faciles entre Mariane et moi, sans paraître m'ôter la liberté de mes mouvements, puisque je pouvais emprunter son escalier à lui pour descendre dans la cour, colimaçon dont les marches grinçaient assez fort. Pierre-et-Paul avait élu une petite pièce bleue à l'extrémité de l'aile est, comme le pendant, l'égale du fief de Bayard et le plus loin possible de lui. Il disposait aussi d'un escalier qui menait à la cour du garage et lui permettait de quitter le Bel-Air par une porte basse sur la rue ou par le fond du parc qu'il connaissait mieux que nous. Entre sa chambre bleue et Blanche, un grenier obscur abritait un canot renversé, la canadienne ou le canoë indien, juste au-dessus de la chambre à raisin, avec ses centaines de bouteilles inclinées sur des échelles où les tiges de chasselas achevaient autrefois de mûrir dans le noir. De toutes ces chambres, celle où j'aurais voulu entrer librement était celle de Mariane, trop voisine d'Aurélie; celle que j'aurais choisie pour moi était celle de Bayard, à cause de son œil-de-bœuf par où le soir il regardait les arbres du jardin éclairés par la lune, sans quitter la chaleur de son lit.

Je croyais la maison orientée au sud. On m'avait dit qu'elle l'était au plein nord, mais j'oubliai vite le vrai au bénéfice d'une rêverie, d'une erreur qui associait les peupliers du bord de la Seine, les arbres sur la colline en face au souvenir imprécis d'un tableau romain; et aussi parce que je savais que les trains qui passaient au crépuscule sur l'autre berge du fleuve, et dont le roulement de tonnerre faisait chanter les vitres disjointes du Bel-Air, se rendaient en Italie. Le premier été où je vins en vacances

chez Blanche, j'arrivai avec une semaine de retard sur mes
cousins. Blanche me tendit une lettre de Bayard. Il était
parti l'avant-veille pour dix jours avec Mariane; des amis
de Charles les avaient invités à Venise; en son absence il
me prêtait sa chambre, si je la préférais à celle du parc.
J'étais resté seul sans dormir dans cette pièce, dans son
lit, au milieu de ses affaires, de ses vêtements jetés au
hasard sur des chaises, les poignées de la porte et de la
commode, fou de colère, de jalousie, à maudire Mariane
et les coupoles de cette ville que je n'avais jamais vue,
vers où filait chaque soir le train de nuit.

*   *
*

Aujourd'hui, quelque vingt ans après cette nuit, ma
colère est tombée, Bayard ne voyagera plus. Ni à Venise
ni ailleurs. Il ne partira plus. Et moi, enfermé dans sa
chambre de l'aile, volets clos, assis à sa table, mon cahier
posé au milieu de son désordre – cendriers pleins, verres
en équilibre sur des piles de livres, journaux entassés,
découpés, crayons, boîtes de cigarettes vides – auquel je
ne changerai rien, par respect pour son âme inquiète et
la disposition des objets choisis par lui au fil des jours
pour l'accompagner dans l'au-delà, je ne peux que répéter
comme pour Lord Jim : « Il était l'un de nous. » C'est
pendant la nuit de notre retour d'Italie, alors que nous
dormions, cahotés par le train, Mariane et moi, que Bayard
mourut dans le pavillon mauresque. Où étions-nous alors,
dans la vallée du Pô, traversant la Suisse ou la Bourgogne ?
Je ne me souviens pas d'avoir éprouvé l'ombre d'un
pressentiment, ni rêvé, ni reçu aucun des intersignes dont
parlent pourtant volontiers des gens moins sensibles et
crédules que moi. La chose ne s'était pas produite d'un

373

coup, comme dans le cas d'une chute, d'un meurtre.
Bayard avait dû s'assoupir sur le divan du pavillon, peut-
être ivre, une de ses éternelles Craven allumée à la main
et le matelas de crin humide avait mis longtemps à se
consumer, sans flamber, en dégageant une fumée âcre,
lourde, qui avait étouffé mon cousin. Le feu ne prit
véritablement qu'après sa mort, en gagnant ses habits, puis
le numéro du *Monde* déplié, froissé contre lui, et ne
s'étendit pas beaucoup, ne dévorant qu'une moitié de la
table. Tout ici, les meubles estropiés, les vieilles revues,
était trop moisi pour s'embraser et le brouillard de janvier,
captif des arbres qui entouraient le pavillon, obturait le
conduit de la cheminée d'un long bouchon d'air glacé.
Au matin, Valotti avait poussé la porte, ouvert les fenêtres.
Bayard était mort, à demi brûlé, avec pourtant une sorte
d'expression paisible sur le visage, comme s'il n'avait pas
souffert, ni lutté, étendu à son aise sur un lit de cendres
tièdes. L'odeur était atroce, selon Valotti qui avait alerté
les pompiers, bien que tout risque d'incendie ait disparu
et qu'il n'eût aucun espoir de sauver « ce qui restait de
Monsieur Bayard », puis était monté parler à Blanche, dans
sa chambre à l'étage, où il n'avait jamais osé mettre les
pieds auparavant.

Blanche fit prévenir Mariane à Paris et, dans la journée,
dans le même sursaut d'énergie, obtint du médecin et du
maire d'Effondré les permis et dérogations exceptionnelles
pour enterrer son petit-fils non pas au cimetière à l'orée
de la forêt de Fontainebleau, mais ici, dans le parc, entre
les racines du grand marronnier solitaire sous lequel en
été nous dressions la table du déjeuner. Valotti creusa la
fosse, assembla quelques planches en forme de cercueil
(« Ne le faites pas trop serré, dit Blanche, il ne faut pas
le barricader, cet enfant, laissez-lui donc de l'air ») et mit
Bayard en terre. Une pierre tombale serait commandée

plus tard, si quelqu'un d'entre nous le jugeait indispensable, ce qui d'évidence n'était pas son cas. Pourquoi une dalle, une inscription sur un arbre si vénérable, tant aimé de tous; pourrions-nous jamais oublier que le corps de Bayard était désormais noué entre ses racines, coulait dans sa sève? Quand j'arrivai ce soir-là en compagnie de Mariane, il faisait nuit depuis deux heures. Blanche nous attendait dans la cuisine, assise, un plaid sur les genoux, près du fourneau à charbon. « Il y a du café, mes petits », dit-elle en se tournant à peine vers la plaque de fonte où ronronnait au bain-marie la cafetière de tôle émaillée bleue. « Dépê-chez-vous, il va être bientôt foutu. » Elle fit un récit très succinct de sa journée, de ce qu'elle savait sur la mort de Bayard, sans commentaires ni pleurs, s'arrêtant par instants pour retrouver son souffle, son calme. A quatre-vingt-quatorze ans, elle estimait avoir trop « insisté » dans la vie, enviait plus la mort douce de Bayard à quarante ans que le sort végétatif des centenaires (« On ne me la fera pas, à moi. Je n'irai pas jusqu'à trois chiffres, c'est trop long. Et prétentieux, aussi »). Pas la peine d'aller dans le parc avant demain, il n'y avait pas de lune ni de lampe, et Valotti avait déjà tassé la terre de remblai. Quant à elle, il ne lui restait plus qu'à monter se coucher, elle n'avait plus de forces à présent.

Ainsi nous ne verrions jamais le dernier visage de Bayard, nous ne pourrions plus le toucher une seule fois. Dès le lendemain matin, je me rendis au pavillon. Valotti, levé sans doute avant l'aube, pelletait les cendres dans un tombereau. « A part Monsieur Bayard et son mauvais lit », pas grand-chose n'avait brûlé. Il me tendit un paquet de cigarettes entamé. « C'est tout ce qu'il a laissé. » Elles étaient sur le bout de la table où le feu n'avait pas pris. « Ça et son whisky. » Il y avait sur les dalles blanches que Valotti balayait un rectangle noir où la pierre avait cuit.

Pendant quelques jours, j'ai cru que rien ne me viendrait
plus de Bayard que ce paquet de cigarettes, où figurait sur
un fond rouge la tête blanche et noire d'un chat qui rôde
en moi depuis mes seize ans. Ce chat et l'idée de Bayard
enfoui dans l'amour du plus vieil arbre d'Effondré. Puis
un autre matin, Mariane étant partie pour la journée à
Paris, je me décidai à pénétrer dans l'aile ouest, certain
de ne pas être entendu de Blanche, et finalement dans la
chambre de Bayard (il n'y avait besoin d'aucune clé,
d'aucune permission, c'était une effraction purement morale,
Blanche considérant, ainsi que Mariane dans une certaine
mesure, sans l'avoir jamais vraiment dit, que cette chambre, cet espace précis et ses abords immédiats étaient un
sanctuaire où toute autre présence que la sienne, Blanche,
constituerait une sorte de blasphème). J'entrouvris d'un
doigt ses volets sur le soleil d'hiver et attendis de m'habituer
à la pénombre. En une dizaine de jours, avant Noël, Bayard
avait su redonner à l'endroit son aspect chaotique d'avant,
mais je n'y changeai rien; faire le ménage ici aurait ajouté
au sacrilège. En revanche, quand j'aperçus du fauteuil la
silhouette tordue et massive du manteau noir de Bayard,
je sus que j'avais là son cadavre, bien mieux qu'au pied
du marronnier. Je le palpai, le soulevai et m'assis pour
mieux lui faire les poches. Il y en avait huit en tout.
Chacune contenait un carnet souple rempli de l'écriture
serrée de Bayard de la première à la dernière ligne, sauf
le carnet huit, inachevé. Il me fallut plus de cinq heures
pour déchiffrer tous les carnets qui constituent le « Journal
de Bayard » que je publie à la suite de *Providence*. Mon
cousin était parfois illisible, se servant d'abréviations difficiles à décrypter, de simples initiales. Ou alors son écriture
se penchait avec l'alcool, se recroquevillait (sous l'effet des
somnifères?), lâchait la page, comme si Bayard avait glissé
de sa chaise, évanoui.

Il n'y avait que ce journal dans le manteau noir que Bayard avait souhaité enfiler pour mieux nous quitter. Aucun écrit sur l'Age d'Or. Aucune carte non plus, celle dont il évoque le dessin avait dû disparaître avec lui et son divan. Aucune liste d'adresses, aucun numéro de téléphone. Son portefeuille avait subi le sort de la carte. A tel point que par la suite je n'ai pu mettre la main sur le fameux Soutre (un pseudonyme sans doute), ni sur un inspecteur qui lui ressemblât ou qui l'eût connu. On ne se souvenait pas non plus d'avoir vu Bayard à la Préfecture, sa photo, son nom ne disaient rien à personne. Et la silhouette de Soutre, quand je le décrivais tel que je l'avais vu sous la plume de Bayard, l'emplacement absurde de son cabinet, surtout la nature indéfinie de ses fonctions, les limites de son autorité, son titre, paraissaient fantaisistes, insensés, aux yeux de tous ceux que j'interrogeais. C'était, me dit-on, un de ces agents si secrets qu'ils n'appartiennent même pas aux services secrets et ne sont connus que d'eux seuls. Je me fis bientôt l'effet d'un imbécile. Encore deux semaines d'une telle enquête à la police et l'on m'aurait affirmé avec sérieux avoir entendu parler d'un certain Soutre, tant j'avais prononcé, épelé son nom, de bureau en bureau, et colporté la légende improbable de cet inspecteur attaché à la seule filature de mon cousin.

J'avais laissé le manteau comme je l'avais trouvé, ne gardant que les carnets par-devers moi, que je plaçai dans ma valise, sous d'autres manuscrits et quelques livres que j'avais emportés en venant à Effondré. Le surlendemain de ma découverte, j'étais encore trop troublé pour me retenir de tout raconter à Mariane, ma visite dans l'aile ouest, l'existence de ce journal désormais entre mes mains. Elle ne me fit aucun reproche, toucha les carnets sans les ouvrir et me les rendit. Elle ne voulait pas les lire pour le moment. Peut-être n'en aurait-elle jamais envie.

II

Quand, peu avant la mort d'Alexandre, nos familles
s'étaient repliées sur Paris, je m'étais cru délivré des
Gelliceaux et deux années s'étaient écoulées sans que
j'eusse de leurs nouvelles. Personne n'avait fait allusion à
une quelconque brouille, mon père avait seulement dit
une fois qu'il n'était pas rare entre parents, même entre
amis, que l'on se « perde de vue », et je pensais alors que
toute la période de ma vie où Mariane et Bayard avaient
régné était enfin révolue. Nous habitions une rue triste
du dix-septième arrondissement, en haut du boulevard
Malesherbes, où l'on ne comptait qu'un arbre, un acacia
dépérissant sous nos fenêtres et où vivait – comme nous
l'apprirent le jour de notre emménagement, lors de l'unique
conversation que nous eûmes avec eux, nos voisins de
palier – le comédien Gaston Modot. Je ne l'avais vu que
dans un des premiers films de Buñuel, mais c'était assez
pour que la silhouette du vieil homme m'apparût comme
celle d'un champion retraité de l'art moderne. Il ne sortait
que très rarement de chez lui, à l'autre bout de la rue. En
revanche, habitant le même immeuble gris sombre, une
femme sans âge promenait son chien tous les jours à cinq
heures, vêtue d'un immuable manteau en poil de chameau
jaune comme la fourrure de sa bête, un braque haletant
qui la tirait laborieusement d'une extrémité de la rue à

l'autre, tous deux empreints de la même distraction passionnée, comme si depuis des années qu'ils arpentaient ce
quartier mort ils n'avaient cessé d'avoir la tête ailleurs,
dans une aventure indicible. Le comédien survivant (jamais
aperçu de face) et la folle au chien jaune constituaient
pour l'observateur que j'étais, du fond de mon ennui, une
constellation médiocre et détraquée, à l'image de la rue
et de mon séjour à Paris. Il n'y avait plus rien de
remarquable à vivre, me semblait-il, et la monotonie de
ces mois, après la chute de Providence, me rendait la
monnaie de mon amertume, au jour le jour, en petites
coupures. J'avais appris par Pierre-et-Paul, rencontré à la
sortie d'un cinéma, que Bayard et Mariane s'étaient envolés
pour les « îles », leurs îles, que j'imaginais dans la mer des
Caraïbes. S'agissait-il pour Bayard de retrouver la cabane
de son enfance au bord d'une plage déserte, de renouer
avec sa sœur un lien que l'Europe avait rompu ? Ou
possédait-il, au cœur des cyclones, un trésor corsaire ? En
fait, Charles leur avait offert ces vacances tropicales pour
soulager son fils des obsessions qui le hantaient depuis
son accident, et, dans ces conditions, la présence de
Mariane était indispensable auprès de lui. Des années
plus tard, Bayard me dit qu'il avait été « déçu », rien de
ce qu'il avait aimé dans ces îles n'existait plus. Il en était
revenu néanmoins comme « guéri », rétabli aux yeux de
la famille, prêt à jouer son rôle d'aîné. La nouvelle de
son départ avec Mariane n'avait pas manqué de réveiller
ma jalousie, mais ce sentiment, si vif auparavant, ne dura
guère, comme si les malheurs de Bayard en avaient
émoussé le fil.

*   *
*

Pendant les deux années où je ne vis Mariane ni Bayard, j'eus quelques maîtresses plus âgées que moi qui achevèrent de me débrider, du moins le crurent-elles; j'eus ainsi l'occasion de séduire une jeune épousée dans un petit lac près d'Aix-en-Provence – elle simulant de se noyer, moi de la sauver – sous les yeux de son mari, piètre nageur. Mais dès cette époque je n'avais de goût que pour les très jeunes filles, je craignais les femmes et leur appétit. Je passais des après-midi entiers dans les couloirs du Louvre, parmi les statues, au musée Grévin, à contempler les têtes de cire, tel fragment de journal – *le Gaulois* du 30 août 1893 – où, le temps d'une ronde guidée, j'avais déchiffré un jour, dans le bref éclair d'une torche électrique, le titre d'un article : « Horreur de la nature. » C'était évidemment mon propre « naturel » que je haïssais de la sorte, mais je me défendais de trop comprendre l'embarras où j'étais d'être moi. J'étais sans vocation et plus troublé par l'odeur des marronniers au mois de mai que par l'ambre ou le musc des sœurs de mes amis; un innocent, doué sans le savoir et qui marquait des points en aveugle, loin du compte espéré. Je plaisais aux laides, aux dévoyées, aux malheureuses, jamais aux plus belles. La femme qui dans l'eau tiède du lac s'était accrochée à mes épaules puis à mon maillot, pendant son voyage de noces à Aix, m'avait d'abord effrayé par sa franchise. Il me fallut près d'un an, la honte et le dépit aidant, pour retrouver mon audace auprès de cette demi-vierge, fiévreuse de m'apprendre tout ce que je savais depuis Providence et de m'encourager dans l'écriture, au vu des quelques lettres par lesquelles j'avais éconduit son premier élan. Je commis dans la foulée d'assez mauvais poèmes que j'adressai à telle revue austère, déjà saturée des productions émues de ses collaborateurs, et mon lyrisme ne fit pas long feu : un refus courtois me parvint au bout d'un mois, signé par un conseiller littéraire. La revue était désolée, selon la formule consacrée, imprimée d'avance, de ne pouvoir honorer mon talent, mais le conseiller, dans un *post-scriptum* écrit à la main, se déclarait disposé à me rencontrer, à me guider dans la carrière sans avenir de la poésie, et avait signé Robert Gelliceaux.

Robert était le frère cadet de Charles, le paria de la famille, autant pour la futilité de sa vocation – lecteur de poésie dans une tribu d'ingénieurs et de hauts fonctionnaires – que pour le caractère non ambigu de ses préférences garçonnières, dont Pierre-et-Paul, par un saut de puce de la logique génétique, semblait avoir hérité. Quand je me rendis à son rendez-vous, il m'accueillit dans un gazouillis de politesses, prit mon manteau et me fit asseoir. Assez petit, rapide et virevoltant, il se levait de son fauteuil à roulettes toutes les dix secondes, tirait sur les poignets de sa chemise, resserrait les crans de sa chevelure clairsemée, d'un vilain blond paille ; il déployait avec la plus chaleureuse conviction toute une gamme d'arguments pour persuader son interlocuteur du génie qu'il abritait, dont lui, Robert, se ferait l'accoucheur pour peu qu'on s'y prêtât. J'eus la prudence de l'avertir d'emblée de notre lien de parenté, m'étonnant du même coup du silence où mon oncle Charles le reléguait depuis toujours. Il agita sa main en éventail. Il savait tout cela et ne fit aucun mystère des raisons de son exil. Il était le « masque de fer » du roi Charles, un jumeau renégat, un scandaleux, mais sans remords et plutôt content de soi. Si Charles avait honte de son frère, c'était par sottise et par lâcheté : à bien considérer les choses, lui, Robert, était le plus courageux des deux en affirmant sans détour son grand écart de conduite. En aucun cas, il n'avait à s'en excuser; libre à autrui de le condamner ou de l'aimer, il était ainsi, et tant pis pour les cafards. Quant à mes poèmes, il ne me servit aucun des compliments en usage dans l'édition et me les lut à voix haute, dénonçant, vers après vers, les clichés et les images ampoulées qui révélaient à coup sûr mon inexpérience dans cet art et peut-être même – il réservait son diagnostic – mon absence de tout don; mais la leçon me fut administrée si drôlement que je ne pus tenter un geste de bravade, un repli mortifié, comme je l'aurais fait avec d'autres; je pris la liasse de mes écrits, dès la fin de sa lecture, et la déchirai menu dans sa corbeille. Robert sourit, me serra la main solennellement et dit :

– Enfin du talent.

D'après lui, l'expert en tempéraments inexprimés, je serais romancier un jour, mais rien ne pressait. La gloire me viendrait tard. Une vraie chance, mieux : une garantie.

– Tu dois rester à l'abri du succès.

Au diable les flambeurs d'un jour, les récompenses prématurées, les célébrités de cafés.

– Creuse ta famille, Axel, elle est sans fond, laisse-toi souffrir et invente tes ancêtres. Pédéraste, écrivain, célibataire, déserteur, suicidé, choisis ce que tu veux. Le tout est de fausser compagnie, tu n'y couperas pas.

Il me parla ensuite de Pierre-et-Paul, le seul de ses neveux qui lui accordait sa confiance et lui donnait des nouvelles d'une famille dont il était banni. De Bayard et Mariane, que je ne voyais plus, il savait peu de chose, du moins le prétendait. Bayard avait mis des mois à se rétablir de son accident (et surtout du procès où il avait comparu, en vain, pour expliquer la mort de la passagère du side-car), mais il allait mieux à présent, bien que ce « mieux » lui parût, à lui, fort suspect, une comédie destinée aux médecins et aux parents. Mariane, il ne s'en inquiétait pas, elle nous enterrerait tous, à moins qu'on ne cesse un jour de l'aimer, ce qui n'était guère à redouter, ne resterait-il que moi dans la plus réduite des hypothèses. Au fait, qu'attendais-je, avant d'écrire des romans, pour renouer avec de tels personnages ? Apparemment, Pierre-et-Paul avait fait plus d'une confidence sur les années passées entre Pontaillac et Mornac, et vendu la mèche en entier à cet oncle dont j'avais ignoré qu'on l'appelait « la folle », « la honteuse » et parfois « la tante Roberte » après boire, dans la maison du Marais. Puis, retournant une de ses chevalières vers l'intérieur de sa main pour indiquer son désir de changer le sujet de la conversation, il m'annonça qu'il préparait une anthologie intitulée *les Petits Côtés des grands hommes, roman mesquin,* et me fixa d'un œil péremptoire :

– Après tout, qu'est-ce qu'un petit côté, sinon un grand travers que l'on entend cacher ? Il n'y a rien de petit. Même chez les petits hommes, non ?

*   *
*

Avant cette rencontre avec Robert, en 1964, je cherchai à tromper tant bien que mal le malaise que m'inspirait Paris. Plusieurs fois, je fis le pèlerinage du Grand Trianon en souvenir d'Alexandre qui me l'avait désigné comme l'ombilic de la France éternelle, son centre magnétique, avec son architecture en Z, ses marbres, ses ors, ses canaux, son amphithéâtre de verdure, son buffet d'eau, et, au loin, cette allée dans le parc, dont il n'avait jamais pu percer l'origine du nom : « L'allée des Ha!! Ha!! » Puis je m'entichai de certains quartiers. En quelques heures, quelques jours, je me livrais en touriste à des excursions méthodiques.

Des excursions minimales : du Trocadéro, je remontais
l'avenue Henri-Martin, en direction de la Muette, pour
contempler les grands immeubles de Walter, sur le boulevard Suchet, forteresses grises aux fenêtres immenses,
châteaux modernes que personne ne semblait habiter,
comme à la lisière du bois des bunkers imprenables où le
mobilier devait être géant, les lits, les vases, les lampes
plus larges et volumineux qu'ailleurs, citadelles vides dont
je ne savais pas qu'elles seraient un jour le siège de ma
mélancolie (j'appris plus tard que Mariane, cette année-là,
y avait ses habitudes et un amant au dernier étage, sur
une des terrasses où se balançaient des arbres japonais).
Ces hautes maisons me serraient le cœur, sans raison,
comme d'autres endroits, le triangle du Ranelagh ou telle
maison de Passy, toujours fermée, dont je passais des nuits
à imaginer la distribution des salons et des couloirs.

En ces deux ans, loin de Mariane, je n'eus que peu de
relations avec les femmes, guère plus satisfaisantes qu'avec
l'épousée d'Aix. Un jour d'avril, j'aperçus dans une boutique
du faubourg Saint-Antoine une vendeuse ajustant un costume d'homme sur un mannequin d'étalage. Je lui trouvai
un quelque chose de Mariane – la minceur mate, l'œil
brillant – et m'arrêtai devant la vitrine. Elle me retourna,
sans même sourire, un regard aussi peu équivoque que le
mien. J'attendis l'heure de la fermeture dans un café arabe
de l'autre côté de la rue et la jeune femme me rejoignit
à six heures. Elle ne prit qu'un verre de vin et, sans dire
un mot, me conduisit au studio qu'elle occupait rue
Baudelaire. Il n'y avait pas de vestibule, juste une pièce
tendue de tissu rouge et un coin-toilettes protégé par un
paravent de papier chinois. Elle me fit signe de me
déshabiller. Quand je fus allongé nu sur le canapé-lit, elle
me dit de laisser deux cents francs sur la table de chevet,
puis se livra à quelques ablutions derrière les papillons et

les dragons du paravent. C'est alors que j'entendis gronder – exactement quand elle vint, nue à son tour, s'asseoir sur le canapé – un chien minuscule, sorti de sous une armoire et planté au milieu de la pièce, babines retroussées.

– Dédé, me dit la jeune femme. Un yorkshire à soixante pour cent. Il me protège.

Il était évident que la vendeuse en qui j'avais apprécié un faux air de Mariane était établie à son compte, et Dédé lui tenait lieu de maquereau jaloux. Par ses grognements et ses jappements étouffés, Dédé me coupa tous mes moyens, comme la fille sans doute s'y attendait. Dès que j'essayais de la prendre dans mes bras, de toucher sa poitrine, Dédé se faisait menaçant et se rapprochait du canapé.

– Tu ne peux pas le mettre dehors un moment, ton chien? Ça me bloque, de le voir là. On dirait qu'il veut me bouffer.

– Non, Dédé vit avec moi, tu n'as qu'à bien te conduire, c'est tout. Les deux cents francs, c'est le prix pour entrer ici et me voir nue, rien de plus. Si tu veux davantage, il faut payer encore.

Tout était rigoureusement tarifé. Un préservatif était compris dans le droit d'entrée, mais au-delà ce n'était que suppléments : cent pour toucher les seins (« On caresse, on ne pince pas »), deux cents pour une pénétration en missionnaire de dix minutes, deux cent cinquante pour l'amour français (« Tu gardes ton petit imper, de toute façon »); quant à l'amour grec, il était hors de prix. Je n'avais pas assez d'argent sur moi pour aucun de ces luxes; pire, je ne présentais pas la plus chétive disposition à remplir quelque rôle que ce fût. Je soupirai en regardant Dédé, demandai son prénom à la fille.

– On m'appelle Sandrine, dans cet endroit.

Et d'une main patiente, elle m'acheva en trois minutes.

Elle fut rhabillée avant moi et Dédé me suivit jusqu'au seuil, prêt à s'attaquer à mes chevilles. Je me retrouvai dans la rue sans avoir passé plus d'une demi-heure avec Sandrine, seulement gai d'avoir découvert ce petit chien, songeant à ce qui pouvait bien l'animer, l'émouvoir et à la cocasserie qu'il y aurait à rédiger à sa place, « vu d'un chien », son journal intime, les mémoires microscopiques de son grand amour pour cette doublure de ma cousine.

De mes premières années à Paris, après la mort d'Alexandre, je ne garde aujourd'hui aucun autre souvenir plaisant que celui de mes excursions, de la femme au braque jaune et de la prostituée de la rue Baudelaire. Mes études de droit et de lettres me décevaient et je me fis peu d'amis parmi les gens de mon âge. Je n'étais pas de leur temps, me semblait-il, pas de la même époque. Ce qui les intéressait m'importait peu et je ne me trouvais de points communs qu'avec les plus vieux des professeurs, ceux qu'on n'écoutait plus. Eux seuls me parlaient comme Alexandre et consentaient à me dire les derniers tours, les recettes d'un art condamné, me faisaient lire Retz et traduire Perse. A quoi bon, disaient-ils, ça vous mènera où? Nulle part bien sûr, sinon dans les draps d'autres femmes à petits chiens colériques, en d'autres expéditions hasardeuses vers les quartiers pauvres et bientôt la banlieue de l'Est, la plus désolée, la plus touchante à mes yeux. J'allais une fois par semaine y rôder et payais une chambre au-dessus d'un café pour y dormir une heure ou deux en plein après-midi. C'était du temps volé – mais à qui, sur quel calendrier? –, du temps précieux à ne faire que regarder les fleurs des rideaux imprimés, compter le goutte-à-goutte du robinet mal serré dans le lavabo jaunasse, les pas des servantes dans le couloir, des routiers familiers de l'étape, à gâcher mes jours, à ne rien attendre.

C'est Pierre-et-Paul, ce cousin à cinq pattes, comme

disait mon père – assez curieusement du reste, puisqu'il lui reprochait en fait d'avoir quelque chose en moins, un instinct naturel, une case dans la tête –, qui, par l'intermédiaire de son oncle éditeur, me fit revenir dans le cercle de l'Age d'Or en m'invitant à l'automne de 1964 à Effondré. Je retrouvai Mariane et Bayard comme je les avais « perdus de vue », sans raison, comme si un mouvement de la foule nous avait éloignés puis rapprochés les uns des autres, involontairement. Bayard se contenta de mentionner avec ironie les louanges de son oncle sur mon talent. Qu'avait dit Robert, au juste ? Au plus une phrase flatteuse, une prophétie prudente, mais c'était assez, « on » était content de me revoir. Bayard n'était plus abattu comme après son accident, au contraire il tenait le rôle du père en l'absence de Charles et d'Yvonne. En quelques week-ends, entre octobre et novembre, il me fit adopter par Blanche comme si j'avais été son frère et m'attribua la chambre aux cannes sur le parc, à perpétuité si je le voulais, à la seule condition de ne pas en changer le décor ni la disposition des meubles. L'offre me parut généreuse, d'autant que je n'emportais que peu de bagages et je crus au début que ce ne serait là qu'une chambre de plus, ni plus ni moins étrangère que celles où j'allais au hasard, avant de comprendre la situation où Bayard me plaçait dans la maison, entre lui et Louise, loin de Mariane et pourtant sous le même toit.

La recommandation de l'oncle Robert eut une conséquence inattendue. Blanche, à qui on avait dû raconter les choses de façon sommaire, s'entêta à m'appeler « l'écrivain », quand je l'eus dissuadée de me baptiser « poète », encore moins « auteur », puisque je n'avais rien produit. Ma gêne et la malice de Blanche firent un temps la joie de Louise et d'Aurélie, assez pour que j'oublie de protester, et Bayard me dit un jour qu'après tout ce n'était pas une idée si bête, bien qu'elle soit venue de Robert et qu'avec mon air sérieux, ma façon d'être à côté de tout, le titre me convenait, d'autant qu'il n'y avait pas d'autre phénomène de ce genre dans la famille. D'ailleurs, n'était-ce pas le vœu d'Alexandre dont j'avais été le favori entre tous ? Heureusement, les pages lues par Robert n'existaient plus et on ne pouvait me juger sur aucune ligne, mais, comme leur oncle, mes cousins n'étaient pas pressés. Écrire, à les en croire, était plus une déclaration d'intention qu'un acte réel ; ils pouvaient concevoir à la limite qu'on soit réputé écrivain sans jamais publier ni faire plus que des projets et parler du livre en éternelle gestation. Cela devait les arranger d'une certaine manière, cerner au mieux l'être évasif que j'étais, sans ambition, élu par l'ancêtre et quitté par lui sans héritage que des mots, des regards, des silences, un rond de serviette.

Aurélie, qui allait avoir quatorze ans et, d'après Mariane, était réglée comme une femme, fut la plus acharnée à me vouloir écrivain. Elle voyait là un rôle prodigieux à tenir que ni mon père, ni Bayard, aucun homme chez nous, ne pouvait envisager, un statut de mage classique comme personne n'en avait plus ; et tant pis pour les années ingrates, les vaches maigres, si au bout du compte j'achevais un livre, une œuvre ouverte à jamais comme une trappe vers le bleu du ciel, hors du puits de nos vies. Aurélie était belle, comme sa sœur au même âge, avec de surcroît une expression d'innocence dévouée qui me désarmait (« Ne t'inquiète pas, me dit Mariane, elle sera pire que moi. A côté d'elle, tu me trouveras bonne »). Par ailleurs, je n'avais pas attendu Robert ni cette visite à Effondré pour écrire ou du moins commencer de m'y essayer. Je le savais depuis longtemps, c'était la seule voie où je n'aurais pas de rival proche ; j'avais certaines dispositions de caractère assez désordonnées et je ne pourrais les contenir raisonnablement qu'en construisant des objets,

des maisons ou des livres, en engendrant, assemblant les
rouages d'une fable, d'un mensonge qui me feraient tenir
debout. Mais mon peu d'expérience de l'acte même d'écrire
ne m'encourageait pas. Des années plus tard et jusqu'à ce
Providence, pour lequel Bayard se montrerait si dédaigneux,
écrire ne me fut jamais une source de plaisir, sinon par
éclairs, dans l'épanouissement imprévu d'une idée, une trou-
vaille acheminée en ma tête ou mon bras (où situer d'ailleurs
le siège précis de cet effort bizarre qui me harassait autant
qu'une longue course ?) comme un calcul grotesque, une
petite perle absurdement douloureuse malgré sa taille infi-
nitésimale qui me délivrait, l'espace d'un chapitre ou de
cinq lignes, du piège sans cesse refermé de mes mains.
Aurélie ne pouvait mesurer l'inconvénient d'écrire, bien
qu'elle eût entendu ses professeurs célébrer les « affres »,
toujours nobles, de cette activité surannée ; tout au plus elle
se les représentait comme des parures, des piments roman-
tiques, prétextes à des nuits blanches et à divers abus, somme
toute excusables. Mon amour presque sensuel des livres et
du papier, des cahiers, des carnets, des stylos, des encres de
couleur, de tous les instruments du supplice que je collec-
tionnais comme pour différer le moment de m'en servir,
rien ne trahissait le dégoût, parfois la terreur ridicule qui
ne me lâcheraient plus à l'avenir. Du reste, quand elle eut
compris qu'elle touchait là un point sensible en moi – le
seul enfin à sa portée qui ne fût l'apanage de Mariane –, je
ne pus faire état de ma peur, si contraire à l'image qu'elle
voulait se faire de son cousin retrouvé.

Je serais donc écrivain pour elle, dans un premier temps,
puisque je ne me reconnaissais pas la témérité de l'être
pour moi, ni pour les autres en général, surtout après mes
essais poétiques manqués. Elle serait mon unique lectrice,
mon public, et je ne voyais aucune objection à ce qu'elle
me passe, si le caprice lui en venait, commande de ce

qu'il lui plairait de lire, tout cela demeurant confidentiel entre nous. La famille pouvait être au courant de notre accord, mais n'en verrait pas les fruits. L'avantage d'un tel contrat, auquel je n'avais pas franchement songé en raison des cinq années qui me séparaient d'Aurélie, fut de me donner accès plus librement qu'avant au couloir des filles et de m'autoriser, même le soir (l'inspiration n'attend jamais), à me rendre chez elle et m'enfermer dans sa chambre, juste à côté de Mariane. Qu'allais-je donc écrire, quel roman, Aurélie n'en avait-elle aucune idée ? Il fallait vivre davantage, disais-je, emmagasiner les connaissances, les douleurs, les années, laisser la vie se déposer en soi pour avoir de la matière. Et tout en argumentant de la sorte, je pensais au corps de Mariane, allongée dans son lit, de l'autre côté de la cloison, ce corps que je n'avais plus touché depuis Providence.

Pendant deux étés, pour ne pas décevoir Aurélie, je me bornai à recopier des passages de romans peu connus dont je changeais les noms des personnages, mais c'était une diversion sans attrait. Aurélie me reprochait mon peu de conviction et ma dispersion (je n'osais pirater d'un bout à l'autre un seul livre et limitais mes emprunts à une dizaine de pages par épisode, sans pouvoir coudre ensemble ces lambeaux étrangers). Curieusement, c'est Pierre-et-Paul qui me sortit d'affaire, à sa façon particulière, qu'il disait avoir apprise au billard en jouant la bande, jamais la boule. Il tentait de m'initier au tir, dans le parc, derrière le Bel-Air, alternativement à la carabine et à l'arc.

– Ça n'a rien à voir, bien sûr, mais c'est la même chose. Il faut viser à côté du but. A la carabine, pour anticiper le déplacement du gibier, et à l'arc, pour une autre raison que j'ignore.

Si le principe était juste, lui dis-je, dans l'hypothèse

d'une proie mobile, à la chasse, il était logiquement faux en présence d'une cible fixe.

– Je sais bien, mais avec ta logique tu n'auras rien. C'est comme la vie, toujours pareil, on vise le rond bleu et on touche le rouge, celui qu'on ne voulait pas. Il faut viser et se laisser aller. Prendre ce qui vient.

Je suivis sa méthode, tirai de plus en plus vite sans observer les temps de pause habituels et marquai plus de points que toute ma volonté et ma concentration ne m'en avaient octroyé jusqu'alors. A la fin de la séance, Pierre-et-Paul reprit les armes pour les ranger dans le hangar :

– Tu voulais autrefois être comme Bayard et te voilà bombardé écrivain. Dès que tu es revenu parmi nous, j'ai su que tu visais Mariane, encore et encore. Et c'est Aurélie que tu as eue. Ou que tu auras bientôt, dès que tu te décideras à poser ton stylo et à lui écrire sa vie entre deux draps. Elle n'attend que ça.

Bayard peut bien se moquer de moi, l'écrivain, me jeter des pierres. J'en fais ma maison depuis toujours. Et lui est mort dans ce même parc, l'an dernier, à quarante ans. Je lui dois, comme à son frère, cette vocation démodée qui m'a ouvert les chambres de ses sœurs et tant d'autres, sur le papier comme dans l'épaisseur du temps. Je décidai donc, l'été suivant, d'entreprendre Aurélie sans tarder, puisque personne chez les Gelliceaux – où pourtant l'innocence n'avait jamais cours longtemps – n'affectait de condamner notre trafic romanesque ni le secret qui l'entourait et, poursuivant le théorème de Pierre-et-Paul, calculai, selon ma pente ancienne, qu'en visant la cadette, je ferais retomber l'aînée. Le soir même, dans la chambre d'Aurélie, je commençai d'improviser un petit conte de mon cru dont je donnais les pages sans les corriger, au fur et à mesure que je les achevais, à ma cousine, fort intimidée de me voir pour de vrai « à l'œuvre » et si prolifique. Le conte était libertin dès la première ligne et chaque page aggravait la précédente. Je conservais un air détaché, insouciant, tandis qu'Aurélie tire-bouchonnait la chemise d'homme qu'elle mettait pour dormir. Après dix pages, je me levai et lui souhaitai une bonne nuit, sans qu'elle eût émis la plus brève critique. Le lendemain je récidivai en corsant mon récit davantage et en glissant des expressions, des descriptions, de plus en plus nombreuses et détaillées dont j'estimais que certaines au moins devaient être inconnues d'elle et, comme Aurélie ne bronchait pas, j'en inventai que je n'avais jamais lues ni essayées et lui demandai à la fin :

– Ça va ? Si tu ne me suis pas, dis-le-moi.

Elle rangea les dix nouvelles pages à la suite des premières, dans un classeur d'écolière et haussa les épaules :

– Qu'est-ce que tu crois, je comprends tout, aussi bien qu'une autre.

Le lendemain, on fêta ses quinze ans par un dîner aux chandelles dans le parc, selon le protocole des grandes occasions. Mais après le repas et quelques verres d'un sauternes tiré par Blanche d'une cache inconnue de Bayard, je n'eus pas à prendre la plume comme avant. Aurélie, debout près du lit, vêtue de sa seule chemise, me fit signe de pousser le verrou et dit à voix basse :

– Voilà, j'ai quinze ans et je vais te faire un cadeau. Je vais être ton premier succès d'écrivain.

Elle ouvrit un peu plus sa chemise, puis se ravisa, m'attira vers elle et me déshabilla sans hâte, sans crainte; en s'allongeant, elle défit les premiers boutons de sa chemise :

– C'est Bayard qui me l'a donnée, je l'enlève ou je la garde ?

Au matin, un appel téléphonique d'Anicet réveilla Blanche avant sept heures. Yvonne et Charles s'étaient tués en voiture la nuit même sur la route de Mornac.

III

« Sur la route de Mornac », pour reprendre les mots prononcés par Blanche cette nuit-là, peut-être ceux mêmes employés par la gendarmerie, était une expression diplomatique mais inexacte, puisque la voiture de Charles – une vieille Versailles bicolore, crème à toit bleu – avait quitté la route, ce qui était la cause précisément de l'accident, et bien avant Mornac : trompé ou distrait par le brouillard, parfois levé dès le soir même au début de l'été en cette région, ou craignant d'être en retard sur la dernière navette avant la nuit, Charles avait manqué l'entrée du pont transbordeur. Le pont de Tonnay-Charente, encore autorisé aux voitures, était l'un des ultimes monuments élevés par le génie civil de la Troisième République avant l'érection de la tour Eiffel, dont il avait présagé l'intrépidité métallique, et déplaçait sur deux cents mètres une plate-forme de bois goudronné où s'entassaient une cinquantaine d'automobiles au plus, d'une rive à l'autre; la plate-forme était reliée par des filins d'acier à un chariot mobile, roulant sur deux rails en plein ciel. Ce pont gémissant, pathétique, au tablier volant, dont la course lente, oscillant d'arrière en avant, nous semblait, quand nous l'empruntions dans notre enfance, résonner en pleine campagne d'un écho atténué des convulsions de la mer, était fermé à chaque embarcadère par des barrières rouges et blanches comme celles des passages à niveau. Charles avait fait le trajet de Paris à Royan près d'une centaine de fois et connaissait l'emplacement des barrières, mais, ce jour, cette nuit plutôt où Aurélie s'était offerte à moi, il les avait inexplicablement évitées, contournées par la droite avant de plonger avec Yvonne et la Versailles du haut du quai dans les remous du fleuve. La voiture avait sombré presque aussitôt et si le courant l'avait emportée en aval du tracé de la route (un instant imaginée du fond de l'eau, aérienne, seulement matérialisée par le dessous noir rectangulaire de la plate-forme dans son va-et-vient), c'était quand même, en un sens, « sur la route de Mornac » que les parents Gelliceaux avaient trouvé cette occasion à peu près unique de se noyer. Charles voulait répondre à l'appel d'Anicet qui les avait priés par écrit deux semaines plus tôt de venir entendre de sa bouche telle confidence qu'il ne pouvait abandonner à la poste. Il avait, en fouillant, comme l'attestait le ton emprunté de sa missive, découvert à Mornac, dans une des pièces au premier étage de l'aile penchée vers le Marais, au-dessus de la chambre où Suzanne L'Ansecoy était morte, peut-être dans le salon de pénombre où j'avais joué aux cartes avec Bayard et Mariane, un paquet de lettres; lettres qui levaient en partie le voile d'ignorance et d'oubli nimbant le cas de la porte bleue où bâillait depuis des générations le mystère des Balliceaux.

On repêcha les corps de Charles et d'Yvonne au petit matin, loin du village et du pont. Sous le choc du plongeon, les vitres de la Versailles s'étaient brisées; peut-être mon oncle et ma tante avaient-ils eu le temps d'ouvrir les portes avant d'être noyés dans l'eau boueuse; ni l'un ni l'autre n'étant attachés, on avait continué d'espérer toute la nuit qu'ils étaient quelque part dans l'obscurité, étourdis mais saufs, jusqu'à l'aube où un paysan les avait vus flotter dans leurs habits clairs, à quelques mètres de la berge, tête-bêche et côte à côte, couple contrarié mais non séparé, se tenant presque la main et le visage en l'air. Je n'assistai pas à leur enterrement à Mornac, ne participai pas au deuil des enfants, et restai seul avec Blanche pendant deux semaines. A son retour du Marais, Aurélie me donna ces détails sur la mort de ses parents, « pour mes livres », un écrivain, selon elle, étant supposé devoir engranger toutes sortes de petites choses et de grands malheurs dont autrui ne sait jamais le bon usage au-delà du chagrin. Le sien, du reste, comme celui de ses frères et sœurs, fut bref.

Il est vrai qu'à partir de septembre je ne vins plus à Effondré qu'en fin de semaine, comme eux, et de façon trop irrégulière pour juger équitablement des émotions de chacun. Bayard et Mariane avaient épuisé à Royan toutes leurs réserves de larmes familiales. Pierre-et-Paul ne pouvait que se sentir libéré pour sa part et s'occupa de consoler Louise qui, à dix ans, était la plus affligée. Quant à Aurélie, cette annonce au matin, alors qu'elle venait juste de me céder coupablement un peu plus que son oreille, dut lui paraître comme un avertissement du destin. Sans qu'elle ait eu à me le signifier, je compris que tout était à recommencer auprès d'elle. Comme si la mort de Charles et d'Yvonne l'avait partiellement frappée d'amnésie, elle se souvenait de ce qui avait précédé et suivi cette nuit, mais non de la nuit même, jura avoir dormi tôt, jusqu'au coup de téléphone d'Anicet. Notre amitié, mes visites du soir, nos séances d'écriture dans sa chambre, l'intrigue de mes contes, la journée de son anniversaire, le dîner dans le parc, tout était pourtant « là » (elle se touchait le front du doigt), net et clair. Mais quand je lui parlai du cadeau plus tendre qu'elle avait voulu me faire pour ses quinze ans, elle secoua la tête, soupira :

– N'importe quoi...

J'eus beau lui répéter chacune de ses paroles, notre

court dialogue et les termes de sa proposition, mimer ses gestes et les miens, nos attitudes et nos mouvements d'approche, lui expliquer que nous avions d'abord décidé qu'elle garderait la chemise de Bayard, puis changé d'avis, avant d'éteindre la lumière à son chevet, elle refusa obstinément de me croire.

– Je le saurais, si c'était vrai, et toi aussi.

Moi, je ne doutais pas. Je savais n'avoir pas dormi une minute. Les trémoussements d'Aurélie dans la chemise de son frère, ses mimiques épouvantées quand je l'avais déboutonnée et lui avais touché les seins; son air ingénu de toute petite fille quand ma main avait glissé vers son ventre, mon genou écartant ses cuisses; son expression de parfaite candeur, empruntée à je ne sais quelle image sulpicienne de madone et jouée à la perfection quand elle s'était agenouillée sur l'édredon entre mes jambes; ses yeux levés au ciel, au plafond, comme ceux des martyres en extase, avant d'abaisser son visage, ses lèvres, sur moi, pour sa première offrande; son regard d'experte, son sourire quand elle s'était interrompue, avait redressé la tête pour me retarder, me faire attendre et durer, je n'avais rien oublié d'elle ni son cri sourd entre ses dents serrées quand je l'avais prise ensuite et reprise toute la nuit. Sa violence, ses prières, le goût de sa peau, je pouvais tout lui dire, lui représenter, elle réfuta mon récit en bloc, nia :

– Je le saurais, Axel, je le saurais.

Puis elle se montra irritée, après avoir été seulement incrédule, chaque fois que j'abordais ce sujet, et je cessai de lui raconter la nuit de son abandon.

– Quelle importance, dit-elle.

Je savais, j'étais certain, et elle ne me croyait pas, c'était cela, répondis-je, justement cela : ne pas pouvoir partager ce souvenir avec elle, qui le rendait sombre pour moi-même, comme si j'avais été un somnambule et elle une morte, une autre. Pour le reste, nos relations ne changèrent pas, je continuai à venir dans sa chambre le soir et à lui écrire des contes selon l'humeur du jour.

Il me parut assez vite plus habile de reprendre mon feuilleton dans un registre moins directement cru, d'en modifier le ton, et sans renoncer à mes scènes libertines, destinées à lui rendre sa mémoire et son courage, d'y mêler un peu d'ennui et une pointe de surnaturel. L'ennuyeux vint aisément, il me suffit de recopier des descriptions bien longues dans Dickens ou Balzac, de les délayer, ou de me lancer dans des thèmes moraux, de louer la charité, la pitié, l'abnégation. Aurélie n'y résistait pas. Au bout de trois pages, elle étouffait, ouvrait la fenêtre, se plaignait de la montée d'une migraine. Une page de plus du même tonneau et elle se fâchait ou s'endormait. Au contraire, si je virais brutalement de l'église au boudoir comme seuls peuvent s'y prêter sans ambages les romans, elle se ranimait, fermait la fenêtre et les rideaux, lâchait sa migraine, me demandait des pages encore et encore. J'avais dans ces moments l'espoir d'assister à sa convalescence, mais ne pouvais trop forcer l'allure de mes soins, d'autant que les ressources de mon imagination faiblissaient plus vite que l'intérêt d'Aurélie.

Robert, son oncle – « Ton éditeur, bientôt », comme elle disait –, me vint en aide sur ce point alors que je redoutais d'avoir à me répéter, me pasticher pour faire face à l'impatience d'Aurélie. Je sus par Pierre-et-Paul que l'oncle arrondissait ses honoraires de conseiller littéraire en rédigeant à la va-vite des romans lestes de toutes tailles et d'intensité variable, de la brochure graveleuse au « beau livre » relié pour amateurs. Il n'usait que de faux noms, parfois ne signait pas. Robert n'eut pas l'air gêné de me savoir au courant de ses travaux parallèles, certain que je

me tairais, et me prêta sans discuter une poignée de petits
livres à bon marché :

– Nous parlerons de ça plus tard, si tu veux. Sujet
énorme. Inépuisable.

Je fis donc profiter quelque temps Aurélie des fantaisies
nées dans le cerveau de son oncle, en les transposant
parfois pour leur ôter certains enjolivements particuliers à
son caractère qui ne pouvaient se marier au mien. Aurélie
n'y vit que du feu, et je pus tranquillement passer de
l'instructif à l'indécent, du crime au repentir, de la parole
donnée à la trahison des corps, sans mollir, me débarrassant
de tout ce qui me gênait, obstruait la narration, grâce aux
pouvoirs exceptionnels d'un mage auquel je dus céder de
plus en plus d'espace : les services du docteur Réussite
(c'était son nom d'artiste) étaient sans prix, malgré le
mauvais caractère dont je le pourvus dans un mouvement
de jalousie bien légitime. Il ne me refusait rien, n'était
jamais malade, ni absent, ni à court de procédés. Il
rouspétait, traînait des pieds, mais venait, pulvérisait le
mari, étranglait le maître chanteur, retrouvait les objets
cachés, les clés perdues.

Le docteur Réussite et son chien Succès ne plurent pas
beaucoup à Aurélie – le docteur était expéditif et suffisant,
avait le triomphe trop facile –, mais je ne sus bientôt plus
m'en passer : non seulement il résolvait tous mes problèmes
de construction, élucidait les situations inextricables où je
m'égarais parfois, mais il me ramena peu à peu au temps
béni du Baron rouge et, l'amitié naissant de l'habitude,
m'entraîna dans des digressions, des rêveries de traverse,
n'ayant souvent aucun rapport avec les soucis et les passions
de mes personnages. Avec lui je divaguai plus d'une fois
à voix haute devant Aurélie, puis parlai un beau jour d'une
porte, une porte obsédante et bleue – comme celle dont
Anicet avait dit, dans sa lettre à Charles et Yvonne,

connaître enfin sur quelle vérité elle ouvrait, bien qu'après l'accident de Tonnay-Charente il n'ait jamais fait mention de ce leurre qui avait tué les parents Gelliceaux –, une porte que le docteur Réussite voyait tous les jours dans ses promenades avec moi et ne se décidait pas à pousser. D'après lui, elle devait donner sur une pièce à peu près vide où était posée sur une table une boule de verre du même bleu, dans laquelle se lisait l'avenir. Quand le docteur Réussite en fut là dans ses déductions tâtonnantes, vers la fin du mois d'août, Aurélie me rendit ma page :

– Ne cherche plus et calme ton bonhomme. Cette porte et cette boule sont ici, au bout du couloir. C'est la chambre de Pierre-et-Paul.

* *
*

Ce même été 1966, je réalisai que Pierre-et-Paul était devenu beau, d'une beauté qu'il avait toujours portée en lui, sans doute, mais inaccomplie jusqu'alors et qui se révélait dans sa vingt et unième année, comme s'il avait mûri et trouvé, conquis l'élément indéfinissable qui lui manquait auparavant, le faisait boiter. Il m'est impossible de dater exactement, mieux qu'en disant « cet été-là », une métamorphose si subtile, quoique indiscutable, ni d'indiquer à quel moment, dans quelles circonstances j'en pris conscience : un matin, le voyant torse nu en train de faucher l'herbe que Valotti avait laissée monter à l'arrière de la maison, en observant ses épaules en sueur, ses mouvements sereins; un soir à table, en regardant son visage penché sous la lumière qui tombait de l'ampoule coiffée d'un abat-jour de verre émeraude, son profil dans l'ombre juste après, quand il avait allumé un feu; dès la mi-juillet, lorsqu'il se mit en maillot pour nager dans la

Seine en bas du jardin, indifférent au dégoût manifesté par ses sœurs pour ces eaux troubles, pestiférées, en constatant que s'il avait toujours la peau blanche, les cheveux noirs et bouclés, en revanche la mollesse un peu féminine que j'avais remarquée six ans plus tôt, au fond de la cour du lycée à Pontaillac, avait disparu grâce à l'exercice, et qu'il était aussi solide, athlétique que Bayard à présent; ou encore sous l'effet d'autres impressions fugitives, oubliées mais enregistrées, accumulées, condensées jusqu'à ce qu'une phrase anodine de Blanche (« Tiens, il a l'air enfin content, ce gamin ») ne fasse exploser une évidence, Pierre-et-Paul était beau, plus que son frère même, et le savait. Il n'en disait rien, ne paradait jamais, ne s'attardait pas devant les glaces ni à la salle de bains, ne faisait aucun effort d'élégance, n'était ni coquet ni maniéré, comme Bayard l'aurait parié des années plus tôt. En fait, il prenait peu de soin de ses vêtements et, de nous tous, était le moins soucieux de son apparence. Mais il savait. Cela s'éprouvait dans son calme, son détachement. Ses gestes étaient lents et pleins, ses paroles sans inquiétude, une peur l'avait lâché. Il portait, contre la mode, les cheveux courts, pour tempérer ce qui restait de gracieux dans ses traits (la « tête de fille » que lui reprochait Bayard à Pontaillac), le tracé de ses sourcils, l'arête droite de son nez, le dessin rouge et charnu de sa bouche, la courbe inhabituelle de ses cils, en contraste encore avec la largeur de son dos, les muscles puissants de son cou. Quelle que fût la conversation, le nombre et la sottise des insinuations, des sous-entendus dont Bayard l'assaillait encore devant nous, moins souvent qu'autrefois mais tout de même, rien ne semblait devoir mettre en colère Pierre-et-Paul. Il nous regardait tous bien en face, posément, avec une expression inflexible, comme amusé, non par les bons mots de Bayard, mais par une autre plaisanterie, bien meilleure, qu'il taisait.

D'où tenait-il cette paix, de sa force développée par les haltères, l'aviron, de son adresse au judo (il venait de passer ceinture noire au club de la porte Champerret), de la mort prématurée de Charles et d'Yvonne, de tout cela ensemble ? Ou, comme je le pressentais, d'une expérience menée à notre insu, d'un amour de rencontre.

Pierre-et-Paul, installé dans l'aile est du Bel-Air, ne nous invitait jamais à venir dans « ses appartements », qui comprenaient, outre la petite chambre bleue du bout et son escalier, une zone sans statut ni frontière, le grenier, entre la chambre bleue et la salle de bains de Blanche, vaste pièce sans jour et sans plafond, *no man's land* encombré de livres, de quelques meubles abîmés, d'un canot renversé sur deux tréteaux et d'un mannequin de femme en osier, sur lequel, dans sa jeunesse, Blanche avait ajusté les robes cousues de sa main. Ce désordre obscur où personne n'avait le courage, encore moins l'idée d'intervenir – telle était la volonté de Blanche –, sinon de temps en temps, pour ajouter un objet, un déchet de plus à la masse informe, disparate des rebuts, protégeait l'isolement de mon cousin, le garantissait de toute visite intempestive. Les enfants craignaient le noir, les autres, braves ou non, ne pouvaient traverser tout le grenier en silence sans faire choir quelque chose ni trébucher bruyamment dans des cordes, les lattes d'une treille démontée.

Pierre-et-Paul profitait ainsi d'une grande indépendance ; néanmoins, tout au long de l'été, il s'efforça d'en étendre la portée. Il insista pour se promener seul, se mit à déjeuner ou dîner chez des amis, des voisins connus de nous, une ou deux fois dans la semaine, puis sans prévenir, sans dire où il allait, ni quand il reviendrait. Après l'accident des parents Gelliceaux, Bayard changea brusquement d'attitude à son égard, cessa de lui donner des ordres, de le provoquer. Et lui qui affichait si volontiers son mépris des gens n'en fit plus rien avec Pierre-et-Paul, lui témoigna au contraire, de façon tacite, par de petits gestes, un ton de voix, un sentiment nouveau qui ressemblait à de l'estime. Était-ce la mort de Charles qui lui ouvrait les yeux sur quelque qualité méconnue de son frère, lui donnait une raison de l'aimer assez pour se résoudre aux singularités de son caractère? Bayard, à son habitude, ne s'en expliqua pas, mais il fut clair que Pierre-et-Paul pourrait désormais aller et venir à sa guise, quitter la maison par la petite porte de l'est et ne rentrer qu'au matin, sans que personne ici ne lui demande de comptes; la première fois que Blanche s'étonna des absences répétées de son petit-fils au dîner, Bayard dit, autant pour nous que pour elle :

– Il sait ce qu'il fait.

Peut-être, mais Bayard, lui, le savait-il?

*　　*
*

L'hiver suivant, une semaine avant Noël, il se mit à neiger sur Effondré, nuit et jour, sans arrêt, si abondamment que la couche au sol, dans les jardins, les rues, les cours, les parcs, s'éleva à près d'un mètre. Un froid intense l'empêchait de fondre et il n'y avait pas assez de soleil pour l'entamer, même superficiellement. La charge sur les maisons menaçait de plier les poutres, d'éventrer les couvertures. Au pied des murs, la neige chassée des toits s'empilait, s'amoncelait sans qu'on puisse la déblayer. On n'avait pas les outils, les véhicules nécessaires pour s'y frayer. On se bornait donc à la tasser à coups de pelle et de botte pour en diminuer le volume, à la presser en glace, devant les portes et sous les fenêtres au rez-de-chaussée, pour qu'au moins la lumière et les gens continuent d'entrer dans les maisons. Personne dans le village, même chez les

402

plus anciens, dont Blanche était, chez ceux qui se souve-
naient du beau temps et de la pluie de toutes les années
qu'ils avaient vécues ici à surveiller les vignes, et de celles
dont leurs parents leur avaient signalé le millésime exceptionnellement favorable ou calamiteux, personne ne se
rappelait un débordement de la nature comparable, à
l'exception du grand froid de 1879 – quand la Seine avait
gelé, les gens d'Effondré et ceux de l'autre rive s'étaient
rejoints sur la glace, avaient dansé autour d'un brasero –
et de la crue de 1910, dont la situation exposée du quartier
avait accentué l'ampleur. Chez certains, l'inondation avait
envahi jusqu'à l'étage, partout on n'avait circulé qu'en
barque plusieurs jours d'affilée. Blanche montrait aux
visiteurs, quand la conversation l'y autorisait, une carte
postale, sous verre dans la salle à manger, tirée de
l'événement, où elle figurait souriante, à vingt ans, un
châle sur les épaules, assise dans un canot, son père debout
derrière elle, une perche à la main, tenant la pose, juste
en face du Bel-Air à demi noyé. Depuis lors et jusqu'à la
neige de ce Noël 66, jamais le climat ne s'était permis de
telles extravagances, tolérées ailleurs, au nord ou au sud,
vers les pôles, chez les sauvages, une fureur si constante,
si outrée que le phénomène n'était plus simplement
inconvenant, ruineux et touchait au merveilleux.

Mes parents avaient décidé de passer les fêtes à Mornac,
avec Anicet et Marie, dans ce qui restait de la maison
de Suzanne L'Ansecoy dont la chambre s'enfonçait peu
à peu dans la vase et les huîtres. Anicet n'avait rien
demandé ni promis (aucune révélation du genre de celle
annoncée aux Gelliceaux), mais il était malade du cœur
et mon père voulait être en règle vis-à-vis de son frère
s'il venait à mourir trop vite pour un adieu. J'obtins
facilement d'être dispensé du voyage et pris le train pour
Effondré. De la gare en haut de la forêt, aux abords du

village, la route était praticable, mais le taxi refusa de descendre la côte qui conduisait à la Seine. La tempête en était à son deuxième jour. Quand j'arrivai au Bel-Air, dans un tourbillon blanc ininterrompu, j'aperçus Pierre-et-Paul, monté sur le toit pour en dégager la neige, qui me saluait de la main. Deux jours plus tard, on ne pouvait plus se risquer dans les rues d'Effondré qu'en bottes et la neige enveloppait nos pas jusqu'aux genoux dans un étau de coton.

Des petits-enfants de Blanche, Pierre-et-Paul était le seul présent au Bel-Air en cette fin d'année, Bayard et ses sœurs ayant pour une fois préféré rester à Paris en compagnie de nouveaux amis. J'étais donc en vacances d'écriture aussi, n'ayant pas à fournir le lot quotidien d'aventures policières et déshabillées qu'exigeait d'ordinaire Aurélie, et entre deux corvées de neige et de charbon, ne quittais guère mon lit, feuilletant de vieux journaux, des livres de voyages aux pages jaunies, somnolant à demi dans le silence ouaté de la maison. Le soir du réveillon, après que Blanche fut montée se coucher, je terminai avec Pierre-et-Paul une bouteille de cognac et ne pus trouver le sommeil tout de suite. J'entrouvris le rideau de ma fenêtre, vis la lumière s'éteindre dans la chambre de mon cousin et l'entendis descendre son escalier. Je me relevai sans allumer, enfilai un pantalon, une veste fourrée, et me faufilai sur la pointe des pieds jusqu'à la porte du parc; la neige dans les arbres et sur la pelouse était violette dans le clair de lune. L'accalmie serait brève sans doute, la tempête pouvait reprendre d'un instant à l'autre. Saisi par le froid, je m'apprêtais à pisser du haut du perron quand je vis, à cent mètres environ sur la gauche, la silhouette de Pierre-et-Paul derrière un rideau d'arbres, se dirigeant sur le fond du parc où une porte métallique ouvrait sur le chemin des Cailloux. Le lendemain soir, je me postai près de la porte dans l'ombre du mur et allumai une cigarette dès que je vis mon cousin s'approcher. Il sortit une clé de sa poche, me demanda du feu. Dans la brève lueur du briquet, il sourit :

– Tu m'attendais ? Tu veux faire un tour ?

La route qui menait vers Chantoiseau était chichement éclairée de loin en loin par des réverbères vacillants, comme en veilleuse, mais Pierre-et-Paul ne marquait aucune hésitation, paraissait connaître le trajet par cœur, assez pour s'y avancer dans le noir absolu le cas échéant. Je le suivis, sans poser de question, plongeant mes bottes dans les empreintes profondes des siennes ; il était bon marcheur, mieux aguerri que moi et j'avais le plus grand mal à régler mon souffle sur le sien. Quand, au bout d'une demi-heure, il s'arrêta, je ne sentais plus mes jambes ni mes doigts.

Une enseigne rouge et verte surmontait la façade d'un petit café, « le Coq Hardi », d'apparence assez pauvre, dont la devanture était masquée de l'intérieur par deux rideaux opaques.

– C'est fermé, on dirait.

– Non, répondit Pierre-et-Paul, c'est pour être tranquille, ça ne ferme qu'à une heure du matin.

Il poussa la porte. Un homme mince et chauve se précipita aussitôt sur lui, enthousiaste, ondulant, et s'écria d'une voix de tête :

– Mais voilà Johnny, je me disais aussi, qu'est-ce qu'il fiche donc pour être en retard. Donne ton blouson, assieds-toi, je te sers un grog et je vais chercher Jean-Luc. Et qui est ce garçon que tu nous amènes ?

– Axel, mon cousin, dit Pierre-et-Paul, en s'installant au comptoir.

L'homme partit vers l'arrière-salle.

– Ici, me souffla Pierre-et-Paul, je suis Johnny. C'est

idiot mais plus pratique. Lui c'est Dédé, l'ami de Jean-Luc. Et la grosse endormie à la caisse, c'est Germaine, la mère de Dédé. Tu verras, un drôle d'endroit.

La salle était petite et crasseuse, séparée d'une arrière-salle par deux panneaux de verre dépoli. Les murs avaient dû être peints en jaune clair, dix ou vingt ans plus tôt, avant de tourner à l'ocre tavelé, ornés d'affiches de music-hall dans le style de l'avant-guerre, punaisées de manière « artiste », penchée, où figurait le visage poupin qui avait été jadis celui de Germaine. L'ogresse fardée, aux cheveux teints d'un roux flamboyant, portait sous son gilet en tricot noir de veuve une robe de rayonne criarde, à grands camélias blancs et rouges, et trônait immobile dans les plis de sa graisse, comme un bouddha obèse et maussade, à l'autre bout du zinc, près d'une grosse lampe dont l'abat-jour beige était semé, comme autant de blasons déchus, de noms d'apéritifs à bon marché, vins sucrés ou remontants amers, dont certains n'étaient déjà plus dans le commerce à l'époque où Germaine avait quitté les planches. Quelques bouteilles de ces élixirs oubliés, reliques entamées auxquelles on ne touchait jamais, étaient alignées sur les étagères de glace derrière le comptoir, de chaque côté d'un des premiers modèles de machine à café, volumineux et crachotant comme un chien asthmatique; deux appliques de néon en forme d'auréoles luttaient sur le mur opposé contre la pénombre poisseuse où l'on distinguait une demi-douzaine de tables de bois noir, et plus indiscernables encore, quelques hommes taciturnes assis à ces tables. Certains fumaient des papiers-maïs, d'autres buvaient à petits coups leur eau-de-vie, jouaient aux tarots, jetaient par moments un coup d'œil oblique vers le zinc. Tous étaient vêtus de chandails épais, de bleus.

— Il n'y en a qu'un de paysan, murmura Pierre-et-Paul, celui à la casquette. Les autres, non. Deux cantonniers, un plombier-couvreur, deux manœuvres portugais, un bûcheron.

– Qu'est-ce qu'ils font ici?

Pierre-et-Paul hocha la tête, comme si je venais d'énoncer la question la plus pertinente et la plus imbécile à la fois de toutes celles qu'on pouvait se poser dans un tel établissement.

– A ton avis?... Et Johnny, qu'est-ce qu'il fait, lui aussi?...

Dédé reparut d'un coup, jaillit derrière le comptoir, suivi d'un homme du même âge, plus trapu, arborant une épaisse chevelure blonde et drue comme du crin.

– Voici Jean-Luc, me présenta Pierre-et-Paul!

– Le fameux cousin joli... gloussa Jean-Luc d'une voix chantonnante.

Il me tendit la main d'un air timide mais sa poigne était forte. Il parut enchanté de ma surprise. Ce devait être une de ses petites joies familières de décontenancer ainsi les nouveaux venus. Il avait un visage épais, un corps lourd, plutôt viril, et se mettait soudain à minauder, à prononcer les mots comme une jeune Anglaise, laissait passer dans ses yeux petits et durs un voile de douceur désarmante. Pour rire, juste pour voir.

Dédé nous servit deux grogs fumants, « pour Johnny et le nouveau », posa un double whisky devant Jean-Luc et, s'approchant de sa mère en douce, la pinça vivement au bras et lui mit sous le nez un verre de pastis :

– Allez Germaine, champagne! En scène dans cinq minutes!

A quoi Germaine, se réveillant en sursaut, répondit par une gifle dans le vide, manquant tomber de son tabouret, se rattrapant de justesse à la poignée du tiroir-caisse, tandis que Dédé tournait le bouton de la radio à fond, sautait sur le comptoir et se lançait dans une parodie de charleston. Germaine rugit, arracha du mur la prise de radio.

– Descends de là, Dédé, pauvre idiote. Ce n'est pas l'heure pour ça. Et si quelqu'un rentrait, là?

Et comme les hommes assis dans l'ombre, qui avaient applaudi dès les premières pitreries de Dédé et l'avaient même encouragé en sifflant, se renfrognaient à nouveau, retournaient à leurs cartes, elle leva ses bras au ciel, se tortilla gauchement et glapit sur un ton suraigu : « Police! » par trois fois, comme si elle avait été une vierge qu'on viole, ou plutôt comme elle s'imaginait que l'aurait singée son cher et ridicule Dédé dont elle était la mère infortunée. Le tour ne plut à personne, mais elle estima avoir fait son devoir de cabaretière pour détendre l'atmosphère. Dédé prit un air vexé, les yeux baissés, tout en laissant paraître qu'en réalité il était ravi de son audace et de la colère complice de Germaine, s'assit sur une banquette, se pressa contre un des cantonniers qui jouaient aux cartes, posa une main sur la cuisse de l'homme.

– Dédé! reprit Germaine.

– Oui, maman?

Dédé leva un regard si candide, enfantin vers sa mère que les hommes dans l'ombre s'animèrent une seconde, d'un rire, d'une toux éraillée comme les soupirs du percolateur, sans pour autant fléchir l'humeur de Germaine.

– L'heure, je te l'ai dit et redit cent fois. Il est minuit, jusqu'à une heure du matin cette maison est une maison convenable. La clé sous le paillasson, j'ai déjà connu ça, pour presque rien. Ta place est au comptoir, tout de suite. Et une tournée pour tous ces messieurs.

Jean-Luc vida son whisky d'un trait.

– Police, mon cul. Alors, Johnny, toi et ton cousin, vous continuez au rhum? Après tout, si c'est la tournée de belle-maman...

– Deux scotches, dit Pierre-et-Paul. Tu nous allumes le billard ?

Jean-Luc me fixa un instant, les sourcils rapprochés, la bouche en cul de poule – une grimace composée, répertoriée par lui sous le code « regard de braise », supposai-je –, puis tourna un interrupteur électrique derrière lui :

– Allez-y, les enfants, je vous apporte à boire.

Dans l'arrière-salle, deux lampes basses dominaient le rectangle vert d'un billard. Pierre-et-Paul choisit deux queues dans le râtelier, m'indiqua le tiroir où les billes et le bleu étaient rangés.

– Tu as l'air d'un habitué. Tu viens souvent ?

– Oui, depuis longtemps.

– Mais entre nous, tu ne trouves pas ces gens un peu étranges ?

– Pas plus que moi, mon vieux, pas plus que nous tous. Et toi tu me connais depuis la maternelle ou presque.

– Bayard sait que tu viens ici ?

Pierre-et-Paul se retourna, chuchota :

– Attends, plus tard.

Jean-Luc venait d'entrer, un plateau à la main, avec trois verres et un cendrier de plastique blanc.

– On ne fume pas au-dessus du tapis ! On ne garde pas sa cigarette au bec, ni pour tenir sa queue. Le premier accroc coûte plus de mille francs, ici. Au moins la peau des fesses ! Et encore, c'est un prix d'ami.

Il posa son plateau sur une table ronde dans un coin de la salle, prit une chaise dans la pièce voisine et s'assit :

– Les verres sont là, dit-il, quand vous voulez. Et le cendrier. Jouez sans moi, je suis nul.

Moi aussi, je l'étais. Pierre-et-Paul ne me proposa pas une vraie partie, ni de compter les points, mais plutôt de m'enseigner par l'exemple quelques rudiments de sa technique, comment placer en chevalet les doigts de la main gauche, passer le procédé au bleu, enserrer de la main droite le talon de la queue, attaquer la bille pour lui donner tel ou tel effet, estimer l'angle et la vitesse du rebond sur les bandes. De temps à autre, il s'offrait pour lui seul une série de coups savants, de pure virtuosité, puis reprenait sa leçon muette, tandis que Jean-Luc, qui avait déjà bu son verre et la moitié du mien, monologuait. Plusieurs fois il me demanda d'où je venais. « De Paris ? Non... si vous saviez », comme si Paris, à une heure de train d'ici, eut été une Babylone des antipodes. Il y avait vécu, me citait des noms, des dizaines de noms inconnus, me donnait des adresses de boîtes de nuit (« Celle-là, vous voyez le genre... »), pouffait, le poing devant la bouche, s'étranglait en riant ou en tirant trop fort sur son américaine sans filtre (« C'est une bombe, ça vous arrache la gueule, un rêve »), piquait du nez dans son mouchoir.

– Paris, c'est la vraie vie, tout est là, tout est permis. Et il y a de la jeunesse, ce n'est pas comme ce trou minable, avec ces culs-terreux, toujours les mêmes, qui se cachent pour venir, qui rasent les murs! Encore que ça, Johnny, ça doit l'épater ton cousin, ces péquenots, ces gros durs, pas chochottes, dans ce bistrot perdu, en pleine France profonde, c'est exotique, non? Mais tout de même, Paris, c'est autre chose...

Tout cela me paraissait si bête, cette nostalgie à moins de soixante kilomètres. Qui l'empêchait d'y aller, chaque jour s'il le voulait, de s'y installer? Il écarta les bras, paumes ouvertes, la tête inclinée sur l'épaule, tel un crucifié :

– Cloué. Je suis cloué ici. Que ferais-je sans Dédé? Que deviendrait-il sans moi, seul contre cette femme? Et c'est Germaine qui tient tout, l'argent, le café, son fils et moi...

Il laissa retomber ses bras. A quoi bon expliquer davantage des choses si banales? Et s'il y avait d'autres raisons, des motifs sérieux qui avaient contraint Germaine à quitter Paris et acheter le fonds du Coq Hardi, Jean-Luc n'était pas assez saoul pour en parler à la légère.

Pierre-et-Paul me fit signe de continuer un moment à m'exercer et se dirigea vers le fond de la salle où se tenait Jean-Luc. Je le vis prendre sur la table son verre, en avaler plus du tiers d'un seul trait, allumer la cigarette que lui tendait Jean-Luc. « Johnny », balbutiait ce dernier, « Johnny... » Mon cousin me tournait le dos et sa voix étouffée me parvenait comme un bourdonnement presque inaudible; en revanche, Jean-Luc, échauffé par l'alcool, parlait assez fort pour que je saisisse distinctement dans ses paroles des bribes de phrases : « Et ton cousin? », dit-il à la fin, prenant la main de Pierre-et-Paul dans la sienne. « Est-ce que lui aussi?... » Je n'entendis pas la réponse de Pierre-et-Paul, je le vis terminer son verre, écraser sa cigarette et regagner le halo de lumière verte où baignait le billard.

Puis, dans la salle du café, Dédé claironna :

– Une heure, on ferme! Que personne ne sorte!

Et il remit la radio à tue-tête. Jean-Luc se leva comme un diable, le verre à la main, se précipita vers nous :

– Vous restez, bien sûr, vous restez?

Pierre-et-Paul prit les queues, les glissa dans le râtelier, enfila son blouson :

– Non, je ne crois pas. Une autre fois peut-être. Dis au revoir à tout le monde, on va sortir par la porte de derrière.

Jean-Luc protesta :

– Mais pourquoi, alors que justement?...

Il me prit à témoin :

– Dites-lui donc, vous, que c'est idiot, tout commence à la fermeture, il le sait bien, Johnny.

Et, bougonnant en nous accompagnant vers la sortie, il

répéta deux fois à mon intention, l'index levé comme un bon professeur :

– Vous n'avez rien vu. N'oubliez pas de revenir après la fermeture. Après.

Un peu plus tard sur la route, où, par mesure d'économie, ne fonctionnait plus qu'un réverbère sur deux, j'interrogeai Pierre-et-Paul : que se passait-il donc de si important au Coq Hardi, précisément, après la fermeture ?

– Rien d'extraordinaire, en fin de compte, même si c'est un peu surprenant au début, parce qu'on ne s'y attend pas. Les clients restent à boire très tard dans la nuit. Dédé essaie de chanter, se déguise en femme ou se met à poil. Les clients les plus saouls en profitent, devant les autres, à tour de rôle. Ou montent avec lui au premier, dans sa chambre. Avec Jean-Luc aussi quand il est d'humeur. Tout ça sous l'œil de Germaine, qui picole, mais veille au grain. Je te laisse imaginer l'ambiance et le reste. En tout cas, ils ne jouent pas au billard.

– Le bûcheron, les paysans aussi ?

– Oui, tous mariés, pères de famille, avec leur tête de buveurs de gros rouge, leurs mains calleuses. Tous pleins de haine, prêts à casser du pédé dès le lendemain. Jusqu'au jour où ils reviennent, parce qu'ils s'ennuient. Ça les change des putes qui font les routiers dans la forêt.

Puis mon cousin releva son col contre ses oreilles comme pour mettre un terme à mes questions. La neige était revenue en force, avec le vent, comme aux premiers jours, se glissait dans les moindres ouvertures de nos vêtements, les poches, les manches, par le haut des bottes, nous coiffait d'une perruque d'argent, tournoyait dans le faisceau des réverbères, assombrissait encore leur peu d'éclat. Je suivis Pierre-et-Paul à l'aveuglette, sans rien dire, sans lui faire part de ce qui m'agitait : quel rôle tenait-il, lui, dans ces beuveries particulières au Coq Hardi,

de quel côté se rangeait-il, avec les clients, les fils de joie,
ou restait-il sur la touche, en spectateur? Et que Bayard
savait-il au juste, alors qu'il venait d'autoriser toutes les
sorties de son frère, de se porter garant de toutes ses
fugues? En arrivant à Effondré, devant la porte du parc,
Pierre-et-Paul secoua la neige de ses poches, sortit sa clé :

– Eh bien, à quoi penses-tu?

– A rien de spécial. A Dédé.

– Tiens donc.

– C'est le nom d'un petit chien que j'ai connu, chez
une fille, il y a longtemps, rue Baudelaire.

*   *

*

Aurais-je tenté d'aborder, avec Bayard, de façon détour-
née, le sujet du Coq Hardi – en profitant d'un moment
d'ébriété, ou à l'improviste, au fil d'un bavardage sans
conséquence, feignant d'oublier le goût, la passion du
secret, qui s'étendait chez lui jusqu'aux domaines les plus
anodins de la vie, de son emploi du temps, de ses pensées –, je n'aurais rien appris; Bayard, s'il était averti de
ce que je venais d'entrevoir, tout ou partie, n'en dirait
mot. L'occasion ne s'en présenta pas, du reste. Dès l'été 66,
l'aîné des fils Gelliceaux renonça au titre de chef de
famille qui lui revenait tout naturellement, du seul fait de
la mort soudaine de ses parents, abdiqua sa couronne
invisible, cessa de gouverner nos jeux. Ce comportement
nous surprit tous – il m'affectait alors comme si j'avais été
moi aussi un fils de Charles et d'Yvonne – mais ne prêtait
pas plus à discussion que l'ascendant plus ou moins légitime
qu'il avait exercé auparavant et ne se traduisit formellement
que par cette liberté rendue, en quelques mots, à Pierre-
et-Paul. Bayard parut se retirer en lui-même, puis se fit

rare, espaçant ses séjours à Effondré, comme engagé dans une vie nouvelle où nous n'avions plus part.

C'est sans doute ainsi qu'il nous devint le plus étranger, non en affectant de ne plus nous aimer, mais en nous laissant au seuil d'une voie solitaire qui ne pouvait présenter d'intérêt pour autrui. Quand je demandais de ses nouvelles à Mariane ou Pierre-et-Paul, ils se montraient apparemment aussi ignorants que moi. Il avait quitté l'appartement familial, à Paris, loué un petit studio sans téléphone. Le testament laissé par Charles, m'expliqua Pierre-et-Paul, comportait une clause particulière en faveur de Bayard, lui garantissant une sorte de rente, par le biais de diverses assurances, contractées après l'accident de Pontaillac, destinées à lui permettre de poursuivre longtemps ses études, et des mensualités assez convenables pour le dispenser de gagner sa vie autant qu'il serait inscrit en faculté et se présenterait aux examens. Rien n'était stipulé quant aux études, ni à leur durée, ce qui risquait fort d'embarrasser un jour les assureurs et témoignait bien de l'inquiétude, de la tendresse de Charles pour ce fils fragile et si fier de ne s'intéresser à rien. Charles avait vu juste. Bayard prit soin d'être en règle et fournit tous les justificatifs nécessaires, sans que l'on sache vraiment la nature de ses « études ». Tantôt il déclarait fréquenter la faculté de lettres, tantôt celle de droit, avant de se lancer dans la médecine, s'étant avisé probablement que l'obtention d'un diplôme y était plus longue que partout ailleurs, comme s'il hésitait devant l'éventail de ses talents; il vagabondait avec assez de sérieux pour qu'on ne puisse le prendre en faute et lui couper les vivres. En fait, j'ai tout lieu de croire qu'il ne mit les pieds dans un amphithéâtre que très épisodiquement, répondant aux seules convocations impératives et ne se rendant aux épreuves de fin d'année que pour la forme. Le contrat prévu par Charles n'écartait nullement l'hypothèse d'un échec, ni d'échecs répétés. D'après Aurélie, il devait dépenser toute sa pension en vêtements et dans les cafés et elle ne le vit jamais avec un livre à la main, une sacoche, ni en compagnie d'étudiants de son âge. « Plutôt des femmes, pas du genre professeur. Avec de l'argent. » La seule fois où je le croisai, à l'automne 67, près du Luxembourg, il m'invita au café.

– Non, je n'ai pas cours, pas en ce moment. D'ailleurs c'est facultatif.

Il était vêtu d'un costume de velours uni noir, d'une chemise blanche sans cravate, fumait des cigarettes anglaises, un paquet jaune dont je ne pus lire le nom. Il parla politique, cinéma, voitures, évitant toute question personnelle, en jeune homme du « monde », d'un autre monde. Puis, quand je me levai, il me demanda brusquement :

– Par hasard, tu n'as pas de nouvelles de Lou ?

Devant mon air imbécile, stupéfait de l'entendre prononcer ce nom interdit entre nous depuis des années, il se leva à son tour, fit un geste de la main comme pour chasser une mouche, un souci sans importance :

– Fais pas cette tête-là, je disais ça comme ça, je ne sais même pas pourquoi...

*   *
*

Au début des vacances, Bayard n'était passé qu'un jour pour embrasser Blanche avant de partir en croisière, vers la Sicile, Ibiza ou Tanger, ce n'était pas encore décidé, sur le voilier d'amis fortunés « dont le nom ne nous dirait rien ». Il nous enverrait des cartes, s'il en trouvait en mer, s'il en avait le loisir, tant il était absorbant de ne rien faire ; n'avait aucune idée de la date de son retour. Au plus tard à la fin d'août. Je fus donc libre de reprendre, sous le couvert de mon feuilleton quotidien intitulé désormais *les Mille Yeux du docteur Réussite,* mes travaux d'approche auprès d'Aurélie. Je ne tenais pas outre mesure à renouer avec ce mage et son chien, ces aventures me semblaient un peu puériles désormais, plus de notre âge. Mais c'est Aurélie qui m'en pria, le jour de ses seize ans – premier jour anniversaire de la noyade de Charles et d'Yvonne dans la Charente, pour cette raison jour de sentiments et d'humeurs contraires, où l'on vit Blanche et Mariane en tenue de deuil, jusque dans la cuisine, et Aurélie dans sa robe blanche pleurer en soufflant les bougies du gâteau –, m'adjurant seulement de faire mourir au plus vite, dans les conditions et les souffrances de mon choix, le chien Succès, auquel le docteur était pourtant si attaché, dont la perspicacité trop humaine, l'increvable gaieté l'irritaient.

– Je n'aime que les gros chiens, gros et bien bêtes.

Dès la deuxième minute de mon récit, juste après un bref rappel des épisodes de l'été passé, Succès, victime d'une embolie foudroyante, tomba du sommet d'un gratte-ciel new-yorkais où il enquêtait, roula sous un train de cent wagons qui passait au même instant, rebondit dans une bétonnière en bas de la voie et finit dans un pain de ciment immergé au fond de l'Hudson. Aurélie, attentive, marchant à mes côtés dans l'étroit chemin de halage au bord de la Seine, soulevant à deux mains le bas de sa robe au-dessus de l'herbe comme une marquise, parut satisfaite de cette fin rapide et compliquée qui ne laissait aucune chance de survie au caniche médium. Je soulignai pourtant la perplexité qui devait être celle du docteur face à un tel concours de circonstances.

– Il s'en fiche, le docteur, dit Aurélie.

J'insistai sur le chagrin qu'il ne pouvait manquer de ressentir.

– Mais non, voyons, il n'est pas triste, ton docteur. Il pense à autre chose, déjà. Il doit avoir des femmes dans sa vie, tu ne crois pas?

Je n'avais pas encore attaqué la vie sexuelle du docteur Réussite. Certes, au cours de ses filatures, il avait souvent été le témoin de scènes pimentées qu'il observait minutieusement avant d'intervenir, mais elles ne concernaient que les autres, victimes ou clientes, jamais lui. Il me semblait qu'un détective, tel un chevalier en croisade, devait demeurer chaste; que c'était une loi du genre, dans sa période classique, la plus pure, du moins, celle des meilleurs romans noirs américains. Et même, dans le registre fantastique, imaginait-on la sexualité d'Arsène Lupin ou de Mandrake autrement que sous le voile d'une galanterie impeccable, d'un amour éthéré toujours remis à plus tard? Aurélie, moins respectueuse de la tradition que moi, ne se souciait guère d'abâtardir mon récit et m'invitait ouvertement à explorer l'intimité du docteur:

– Il va falloir t'y mettre, Axel, dès demain, dit-elle, alors que nous remontions à travers le jardin vers le Bel-Air. Le chien, c'était bon pour avant. Aujourd'hui, à mon âge, il n'est plus possible que le docteur reste inactif. Ou alors, dis-moi franchement qu'il est impuissant, ce sera clair.

Je m'en gardai, bien évidemment. Aurélie n'avait pas recouvré le souvenir de la nuit de ses quinze ans, mais continuait à souhaiter mes lumières dans ce domaine où elle comptait triompher de Mariane, sans avoir résolu cependant de se donner toute à moi. Je m'empressai le soir même d'évoquer le corps puissant de Réussite, la largeur de son torse, de ses mains, la fermeté de ses cuisses, de son ventre cuirassé de muscles et la taille exceptionnelle de son sexe que je décrivis aussi ressemblant que possible au mien. Aurélie toussa, me demanda quelques précisions et je répondis avec le plus grand luxe de détails.

Je donnai les mesures, au repos et en émoi, j'indiquai la consistance souple ou dure, la couleur, le grain de la peau, la toison à la base de la hampe, l'ourlet de la peau à la hauteur du frein. Aurélie ne se lassait pas, enregistrait tout, jetait parfois un coup d'œil en douce au pli de mon pantalon de toile délavée, sous la ceinture, pour voir si je m'excitais en parlant. Ces conversations n'avaient plus seulement lieu le soir, mais aussi bien dans la journée, quand nous nous promenions en forêt ou dans le parc. Je n'étais plus censé écrire un roman, pas plus qu'Aurélie ne prétendait être une petite fille qu'on endort par des contes. Il ne subsistait de notre jeu ancien qu'un prétexte commode à des confidences de plus en plus libres. En quelques jours, je fis faire au docteur des exploits. Il n'enquêtait plus qu'au lit, entre deux veuves infernales, l'une africaine, l'autre suédoise, dont il venait à bout dans toutes les postures imaginables, sans s'octroyer le moindre temps de repos. Je racontai son dépucelage à treize ans par une femme bandit, en Inde, qui avait précipité sa vocation, une vraie courtisane dont je livrai toutes les techniques amoureuses, les habiletés d'alcôve (bien que la scène fût censée se dérouler au pied de l'Himalaya, dans un champ de pavots), une virtuose inoubliable qu'il ne cesserait plus de poursuivre de par le monde. Il me semblait important d'insister sur le caractère bénéfique et agréable d'une telle initiation précoce par une partenaire plus âgée que lui, de m'attarder sur les appétits et les talents de cette femme : où en étaient les connaissances, les intuitions d'Aurélie depuis son amnésie ? Rien dans mes récits ne la choquait, ne l'étonnait, sinon l'invraisemblable capacité de récupération du docteur.

— Là, tu exagères, dit-elle un jour.

Ce qu'elle modifia le lendemain, comme je persévérais dans l'énumération des prouesses du docteur :

– Tu te vantes peut-être un peu...

– Tu crois?

Il était un peu plus de cinq heures de l'après-midi et nous étions seuls au plus épais du parc. Aurélie s'arrêta, fouilla un instant dans une de ses poches, en tira une clé et me conduisit au pavillon de peinture, le petit bâtiment d'allure mauresque où Blanche gardait ses toiles et où personne n'était autorisé à entrer.

– J'ai emprunté le double de Bayard, dit Aurélie en refermant la porte derrière nous.

Des toiles étaient appuyées aux murs, contre les fenêtres, un jour vert doré passait entre les feuillages tout autour du pavillon, plongeant la pièce dans une lumière d'aquarium. Aurélie étendit une couverture sur un canapé poussiéreux et me fit signe d'approcher.

– Soit. Tu prétends m'avoir eue il y a un an dans ma chambre. Peut-être. J'ai tout oublié. Cette fois-ci, j'espère m'en souvenir.

Les pantalons rêches qui étaient à la mode pour les filles et les garçons se portaient serrés, parfois sans rien dessous pour ne pas faire de marque en haut des jambes et j'eus quelque mal à retirer calmement celui d'Aurélie. Elle ôta elle-même sa chemise, par le cou, comme un maillot. Rien dessous, non plus. Elle s'accroupit sur le canapé, me fit mettre debout devant elle. J'accrochai ma chemise au coin d'une toile et laissai Aurélie déboucler ma ceinture très lentement, ses doigts m'effleurant, comme par inadvertance, sans le faire exprès, l'air appliqué, presque sérieux. Elle surprit le regard que je posai sur elle, sur ses seins, ses mèches dans le cou, l'arrondi de son épaule.

– Tu me reconnais? C'est bien moi?

– J'en suis sûr.

Elle me décocha un sourire de biais, un peu crapule,

reprit aussitôt après une expression angélique (comme un an plus tôt, comme toujours par la suite il en irait ainsi; dans le plaisir elle glissait d'un masque à un autre à toute allure, pour se dérober, m'égarer), descendit doucement mon slip sur mes genoux, s'empara de moi précautionneusement, comme d'un oiseau, assez près de ses lèvres pour que je sente son souffle court :

– Il n'y a que moi qui ne suis pas sûre d'être là.

Elle se pencha encore. Je ne sais si elle entendait de cette manière briser un mur dans son cerveau, retrouver la mémoire, mais elle s'offrit ainsi jusqu'à la fin de l'été, comme la femme bandit de mes contes. Pendant deux mois, notre lieu de débauche le mieux abrité fut le pavillon. Blanche ne s'y rendait plus depuis dix ans, ne savait plus où étaient les clés; Pierre-et-Paul et Mariane avaient leurs amis au-dehors. Il était rare qu'on ne puisse venir s'enfermer là une ou deux heures dans la journée sans être remarqués des autres, au moment des courses ou de la sieste, et le taillis sous la futaie autour du pavillon de stupre, les toiles disposées contre les fenêtres comme des paravents nous donnaient un sentiment de sécurité propice à l'impudeur mieux qu'aucune chambre, l'illusion d'être invisibles.

Un soir pourtant, à la veille de la rentrée, Mariane, à qui je croyais être devenu à peu près indifférent depuis l'époque de Providence, entra dans la salle de bains à l'improviste, s'approcha de la baignoire où j'étais allongé, souffla sur la mousse de savon à la surface de l'eau, me regarda des pieds à la tête, cramoisi dans l'eau fumante.

– Moi aussi, je connais le chemin du pavillon, cher cousin. Tu pourrais m'y emmener, si ma sœur te laisse des forces.

Elle devait se moquer, m'avait vu faire ma valise l'heure d'avant.

– Je m'en vais demain à Paris. Le train est à onze heures.

– Si tôt?

Elle trempa le bout de ses doigts dans l'eau :

– Tant pis.

Et se redressa.

– Mais depuis quand sais-tu, pour Aurélie et moi? Tu nous as vus?

Elle s'éloignait déjà dans le couloir.

Au matin, en traversant la cour pour me rendre à la gare, je vis Blanche à genoux, ramasser les fraises qui formaient des petits bouquets entre les pavés au pied des murs du Bel-Air. Les meilleures de tout le domaine, à l'en croire – bien qu'elle ne pût en donner la raison –, étaient celles, une trentaine environ, qui poussaient dans la fente du perron, la faille originelle qui avait zébré la maison et tout Effondré comme une signature illisible.

*   *

*

Bayard revint avec l'automne. Il ne dit pas un mot de sa croisière, sinon une ou deux fois un nom d'île, d'escale, un terme de marine. Il avait changé encore, son visage était plus brun, tendu, celui d'un homme, le premier d'entre nous. Pas davantage que de ses études, il ne discutait volontiers de ses amis; des gens plus âgés, plus riches que lui, me semblait-il, à en juger par certaines tournures de phrases, une façon de rire sec et de parler de l'argent qu'il ne pouvait avoir acquises, par mimétisme, que dans un monde d'oisifs. Il truffait sa conversation d'expressions italiennes (« On n'est plus anglomane de nos jours, sauf si on est pauvre »), refusait de suivre le style vestimentaire alors en vigueur – cheveux longs, vêtements de toile élimée, décolorée, foulards indiens – et portait invariablement des costumes sombres de velours lisse, noir ou bleu foncé, des mocassins bas achetés à Rome ou des bottines de chevreau rouge. Il soignait ses mains, polissait ses ongles au revers de sa veste d'un geste machinal, déclarait, le regard vague, flottant au-dessus de nos têtes, que l'on s'ennuyait ferme ici, que l'on s'ennuyait trop, et glissait une anglaise dans son fume-cigarette d'ambre, tirée du même paquet jaune que j'avais aperçu sans en déchiffrer le nom dans le café près du Luxembourg, des « Sweet Afton » qu'il avait adoptées après avoir vu *le Feu follet* de Louis Malle. En novembre, comme s'il consentait à nous révéler un pan de son univers privé, il décréta que ce qui nous manquait à tous, dans cette maison, c'était de savoir y faire des fêtes.

On s'installa d'abord, par égard pour le sommeil de Blanche, dans la cave. Elle était grande et profonde, il suffisait d'y installer un poêle à bois et un conduit par le soupirail, de descendre deux divans du grenier, et un pick-up. Le ban et l'arrière-ban de nos connaissances dans le village et alentour furent convoqués, une trentaine de garçons et de filles en tout, et Bayard confectionna un punch assez traître, allongé d'une large dose de fine, qui décima un tiers des garçons avant minuit. « Ça laisse plus de choix, quant aux filles », expliqua-t-il, et de fait, je le vis quitter la cave par deux fois avec deux amies de Mariane, et monter vers sa chambre de l'aile, quand moi je dus me contenter d'Aurélie, dans le salon rocaille. Dès la seconde fête, alors que je venais de rejoindre ma cousine dans ce même salon et que j'essayais dans le noir de défaire les lacets de sa robe à paniers (une idée de Bayard : tout le monde devait se travestir, quitte à bricoler des déguisements ne ressemblant à rien de connu, avec de vieux jupons à cerceaux, des parements de papiers collés, des manchettes de dentelle mitée), j'entendis des pas dans le couloir. Bayard entra, suivi d'une petite blonde, qui tenait un bougeoir :

– Aurélie, Axel... tiens donc, j'aurais dû y penser.

Il prit le bougeoir des mains de la jeune fille, repoussa la porte :

– N'est-ce pas qu'on est bien mieux ici ? Les gens de goût au salon, les autres à la cave.

Il alluma un chandelier sur la cheminée devant la grande glace ovale encadrée de bois doré comme les volets intérieurs des deux fenêtres – l'une sur la cour, l'autre sur le parc – et les potences surchargées d'amours, de fruits en stuc où s'accrochaient en lourds drapés les rideaux de brocart grenat. Bayard défit les embrasses, croisa les rideaux, contempla la pièce rouge et or dans la lumière tremblante des chandelles :

– Un salon Empire, à ce qu'on dit. Pourquoi pas, puisque tout empire ici.

Je lui fis signe de parler moins fort en indiquant du doigt le plafond.

– Quoi ? La lézarde ? Elle tiendra.

– Non, Blanche, sa chambre est au-dessus.

– Je sais, mais elle est sourde, ou elle s'en fout. Elle ne bougera pas.

Il sortit de sa jaquette une bouteille de bourbon et me la tendit :

– Fais passer. Cette bouteille ne sortira pas vivante de cette pièce.

Elle ne tint pas au-delà de deux heures.

Par la suite, à chaque fête, en fin de semaine et jusqu'au Nouvel An, Bayard et moi nous retrouvions dans le salon rocaille. Bayard avait placé dans une commode une réserve de bougies et de cigarettes (après les « Sweet Afton », il y eut les « Passing Clouds », encore plus belles, difficiles à trouver, même à Londres, avec leur forme aplatie, leur boîtier rose où fumait rêveusement un mousquetaire anglais), et, dans la bibliothèque vitrée, quelques bouteilles écossaises ou irlandaises. Je venais le plus souvent avec Aurélie, alors que Bayard choisissait toujours de nouvelles partenaires, et nous restions jusqu'à l'aube à boire, à bavarder, sans qu'aucun des deux couples n'ose se livrer au plaisir comme il n'aurait manqué de le faire sans la présence de l'autre. Une seule fois, Bayard déplia devant son canapé, du côté du parc, un paravent de soie brodée, nous pria de l'excuser un instant, lui et sa compagne, et entreprit celle-ci dans un grand froissement d'étoffe, tandis qu'à l'autre bout du salon, dans l'ombre de la bergère où j'étais assis, Aurélie me rendait un service plus silencieux. En aurait-il été de même si j'avais été en compagnie de Mariane ? Je n'eus pas le loisir de tenter l'expérience et Bayard ne toucha plus au paravent, reprit comme avant nos conversations décousues jusqu'à l'ivresse de l'aube, où, écartant les rideaux et les volets, il célébrait la beauté pâle du parc, parlait de l'avenir prodigieux qui nous attendait tous, tôt ou tard, du soir d'été où il viendrait au Bel-Air à travers la forêt dans une limousine.

* *
*

Au printemps 68, en mai, je l'entendis prononcer de tout autres prophéties dans les rues de Paris où je le rencontrai plusieurs fois, au hasard de ce qu'on nommait, avec un sens policé de la litote, des événements. Je ne croyais pas beaucoup aux convictions révolutionnaires de mon cousin qui se mêlait à tous les cortèges comme s'il avait été solidaire de toutes les facultés, étudiant même à Sciences-Po où je terminais ma seconde année, mais je devais reconnaître son courage dans les affrontements, son habileté au jet du pavé. Peut-être faut-il ajouter foi, sur ce point, à son « Journal », où il mentionne l'intervention précieuse de Soutre sans lequel il n'aurait pu éviter la prison. Au cours des mêmes jours, j'eus la surprise d'apercevoir l'oncle Robert, courant à toutes jambes, moins éloigné de la bataille que sa réputation de timoré ne l'aurait laissé penser, jetant sa pierre lui aussi jusqu'au dernier moment avant de se replier, un mouchoir sur le nez, pleurant et suant, vers le refuge de sa maison d'édition. Quelle cause défendait-il ? Quelle était la nôtre ? Les années qui suivirent ne dissipèrent jamais l'impression de duperie qui nous saisit en juin quand l'ordre revint, avec l'essence et l'approche des congés. C'est là, une semaine avant juillet, à la terrasse d'un café dans l'île Saint-Louis, que Bayard nous apprit, à Mariane et à moi, qu'il avait retrouvé Lou dans une manifestation près de la Sorbonne. Il avait son numéro de téléphone, promit de l'amener au plus vite à Effondré.

IV

Lou ne vint pas. Je ne suis pas certain d'ailleurs qu'aucun
d'entre nous en ce début d'été 68 ait cru, fût-ce un instant,
que Bayard tiendrait sa promesse. Pendant un peu plus
d'une semaine, le fantôme de Lou flotta délicatement dans
le Bel-Air, s'insinua dans les pauses de la conversation,
sans prendre vraiment corps. Je le devinais à l'heure des
repas, le voyais presque dans un regard distrait de Mariane
par la fenêtre vers les arbres du parc, dans les yeux fixes
de Pierre-et-Paul, absorbé par la volute écarlate du vin
qu'il faisait tournoyer dans son verre, caressant le pied de
cristal du bout des doigts, pour signifier qu'il se retirait
une seconde, une minute, en lui-même, ne voulait pas
être dérangé, mais nous n'en parlions pas. Ne prononcions
pas même l'unique syllabe de son prénom. L'idée du
retour de Lou était impensable et que Bayard, précisément
lui, ait osé l'annoncer était effrayant. Lou était-elle seulement en vie? S'était-on jamais posé la question? L'échec
de l'enquête, le non-lieu de Bayard, le silence, l'absence
des du Boisier, dès le lendemain de l'accident, tout cela
ne prouvait rien dans un sens ni dans l'autre. Mariane
prévint Blanche qu'une amie de Bayard viendrait peut-
être à Effondré; mais la chose n'était pas sûre et il était
inutile de lui préparer une chambre dès maintenant.

Bayard appela pourtant tous les jours de Paris, chaque

fois pour repousser au lendemain son arrivée et continua de citer le nom de Lou en toute simplicité. Mariane lui répondait au téléphone, je tenais l'écouteur et nous l'entendions raconter comment il avait rencontré celle qu'on avait crue morte sur la corniche de Pontaillac – la version d'une auto-stoppeuse, d'une étrangère était donc plausible – et renoué avec elle, fait quelques progrès en amour. Rien de « gagné » encore, l'essai n'était pas durablement transformé pour qu'il puisse chanter victoire et nous donner les détails – dans ce domaine, il trouvait fin de se prétendre superstitieux –, mais il escomptait qu'en venant au Bel-Air avec elle il ne lui faudrait pas deux jours pour « concrétiser ».

Une seule fois Mariane me dit en raccrochant :

– Il ne viendra pas. Ni demain, ni avec elle.

Mais elle ne fit aucun autre commentaire sur les propos de son frère :

– Tu l'as entendu comme moi, non ?

Sans que je puisse faire le partage, dans son expression triste, entre la jalousie (et si Lou était bien sauve ?) et l'inquiétude – elle avait pour cela des antennes plus sensibles que l'oreille des médecins et des juges – que lui inspirait, depuis le temps où elle était venue dormir à Providence, la santé mentale de Bayard. Au neuvième appel, Bayard déclara qu'il changeait ses plans : il partait avec Lou en Espagne, chez des amis à elle; non, il ne savait pas exactement où, dans le Sud; ni pour combien de temps, tout juillet, pour le moins. Mariane reposa le téléphone :

– Tu vois...

Que fallait-il voir, au juste, qui la contrariait soudain ?

– C'est peut-être vrai, dis-je, après tout...

Elle hocha la tête, fataliste, avec un sourire navré, comme si j'étais un incurable qu'elle renonçait à désabuser :

– Ni avec elle, ni en Espagne, hélas.

*   *
*

La chaleur de l'été s'était installée d'un coup, étouffante
au milieu du jour, amplifiée, réverbérée par les murs à
vigne; les petits-enfants de Blanche, à son exemple,
faisaient la sieste après déjeuner et je m'étais dégagé des
bras d'Aurélie sans la réveiller, m'étais rendu sans bruit à
la salle de bains. D'abord les chevilles, puis la nuque, à
l'eau froide, enfin tout le corps sous la douche, le temps
de compter jusqu'à cent, d'être transi.

J'avais pu me voir dans la glace en pied appuyée près
de la porte, debout dans la baignoire sous le pommeau
de la douche, mon corps rouge comme ébouillanté se
détachant sur le fond des carreaux verts du mur. Je
m'étais séché, j'avais renfilé mon pantalon, mes espadrilles,
allumé une cigarette; puis avais réalisé que je n'avais
pas envie de reprendre le couloir. A droite de la glace,
près de l'armoire où Blanche rangeait les draps, il y
avait une seconde porte, celle du grenier de l'aile est,
de la zone réputée impénétrable où commençait le
domaine de Pierre-et-Paul. C'était cela qui m'avait attiré,
cette chambre bleue où sur les conseils d'Aurélie j'avais
laissé en plan, deux ans plus tôt, le docteur Réussite et
son chien. Dans l'armoire, entre les draps, j'avais mis la
main sur un morceau de bougie, assez long pour durer
le temps d'une traversée prudente du grenier; un aller,
sinon le retour. Il y avait de toute façon un escalier à
l'angle de l'aile.

Sans réfléchir davantage, je m'étais glissé, bougie devant,
à l'intérieur du grenier. L'endroit était en effet très
encombré, mais ni dangereux ni infranchissable. Il était
seulement insolite qu'une maison bourgeoise de vastes

proportions laissât un tel espace dans l'obscurité, la sau-
vagerie; assez pour que les petits enfants y repèrent la
patrie des monstres et de l'horreur, avant, dès l'adolescence,
de ne plus y penser, d'oublier l'existence de ce volume
aveugle. En n'avançant qu'après inspection complète, à
chaque pas, du sol et des obstacles divers – caisses, ficelles,
vases, chaises en équilibre instable – qui entravaient mon
passage, j'étais parvenu au bout du grenier, au terme de
la bougie, que j'écrasai soigneusement du talon. Il m'avait
suffi d'un instant pour m'accommoder au rectangle clair
sur ma gauche : la porte entrouverte de la chambre de
Pierre-et-Paul, sur le palier en haut de son escalier privé.
Et j'avais mis aussi longtemps pour ce dernier mètre sur
le seuil que pour tous les zigzags qui l'avaient précédé.
J'avais entendu la respiration régulière de mon cousin,
vérifié que le rythme n'en changeait pas. Et m'étais enfin
appuyé au chambranle de la porte pour me pencher dans
l'embrasure.

Les volets intérieurs avaient été poussés et seule une
lame de soleil étroite découpait l'air épais de la chambre,
une lame si pure, éclatante qu'elle faisait d'abord paraître
autour d'elle l'ombre plus noire, plus ténébreuse, comme
autrefois dans la tourelle du blockhaus, au bois des Fées.
Puis mes yeux s'étaient peu à peu habitués aux coins de
la pièce où la lumière ne venait que pauvrement, en reflets
assourdis sur les surfaces mates du lit, du plancher. Comme
dans la vision du docteur Réussite, les murs étaient bleus,
peints sans apprêt, en amateur, d'une légère couleur de
ciel; la pièce ne comportait que très peu de meubles, outre
le lit; un ange au pastel rouge punaisé au chevet, une
chaise sous quelques vêtements épars, une console de bois
foncé à pieds de bronze et plateau de marbre bleu, où
brillait, sur un socle de pierre, une boule de verre outremer.
J'étais resté ainsi immobile, à contempler la boule de

voyance et le corps nu de Pierre-et-Paul endormi. Il était
entièrement dévêtu, avait repoussé la couverture et le drap
au pied du lit, s'était allongé sur le dos, bras et jambes
écartés, avait dû s'enfoncer tout de suite dans un sommeil
profond, un rêve lent et pacifique. La lame du soleil, large
au plus d'un centimètre, traversait sa poitrine en bas des
côtes, ondulait sur sa peau à chaque expiration; une peau
lisse et blanche. J'avais sans doute perdu toute notion de
l'heure, toute sensation de fatigue puisque j'avais observé,
sans changer de posture, la lame descendre des côtes vers
les hanches, puis le nombril. Ou plutôt, c'était le corps de
Pierre-et-Paul qui m'avait donné, une heure ou plus, la
mesure du temps. Je ne m'en étais aperçu qu'à l'instant
où il s'était incliné vers la fenêtre, quand l'aiguille d'or
avait frappé le sommet de sa verge. Impossible de connaître
exactement son rêve, mais j'en avais eu sous les yeux une
traduction éloquente; son membre était tendu au point de
se soulever, de décoller de son ventre quand un soupir le
creusait, la tête en était découverte et luisante comme de
l'acajou poli. La hampe était forte et pâle sous le rayon
qui la parcourait. Là encore, je n'avais pas pensé au temps,
au nombre de minutes nécessaires pour que le soleil aille
jusqu'aux bourses de mon cousin, en finisse avec ce trophée
offert à l'inconnu. Je n'avais pas eu l'occasion de voir mes
semblables dans cet état, même au lycée. Était-ce cela
qu'Aurélie convoitait chez moi, quand elle disait : « C'est
moi qui t'aime », ce fruit entre ses lèvres, sur le coussin,
le reposoir de sa langue? Était-ce cela qu'on adorait le
soir à l'hôtel du Coq Hardi, comme une divinité? Où mon
cousin avait-il puisé la quiétude d'une si longue sieste,
d'un rêve si démonstratif sous la caresse du jour? Dormait-
il? J'avais à peine commencé de soupçonner une feinte
que toute équivoque se brisa comme une bille éclate sur
une pierre. On avait fait du bruit au rez-de-chaussée, une

porte avait grincé. Aussitôt Pierre-et-Paul, dont l'exposition inerte avait peut-être été complaisante, s'était retourné sur le ventre, sans ouvrir les yeux, comme un dormeur le fait souvent, et avait caché contre le drap son exubérance en entendant des pas dans l'escalier.

Aurélie avait dû me chercher partout avant de se hasarder ici et montait les marches comme à regret, pieds nus. Elle avait semblé très surprise de me découvrir paralysé devant cette porte et je n'avais pu l'empêcher de jeter un œil dans la chambre, d'apercevoir le dos de son frère, avant de l'obliger à descendre avec moi l'escalier.

– Qu'est-ce qu'il a, à dormir si tard ? Il est malade ? Et toi, qu'est-ce que tu faisais dans le noir ? avait-elle demandé au-dehors.

J'avais inventé une excuse pour la forme, une envie soudaine de visiter le grenier.

– Et comme ça, tu as passé plus d'une heure à lui dévisager le cul. J'espère au moins que tu l'as bien vu. Parce que c'est important pour mon frère. Chez lui, c'est là que tout se passe. Il nous l'a dit après la mort de Charles.

*   *
*

Je crus sur le moment qu'Aurélie, tout en respectant l'aveu de Pierre-et-Paul, ne le considérait néanmoins pas vraiment comme un homme, non plus que moi, en raison de l'amitié qui m'associait à lui. Elle voulut me mettre à l'épreuve et, quand je la rejoignis le lendemain dans le pavillon, elle se déshabilla la première, s'allongea sur le canapé. Et m'interdit de la toucher :

– Pas maintenant, pas cette semaine. Mais tu peux me regarder, si tu veux, comme mon frère.

Je m'assis à côté d'elle dans un fauteuil crapaud.

– Ce n'est déjà pas si mal, après tout.

Elle glissa une main entre ses jambes et s'endormit. Le jour suivant, j'apportai un appareil photographique. Aurélie acquiesça, le projet l'amusait :

– D'accord. Mais ça manque de musique.

Je revins avec un magnétophone et du vin. Au début, je cadrai Aurélie en entier, montant sur un escabeau pour avoir un recul suffisant. Elle se figeait bien droite, paupières closes, comme une morte. Je fis d'elle toute une série de planches anatomiques, comme des clichés de morgue. Puis je me rapprochai, commençai une série de gros plans serrés, presque abstraits, des images cannibales. Avec le vin et après quelques jours, Aurélie reprit l'initiative, se lança dans une série de poses acrobatiques, malmenant le canapé, prévenant mes suggestions en vraie professionnelle, pulvérisant de l'eau minérale sur sa peau, comme si une jouissance folle l'avait mise en nage.

– Et ça, ce n'est pas joli, Axel, ce n'est pas tentant ? Et ça, et ça...

A la vingtième bobine, elle mit fin à mon supplice :

– Des photos de couple, c'est intéressant aussi. Ça fait des souvenirs.

L'appareil était doté d'un déclencheur à retardement, nous avions trente secondes pour nous placer à la distance voulue.

Je développais les photos et les tirais dans une partie aménagée de la cave. Comme il fallait justifier cette nouvelle manie photographique et les heures que j'y consacrais, je fis le portrait de la famille, des voisins, dressai l'inventaire systématique du Bel-Air, avec ses pièces, ses meubles, ses gravures d'oiseaux. Je pris même, à la demande de Blanche qui se plaignait d'avoir trop vu le monde changer au cours de sa vie, la perspective qu'on avait de chaque fenêtre sur l'extérieur et les plus beaux arbres de la propriété.

En l'absence de Bayard, je retrouvais parfois Aurélie le soir dans le salon rocaille, comme en hiver, dès que la maisonnée était montée se coucher. Nous buvions le whisky enfermé dans la bibliothèque vitrée, parlions à voix basse. Il n'était pas besoin d'allumer le chandelier; il suffisait d'écarter les rideaux, d'ouvrir les fenêtres sur le parc. L'odeur des arbres entrait par bouffées tièdes, la nuit lumineuse baignait d'un ciel sans limites le plafond fendu, les murs, nous étreignait, nous enlaçait l'un à l'autre, comme deux noyés, dans le bruit des grands feuillages brassés par le vent, jusqu'à l'aube.

*   *

*

Je ne passais pourtant pas toutes mes nuits avec Aurélie. Mariane savait la vérité, mais les autres étaient censés l'ignorer ou préféraient ne pas comprendre; Blanche notamment se serait crue obligée, si on l'avait mise au courant, de protester, de me chasser, loin d'Aurélie, trop jeune pour ces choses, selon le calendrier de sa morale en tout cas, même si elle se doutait un peu de la manière dont sa petite-fille avait célébré ses dix-sept ans. Du reste, nos séances dans le pavillon mauresque ou le salon étaient assez fréquentes pour que la séparation du soir ne nous apparût un sacrifice.

Je ne dormais jamais seul pour ma part. J'avais Gigi, roulé en boule sur mon lit, entre le mur et l'oreiller, ou sous le drap, son dos contre le mien, si je me plaçais en chien de fusil. Il ne se laissait pas volontiers cajoler, ne grimpait sur mon lit qu'une fois la lampe éteinte, se levait avant moi. Gigi se considérait comme un chat maudit et, dans une certaine mesure, nous avions fini par le penser aussi. Louise l'avait trouvé un jour assis devant la porte dans la rue, l'air maussade. Elle l'avait fait entrer, lui avait donné ce nom et l'avait apprivoisé, en lui parlant sans le toucher, sans imaginer qu'à l'inverse c'était le chat qui nous avait choisis, séduits avec son air d'infirme farouche. Gigi avait été blessé – très jeune, au combat – et un vétérinaire avait dû lui fixer une attelle métallique dans la patte avant gauche, raide pour toujours. Gigi tirait avantage sans scrupule de ce bout de ferraille et n'hésitait pas, avant toute requête, à exagérer son clopinement, son allure de dur à cuire, de casse-cou rescapé d'on ne savait quelle mission aérienne, toujours râleur, quémandeur, résolu, griffant la porte du frigo comme pour y entrer, toujours affamé; à se demander où passait tout ce qu'il avait englouti une heure avant; il devait avoir des vers, avait diagnostiqué Blanche, mais on l'avait soigné en vain; c'était son tempérament de baroudeur, de victime indignée, comme s'il avait été un représentant du tiers monde, bombardé par nos avions ultra-modernes, un petit survivant insoumis venu protester, demander réparation : vous avez rasé mon village là-bas en Asie, que comptez-vous faire pour moi, chrétiens de mes deux (qu'il avait rebondies, au demeurant, sous sa queue mitée), vous me devez au moins le gîte et le couvert. Et qu'on me passe les plats deux fois plutôt qu'une. Sans gagner un gramme d'embonpoint ni présenter un pelage mieux lustré, il mangeait la ration de quatre chats ordinaires.

Très vite Aurélie me fit cadeau de Gigi – cérémonie parfaitement symbolique, où ce matou de remords ne pouvait se sentir concerné, n'ayant pas été consulté – parce que son professeur de français, en accord avec Baudelaire et quelques autres, avait affirmé, comme une loi mathématique, que les écrivains avaient besoin des chats et réciproquement, animaux égoïstes et solitaires autant les uns que les autres. Je ne sais comment elle en informa Gigi mais il adopta peu à peu ma chambre et mon lit comme les siens, affectant de ne pas même se soucier de ma présence; sauf quand il me voyait assis à ma table, un stylo à la main, et qu'il sautait entre mes livres, ma lampe, le cendrier, s'installait infailliblement, ami de l'écriture, sur la page commencée, ses yeux d'argent fixant le filet d'encre comme une souris, veillant sur ma main, mon visage, avec une incompréhensible patience. Il « attendait » quelque chose de moi. Si je peux aujourd'hui analyser, par ce raccourci désinvolte, l'impression que j'éprouvais dix-sept ans plus tôt, je dois préciser qu'en aucun cas je n'aurais alors employé ces mots ni parlé d'« impression », comme un homme lucide notant ses propres mouvements en observateur froid, détaché de soi-même, l'aurait fait. Pas plus que dans la salle de bains je n'avais eu conscience de mon désir d'aller voir Pierre-et-Paul dans sa chambre, je n'avais davantage pensé que Gigi était réellement animé d'une intention précise en grimpant sur ma table. Ce n'est qu'après coup, en me « ressaisissant », en certaines circonstances, dont celles du plaisir le plus souvent, que je constatais cette transformation alchimique, cette métamorphose psychologique, peut-être le résultat de mon éducation auprès d'Alexandre et de Mariane : il m'arrivait de m'oublier, de ne plus vivre comme un sujet agissant, mais d'être une scène balayée par les événements du monde, la volonté des autres, le lieu d'une passion. A quoi cela tenait-il? A tout, à rien. Je savais seulement qu'il fallait y céder. Comme Bayard m'avait appris à me laisser aller dans l'ivresse, pour vaincre la nausée, quand mon lit et mes pieds venaient à basculer au-dessus de ma tête.

Donc, Gigi, sur la table, attendait. Se plaçait en sphinx impassible, éclopé, dans ce qu'Alexandre appelait un instant vertical. Et sa patte en travers de mes lignes indiquait clairement que ce qu'il attendait de moi était relatif au papier, à l'écrit. Il ne s'agissait plus de faire semblant d'imaginer des contes pour séduire Aurélie. Le but était atteint et Aurélie, sans renoncer au destin d'écrivain qu'elle m'avait désigné, ne me demandait plus une seule page en préambule à nos jeux. Au contraire, elle préférait y entrer brutalement, par surprise – de ce fait elle était devenue maîtresse de la fiction entre nous, plus décidée que moi – et les déboires du docteur Réussite ne lui importaient plus. Je m'en désintéressai en même temps qu'elle et démarrai une sorte de journal au hasard, sans règles ni limites – comme si la présence de Gigi devant ma plume me persuadait que, là aussi, la seule sécurité de l'entreprise était dans l'aventure –, une chronique décousue, sans mages ni détectives, où je consignais scrupuleusement le soir de quelle manière, en quels endroits, j'avais pris Aurélie ou été pris par elle. Mais l'ellipse, l'abrégé me répugnaient comme des solutions lâches; d'autre part, il était chimérique de se vouloir exhaustif, de prétendre donner un compte rendu complet de l'intensité des gestes, des moments partagés. Les mots manquaient, leur répétition était ennuyeuse, terne. La question muette que représentait pour moi le corps d'Aurélie, et aussi bien sa possession illusoire, la réponse attendue en même temps par le chat sous ma lampe, m'amenèrent cet été à consacrer chaque jour plus d'heures et d'efforts pour produire de moins en moins de pages. Rien que de très normal, m'assura Aurélie, tous les auteurs sérieux en passaient par là.

Au reste, qui, dans la maison, aurait eu l'impertinence de blâmer mon peu d'inspiration, de me reprocher de ne plus bouger de ma chambre sinon pour les repas et mes promenades avec Aurélie dans le parc ou la forêt? Personne n'était en situation de me condamner. Ici la grande occupation de chacun était de ne rien faire. J'avais suffisamment expérimenté le phénomène, sans d'ailleurs y porter remède, pour n'en plus douter : tout comme il y a des pôles magnétiques, des îles qui engendrent l'angoisse, des triangles dans les océans où s'évanouissent les navires, les avions, de manière inexplicable et certaine, le Bel-Air était une zone de torpeur. Non le village d'Effondré, ni le jardin vers la Seine, mais cette surface, géographiquement bien circonscrite, du domaine de Blanche, entre la porte sur la rue et celle au fond du parc. Dès qu'on y pénétrait, une valise, un outil à la main, on devinait une onde, euphorique ou accablante, selon l'humeur, on posait la valise, l'outil dans l'entrée. Cela ne concernait pas que les Gelliceaux, mais tous les visiteurs, moi comme les autres. Valotti buvait sec avant de se mettre au travail et encore devait-il posséder un talisman, une amulette sous sa chemise qui lui donnait la force de retourner la terre, scier les branches, fendre les bûches, arracher le lierre; mais il était le seul protégé.

Sur nous le charme s'abattait immanquablement, comme le sommeil sur les rois et les valets dans les châteaux envoûtés par les fées. La loi non formulée du sortilège était sournoise. Nous étions libres en arrivant de nous agiter un peu, de nous préparer même, d'espérer. Le maléfice n'empêchait pas de commencer, seulement de finir. Nous pouvions toujours nous lancer dans des travaux, ils n'aboutissaient jamais, s'interrompaient au moindre prétexte et ne reprenaient pas. On touchait un meuble, un tissu, il s'effritait, s'abîmait, demandait à être réparé. On le rangeait de côté et tout restait en plan. Un décor de brocanteur s'installait peu à peu, auquel on s'habituait. On ne mesurait plus l'ampleur du délabrement autour de nous qu'en voyant l'air ironique ou navré de nos amis, des invités, leur embarras devant cet univers de bouts de ficelle.

La maison tout entière était en voie de démolition interne et mes pensées aussi me paraissaient certains jours mal rafistolées, lestées de plomb par le passé, l'amour noir du temps révolu. Un encrier, une bouteille cassée lors d'une fête, témoignaient encore de ce que nous avions été, de ceux que nous avions aimés, à qui on avait donné rendez-vous pour plus tard dans la nuit, sous les arbres. Mais ces bagatelles disparates, ces dépôts de vie fanée seraient tôt ou tard sans interprète, sans intérêt pour les vivants qui nous suivraient, comme le petit poêle de tôle à voyants de mica ronronnant dans ma chambre en hiver et où je me consumais mentalement, mes rêveries se mêlant à la braise, filant en fumée par le conduit jusqu'au ciel glacé. Il n'y aurait que moi, l'archiviste, pour dire un jour le poids de tous ces bibelots, de ces livres, de ces pans de murs où la tapisserie décollée dévoilait un coin de plâtre moisi, pour se souvenir du bruit sourd ou clair de chaque porte, du son des pas sur le parquet du couloir, de l'odeur fade des chambres au printemps; et savoir comment pour chacun des occupants du Bel-Air en ces années, Blanche ou Louise, Bayard ou Mariane, toute la saveur, la mélancolie de la vie s'étaient condensées dans telle pièce de la maison, tel tableau, tel dessin sur le mur, remarqués d'eux seuls et chargés d'un pouvoir sorcier, d'une aura inépuisable. Aucun cambriolage, aucun incendie, aucune ruine ou dispersion n'en aurait raison au fond de nous, pas avant la mort. Au-delà, on n'en parlait pas. Selon les croyances, il n'y aurait plus de traces, nous serions plus effacés du monde que les peintres de la préhistoire; ou, au contraire, se maintiendrait la hantise de notre passage, plus ou moins longtemps selon les supports envisagés, un an dans le parfum d'une écharpe, cinquante ou cent dans la grisaille d'une photo, des siècles dans les mots d'un livre. Blanche ne voyait d'issue ailleurs qu'au cimetière de la colline,

Bayard ne croyait en rien, Pierre-et-Paul – je le sus bien
après – se fiait à quelques objets intacts, choisis et déro-
bés avec soin, conservés comme des reliques. Les filles
comptaient sur moi, le scribe fornicateur auquel les aînées
avaient confié leur peau douce, la fin de leur enfance, le
célibataire et son gueux de chat; Mariane, certaine d'être
à l'origine de mon caractère fêlé, de ma vocation, Aurélie
estimant en avoir précipité l'essor et payé largement de sa
personne pour m'y soumettre, Louise parce qu'elle jugeait
de tout à travers les yeux de ses sœurs, avait comme elles
la religion studieuse des mots imprimés; et, tout en raillant
le sort laborieux et sans gloire d'ambassadeur fauché de
l'outre-tombe qu'elle imaginait pour moi, m'enviait ce
privilège hypothétique, s'inquiétait en plaisantant : « Tu
nous mettras dans ton roman? » A chaque auteur, un seul
roman; et dans ces pages-là, quelques lignes du registre
de l'éternité.

*   *
*

Bayard débarqua sans prévenir le matin du dernier jour
de juillet. Ses vacances espagnoles étaient achevées, il
n'avait plus un sou; à peine avait-il eu de quoi nourrir le
réservoir de son coupé Lancia et remonter d'Andalousie
jusqu'à Effondré, d'une traite, sans s'offrir une halte à
l'hôtel, tout au plus quelques sandwiches et du café. Il
n'avait pas accompli seul un si long trajet. Deux garçons
de son âge – Marc, un Français, Manuel, un Madrilène –
s'étaient relayés avec lui au volant. Il en avait fait la
connaissance deux semaines plus tôt et nous les présenta
comme de nouveaux amis : ils coucheraient pour un temps
dans une pièce inoccupée du rez-de-chaussée, dans l'aile
ouest. Tous trois étaient bronzés, d'humeur joyeuse, décri-

vaient la propriété de leurs hôtes, racontaient les fêtes et
les corridas pour touristes auxquelles ils avaient assisté.
Seule Mariane ne riait pas.

– Bien sûr, me dit-elle en aparté, tout cela paraît
vraisemblable. Sinon que Bayard n'a pas fait une seule
allusion à Lou. Il devait voyager avec elle et le voilà avec
deux parfaits inconnus. Ça ne t'étonne pas?

Elle se retint néanmoins de prononcer le nom de Lou
devant Bayard, de l'interroger, s'efforça de prendre ses
récits pour argent comptant, dans le temps même où j'en
percevais le plus nettement l'improvisation, le peu de
fondement. Mariane ne voulait pas heurter son frère qu'elle
savait vulnérable, du moins lui prêtai-je cette attention
bienveillante dans un premier temps. Puis, en quelques
jours, elle parut changer d'idée et se prendre d'amitié pour
Marc et Manuel, les accompagna avec Bayard au tennis,
au cinéma à Fontainebleau, avec tant de naturel que je ne
pus tout à fait me convaincre qu'elle voulait m'écarter
d'Aurélie. Bayard, quant à lui, paraissait enchanté de tout,
du matin au soir, « et du soir au matin », ajoutait-il; et
pour le prouver organisa une fête nocturne. A l'heure
convenue, tandis que les invités se pressaient en musique
sous les voûtes de la cave, je m'éclipsai avec Aurélie et
me dirigeai vers le salon rocaille.

Bayard nous y avait précédé, en compagnie d'une petite
Anglaise de seize ans, avait ouvert les volets et les rideaux
sur le parc, n'allumant qu'une chandelle à côté des verres
et des bouteilles, au centre de la table. En poussant à mon
tour la porte du salon, dans la pyramide blême du clair
de lune, je vis Bayard et sa rousse assis sur le canapé l'un
contre l'autre.

– Il y a même des glaçons, dit Bayard en indiquant les
bouteilles.

Je perçus à ma gauche un murmure de toile et de

velours, une toux moqueuse. Dans l'ombre de la bergère, côté cour, je distinguai Mariane sur les genoux de Manuel, cheveux dénoués, chemise ouverte.

– Et Marc, il n'est pas là?

Bayard modula quelques ronds de sa précieuse fumée vers la fenêtre :

– Non, il est occupé ailleurs, sous les arbres. Monsieur préfère la verdure.

*   *
*

Au salon, lors des fêtes suivantes, nos nuits de veille prirent un tour plus hardi qu'en hiver, toujours sans Marc qui avait une préférence pour le parc, un bosquet près du pavillon, où il étendait un plaid de laine rouge et noir et, sur ce plaid, la fille du boulanger. « Un casanier, ce Marc », avait tranché Bayard. Nous buvions beaucoup, à peine la porte refermée à clé, la chandelle allumée. Manuel roulait une cigarette de chanvre marocain, la faisait circuler de main en main. Et comme le vent par la fenêtre était trop faible, trop tiède pour dissiper la touffeur moite qui régnait dans la pièce, nous ne tardions pas à ôter quelques vêtements. « Ne vous en tenez pas au superflu, nous encourageait Bayard, avec ce temps tout est superflu. » Il s'allongeait sur le canapé avec son Anglaise que lui avait présentée Aurélie (« Elle est venue apprendre le français et je ne lui en cacherai rien »), à la peau très fine, aux seins lourds, à la taille étroite, dont il aimait l'expression parfois hébétée sous l'effet de l'alcool (« Pas si niaise... », assurait-il), l'inertie sensuelle; Mariane et Manuel, à l'autre bout du salon, s'accommodaient de la bergère Louis XV aux proportions incongrues, trop large pour une personne, pas assez pour deux, en posaient le gros coussin au sol, sur les conseils de Bayard, « comme un prie-Dieu »; Aurélie

441

et moi occupions un petit sofa tendu de soie rouge, déchirée par endroits, que Bayard m'avait aidé à descendre du grenier et placé contre le mur face à la glace ovale (« Tu te verras dedans, c'est la meilleure place du salon »).

Il ne nous fallut pas longtemps en effet pour oser nous défaire de tout le « superflu », quelques verres, deux cigarettes bien tassées par Manuel, et la chose devint une simple formalité, comme à l'entrée d'un bain turc. Bayard se garda de déployer le paravent, cette courtoisie un peu désuète avait dû lui passer en Espagne. Au contraire, il prenait soin de s'exhiber autant que possible sous l'averse laiteuse de la lune, de nous laisser voir l'entrée rousse de son Anglaise, accoudée au dossier, comme un dompteur présente aux admirateurs sa bête avant de la soumettre, de lui faire lâcher un sanglot aigu vers les frondaisons mouvantes, nébuleuses du parc. Manuel, dans sa bergère, renversait la tête en arrière, les mains nouées sous la nuque, et Mariane, après une courte prière sur le coussin devant lui, se redressait, montait sur lui, et par éclairs, sans que je puisse en être sûr à la lueur vacillante de la chandelle, tournait la tête de côté vers moi, me lançait un regard bref entre ses cheveux noirs, de connivence ou de défi. J'aurais dû me croire jaloux. Pourtant, ni dans l'instant ni plus tard avec le recul des années, me remémorant la silhouette sage, appliquée de Mariane en dévotion sur le coussin, le mouvement de houle qui la ployait quand elle chevauchait Manuel, les regards qu'elle m'adressait, je n'ai pu me résoudre à prendre mon angoisse pour un effet de la jalousie. Je n'étais pas indifférent, mais plutôt infirme, imperméable aux évidences de la psychologie, celle des autres autant que la mienne. Quelque chose ne parvenait pas jusqu'au langage, se gonflait, se traduisait non par des mots, mais par des sensations obsédantes, le plus souvent visuelles. Je ne pensais pas : « Je suis jaloux », mais je voyais soudain comme une menace la couleur rouge du salon. Ou j'éprouvais les mêmes affres qu'à Providence quand je redoutais le passage d'un trou noir, d'une trappe de mort, quand j'observais le tourbillon de l'eau dans les lavabos ou la cuvette surmontée par « la Trombe ». Et tout en cédant sur le sofa à la persévérance d'Aurélie – elle devait penser, en bonne courtisane, qu'il serait humiliant pour elle plus que pour moi de ne pas me faire aboutir, là, devant sa sœur –, je voyais distinctement un petit visage diabolique et blanc, celui que figurait au premier étage du Bel-Air, dans la salle de bains, un morceau éclaté du carrelage sur le sol. J'avais souvent décelé dans ce triangle ébréché l'esquisse d'une tête pointue et méchante, et ce monstre s'était si bien incrusté en moi qu'il lui était loisible d'apparaître à son heure, n'importe où, comme un démon.

Je n'aimais pas l'ivresse du chanvre. Elle amplifiait trop les voix, ralentissait les gestes. Parfois je tombais dans un court sommeil. Je ne me souvins que d'un rêve : Bayard était étendu sur le canapé, allongé sur le ventre, comme endormi, un bras pendant à terre. La petite rousse se tenait debout et le regardait d'un air mauvais. Elle avait une expression beaucoup plus dure et vulgaire que l'Anglaise couramment pratiquée par mon cousin. Elle fouillait de la main gauche derrière le rideau, en tirait un long morceau de bois comme une queue de billard ou un manche de pioche et en mouillait soigneusement l'extrémité la plus mince avec sa langue. Se penchait sur le dormeur, d'un coup enfilait le manche entre ses fesses, de quelque trente centimètres. Mon cousin hurlait, se tordait. La rousse prenait, toujours derrière le rideau, un grand maillet de bois vert et blanc, un maillet de croquet, et, coinçant mon cousin contre le canapé, un pied sur ses reins, abattait son marteau sur l'extrémité du manche qui filait tout entier dans le corps de Bayard. Bayard volait en éclats muets, se volatilisait en taches de lumière sur les murs du salon, comme un tigre phosphorescent, déchiqueté, en constellations pâles, sur les rideaux, le plafond. Puis les raies du tigre s'effaçaient, se fondaient au mobilier.

* *
*

Avais-je parlé en rêvant? Le jour suivant, vers la fin de l'après-midi, Bayard descendit sous les peupliers au bord de la Seine où je regardais Pierre-et-Paul nager :

– Je vais à Paris ce soir, je reconduis Manuel et Marc en voiture. On ne se fait pas d'adieux, continuez sans nous. Mais évite le salon, je crois que Blanche nous a entendus. Tu n'as qu'à prendre ma chambre si tu veux avoir la paix.

Je ne vis pas la Lancia blanche partir quand les habitués revinrent à la nuit tombée.

– Je serai là demain, je te confie tout, la maison et le reste, avait dit Bayard.

Qu'était « le reste »? Je dus patienter une heure dans la cave, flamber le punch avec les invités, pour constater que, des filles Gelliceaux, seule Louise était là. Bayard n'avait cependant pu emmener les deux autres avec lui à Paris. M'en laisser une à deviner était plutôt dans sa manière. A minuit, je quittai la cave pour l'aile ouest et montai à sa chambre.

Je refermai la porte, n'allumai pas. Les volets sur la cour étaient poussés; une lumière jaune, celle d'un réverbère, passait par l'œil-de-bœuf au ras du lit monté sur des tréteaux. Sous le drap, une forme cachée, la surprise de mon cousin m'attendait. Je m'approchai du lit :

– Qu'est-ce que tu fais ici?

– C'est Bayard qui m'a dit que tu viendrais, répondit Aurélie.

Bien sûr, il n'allait pas me faire présent de Mariane.

– Tu espérais quelqu'un d'autre? Son Anglaise?

– Mais non.

– Déshabille-toi alors.

Je déposai mes vêtements au pied de l'escabeau en bout du lit, me glissai contre Aurélie.

– Partie, l'Anglaise, dit-elle. Tant pis pour toi.

– Et Mariane?

– Avec eux, au Coq Hardi, pour la couleur locale, et ensuite à Paris. Elle revient avec lui. Demain.

Le réverbère jaune s'éteignit dans la rue. Sur l'appui de l'œil-de-bœuf, je trouvai un paquet de cigarettes. Au nord, près de la Seine, les peupliers du jardin frémissaient comme un haut masque argenté sous la lune, une face irrégulière de faune avec deux trous inégaux pour les yeux, à demi clos par la brise épousant la courbe du fleuve. Je soufflai la fumée vers le masque comme pour le conjurer.

– D'abord, reprit Aurélie, elle n'est pas si bien que ça, son Anglaise. Je crois même qu'elle n'y connaît rien au *french love*.

– Qu'est-ce que c'est?

Elle me couvrit les épaules et le torse de petits baisers, descendit, fila sous le drap. Refit surface à temps.

– C'est ça. Tu ne dis rien. A quoi tu penses?

– Au Coq Hardi.

Elle soupira, alluma une cigarette à son tour :

– Ne t'inquiète pas, j'ai prévenu Pierre-et-Paul. Il est ailleurs ce soir.

– Merci.

Elle regardait au-dehors; voyait-elle le faune, comme moi, le visage lunaire aux paupières abaissées? Chaque seconde de mon silence l'inquiétait; elle jeta sa cigarette dans la rue.

– Tu l'aimes bien, Pierre-et-Paul, tu as eu peur.

– Oui.

Je n'avais que ce *oui* à donner, j'étais incapable de prononcer un autre mot. Savait-elle ce qui se passait chez Dédé après la fermeture, et quelles étaient les intentions de Bayard en montrant à Mariane et à deux étrangers un endroit comme le Coq Hardi? Qu'avait-elle imaginé en me voyant immobile au seuil de la chambre où Pierre-et-Paul était nu? Je voulus lui raconter le rêve que j'avais fait dans le salon, le rêve du tigre, mais elle me devança :

– Ça te plairait de me prendre comme lui?

L'offre était à peine murmurée, le visage contre l'oreiller.

– Comme Pierre-et-Paul?

C'était cela aussi le cadeau de Bayard, pensai-je, répétant « oui, oui » tandis qu'elle me préparait. Elle me dirigea doucement vers ce point de convoitise dont je lui avais souvent promis un divertissement subtil, plus ardent, qu'elle m'avait toujours refusé, se réservant pour « le moment venu », une grande occasion. Elle trembla, me serra en elle comme par un lacet quelques secondes, puis se dénoua, dit : « Viens. »

Au matin le rideau de tissu marine que j'avais tendu contre l'œil-de-bœuf laissait filtrer un rai de lumière très mince. Nous étions comme dans une caméra, les silhouettes floues des voitures, des passants dans la rue défilaient sur le plafond à l'envers. Aurélie dormait encore quand j'entrouvris un volet de la fenêtre. Quelle occasion avait-elle voulu célébrer? Quel était ce moment venu, sinon celui où elle avait pressenti que j'allais la quitter, retourner à Mariane? Au-dehors, Blanche arrosait les roses anciennes avant le plein soleil – c'était un de ses dogmes du jardinage, comme de plonger les roses coupées dans l'eau glacée pour en prolonger la durée, l'éclat dans les vases – et de la main écartait les tiges entrelacées de la glycine tentaculaire qui s'enroulait aux barreaux du portail, le recouvrant d'une jungle violette et blanche, et dont les racines, en un complot ralenti, inlassable, descellaient les pierres du mur de façade.

*　　*
*

La Lancia reparut à l'heure du déjeuner. Louise se leva pour ajouter deux assiettes sur la table, sous le marronnier, mais Bayard lui fit signe de ne pas bouger. C'était inutile, ils avaient avalé un morceau à Paris juste avant la route. Il avait les traits creusés, une sieste lui ferait du bien. Mariane ne semblait jamais fatiguée; on remarquait simplement, comme ce jour-là, qu'elle était silencieuse plus que d'ordinaire. Elle s'assit avec nous sous l'arbre, à côté d'Aurélie, face à moi; elle but un verre de vin, nous écouta parler sans dire un mot ni répondre aux questions de Louise et de Blanche; une somnambule, une sourde. Y avait-il quelque chose à dire, au fait, j'en doutais. Parfois, dans la vie d'un petit groupe, les relations se défont, se déplacent, s'organisent autrement de manière si spontanée, involontaire, que la nouvelle donne s'impose à tous tacitement. Il ne me vint pas à l'esprit de demander ce qui s'était passé au Coq Hardi, où étaient partis l'Anglaise, Marc et Manuel, ni pourquoi Bayard se désintéressait subitement des fêtes qu'il aimait tant la veille encore. Les jeunes voisins furent décommandés du jour au lendemain, s'égayèrent chez d'autres amis, dans une maison 1900 à tourelles et girouettes sur les hauteurs de By. Louise fut autorisée à les rejoindre, avec permission de minuit, puis sans limites, quand Aurélie, dès le second soir, proposa de l'accompagner. Là non plus il n'y avait eu aucune conversation préalable entre elle et moi. La nuit dans la chambre à l'œil-de-bœuf n'avait pas été préméditée par elle; après coup seulement, comme moi, elle avait compris le sens du don qu'elle m'avait fait, mon poisson aveugle à son anneau, cette ouverture sur sa nuit intérieure, un don irréfléchi, une impulsion, mais qui m'enjoignait de la choisir ou de la laisser. Et comme après le retour de la Lancia je n'avais pas, en quarante-huit heures, pris le temps, le moyen de m'isoler avec Aurélie, de l'entraîner dans le pavillon, de solliciter une répétition de cet amour en chambre obscure, elle conclut d'elle-même; et, sous couvert de chaperonner Louise à By, me laissa le terrain libre au Bel-Air. Bayard décida qu'il ne s'amusait plus, qu'il s'ennuyait, comme il aurait remarqué, impuissant, un changement du climat, de la température, et partit de plus en plus souvent à Paris, se changer les idées. Avec le consentement implicite de tous, je me retrouvais seul à Effondré entre Blanche et Mariane.

Dans la cave libérée je réaménageai mon laboratoire de photographe et, à la demande de Mariane, installai un cadenas à la porte et deux fauteuils près de la table de tirage : elle voulait apprendre. Je lui enseignai mon peu de science, la fis travailler sur des clichés de la maison, des natures mortes. Elle sut se débrouiller en deux jours et me fit vite comprendre que ce n'était pas exactement cela qu'elle était venue chercher : elle m'avait vu en train de photographier Aurélie dans le pavillon, en juillet, avais-je déjà oublié ces séances?

– Et tu voudrais que je te fasse les mêmes, c'est cela? Poser pour moi?

– Je poserai pour toi, mais pas pour un appareil. Jamais d'image de moi, comme les sauvages. Non, ce que je veux, c'est voir ce que tu as tiré d'Aurélie.

– Tout ?

Il y en avait deux cartons à chaussures bien tassés dans la malle où je rangeais mon matériel. Mariane souleva les deux boîtes et les vida sur la table :

– Cent, deux cents ?

– Je n'ai pas compté.

Je m'assis pendant qu'elle étalait les photos sur toute la largeur de la table, les examinait une à une sous la lampe basse.

– Tu es doué, on dirait, mon petit Axel. Mais elle aussi, avoue-le. Mieux que douée, Aurélie, inspirée. Je t'avais prévenu, d'ailleurs.

Elle prenait la loupe de temps à autre, pour un détail, commençait à constituer des piles :

– Il faudrait les ranger, les mettre dans des classeurs.

– Et selon quel ordre ?

– Je ne sais pas. Par thèmes, ou selon le cadrage, le décor, les postures. Ou encore... (elle en pointa une dans le tas brillant)... les spécialités.

J'y avais pensé déjà. Il y avait de quoi remplir plusieurs livres. Mais tout classement était indiscret, révélateur des goûts de celui, ou celle, qui sélectionnerait les photos, établirait les catégories ; j'avais même envisagé un moment de m'en servir comme une sorte de test pour connaître les penchants de mes semblables en la matière ; Aurélie s'y était opposée.

– Elle n'a pourtant pas l'air de s'opposer à grand-chose, dit Mariane, d'après ce que je vois ici. Et toi, qu'est-ce que tu choisirais d'abord, pour ton plaisir ?

Je me levai, fouillai dans la masse des photos, en sortis une, un gros plan :

– Ça, dis-je, en numéro un.

– Tu n'as pas honte ?

– Bien sûr.

– Elle s'y prend bien, dit Mariane en approchant la photo de ses yeux. En tout cas, elle le fait avec sérieux.

Je plaçai quatre autres photos de la même scène à côté de la première.

– Un oiseau rare, dis-je. Voilà la série du début à la fin.

– En effet, je suppose que c'est son grand truc, son morceau de bravoure.

Elle dispersa les photos de la séquence, les renvoya au désordre du tas, comme agacée soudain, elle qui avait pour cette pratique autant de compétence qu'Aurélie.

– Pas si rare, ce talent, entre nous, je ne vois pas pourquoi tu dis ça. Si c'est tout...

– Mais non, ce n'est pas tout. Il y a d'autres talents chez elle que je n'ai pas en photos. Du neuf.

– Ça m'étonnerait beaucoup...

Elle était presque furieuse maintenant. Je lui racontai la nuit passée dans la chambre de Bayard, pendant qu'elle, Mariane, roulait vers Paris, et ce qu'Aurélie m'avait concédé. Une première, j'en étais sûr. Une bonté que je n'avais jamais eue d'elle, Mariane, soit dit en passant, et dont elle ni la rousse anglaise n'avaient usé à ma connaissance dans le salon rocaille.

– Qu'est-ce que tu en sais? Tu dormais la moitié du temps et on n'y voyait rien. Du neuf, ça, comme Pierre-et-Paul? C'est vieux comme le monde, enfin, chez les civilisés. Quant à moi, il y a belle lurette, tu peux me croire...

Elle sourit, comme si j'avais proféré une bourde si grande qu'elle en était rassurée, parut revenir à de meilleurs sentiments. Soit. Pourquoi continuer à tricher, puisque en fin de compte nous étions là tous les deux; elle avait renvoyé Manuel, Aurélie lui avait cédé la place et Bayard s'agitait loin de nous, à Paris. Si j'acceptais de

renoncer absolument à Aurélie, ici, à Paris, partout, sans
la tenter ni me laisser tenter, même pour une fois, par
jeu, alors Mariane serait à moi, je pourrais tout lui
demander, elle aurait les complaisances de sa sœur,
d'autres encore. Je n'aurais qu'elle dans la famille, elle
que moi. N'était-ce pas ce que je souhaitais à Providence ?
Avant de souscrire à ce contrat, dont je ne savais s'il
durerait au-delà des vacances, ni s'il avait de fondements
plus sûrs qu'une jalousie d'aînée, un instant de vanité,
après tant d'années et de détours, je voulus quelques
preuves de sa bonne foi. Elle y était prête et je les reçus
ici même, dans cette cave. L'endroit était humide,
inconfortable, je n'avais pas choisi les meilleurs fauteuils
– ceux-ci étaient trop bas, trop mous, truffés de ressorts
bruyants –, mais la lumière indirecte qui venait de
l'agrandisseur nous plaisait et mon laboratoire justifiait
la fermeture de la porte au cadenas. Je ne souhaitais
pas retourner au salon, Mariane refusait le pavillon, trop
illustré par le passage de sa sœur ; nous ne cherchâmes
pas d'autre abri pour les trois semaines de vacances qui
nous restaient. Au-delà des gages que j'avais exigés en
garantie, aussitôt accordés, Mariane eut tôt fait de se
montrer experte, sans réticence, non seulement dans la
manière où elle savait qu'Aurélie excellait, mais aussi
dans celle dont je n'avais eu que la fleur chez la cadette,
avec une aisance que Pierre-et-Paul aurait peut-être
enviée. Les clichés d'Aurélie occupaient toujours la table
où Mariane prenait parfois appui. Je suggérai de les
ranger, de les brûler ; elle me dit de ne pas y toucher :

– Maintenant que tu l'as perdue, garde ces images.

Elles me sépareraient d'Aurélie encore plus, couperaient
mes souvenirs en morceaux, je ne m'y reconnaîtrais plus.
Si Mariane tenait tant à ce que je ne la photographie pas,

c'était, disait-elle, pour demeurer entière, intacte en moi.
« Par amour. »

*   *

*

Dix-sept ans plus tard, aujourd'hui, alors que j'ai exploré
ligne à ligne chaque page du « Journal » laissé par Bayard
dans son manteau de pickpocket, je ne sais comment il
put, à l'hiver 68, nous annoncer une seconde fois l'arrivée
de Lou à Effondré. Ce ne pouvait plus être une véritable
plaisanterie, même au nom du mauvais goût dont il faisait
souvent l'éloge, « le noble mauvais goût », ni une parade
au désespoir qu'il éprouvait sans doute devant le choix de
Mariane. La question de Lou, que tout le monde s'accordait
à laisser en suspens dans une sorte de purgatoire du
souvenir ou dans les limbes – Bayard seul osait prononcer
ce prénom, cette syllabe tendre et coulée, qui faisait surgir
en nous des visions de sang et de mer, une bouche se
plaignant au fond de l'eau –, n'était pas résolue pour lui
mieux que pour quiconque. Si jamais l'inspecteur Soutre
exista, il fut le seul à avoir connu la vérité. Après tout, il
n'aurait pas été si difficile pour un policier de s'informer
auprès des du Boisier. A moins que Bayard n'ait jamais
eu l'imprudence de citer leur nom devant lui ; ou que
Soutre n'ait préféré aussi s'amuser longtemps d'un poisson
si bien ferré. Je crois plutôt que Bayard n'était déjà plus
capable de contrôler la part de folie qui, malgré ses
dénégations, croissait en lui et dont son « Journal » porte
en de nombreux points la trace évidente. Une alternance,
parfois très rapide, d'euphorie et de délire de persécution,
comme l'attestent son obsession des couteaux, ses démé-
nagements sordides (bien que d'écrire ces mots me paraisse
si grossier, si vain, pour approcher son âme, surtout venant

de moi, ô combien mal placé pour sonder autrui, jouer les perspicaces à titre posthume), une manie virevoltante qui le trompait lui-même. J'ai tout lieu de penser qu'il était dans un moment d'égarement sincère quand il nous fit cette déclaration : qu'au réveillon Lou serait des nôtres, pour de bon cette fois-ci. Il réussit même à convaincre Blanche de le laisser préparer un lit dans la chambre de l'aile ouest, entre la sienne et celle où j'écrivais sous l'œil de Gigi, allumer un poêle pour réchauffer les murs, dérouler un tapis sur les tommettes froides. Et d'inviter pour l'occasion les quelques amis qui nous restaient de l'été.

Il se mit à boire beaucoup, très tôt, dès le dîner, plus encore après les douze coups de minuit quand Blanche monta se coucher, une fois les cadeaux échangés. Lou était censée venir par ses propres moyens, en voiture; Bayard lui avait expliqué le chemin, donné un plan. La nuit était claire, il n'y avait rien à craindre. Un retard au départ de Paris, la famille, des amis, rien de plus. Vers une heure, il était ivre. Qui, sinon lui, se souciait de l'heure, de Lou? Les gens allaient et venaient dans le désordre, la porte de la cour était ouverte et la cave débarrassée de mon laboratoire. Aurélie se tenait dans la salle à manger au milieu des gravures d'oiseaux, avec une cour d'amies plus jeunes qu'elle, et partageait une pièce montée en buvant, à petits verres, du vieux madère. Comme si elle faisait marche arrière, régressait de deux ans, mimait l'âge un peu niais, indéfini, qu'elle avait escamoté d'un bond avec moi. Elle ne leva pas les yeux quand je traversai la pièce avec Mariane pour aller au salon.

Bayard y était, étendu de tout son long sur le canapé. Le lustre, exceptionnellement, brillait de toutes ses roses de cristal et Pierre-et-Paul, un peu saoul, marchait autour de la table, parlait avec son frère, ce qui n'était pas si habituel entre eux. La conversation roulait sur un des sujets peu nombreux qu'ils avaient en commun, les armes. Pierre-et-Paul brandissait un fusil de chasse, un juxtaposé « à platines », qui avait appartenu à Charles, l'épaulait, visait tout et n'importe quoi, le lustre, la poule d'eau empaillée, en donnant des explications confuses. Bayard caressait de la main – ce qui était plus dangereux en un sens que le fusil non chargé – un des obus de la Première Guerre mondiale qui avaient été récupérés dans le parc et rangés, sans beaucoup de logique, sous le canapé du salon et derrière les rideaux (là d'où la rousse de mon rêve tirait ses instruments de torture, son maillet). Et quoiqu'elle ne manquât jamais de lever les bras au ciel, elle-même sidérée, presque vexée de sa distraction désolante, chaque fois qu'on lui en rappelait l'existence et la menace, Blanche ne s'était décidée à y toucher ni à les déplacer, parce que son père les avait mis là; par superstition, ou par peur qu'ils ne lui explosent, des dizaines d'années en retard, entre les mains. Je m'arrêtai sur le seuil et regardai Bayard incliner sur le bord de son culot un obus, d'un doigt maladroit, comme s'il hésitait à nous faire tous sauter ensemble. Mariane me fit signe d'enfiler mes bottes et ouvrit la porte sur le parc.

La neige était bleu sombre, tombée du matin, en une couche poudreuse d'une douzaine de centimètres.

– Pierre-et-Paul n'a presque rien bu, me dit Mariane, il fait semblant, c'est tout, pour rester avec Bayard le plus longtemps possible, qu'il ne se sente pas trop seul. Tu as la clé du pavillon?

Je traînai derrière moi un balai de brindilles pour effacer la trace de nos pas. Faute d'un meilleur abri, Mariane avait pour ce soir oublié sa rancune contre le pavillon et ce qu'elle y avait surpris en juillet entre Aurélie et moi.

Je fermai à double tour, mais n'allumai aucune lampe, juste un petit feu dans la cheminée devant laquelle je poussai le canapé, et plaçai devant chaque fenêtre les plus grandes toiles inachevées de Blanche.

– On ne nous verra pas de la maison. Juste la fumée sur le toit, et encore.

Mariane, debout, le dos au feu, désigna le canapé :

– Change la couverture. Mets-en une autre, même sale, mais pas celle-là.

Pas celle dont elle avait reconnu les motifs bucoliques, des fleurs en gerbes, des colombes, derrière la silhouette d'Aurélie, son profil aux yeux clos, penché, me dévorant, sur tant de clichés examinés à la cave et conservés à sa demande. Je remplaçai la couverture fleurie par une autre, militaire, kaki et rugueuse. Assis auprès d'elle, je lui tendis ma flasque de cognac. Elle glissa une main dans une poche de sa canadienne :

– J'y pense, tu n'as pas eu ton cadeau. Ne fais pas attention à l'emballage.

Un sac de papier blanc, sans indications ni rubans, que je dépliai. Mariane savait que j'aimais – c'était un des aspects de mon mauvais goût à moi, modeste – les boules de verre que l'on vend aux touristes en souvenir, avec des arcs de triomphe, des Napoléons coiffés, des saintes, où il pleut à volonté une neige éternelle, mais celle-ci était peu banale : une femme debout, entièrement nue, les bras écartés en geste d'adoration, le visage tourné vers le haut.

– Une curiosité, un ratage de fabrication, m'a-t-on dit. La couleur bleue n'est pas tombée sur celle-là, une panne. Pas de ciel, pas de manteau bleu pour Marie, du même coup. L'ouvrier ne l'a pas jetée, l'a gardée pour lui et resculpté la petite dame. Enlevé le manteau, taillé deux jambes, des seins, des fesses. Et juste peint les cheveux et la touffe.

– Et où l'as-tu trouvée ?

– Ça...

Je m'approchai de la cheminée pour examiner la boule de plus près. Le sculpteur avait été adroit et patient. Il avait dû se servir d'une gouge d'orfèvre pour creuser le plastique, d'une lime, d'un fer à souder tiède pour polir, d'un pinceau de miniaturiste pour ces cheveux blonds, ces yeux verts. Il avait même plié le genou gauche, esquissé un déhanchement.

– Elle te plaît ? A quoi tu penses ?

Je me rappelais la veilleuse que j'avais eue à Providence, et Victoire après moi, où un Paris monumental et comprimé se couvrait d'une pluie d'or ; le cube magique dont j'avais vu plus tard jaillir Mandrake, un cube de glace ou d'air, d'une matière non précisée, qui lui assurait de grands pouvoirs, un don d'hypnose irrésistible, des passages instantanés dans l'au-delà. Je secouai la boule, un ouragan se déchaîna en spirale autour de l'adoratrice nue.

– Très belle, dis-je. Tout à fait sacrilège.

– Pas forcément. C'est toujours Marie, même comme ça. Rien ne te dit qu'elle n'est pas vierge.

– Elle a l'air un peu pute.

– Mais non. Et la neige, c'est justement Dieu qui lui tombe dessus.

– Vraiment ?

Je posai la boule, défis les boutons de la canadienne, trop grande, que Mariane avait empruntée à Pierre-et-Paul, soulevai un premier chandail.

– Et moi qui n'ai pas de cadeau pour toi...

– Mais si, tu en as un, je vais te montrer.

Elle me fit lever, prit la couverture kaki et sortit du pavillon. Dans un espace dégagé derrière les taillis, elle étendit la couverture sur la neige.

– Il ne fait pas si froid.

Elle me fit allonger contre elle, rabattit les pans de la couverture sur nous, m'aida à descendre son pantalon, ses collants. A chaque mouvement que nous faisions, en roulant l'un sur l'autre, un peu de neige entrait dans notre tente, se posait sur nos fronts, nos joues.

– Il faut se remuer quand même, dit-elle, sinon c'est la mort, la crève, au moins.

Je faillis lui parler de l'hiver 66, où elle n'était pas venue, quand il avait fait si froid ici, une si longue tempête, et que j'avais découvert l'existence du Coq Hardi et les promenades particulières de Pierre-et-Paul. Un océan de neige, une orgie. Elle me demanda une cigarette. Je la pris dans mes bras, la portai sur le canapé dans le pavillon où je rajoutai deux bûches au feu. Un édredon gris nous tint chaud dans le sommeil pour quelques heures jusqu'à l'aube.

La plupart des invités étaient rentrés au petit matin, les filles montées se coucher. Pierre-et-Paul était seul au salon, une bouteille très entamée devant lui, son fusil en travers des genoux. Bien sûr Lou n'était pas venue, n'avait pas téléphoné. Bayard n'en avait d'ailleurs plus parlé, comme si ça lui était complètement sorti de la tête. Il nous avait cherchés dans la maison, à la cave, mais, comme il n'avait pas ses bottes ni la démarche très sûre, Pierre-et-Paul avait pu le retenir d'aller dans le parc. Il avait cessé de boire vers cinq heures, s'était fait du café, et sans un au revoir, raide et tiré, avait pris le volant de la Lancia, s'était enfui.

– Il est peut-être à Paris. Ou bien plus loin. Il reviendra bientôt.

En fait, de ce dernier jour de 68, on ne revit pas Bayard pendant près de deux ans.

V

Dans mon lit, Bayard, elle continue à murmurer parfois ton prénom dans son sommeil. Je dis son sommeil, je ne sais plus si c'est le mien, le sien. Ou bien est-ce ton lit, est-ce mon nom? Et c'est chaque fois le même réveil, la même amertume de te l'avoir prise, nous étions si jeunes, peut-être n'avais-tu pas fini de goûter son sel, ni elle de s'en réjouir. J'ai quelquefois l'impression d'avoir été un ami voleur, un cousin mortel pour tout dire, mais c'était cela la pente du désastre que tu m'avais promis, mon disparu, mon bien-aimé. Tu m'as voulu pour frère, j'ai été ta pénitence.

Je prends soin de Mariane, je lui fais des cadeaux, j'ai des attentions pour elle. Dans les siestes où elle pleure, je la console. Je remplis mon contrat. Jamais sûr d'être à la hauteur d'un chagrin qui vient de si loin. Je lui prépare son thé, je la fais rire, la distrais. Je lui fais l'amant. J'ai eu peur au début qu'elle ne s'en aille, je me suis raccroché à de petites choses, pas certain de lui suffire longtemps, mais quoi. Quand j'étais en elle, je pensais que ce n'était pas moi qu'elle attendait là, mais je donnais le change. Moi ou un autre. Qui savait, après tout, à qui elle songeait en gémissant, les yeux fermés, dans sa nuit, quel visage, quelle image elle voyait, autres que les miens? Je me contentais d'être le porte-flambeau, la taupe. Puisque j'étais

convaincu que vous ne vous retrouveriez jamais. A cause
de moi.

Cela a duré deux ans, après ton départ d'Effondré. Elle
te croyait mort, un jour sur deux, perdait la raison, l'appétit.
Au premier signe de vie que tu as donné, elle a guéri. Et
tu l'as perdue, mais perdue entre mes mains.

*   *

*

J'hésite au moment d'écrire le mot « amour ». Non par
pudeur, pour céder à la mode retenue de ces temps-ci; ni
par manque de sincérité, souci de montrer que moi aussi
je connais tout ce que peut contenir de bon, de charitable,
de dévoué ce mot caressant comme un vin. Mais parce
que les autres hommes l'emploient souvent d'une manière
plus large que moi et y laissent trop d'émotions qui ne
sont pas les miennes au moment où je pense « amour ». Il
m'apparaît en effet, quand l'amour fait une pause en moi,
qu'il y a un aspect morbide dans ma façon d'aimer, comme
un éclatement de mes perceptions : je vois un grain de
peau, une goutte d'eau le long d'un dos, la forme ondulante
d'une nageuse dans l'azur fracassant d'une piscine, j'entends
un timbre de voix au téléphone, je surprends une conversation, un marchandage, j'aperçois les dents blanches d'une
petite Italienne, la bouche ronde et les yeux noirs d'une
adolescente de Nice, je lis ce nom même de Nice et c'est
pour moi comme une penderie pleine de jeunes femmes
à la peau hâlée, aux cheveux relevés en chignons, un
coffre où je les tiendrais à ma discrétion; mais c'est toujours
par fragments que me vient la sensation d'amour. Non
par des personnes entières et véritables, mais par des bouts,
des morceaux, des plaques de leur corps, des secondes de
leur vie, des gestes parfois imperceptibles, très vite accom-

plis, comme de relever une mèche de cheveux ou de porter une main à sa bouche pour y cueillir une cigarette. Mon comportement est peu compréhensible, aussi pour moi-même, à cause de ce regard froid que je porte sur les sujets dont j'apprécie telle apparence, en tel instant, mais c'est quand même de l'amour parce que la violence du désir me met hors de moi, comme une folie, et me fait trouver « amoureuse » la couleur du ciel, la silhouette d'une maison où je convoite une endormie, amoureux le décor minable du café où j'attends une femme, amoureux le temps même qui s'écoule en moi, le temps qui sourd de moi et m'épuise dans ces moments où je me vois en reflet, dans la glace d'une armoire d'hôtel, tenir à deux mains le globe du monde entier, élastique et chaud, m'enfoncer dans le coquelicot d'une agenouillée qui mord l'oreiller et fait trembler la literie, où je crois que l'univers s'est contracté pour ne faire qu'un avec l'anneau étroit où je vibre, l'œil du cyclone, où un calme inhumain me saisit, où je regarde mon image en pantin dans le miroir et ne me reconnais pas tout à fait sous cet angle, mais où je me sens vivre plus pleinement dans les chemins de la sagesse qui doit être la mienne un jour : celle qui me permettra de faire spontanément la différence entre l'amour, celui qui ne s'adresse qu'à une personne, quelle que soit la part d'erreur, d'illusion, de projection fantasmatique, une personne et nulle autre, et le désir, plus pervers, qui admet une infinité d'objets interchangeables, jeunes filles dorées de Roland-Garros, écolières en haillons, petits garçons en patins à roulettes et shorts rebondis, femmes mûres et platinées à gros seins, ou brunes au sang mêlé.

Il m'a ainsi fallu des années pour débrouiller l'un de l'autre en moi, comme ce récit le montre; des années et peut-être ta mort pour reconnaître, au-delà des expériences, des partenaires, la permanence d'une passion, d'un moule que Mariane se vante de pouvoir tenir dans le creux de sa main à tout instant. C'est étrange comme, en un sens, tu pensais la même chose, plus soumis encore que moi à la force et la versatilité du désir, comme tu croyais aussi, avec moi, avec Alexandre, à la puissance des choses écrites, des testaments et des lettres; c'est ce qui m'est apparu en lisant ton « Journal », ce que j'en ai trouvé dans ton manteau, que je publie ici bien au chaud au milieu de mon livre. J'en ai changé fort peu de chose, constate-le, où que tu sois, je me suis borné à l'indispensable. Je n'ai ôté aucune des critiques que tu formules sur *Providence* ou ma personne, n'ai gommé aucune de tes ironies. Plutôt cherché à te protéger sur quelques points, toi et ton nom. Et je n'ai pu m'empêcher par endroits de reprendre le style vraiment trop sec que tu avais adopté; j'ai glissé par-ci par-là des paragraphes, des dialogues, inventés évidemment, ou reconstitués pour être plus équitable, afin de mettre un peu de vie dans ces carnets, par ailleurs si elliptiques et démoralisants. Il est vrai, tu ne songeais pas à l'édition.

*   *
*

J'ai rencontré l'oncle Robert sous un chapeau impertinent. Vieilli, fripé. Et déprimé. Une première fois, il m'a assommé avec des discours apocalyptiques sur l'assassinat du pape, imminent, la prophétie de Malachie, dans le genre : ne sentez-vous pas que nous vivons des années inutiles, une période stérile de notre histoire, une de ces pannes où s'enlise une nation, en quelques années, toute une génération frappée de silence (il parle pour lui), comme une récolte fusillée par la grêle, un malheur inexplicable dans l'instant, dont on ne sait qui ni quoi accuser : le confort, le bonheur, la perte des colonies, des doctrines, le poids d'une langue trop rigide, obsolète, l'absence d'audacieux, d'auteurs (merci)? Et que la lumière des mots quitte la langue française pour l'américaine, parce que notre pays est trop petit, trop mesquin dans son jus, pour avoir quelque idée neuve à offrir au monde? J'ai coupé court en lui demandant simplement l'heure, qu'il n'avait pas.

Il m'avait fait un sale effet; ce n'était pas lui, ce ton-là, ces idées générales. La seconde fois où je le vis, il était catastrophé mais bien plus gai. En réalité, ce qui le préoccupait était que son feuilleton pornographique et clandestin plaisait de moins en moins à son éditeur (une collection à grand tirage, sous cellophane, pour les gares, très à cheval sur les règles du genre), parce qu'il devenait assez loufoque :

– Vous comprenez, les héros se transforment trop vite, se changent en bêtes, deviennent des objets, ressuscitent. L'homme découpe une fille à la tronçonneuse : très bien, dit l'éditeur. Et, chapitre suivant, le type recolle les morceaux de la fille dans le désordre, ce qui est assez drôle, pour faire l'amour, non? Je ne comprends plus, dit l'éditeur. Et moi : je n'y peux rien, c'est ma vie... Vraiment? fait l'autre, écœuré. Oui, du moins mes rêves, je ne peux les chasser comme ça. L'éditeur me conseille un psychiatre et me coupe les vivres.

Sans compter, ajouta Robert, qu'il avait de grandes difficultés à trouver un équilibre avec les mots qui concernent ces choses-là :

– On dit une « pipe », un « pompier », c'est logique, il y a l'idée d'aspirer, de sucer. Mais les Espagnols, par exemple, disent « faire une trompette ». Or on n'aspire pas dans une trompette, jusqu'à présent. Et les Américains, *blow-job*, ce qui est pire, à croire qu'ils font ça en soufflant dedans. Qui résisterait à ça?

Je lui suggérai d'examiner l'expression *to blow a kiss*: donner un baiser, ce qui alluma une ampoule sous son feutre mauve. Et lui interdis la psychiatrie : aucun collectionneur de têtes ne lâcherait un homme capable à son âge de se poser des questions pareilles.

– Souffrir, lui ai-je ordonné en le quittant, souffrir et subir.

Il était aux anges.

*   *
*

Il y eut un meurtre au Coq Hardi, dont on ne découvrit pas le coupable. Les gendarmes comme les habitants d'Effondré et de By ne le cherchèrent pas très activement : cela devait arriver, paraît-il. Jean-Luc remonta à Paris, Germaine boucla le café, revendit son fonds de commerce et le billard à un Hongrois qui repeignit tout en blanc et se constitua vite une clientèle de petits-bourgeois et de Parisiens en week-end, avec un goulasch trop pimenté et des tournées de tokay à l'œil.

On n'a pas su exactement ce qui s'était passé. Une vengeance, un jeu entre ivrognes : Dédé avait été retrouvé mort dans sa chambre, éventré d'une décharge de chevrotines, le canon de l'arme profondément enfoncé, dit-on, par là où il avait péché, sans qu'on ait pu identifier le propriétaire du fusil ni relever d'autres empreintes sur la crosse et la détente que celles du mort. Il pouvait s'agir tout aussi bien d'une forme de suicide. J'inclinai d'abord pour la thèse d'un meurtre par l'un de ces paysans imbibés et honteux qui fréquentaient le bar, un bûcheron, un forestier humilié, berné par quelque mauvais tour de Dédé.

Puis je me souvins du fusil de Pierre-et-Paul et le soupçonnai aussi. Mais il avait un alibi, il était à Paris le soir du crime. Dédé fut enterré sans sacrements au cimetière de By en présence de Germaine et Jean-Luc, et le Coq Hardi ferma ses portes le jour même. « Il ne pouvait rien lui arriver de mieux », dit Pierre-et-Paul.

Néanmoins, l'assassinat du Coq Hardi dut lui faire peur, il interrompit ses promenades nocturnes et peu après rentra à Paris et prit en gérance une boutique de brocante sur la rive gauche, exposant quelques meubles du Bel-Air, ainsi que la boule de pierre bleue de sa chambre, en montre dans sa vitrine, qu'il se refusa toujours à vendre. En moins de cinq ans, il noua un réseau d'amitiés parmi les antiquaires les plus fortunés, ceux de sa paroisse, assez solide pour s'établir dans un local rue de Beaune, à quelques mètres de l'appartement où Bayard avait vécu avant de fuir l'inspecteur Soutre. Il a quarante ans aujourd'hui et vit seul, du bénéfice d'un fauteuil ou d'une commode Louis XVI par semaine.

Aurélie a cessé d'être mannequin et travaille dans la publicité. Je ne la vois jamais. Pas plus que ma sœur Victoire, partie aux États-Unis où elle s'est mariée à un homme d'affaires, véreux je crois, dont elle a eu deux filles qui ne parlent pas un mot de français. Quant à Louise, elle est toujours professeur, à trente ans, en poste à l'étranger et n'a que des amants trop jeunes qui l'ennuient.

*   *

*

Après le décès d'Anicet, Marie se retira pour mourir à l'hôpital de Malakoff sur la route de Vaux et laissa à l'abandon la maison de Suzanne L'Ansecoy à Mornac, dont l'aile nord enfin s'éboula, comblant de ses pierres, de ses planches, de ses meubles, de ses tuiles, tout un bassin de vase en contrebas. Le notaire de Saujon l'acquit en paiement des droits de succession et la fit remettre en état, tronquée, fortifiée d'une terrasse d'où chaque soir il observe le clocher de Marennes, la brume au-dessus de la Seudre, et délivre ses prévisions météorologiques pour le lendemain. Le seul courrier de lui que je reçus après la publication de *Providence* contenait une photo de Suzanne L'Ansecoy prise un an avant sa maladie, entourée de ses enfants et petits-enfants, un jeu de cartes, celles du poker, ainsi qu'une poignée d'allumettes.

Mes parents n'ont pas voulu rebâtir Providence, ce qui n'était plus de nos jours dans les moyens d'un homme même honnêtement riche comme Pierre. On n'aurait plus trouvé les matériaux ni la main-d'œuvre à bon marché, comme au siècle passé, et d'ailleurs Pierre ni Suzanne n'en avaient l'envie, étant d'un tempérament moins fastueux et gaspilleur qu'Alexandre. Ils choisirent, à quelque trois cents mètres de la mer, un terrain dans les bois pour y construire une maison sans souvenirs, dallée de blanc, avec de grandes pièces cubiques meublées dans le style anglais, où je viens trop peu souvent. La querelle familiale s'est éteinte d'elle-même, avec les morts ; plus personne n'évoque la maison de Taillebourg, la porte bleue, la ferme de la Clisse, dispersées elles aussi. Par moments, il m'arrive de repenser au rêve que fit Yvonne quand elle était enceinte de Mariane, au jeune dîneur qu'elle avait vu attablé pour un repas silencieux, et je devine à demi que cette vision irrésolue ne pouvait concerner que Bayard, le soupeur solitaire, qui mourrait par le feu, près de quarante ans plus tard, sans avoir beaucoup parlé, en effet, de son vivant.

*   *
*

Quand Bayard s'enfuit d'Effondré, fin 68, après l'échec de sa dernière esbroufe au sujet de Lou, je ne me suis pas installé tout de suite avec Mariane. Elle n'y était pas prête et je n'avais pas de métier. J'en exerçai donc plusieurs. Je voyageai de longs mois aux dépens d'éditeurs pour établir des guides touristiques et livrer des reportages « de fond » aux rares journaux qui me payaient une partie des frais. Je visitai l'Asie, l'Amérique du Nord, les pays dévastés aussi, d'où le courrier ne partait jamais, sans parvenir à bien supporter l'exil au-delà de trois semaines. Je pris des notes, des centaines de pages, pour des livres que je ne terminai pas. Abuser de plus pauvres que moi m'ennuyait. En France, je me mis à jouer aux cartes avec moins de scrupules et gagnai quelque temps ma vie comme Bayard dut le faire, lui aussi, avant de préférer se prostituer. Je connaissais des tours, des façons de battre les cartes, de faire les annonces, à la limite de la tricherie, je fréquentais des cercles, des clubs en appartement.

Je voyais autant que possible Mariane au Bel-Air et tantôt à Paris; jamais chez elle ni chez moi, mais à l'hôtel. Sans nouvelles de Bayard, elle ne voulait envisager une autre vie. Quand il revint et qu'elle se montra disponible, j'étais engagé dans une liaison prématurée avec une très jeune fille et j'écrivais mon deuxième roman dans un grenier pointu où j'étais cartomancien au noir. Mais je ne pouvais aimer tout à fait ma compagne; de plus belles, des nouvelles m'en écartaient. Elle changea la forme de son nez et partit un jour de juin. Un deuil s'ensuivit, comme pour tout célibataire ayant à tort rompu ses vœux, et j'errai près d'un an dans l'intimité du Cirque d'Hiver avant de retourner à Effondré. Mes honoraires de polygraphe et d'enquêteur-devin me permettaient désormais de diviser ma vie entre Paris et Effondré, de suivre Mariane qui ne travaillait pas vraiment, sinon pour de courtes périodes, un défilé de couture, un salon, quelques leçons d'anglais en privé. Bien que les relations entre nous trois fussent enfin claires, je ne tenais pas à habiter avec elle dans l'immédiat, pas à Paris du moins où nous étions la moitié du temps. Je savais que nous pouvions l'un et l'autre nous passer pour partie de ce qu'on nomme à juste titre une épreuve, celle de la vie commune, sans nous perdre. Bayard ne s'y trompait pas pour autant et je ne le vis tenter aucune de ses vieilles manœuvres de reconquête. Au contraire, tout comme il s'était absenté pendant deux ans, sans prévenir, ni se signaler une seule fois, ni s'expliquer ensuite, il continua d'entretenir son secret, prétendit habiter au hasard chez les uns les autres, ne pas avoir un numéro où le joindre. « C'est moi qui vous appelle. » Et ne multiplia pas les rendez-vous à Paris. On savait encore moins d'où lui venait l'argent qu'il dépensait largement, sa bourse d'études ne pouvait lui offrir ces chemises de soie, ces mocassins italiens, ces cigarettes suisses ou anglaises, « les introuvables, les meilleures ». Mais lui poser la question était exclu, il se serait levé aussitôt, aurait pu disparaître à nouveau pour deux ou trois ans. Je ne le voyais pas boire excessivement, moins qu'auparavant, et je ne savais s'il prenait des toxiques sous quelque forme (bien qu'il fasse l'étonné, dans son « Journal », devant la proposition d'Éléazar, anodine à ce stade de leurs rapports, de recourir à un peu de drogue pour s'oublier), mais je remarquai qu'il changeait très souvent de physionomie. Le plus souvent beau, mince, il lui arrivait qu'un jour, une soirée, il paraisse bouffi, les traits affaissés, les yeux cernés, le teint gris, une tête de cancéreux, alors qu'il avait à peine trente ans. Puis le lendemain ou au rendez-vous suivant, il arborait sa vraie jeunesse, son air guerrier, préservé du temps, même au terme d'une nuit blanche passée, de bar en bar, entre Montmartre et Montparnasse. Comme s'il était sujet à une maladie à éclipses, à de soudains rappels de l'âge. Il ne parlait pas de sa santé et on n'a guère fait son autopsie, mais, à moins d'un mal chronique attrapé dans un pays de fièvres, je croirais volontiers qu'il n'était pas « novice » en matière de poisons de luxe et qu'il en payait ainsi l'abus par sa mauvaise mine. Un novice n'aurait pas si vite et si bien réagi au petit miroir d'Éléazar. N'aurait rien ressenti.

*   *
*

En dehors de la période de mon couple avec la trop jeune fille, mécontente de son nez comme de moi, je n'ai plus quitté Mariane, à Effondré du moins, soit six mois sur douze. Blanche, après avoir fêté ses quatre-vingts ans, devint raisonnable enfin, et plus tolérante. Elle accepta de nous voir vivre chez elle comme un vieux ménage. Nous ne nous cachions plus d'elle, à quoi bon : les voisins qui ne voyaient pas grand-chose, à cause des hauts murs et de la glycine triomphante, en avaient quand même vu bien d'autres, et de pires, sans s'en émouvoir, et nous étions la plupart du temps seuls avec elle, les seuls à lui rester fidèles. Aurélie venait une semaine en été, deux nuits à Noël, avec Pierre-et-Paul. Blanche m'offrit donc de choisir en toute liberté ma chambre, une ou deux si cela m'arrangeait, et d'apporter ici mes livres, mes vêtements, comme chez moi, pour ne manquer de rien. Je quittai la chambre où j'avais veillé si longtemps avec Gigi (parti depuis lors vers le monde meilleur des chats méritants) pour partager celle de Mariane, meublée d'un plus grand lit, et j'annexai comme bureau celle d'Aurélie à côté.

Bayard venait à l'improviste, comme toujours, avec sa clé. Presque chaque mois, au début, puis de moins en moins souvent au fil des années. Il ne devait pas aimer me voir ici avec Mariane, même s'il s'avouait qu'aucune autre solution ne lui aurait convenu, et qu'il avait été, de surcroît, l'artisan de celle-ci. Mais il n'y avait rien à argumenter, il ne discutait pas; il était contrarié, irrémédiablement, par cet état de choses (et comme m'en avait prévenu Alexandre, de savoir qu'on a tort dans son ressentiment ne l'adoucit en rien), c'était comme une irritation réflexe dès qu'il arrivait et constatait que j'habitais cette maison bien plus que lui, que Blanche me traitait en petit-fils, mieux peut-être qu'elle ne l'avait fait pour Pierre-et-Paul autrefois. Son propre mode de vie, tel que je le pressentais, avant d'en connaître le détail par son « Journal », contribua aussi beaucoup à espacer les visites de Bayard, à les écourter. Il avait toujours un rendez-vous oublié, une affaire à conclure, une raison de partir en coup de vent. Mais comme il aimait Blanche plus que personne, il revenait.

Blanche, au même âge où Alexandre était mort, sinon invalide, trahi par la mécanique, était très alerte, bavarde, avait toute sa mémoire et, à l'inverse de tant de vieillards, plus de gaieté, d'insouciance que par le passé, à mesure que le temps se retirait d'elle. Elle continuait à greffer ses arbres fruitiers, à faire à pied son marché. Tous les soirs, elle descendait jusqu'à la Seine et regardait l'eau verte où elle n'avait plus la force de nager.

– Ce n'est pas qu'elle soit froide, disait-elle pourtant, de mars à la fin d'octobre.

Quand son fils Charles s'était tué avec Yvonne en manquant le pont de Tonnay-Charente, elle avait montré presque autant de colère que de peine :

– Moi, je les aurais tirés de là.

A dix-sept ans, elle avait eu les honneurs du journal de Fontainebleau pour avoir sauvé une femme et ses deux filles de la noyade. Elle était à l'ombre sous les peupliers, un après-midi d'août trop chaud, étendue dans l'herbe. Il n'y avait eu aucun cri, aucun appel au secours. Juste un silence. Plus de rires, de clapotis sur la berge où elle avait vu les enfants, de l'eau jusqu'aux genoux, s'avancer vers leur mère qui se baignait. Un silence trop soudain. Elle s'était levée, avait couru vers le fleuve, ôté ses chaussures.

– On ne voyait plus rien à la surface, comme si elles étaient parties plus loin, n'avaient jamais été là. Mais j'avais aperçu, dans un étourdissement, comme un gros titre de journal, en grandes lettres noires, le mot NOYÉES, ce qui aurait été imprimé à coup sûr le lendemain si je n'avais plongé. Je ne distinguais rien sous l'eau, déjà sale à l'époque, mais j'ai trouvé des cheveux, un petit pied et en deux fois je les ai remontées toutes les trois. Après quoi, je suis tombée dans les pommes comme une idiote. Tout habillée et trempée.

Et chaque fois qu'elle répétait cette histoire, en écarquillant les yeux, les mains ouvertes à plat comme sur une vitre devant elle, une affiche, elle insistait sur ce mot de six lettres, ce titre à sensation, dont la prémonition continuait de l'émerveiller encore, malgré ses convictions rationalistes et athées. Ou à cause de celles-ci, qui l'avaient empêchée de prendre une seule seconde au sérieux les visions, tout aussi surnaturelles, qu'avait eues sa belle-fille Yvonne avant la naissance de Mariane, des visions dépourvues de sens, des devinettes, des charades, qu'elle balayait, si l'on osait poursuivre, d'une question qui n'appelait pas de réponse :

– Mais enfin, ces hallucinations, ça lui a servi à quoi, vous pouvez me le dire? Elle n'a pas sorti trois personnes de la noyade, que je sache?

Comme si tirer ma cousine du néant jusqu'en ce monde comptait pour rien. On ne pouvait pas lui tenir tête, pas plus qu'à Alexandre, surtout après un verre de morgon et si Bayard était présent à table, pour ces dîners près de la cuisinière en fonte, les seuls moments où nous étions vraiment tous les quatre ensemble.

Blanche ne survécut pas plus d'un mois à Bayard. Elle ne mangeait presque plus rien, raide dans son lit, refusant de nous regarder, de nous répondre, et parlant toute seule dès que nous avions le dos tourné. Le médecin de By vint la voir un matin, après que Mariane eut embrassé sa joue froide au lever, et ne put que constater, sans invoquer de raison médicale précise, cardiaque ou nerveuse :

– Quatre-vingt-quatorze ans. Elle s'est arrêtée, voilà tout.

Il revint le soir, en ami, puis nous conseilla une maison de pompes funèbres de Montereau :

– C'est chercher loin pour lui faire faire cinq cents mètres, mais ce sont des gens bien. Des gens comme elle. Si on peut dire qu'il y ait des croque-morts de gauche.

Le menuisier s'excusa au téléphone, il ne serait pas libre avant trois jours. Pouvions-nous attendre jusque-là? On était encore en hiver. La surprise fut, quand il vint prendre ses mesures avec un apprenti, que Blanche aurait pu attendre bien plus longtemps. Elle ne faisait pas une morte ordinaire, la peau sèche et polie, retendue, d'une couleur cireuse uniforme, ne dégageait aucune odeur. Depuis toujours je pensais qu'elle finirait dans une élégante camisole de « fourrure grise », comme toutes les choses vivantes qu'elle avait eues entre les mains, lapins, anguilles, canards, qu'elle avait tuées avant de les oublier, de les abandonner aux mains gantées de la fourrure toujours en maraude dans cette maison, et elle trouvait le moyen de se momifier toute seule, comme préparée par un maître embaumeur. Elle n'avait pas changé quand le croque-mort apporta le cercueil le surlendemain. Il la toucha en plusieurs endroits, aux chevilles, au cou, visiblement ému par le cas de Blanche, nous laissa l'embrasser. Mais c'est lui qui eut le dernier regard sur elle, à regret, avant de visser le couvercle en place. Il parut plus recueilli et méditatif que son métier ne l'y obligeait d'habitude en nous précédant au cimetière. Avant de partir, il dit simplement :

– Vous auriez encore pu la garder avec vous, j'en suis sûr. Au moins jusqu'aux beaux jours.

Au grenier, Mariane me fit ouvrir une malle pleine d'anciennes photos prises avec un appareil à soufflet. Les parents de Blanche, le voyage de noces de Blanche à Venise. Des dizaines de boîtes sur Venise et, de temps en temps, Blanche à dix-sept ans, après le fameux sauvetage, félicitée par le maire; à dix-neuf ans, en robe d'été; à vingt-deux ans, une cigarette à la main. Pour la première fois je voyais le visage qu'elle avait eu, cet air délié, effronté, elle et ses amies de lycée que je n'avais connues, pour deux d'entre elles qui habitaient Effondré, que voûtées et ridées, peu avant leur mort, ici radieuses et attirantes sur les clichés sépia aux bords dentelés.

– Et nous, c'est pour bientôt, on n'a plus vingt ans, dit Mariane.

Je n'avais pas une seule photo de Mariane à seize ans, de ces petits déjeuners sur la terrasse de Providence dans la blancheur et l'or du matin, de ces moments immobiles qui durèrent si peu. Aucune trace. Quelques semaines plus tard, à Paris, j'ouvris par hasard un recueil d'autochromes de Jacques-Henri Lartigue et tombai en arrêt sur une image qui, par sa composition, son ciel rose à fond perdu, ses couleurs poudrées, son calme indestructible – une jeune fille masquée d'un chapeau devant une table fleurie à la fenêtre d'angle d'un hôtel sur la Côte –, s'approchait un peu de la chance vacillante, entrevue comme une auréole protégeant Mariane et Providence, que je n'avais su fixer sur le papier. En bas, une légende indiquait : « Bibi au restaurant d'Éden Roc. Cap d'Antibes, 1920. »

*   *

*

Puisque à ton buisson ardent, à tes lèvres, à ton suc, Mariane, à ma faim de toi, ces pages sont dédiées, que m'importent aujourd'hui les lois et les images de l'Age d'Or, sa carte et son territoire. Que m'importe aussi la durée, qui est la malédiction du temps, et dont seul nous délivre l'instant. Le court instant de fusion avec l'en dehors du temps, quand le deuil et la dégradation qui s'accomplissent dans le déroulement des jours, pour tous, en tout lieu, où que nous régnions, que nous soyons esclaves, s'immobilisent tout à coup, loin des calendriers, des montres, des mouvements du soleil et des astres, se figent en pure jouissance, dans la nuit ronde d'Aurélie ou dans la tienne, entre vos mains, vos draps. Tous ces coups que j'ai enfouis en vous, je voudrais les confire, les congeler, les plonger dans l'air liquide, ensemble avec vos corps, pour tenir une banque froide de ces aventures de l'instant, où je plongerais mes mains d'avare quand l'âge viendra me ceinturer le pantalon de sa poigne cendrée, et les sortirais de la glace, un à un, dans les moments de mol ennui, les réchaufferais entre mes mains, les ferais reluire ou chanter à nouveau, comme autrefois je fis briller ces bouches et ces yeux, et les entendrais des années après en avoir eu le miel, tout comme j'entends encore la voix de mes amis morts sur des bandes enregistrées, des cassettes de failli, de banquerouté. « Ma cassette, ma cassette », qui me la rendra, cette voix qui me clouait le bec dans mes seize ans? La cime des arbres dans le parc, je n'y grimperai jamais, pas jusqu'à la dernière feuille. Comme les vagues de la Côte Sauvage dont Alexandre savait qu'il ne s'y roulerait plus, qu'elles déferleraient sans lui, après lui, pour des siècles.

*   *
*

Mariane est sortie et je suis dans la salle à manger aux oiseaux. Le soleil entre de côté par la fenêtre ouverte, l'air de la forêt courbe une rose dans le vase sur la table. Mariane est sortie, partie, je ne sais pourquoi ni combien de temps. Elle sera toujours alentour. Elle ne sait pas ce qu'elle attend parfois. Un enfant. Une peur. J'ai des chaussures de daim aux pieds, des chaussures qui d'un coup pèsent cent tonnes, ont cent ans, poussent des racines de bois dans le parquet. Mon bras gauche ne peut plus quitter ma jambe où il s'enfonce; le droit se soude à la table de chêne, se couvre de mousse, bientôt le lierre viendra me garrotter. Dans ma main morte, je tiens une photo encore: la dernière que je connaisse de Bayard, prise ici même il y a trois ans avec mon appareil à déclencheur-retard, posé sur le buffet de la cuisine, à la fin d'un dîner. Mariane sourit à l'objectif, sa main sous la table me pince la jambe et je grimace juste un centième de seconde. Il y a des plats vides devant nous, des bouteilles vides. Blanche est de trois quarts, s'est retournée, un bras levé pour lisser ses cheveux blancs. Elle plisse les yeux, elle n'aime pas le petit éclair qui va venir. Bayard lui tient la main, au-dessus de la corbeille de pain. Nous n'en doutons pas alors, nous sommes ensemble, nous sommes heureux. Bayard a raconté l'histoire du funambule Karl Wallenda qui s'est tué le 22 mars 1978 à Porto Rico en

474

tombant de son fil, à soixante-treize ans, après que la moitié de sa famille eut subi le même sort avant lui au cours d'acrobaties diverses, fils, filles, gendres. Et lui le dernier. Il a sorti de sa poche la page de *Newsweek* où l'on voit sous le titre « The Fall of the Great Wallenda » une série de photos où se décompose sa chute. Il aime ce personnage, cet homme qui n'a jamais renoncé à tomber.

Ta chute, Bayard, a arrêté notre temps aussi. Nous avons gardé ta place, ton couvert. Je regarde la table et la coupure du journal, le funambule qui bascule en quatre instantanés, tes mains et celles de Blanche. Je rentre dans la photo. Car il y a de nouveau un dîner de spectres, en hiver, dans ce nid de gentilshommes, comme tu nommes la maison de Blanche. Elle est là, comme toi, inexpugnable, et Aurélie et Pierre-et-Paul sont revenus avec nous, les vivants et les morts, réunis pour un repas sans fin, très lent, où l'on boit du vin interminablement sans être ivre, où l'on sait que l'on ne viendra jamais à bout des rôtis, des gâteaux, où l'on ne dessert pas la table. Un dernier rêve de guerre mondiale est passé, tout a péri autour, tout est achevé, nous avons vécu et, défunts, nous conversons comme des défunts, avec nos différends, notre amour, notre amitié, réconciliés mais quand même. Un tel souper de vent, qu'espérer de mieux, toi qui marchais la nuit, des heures durant, en te demandant jusqu'où tu allais vivre ? Toi qui te récuses maintenant et me dis que, de tous les animaux qui savent qu'ils vont mourir, ceux qui écrivent en sont les plus avertis, que c'est là leur passion. Je le crois. Que la vie d'un écrivain est l'histoire d'une défaite, cela aussi je le sais assez.

Table

Providence

Journal de Bayard
1984

BRODARD ET TAUPIN À LA FLÈCHE
DÉPÔT LÉGAL SEPTEMBRE 1995. N° 25784 (1256M-5)